Kritische Studien zur Geschichtswis

KRITISCHE STUDIEN ZUR GESCHICHTSWISSENSCHAFT

Herausgegeben von
Helmut Berding, Jürgen Kocka,
Hans-Christoph Schröder, Hans-Ulrich Wehler

Band 17

Siegfried Mielke
Der Hansa-Bund für Gewerbe, Handel und Industrie
1909–1914

GÖTTINGEN · VANDENHOECK & RUPRECHT · 1976

Der Hansa-Bund für Gewerbe, Handel und Industrie 1909-1914

Der gescheiterte Versuch einer antifeudalen Sammlungspolitik

VON

SIEGFRIED MIELKE

GÖTTINGEN · VANDENHOECK & RUPRECHT · 1976

FÜR MARGRET

CIP-Kurztitelaufnahme der Deutschen Bibliothek

Mielke, Siegfried
Der Hansa-Bund für Gewerbe, Handel und Industrie 1909–1914
[neunzehnhundertneun bis neunzehnhundertvierzehn]:
der gescheiterte Versuch e. antifeudalen Sammlungspolitik.
(Kritische Studien zur Geschichtswissenschaft; Bd. 17)

ISBN 3-525-35968-3

Gedruckt mit Unterstützung der Ernst-Reuter-Gesellschaft
der Förderer und Freunde der Freien Universität Berlin e. V.

Umschlag: Peter Kohlhase
 – Satz und Druck: Gulde-Druck, Tübingen. –
Bindearbeit: Hubert & Co., Göttingen

Inhalt

Vorbemerkung

Obwohl 1911 der Hansa-Bund nicht ganz zu Unrecht der „Angelpunkt der inneren deutschen Politik“[1] genannt wurde, gibt es bisher keine umfassende wissenschaftliche Untersuchung[2] über diese bedeutende wirtschaftspolitische Interessenorganisation (Mitglieder waren u. a. Großbanken, Schwer- und Fertigindustrie, Groß- und Kleinhandel, Handwerk und Angestellte) des deutschen Verbandswesens. Sie wurde 1909 gegründet, um das Bündnis zwischen Großindustrie und Junkertum zu zerschlagen, den Einfluß des letzteren zurückzudrängen und den des liberalen „erwerbstätigen Bürgertums“ auf den politischen Entscheidungsprozeß zu verstärken.

Aufgabe dieser Arbeit wird es sein, Ursachen und Gründungsprozeß dieses politischen Kampfverbandes des liberalen Besitzbürgertums zu untersuchen; ferner sind seine Zielsetzung und die Mittel der Einflußnahme zur Durchsetzung seines Programms zu analysieren. Ausgangspunkt der Untersuchung ist eine Analyse des sozio-ökonomischen Strukturwandels und der herrschenden politischen Machtverhältnisse.

Im zweiten Kapitel folgt eine Strukturanalyse des Hansa-Bundes. Dabei wird von den Thesen ausgegangen, daß 1. ein politischer Kampfverband, der einen großen Teil der Bevölkerung politisieren will, stärker als ein Fachverband zu diesem Zweck den Mitbestimmungswillen seiner Mitglieder aktivieren und dieselben vor einem Konsumentenverhalten bewahren muß, daß 2. ein hoher Allgemeinheitsgrad des Programms den Entscheidungsspielraum der obersten Führungskräfte vergrößert. Mit Hilfe der kombinierten Positions- und Entscheidungsanalyse wird versucht, die tonangebenden Kräfte im Hansa-Bund zu identifizieren. Ferner werden in diesem Kapitel der Willensbildungsprozeß, der Organisationsgrad, der Grad der Repräsentativität, die Form der Rekrutierung der Führungsgremien und die Mittel der Einflußnahme des Hansa-Bundes dargestellt und analysiert, um die Schlagkraft und die Chancen der Durchsetzung seines Programms beurteilen zu können.

In den Kapiteln III bis V soll insbesondere nach den Hauptadressaten und den Mitteln zur Einflußnahme gefragt werden. Chancen und Intensität des Interesseneinflusses hängen nicht nur von dem Verhalten der politischen Entscheidungsträger, sondern ebensosehr von den verfolgten Zielen, den eingesetzten Mitteln und Methoden der Einflußnahme, ganz besonders jedoch von den gleichgearteten oder den entgegenstehenden Interessen der jeweiligen Adressaten ab. Es wird daher in diesen Kapiteln danach gefragt, ob, und wenn ja, inwieweit zwischen dem Hansa-Bund und den wichtigsten Spitzenverbänden und Parteien, Parlamentsfraktionen und den Regierungsinstanzen ideologische und programmatische Affinitäten und Personalunionen existierten, die geeignet waren, ein Zusammengehen mit anderen Verbänden und den Parteien zu erleichtern bzw. das parlamentarisch-politische Verhalten der Abgeordneten zu präformieren. Zu fragen ist in diesem Zusammenhang insbesondere nach den Motiven des Beitritts des bisherigen Bündnispartners des Junkertums, der Schwerindustrie, zum Hansa-Bund. Zu prüfen ist die These, mit dem Beitritt des Centralverbandes Deutscher Industrieller zum Hansa-Bund sei das seit 1876 existierende Bündnis zwischen Junkertum und Schwerindustrie aufgelöst worden. Von Bedeutung erscheint ferner die Frage, ob und wenn ja, mit welchen Mitteln und Methoden es dem Hansa-Bund gelang, die Angestellten und den weitgehend protektionistisch eingestellten Mittelstand in diese von Bank- und Großhandelskreisen und der Fertigindustrie getragene Sammlungsbewegung zu integrieren und wie das Verhältnis zwischen Hansa-Bund und dem Bund der Industriellen war. Da die Adressaten eines politischen Agitations- und Kampfverbandes in erster Linie die Öffentlichkeit, die Parteien und Parlamente sind, kommt der Frage nach der Intervention bei den Parlamentswahlen erhebliche Bedeutung zu, zumal da die Analyse der Kandidatenaufstellung und -durchsetzung Rückschlüsse auf das Verhältnis von Parteien und Verbänden, auf die innerparteiliche Willensbildung und den Rekrutierungsprozeß eines der wichtigsten Adressaten des Verbandseinflusses, das heißt der Parlamentsfraktionen, und auf den Grad und die Konsequenzen, mit der die Ablösung der herrschenden Schichten betrieben wurde, zuläßt.

Zu fragen ist schließlich nach den Reaktionen der konservativen Kräfte in Industrie, Gewerbe und Landwirtschaft auf die Politik des Hansa-Bundes und deren Rückwirkung auf die innenpolitische Konstellation. In diesem Zusammenhang ist die Frage aufzuwerfen, ob die Politik des Hansa-Bundes zu einer verschärften Polarisierung zwischen den an der Erhaltung des Status quo interessierten und den auf Veränderung drängenden Gruppierungen beitrug. Oder weisen die innenpolitischen Auseinandersetzungen auf ein differenzierteres Kräfteverhältnis zwischen den Parteien und Verbänden und die Entstehung einer „Konzeption der Mitte" hin?

Die vorliegende Arbeit wurde im März 1972 vom Fachbereich 15 der Freien Universität als Dissertation angenommen. Der Verfasser ist den Berichterstattern Heinrich August Winkler und Frau Hannelore Horn für das außerordentliche Entgegenkommen bei der kurzfristigen Annahme der Arbeit zu großem Dank verpflichtet. Mein Dank gilt ferner all denen, die mir bei der Materialbeschaffung behilflich waren, insbesondere den Leitern bzw. den zuständigen Referenten der im Anhang genannten Archive; ferner meinem verstorbenen Lehrer Ernst Fraenkel und zahlreichen Kollegen für wesentliche Hinweise. Zu danken habe ich schließlich insbesondere den Herausgebern für zahlreiche wertvolle Hinweise für die Überarbeitung dieser Studie und für die Aufnahme in ihre Reihe „Kritische Studien zur Geschichtswissenschaft".

I. Die ökonomischen und politischen Herrschaftsverhältnisse am Ende des Kaiserreichs und die Gründung des Hansa-Bundes für Gewerbe, Handel und Industrie

Die Frage nach der Entstehung von Interessengruppen wird in der historischen Verbandsliteratur zumeist nur am Rande behandelt. Ausnahmen bilden hier z. B. Erdmann, Kaelble, Krüger, Nipperdey, Puhle, Schulz und Wein[1]. Die Auseinandersetzung mit diesen Autoren erfolgt jedoch nur insoweit, als dies für die Darstellung und Analyse der Gründung des Hansa-Bundes notwendig erscheint. Der Gründung eines Verbandes kommt nicht nur unter dem Aspekt der Theorie der Entstehung von Interessengruppen, sondern auch deshalb große Bedeutung zu, weil dieser Vorgang in engem Zusammenhang mit den ökonomischen, sozialen und politischen Herrschaftsverhältnissen steht. Hinzu kommt, daß in der Gründungsphase häufig die Weichen für die spätere Entwicklung gestellt werden[2]. Die Frage nach den Entstehungsgründen des Hansa-Bundes kann daher mit dem Hinweis auf die Reichsfinanzreform von 1909[3] nicht zufriedenstellend beantwortet werden. Die folgende Darstellung und Analyse der Entstehungsgeschichte des Hansa-Bundes geht von der These Max Webers aus, daß es „zu allen Zeiten" die „Erlangung ökonomischer Macht" war, die „bei einer Klasse die Vorstellung ihrer Anwartschaft auf die politische Leitung entstehen"[4] ließ. Eine These, die dahingehend zu ergänzen ist, daß Entscheidungen bzw. unterlassenen Entscheidungen des politischen Systems, d. h. seiner Führungseliten, eine wesentliche Bedeutung für Zeitpunkt und Form der Artikulation und Organisation einer solchen Anwartschaft zukommt. Hieraus seien die folgenden Hypothesen abgeleitet:

1. Je größer der Machtzuwachs auf ökonomischer Ebene, desto heftiger wird der Anspruch auf die politische Leitung angemeldet werden. Oder mit anderen Worten, je größer die Differenz zwischen ökonomischer und politischer Machtverteilung, desto stärker werden die davon benachteiligten Schichten bzw. Klassen ihre politischen Machtansprüche anmelden, um die „mangelnde Synchronisation von wirtschaftlicher und politischer Entwicklung"[5] aufzuheben.

2. „Die Organisations-[6] und Konfliktfähigkeit"[7] der benachteiligten Schicht(en) bzw. Klassen werden mit wachsender Differenz zwischen ökonomischer und politischer Machtverteilung zunehmen. Sie hängen ferner zu einem erheblichen Teil von der Politik der „ökonomisch sinkende(n) Klasse"[8] ab. Je stärker diese in ihrer Politik die Veränderungen im sozio-ökonomischen Bereich ignoriert, desto mehr trägt sie zur Organisations- und Konfliktfähigkeit der ökonomisch aufsteigenden Schichten bei.

Die Auseinandersetzung mit der These M. Webers und die Überprüfung der daraus abgeleiteten Hypothese erfordern zunächst eine knappe Darstellung, die die wesentlichen Trends und Charakteristika des sozio-ökonomischen Strukturwandels seit der Mitte des 19. Jahrhunderts aufzeigt. Eine Zeitspanne, die in der Regel in drei Entwicklungsphasen[9] aufgeschlüsselt wird.

1. Der sozio-ökonomische Strukturwandel seit der Mitte des 19. Jahrhunderts

a) Die Industrielle Revolution

Die „Industrielle Revolution im engeren Sinne als Durchbruch der Industrialisierung“[10], eine Phase, die in W. W. Rostows Stadientheorie als „Take-off“[11] bezeichnet wird, umfaßte in Deutschland die Jahre 1835/51–1873[12]. Sie war durch eine kräftige Steigerung der durchschnittlichen jährlichen Investitionsraten auf 10–12 Prozent des Volkseinkommens[13] und durch hohe Wachstumsraten der klassischen Industrien dieser Periode (der Textil-, Eisen-, Bergbau- und Maschinenbauindustrie, sowie mehrfach des Eisenbahnbaus) und des realen Bruttosozialprodukts[14] gekennzeichnet. Ihren ersten Höhepunkt erreichte diese erste Industrialisierungsphase, die nur von wenigen Jahren der Stockungen und Stagnationen gebremst wurde[15], 1866–1872 mit Gesamtzuwachsraten von 4–5 Prozent[16]. Wesentliche Bedeutung kam in dieser Periode der Hochkonjunktur dem Eisenbahnbau[17] und den zahlreichen Eisenbahnprojekten zu. Der Eisenbahnbau erwies sich als wichtigster Leitsektor der Wirtschaft[18], der wesentlich mit dazu beitrug, daß die Wachstumsraten der Eisen-, Bergbau- und Maschinenindustrie überproportional anstiegen[19].

Mit dem Durchbruch der Industriellen Revolution entstand so ein „permanent expandierendes Wirtschaftssystem, dessen wichtigster Säkulartrend ein anhaltendes ... Wachstum darstellt. Diese im Gegensatz zur vorindustriellen Welt kontinuierliche Expansion, die auf der Anwendung wissenschaftlichen Denkens und der ständigen Einführung technologischer Fortschritte basiert, bildet das eigentlich historisch Neue des Industriekapitalismus“[20].

b) Die Große Depression

Der Industriellen Revolution folgte die Periode der liberalkapitalistischen Hochindustrialisierung, die bereits deutlich von interventionsstaatlichen Tendenzen geprägt wurde[21]. Diese Periode – in Deutschland umfaßte sie die Jahre 1873 bis Mitte der 90er Jahre –, wird wegen ihrer geringeren Wachstumsraten und ihrer zahlreichen Stockungen auch als „Große Depression“ gekennzeichnet[22]. Obwohl die Jahre der Stagnation[23] die Jahre des Aufschwungs in diesem Zeitraum übertrafen, stellte diese Periode „keine Rückwärtsbewegung des gesamtwirtschaftlichen Wachstums“ dar[24]. Allerdings verminderte sich die Wachstumsrate auf 2,6–3 Prozent und „erreichte nicht den Jahresdurchschnitt der

Produktivitätsepochen von 1849 bis 1873 und 1897 bis 1914"[25]. Nach der Expansion des Eisenbahnbaus mit Kohle, Eisen und Schwerindustrie als Leitsektoren des Wachstumsprozesses waren es „jetzt Stahl, die neuen Schiffe, Chemikalien, Elektrizität und die Produkte der modernen Werkzeugmaschinenindustrie, die die Wirtschaft beherrschen und die gesamtwirtschaftliche Wachstumsrate aufrechterhalten."[26] Von einer Depression kann – bei steigender Menge der Industrieerzeugung – insofern gesprochen werden, als diese Periode „von einer radikalen, wenn auch sehr differenzierten internationalen Preisdeflation und einer erheblichen Verschlechterung der durchschnittlichen Unternehmergewinne und der Kapitalverzinsung"[27] überschattet wurde. Als Gründe für den Preisverfall sind u. a. die verbesserten maschinellen Produktionsbedingungen, die Senkung der Herstellungskosten, die Erleichterung der Marktversorgung und die Steigerung der Arbeitsproduktivität zu nennen. Der Preisverfall stellte jedoch lediglich eine „sekundäre Begleiterscheinung" der ungezügelten Expansion dar[28]. Das Kernproblem dieser Periode lag in den beträchtlichen Überkapazitäten, die der Leitsektor Eisenbahnbau zur Zeit der Industriellen Revolution durch die Induzierung von Investitionen in der Eisen-, Bergbau- und Maschinenindustrie geschaffen hatte[29]. Diese Entwicklung, durch die rapide Abnahme des Eisenbahnbaus – 1885/86 flossen bereits weniger als 6 Prozent der Nettoinvestitionen in diesen Bereich[30] – verschärft, leitete den Umstellungsprozeß auf die neuen genannten Leitsektoren der Wirtschaft ein.

Ebenso bedeutsam war, daß der Kampf gegen Überproduktion und Preisverfall den Konzentrationsprozeß in der deutschen Wirtschaft beschleunigte. Die Zahl der Betriebe nahm zwar im gesamten Gewerbe zwischen 1875 und 1895 noch um 13,2 Prozent zu, in einigen wichtigen Branchen der Montanindustrie war jedoch bereits ein gegenläufiger Trend zu verzeichnen[31]; wesentlich für diese Periode war die starke Zunahme der Groß- und Mittelbetriebe, die eher als die Kleinbetriebe sich die Vorteile einer rationalisierten Produktion und die Einführung technologischer Innovationen zunutze machen konnten. Tendenzen, die durch die Bildung von Aktiengesellschaften und deren Unterstützung durch die Großbanken in der folgenden Periode des Aufstiegs zum Organisierten Kapitalismus noch erheblich verschärft wurden[32].

Trotz der Wachstumsprobleme der deutschen Industriewirtschaft in der Periode der liberalkapitalistischen Hochindustrialisierung verschob sich in dieser Phase das Kräfteverhältnis zwischen Gewerbe und Landwirtschaft entscheidend. Am Ende der Industriellen Revolution war Deutschland noch zum überwiegenden Teil ein Agrarstaat. Das durch die Industrielle Revolution bedingte ständige Wachstum im produzierenden Gewerbe verschob dieses Kräfteverhältnis jedoch während der zweiten Phase der Industrialisierung, nicht zuletzt auch auf Grund der Entwicklungen innerhalb der Landwirtschaft[33]. Mit dem Ende des Landausbaus in den preußischen Ostprovinzen, der Änderung der ländlichen Arbeitsverfassung und der Agrarkrise der 70er Jahre, die einen großen Vorsprung der industriellen vor den ländlichen Arbeitslöhnen brachte, setzte unter der Wirkung dieser Faktoren am Ende der 60er Jahre die Ost-West-Binnenwanderung ein, in deren Gefolge sich das Verhältnis zwischen Stadt- und Landbevölkerung umkehrte. „Der Wandel vom Landvolk zum Stadtvolk war auch ein Wandel vom Agrar- zum Industriestaat.“[34]

Während der Anteil der Erwerbstätigen in der Land- und Forstwirtschaft vom Beginn der Großen Depression bis zu deren Ende um ca. 10 Prozent fiel (von ca. 50 auf 40 Prozent), stieg der der Erwerbstätigen in der Industrie, im Bergbau und Handwerk um ca. 8 Prozent (von knapp 28 auf ca. 36 Prozent); der Anteil der Erwerbstätigen in Handel, Banken, Versicherungen und Verkehr stieg sogar von ca. 7 auf 11,5 Prozent[35]. Entsprechend dem Rückgang bei den Erwerbstätigen nahm der Anteil der Landwirtschaft am Nationaleinkommen ab, und zwar schneller als der Anteil der landwirtschaftlichen Bevölkerung an der Gesamtbevölkerung. Industrie, Handel und Verkehr nahmen demgegenüber einen rapiden Aufstieg und in geringerem Maße auch das Handwerk. Betrug der Anteil der Landwirtschaft am Nettoinlandsprodukt zu Beginn der Großen Depression noch ca. 38, der Anteil der gewerblichen Wirtschaft nur knapp 32 Prozent, so hatten sich bis 1895/99 die Relationen umgekehrt; die gewerbliche Wirtschaft führte nun mit 38,5 zu 30,8 Prozent[36].

c) Der Aufstieg des Organisierten Kapitalismus[37] *(1896/97 bis 1914)*[38]

Das wirtschaftliche Wachstum setzte sich während der neuen Periode der Hochkonjunktur, die Mitte der 90er Jahre auf die Große Depression folgte und bis 1913 andauerte, fort. Während dieser Phase geriet die Konjunktur lediglich in den Jahren 1900–1902 und 1907–1909 ins Stocken[39]. Die jährliche Zuwachsrate der Gesamtindustrieerzeugung stieg auf 4,5 % an[40]. 1909 war die Landwirtschaft lediglich noch mit etwas mehr als 25 % am Nettoinlandsprodukt beteiligt, während der Anteil der Industrie – inklusive Bergbau –, des Handwerks, Handels und Verkehrs, d. h. der Wirtschaftszweige, die 1909 den Hansa-Bund gründeten, auf ca. 53 % gestiegen war[41].

Die höchsten Zuwachsraten verzeichnete die Industrie. In der insgesamt expandierenden Volkswirtschaft waren es insbesondere Maschinen- und Instrumentenbau, der Bergbau und das Hüttenwesen, ferner das Handels- und Transportgewerbe, die gemessen an der Zahl der Erwerbstätigen, die höchsten Zuwachsraten aufwiesen[42]. Während die Produktionsstatistik in den Zeiträumen von 1896–1913 für das produzierende Gewerbe insgesamt eine Zuwachsrate von 103 und für Banken, Handel und Verkehr von 87 Prozent nachweist, nahm die Wertschöpfung der Landwirtschaft in der gleichen Zeit lediglich um 24 Prozent zu[43].

Begleitet wurde dieser Wachstumsprozeß von einem Rückgang der Selbständigen im produzierenden Gewerbe um 4 Prozent (von 2,06 auf 1,99 Millionen), obwohl die Statistik für den tertiären Sektor für den Zeitraum von 1895–1907 noch eine Zuwachsrate von 22 Prozent auswies, und von einer Zunahme der abhängig Erwerbstätigen, insbesondere der Angestellten. Deren Zuwachsrate betrug im genannten Zeitraum im produzierenden Gewerbe 165 und im gesamten tertiären Sektor 68 Prozent; im Handel und Verkehr, den eigentlichen Wachstumsbranchen des tertiären Sektors, dürfte die Zuwachsrate noch erheblich größer gewesen sein[44].

Entsprechend dem Rückgang der Selbständigen in Industrie und Handwerk sank die Zahl der Betriebe (technische Einheiten) in diesen Wirtschaftsbereichen um 5,3 Prozent; in Handel und Verkehr stieg sie dagegen im gleichen Zeitraum noch um 39,3 Prozent[45]. Trotz dieser Zunahme im gesamten tertiären Bereich setzten sich gerade in Teilbereichen dieses Wirtschaftssektors, besonders in den Wachstumsbranchen, die bereits in der Periode der Großen Depression vorhandenen horizontalen und vertikalen Konzentrationstendenzen verstärkt durch.

Das Bankgewerbe – zumindest der Geld- und Kredithandel – gehörte 1908 zu den am stärksten oligopolisierten Wirtschaftsbereichen. 1908 kontrollierten die Deutsche Bank, die Disconto-Gesellschaft, die Darmstädter Bank, die Dresdner Bank und der A. Schaaffhausensche Bankverein, d. h. fünf Großbanken, die 1909 im konstituierenden Präsidium des Hansa-Bundes vertreten waren, über Interessengemeinschaften 31 weitere Banken. Bei Berücksichtigung des dividendenberechtigten Aktienkapitals und der Reserven unterlag der Kontrolle dieser fünf Bankgruppen „eine Kapitalmacht ... von nicht viel weniger als 2,5 Milliarden Mark, während die Aktienkapitalien allein 1 955 417 000 und die Reserven allein 516 444 594 Mark“ betrugen[46]. Das heißt, daß die genannten fünf Bankgruppen ca. 70 Prozent des Aktienkapitals und der Reserven der 1907/08 existierenden 402 Aktienbanken (3449 Mill. Mk. Aktienkapital und Reserven – ohne Hypotheken-, Immobilien- und Baubanken) kontrollierten[47]. Die Konzentration im Bankgewerbe verdeutlicht ferner das Faktum, daß ein Prozent der Banken dreißig Prozent aller Arbeitnehmer der Branche beschäftigte[48].

In den übrigen Wirtschaftszweigen war lediglich in der Grundstoffindustrie der Konzentrationsprozeß ähnlich weit fortgeschritten. Weitere erhebliche Kapitalkonzentrationen lassen sich ferner in der Elektrotechnik und Elektrizitätserzeugung, im Bereich der Klein- und Straßenbahnen, bei den Brauereien und Mälzereien, in der Maschinen- und Apparatebauindustrie, in der Textilindustrie, der Schiffahrt und der Chemischen Industrie feststellen[49].

Erheblich beschleunigt wurden diese Konzentrationstendenzen noch durch die enge Zusammenarbeit und personelle Verflechtung zwischen den Großbanken und den führenden Industrieunternehmen. In ihrer Funktion als Kreditgeber, Emissionäre, Teilhaber und Aktienverwalter ihrer Kunden gelang es den Großbanken immer öfter, eigene Vertreter in die Aufsichtsräte der Industrieunternehmen zu schicken, in denen sie häufig als Förderer von Fusionen auftraten. 1910 hatten die acht führenden Großbanken bereits 800 Aufsichtsratsposten in der Industrie inne[50]. Umgekehrt saßen zahlreiche Industrielle in den Aufsichtsräten der Banken; d. h. die zunehmende Verflechtung von Bank- und Industriekapital führte keineswegs generell zu einseitigen Abhängigkeitsverhältnissen[51]. Träger der Konzentration wurden in erster Linie die Aktiengesellschaften, die

1895 zwar lediglich 0,4 Prozent aller Betriebe mit 9,4 Prozent der Beschäftigten stellten[52], in einzelnen Wirtschaftszweigen aber bereits dominierten. Im Kohlenbergbau und im Hüttenbetrieb waren bereits zwischen 60–70 Prozent aller Beschäftigten bei den Aktiengesellschaften konzentriert, in der chemischen Großindustrie über 55 Prozent[53]. Die wachsende Bedeutung der Aktiengesellschaften in den führenden Wirtschaftszweigen, die „überragende kapitalmäßige Stellung der Banken"[54] und die besonders starke Expansion der „neuen Industrien" (Elektrotechnik und Elektrizitätserzeugung, Chemie sowie der Maschinen- und Apparatebau) ließen sich im einzelnen zeigen[55].

Begünstigt durch den Konzentrationsprozeß auf Unternehmensebene schlossen sich zahlreiche Firmen auf Branchenebene in Kartellen bis hin zum monopolistischen Syndikat zusammen[56]. Erleichtert wurde die Kartellierung insbesondere in den Industriezweigen, wo eine hohe „geographische, technische und kapitalmäßige Konzentration"[57] gegeben war; Faktoren, die die starke Position der Rohstoff- und Halbzeugwarenkartelle erklären. Die Kartellbildung in den Grundstoffindustrien wurde ferner durch die gute Vertretbarkeit ihrer Produkte auf dem Markt begünstigt. Auf höheren Produktionsstufen (Fertigindustrie) mit geringerer Vertretbarkeit der Güter war die Kartellierungstendenz weniger ausgeprägt[58]. Eine Aufschlüsselung der 385 Kartelle von 1906 nach den einzelnen Industriebranchen bestätigt diese Feststellung. Neben den regional begrenzten 132 Kartellen der Ziegelindustrie führte die Montanindustrie mit 92 Kartellen (Kohle 19, Eisen 62, andere Metalle 11)[59]. Die Art der Produktionsstufe und die Kartellfähigkeit der Produkte bestimmte nicht nur den Umfang der Zusammenschlüsse, sondern auch die Art der Kartelle[60]. Monopolistische Syndikate gab es fast ausschließlich in den Grundstoffindustrien[61].

Die ersten, bereits in der Großen Depression gebildeten Kartelle waren das Ergebnis eines ruinösen Wettbewerbs und wurden gebildet, um Überproduktion und Preisverfall ein Ende zu bereiten[62]. Obwohl allgemein als „Kinder der Not"[63] charakterisiert, läßt sich leicht nachweisen, daß ein großer Prozentsatz der Kartelle in Aufschwungphasen gegründet wurde, um Preiserhöhungen durchzusetzen, die ihre Mitglieder als Einzelunternehmen nicht erreichen konnten. Gab es am Ende der Großen Depression etwas über 200 Kartelle, so stieg ihre Zahl in der folgenden Phase der Hochkonjunktur bis auf 500–600 (1911) an[64].

Diese Entwicklung vollzog sich eindeutig auf Kosten der Verbraucher[65] und verschärfte die Gegensätze zwischen den schutzzöllnerischen Produktionszweigen der Rohstoffe und Halbfabrikate auf der einen und den stärker exportorientierten Industriezweigen der Fertigfabrikate auf der anderen Seite[66].

Trotz der skizzierten Veränderungen im ökonomischen Bereich blieb die politische Macht weitgehend in den Händen der ökonomisch geschwächten vorkapitalistischen Herrschaftsschichten. Die Gründe für die „mangelnde Synchronisation von wirtschaftlicher und politischer Entwicklung" sollen – da für die Gründung des Hansa-Bundes von nicht zu unterschätzender Bedeutung – im folgenden Abschnitt dargestellt werden.

2. Das politische System: Erhaltung der Vorherrschaft der Feudalaristokratie

Im folgenden ist – entsprechend unseren Ausgangsthesen – danach zu fragen, in welcher Form die ökonomisch erstarkten Kräfte ihre Anwartschaft auf die politische Leitung anmeldeten, und welche gesellschaftlichen Gruppen einer Synchronisierung von wirtschaftlicher und politischer Entwicklung entgegenstanden. Die Untersuchung wird sich daher im wesentlichen auf die Phasen der liberalkapitalistischen Hochindustrialisierung und des Aufstiegs des Organisierten Kapitalismus konzentrieren.

Von erheblicher Bedeutung für das Verhalten des Industriebürgertums waren jedoch die Erfahrungen, die es während der Phase der Industriellen Revolution bei seinen beiden wichtigsten Versuchen, politische Mitverantwortung zu erlangen, machen mußte. Die Revolution von 1848 endete mit einer „schockartig nachwirkende(n) Niederlage" des Bürgertums[67]. Es ist daher verständlich, daß das „wirtschaftlich so ungeheuer erfolgreiche, wenn auch sozial und politisch sehr heterogene Industriebürgertum zusammen mit ‚fortschrittlichen' Geschäftsleuten, Honoratioren, Handwerkern, Beamten, kurzum: mittelständischen liberalen Gruppen" erst nach einem gewissen zeitlichen Abstand „noch einmal politische Ansprüche anmeldete"[68]. Die erneute Niederlage im Verfassungskonflikt von 1861/66 besiegelte die weitgehende politische Ohnmacht des Bürgertums in den folgenden Jahrzehnten.

Zu Beginn der Periode der „Großen Depression" ist damit folgende Kräftekonstellation zu verzeichnen, die sich – auch während dieser Periode – im politischen Bereich nur unwesentlich veränderte: Trotz der skizzierten Veränderungen im sozio-ökonomischen Bereich lag die politische Macht weitgehend in den Händen der ökonomisch geschwächten vorkapitalistischen Herrschaftsschichten (Junkertum, Bürokratie, Militär). Neben der ökonomischen Grundlage der Agrarrevolution kam den konservativen Kräften für die Verteidigung ihrer politischen Vormachtstellung zugute, daß sie alle Instrumente der organisierten Macht kontrollierten[69].

Auf Grund ihrer Klassenprivilegien nahmen sie in der Regel die führenden Positionen am Hofe – der bis zum Zusammenbruch des konstitutionellen Systems Zentrum und Vorbild des gesellschaftlichen Lebens blieb[70] – ein und kontrollierten die ranghöchsten Stellen in Heer, Diplomatie und Bürokratie[71]. Diese Position wurde durch eine konsequente konservative Beamtenpolitik noch ausgebaut. Die Bismarck–von Puttkammerschen „Reformen" sorgten dafür, daß die Bürokratie in Preußen und im Reich ein verläßliches Element der Herrschaftsstabilisierung blieb[72]. Eine erfolgreiche „Liberalisierung der Reichspolitik wäre „allein schon durch diese fast einer Kaste ähnliche konservative Beamtenschaft . . . außerodentlich erschwert worden"[73].

Nach 1909 gehörten von den dreizehn preußischen Oberpräsidenten elf dem Adel an, davon zehn dem Altadel, das gleiche galt für ihren Vorgesetzten, den Staatsminister des Innern. Von den 36 Regierungspräsidenten waren 25, von den 467 Landräten 271 adelig; d. h. je höher die Position in der Verwaltung, desto größer waren die Chancen des Adels, sie zu erreichen[74]. Ähnlich verhielt es sich mit der Diplomatie[75] und der preußischen Generalität. Von den 38 Generälen waren 1909 alle adelig. Sechs gehörten dem Hoch- und zwanzig dem Altadel an; davon kamen zwölf aus Altpreußen[76]. Die siegreichen Kriege von 1864, 1866 und 1870/71, die das autoritäre Herrschafts- und Gesellschaftssystem stabilisierten und erneut legitimierten, trugen ganz wesentlich zum „gesellschaftlichen Militarismus“ im Kaiserreich bei, der eine wichtige Stütze der Führungspositionen der konservativ-junkerlichen Führungsschicht wurde. „Die soziale Prävalenz des Militärs, seine Stellung an der Spitze der Gesellschaftshierarchie, die es auf Grund einer komplexen militär- und sozialgeschichtlichen, auch zunehmend ideologisch unterbauten Entwicklung gewonnen hatte, wirkte ungemein prägend auf die Sozialverfassung des preußisch-deutschen Kaiserreichs ein.“[77] Wichtige Mittel, durch die feudale Anschauungen und preußisch-militärischer Geist in weite Kreise des Besitz- und Bildungsbürgertums getragen wurden, waren der Militärdienst und die Institution des Reserveoffiziers. Das Streben der sozialen Aufsteiger nach Satisfaktions- und Reserveoffiziersfähigkeit sowie nach Nobilitierung, ferner der Erwerb von Rittergütern waren beredter Ausdruck ihrer Unterordnung unter die feudale Prestigehierarchie[78]. Der Machterhaltungspolitik der Konservativen kam ferner entgegen, daß die bürgerlichen Parteien ebenso wie in der Militärpolitik auch in der Außenpolitik die Prärogative der Regierung nicht ernsthaft in Frage stellten, sondern vielmehr für strikte Beibehaltung des monarchischen Regierungssystems eintraten[79]. Damit stützten sie ein System, in dem die konservativen Kräfte neben den genannten Positionen auch den Bundesrat kontrollierten und über das preußische Abgeordnetenhaus – die soziale Einstufung der Abgeordneten zeigt, daß die hier tonangebende Deutsch-Konservative Fraktion fest in der Hand der zumeist adeligen Ritterguts-, Fideikommiß- und Gutsbesitzer lag[80] – einen nicht zu unterschätzenden Einfluß auch auf die Reichspolitik erhielten.

Die konservativ-junkerliche Führungsschicht, die im Zeitalter des Industriestaats und des allgemeinen Wahlrechts im Deutschen Reich darüber hinaus zahlreiche politische, propagandistische und organisatorische Anstrengungen unternahm, „um oben zu bleiben“[81], fand in Bismarck einen i. G. erfolgreichen Förderer ihrer Interessen. Als in der 1876 einsetzenden strukturellen Agrarkrise die ökonomische Position der Großgrundbesitzer gefährdet wurde, war dies für Bismarck, der die Auffassung vertrat, daß das „wohlerwogene Staatsinteresse die Aufrechterhaltung eines Grundbesitzerstandes“ erfordere[82], ein wichtiger Faktor für den Übergang zum Protektionismus. Das von Bismarck wesentlich mit herbeigeführte Schutzzollsystem von 1879 schuf die Grundlage für das Bündnis zwischen Junkertum und Großindustrie, das einen dominierenden Faktor der Reichspolitik darstellte[83].

Diese erste Variante der Sammlungspolitik – im folgenden soll unter Sammlung eine Politik des Interessenkompromisses zur Absicherung bzw. zur Erreichung bestimmter wirtschaftlicher, sozialer und machtpolitischer Ziele verstanden werden, d. h. der Begriff wird nicht nur auf konservative, sondern auch auf liberale Bewegungen angewandt[84] – beruhte also wirtschaftlich auf dem Interessenausgleich der vorwiegend am Binnenmarkt orientierten Industrie und der getreideproduzierenden Landwirtschaft. Er ging auf Grund der Erhöhung der Zollsätze für eine Vielzahl agrarischer und industrieller Güter in erster Linie auf Kosten der Konsumenten und der Exportindustrie. Sozial- und machtpolitisch intendierte dieses agrarisch-industrielle Kondominium die Verteidigung und Stabilisierung des gesellschaftlichen Status quo und der bestehenden Herrschaftsverhältnisse gegenüber den Emanzipationsbestrebungen des Proletariats, aber auch der liberalen Kräfte[85]. Diese von Bismarck verfolgte Variante der Sammlungspolitik wurde – nach kurzer Unterbrechung während der Kanzlerschaft Caprivis[86] – 1897 von Miquel wieder aufgenommen[87]. Da das Potential der auf Veränderung drängenden Kräfte, nicht zuletzt auf Grund der einseitigen Interessenpolitik der großagrarisch-schwerindustriellen Bündnispartner, ständig anwuchs, ließen die konservativen Sammlungspolitiker in ihre Agitation neben antisozialistischen auch antidemokratische, antiparlamentarische und antisemitische Parolen einfließen[88].

Von größter Bedeutung für die Erhaltung der Machtpositionen der feudalen Führungsgruppen wurde neben den skizzierten Stabilisierungsmaßnahmen der Regierungen die Interessenpolitik des 1893 gegründeten Bundes der Landwirte (BdL), der die Deutsch-konservative Partei dominierte und einen erheblichen Einfluß auf die preußische Verwaltungshierarchie und die höchsten Regierungskreise in Preußen ausübte, die „allen anderen politischen Kräften des Landes (weitgehend) verschlossen“ waren[89]. Zur Sicherung des politischen und gesellschaftlichen Status quo versuchte der BdL ferner, über das Bündnis mit der Schwerindustrie hinaus, Einfluß auf den selbständigen Mittelstand zu erhalten. Die Miquelsche Mittelstandspolitik, die einen Versuch darstellte, „die Basis des politischen und sozialen Systems zu erweitern und zu stabilisieren“[90], wurde vom BdL aufgegriffen und fortgeführt. Bauern und städtische Gewerbetreibende fanden in den „Großagrariern“ Fürsprecher ihrer protektionistischen Forderungen, wie sie ihrerseits ein breites Reservoir für konservative und reaktionäre Bestrebungen abgaben[91]. Das in weiten Teilen des Mittelstandes vorhandene Gefühl der materiellen Bedrohung durch den Industriekapitalismus, das „schon durch die gesetzliche Einführung der vollen Gewerbefreiheit bei breiten Schichten in Handwerk und Kleinhandel neue Nahrung erhalten hatte“[92] und während der Großen Depression verschärft wurde, bot den Konservativen und ab 1893 dem BdL die Chance, den Liberalismus zu diskreditieren. So konnten die konservativen Kräfte bei Handwerk und Kleinhandel nicht nur erfolgreich um zusätzliche Stimmen werben, sondern auch auf eine „tatsächliche Übereinstimmung der Interessen“[93] bauen: „Großgrundbesitz und Kleingewerbe waren gleichermaßen Gegner einer fortschreitenden Industrialisierung, die ihren jeweiligen Einflußbereich gefährden mußte. Aus demselben Grund waren beide an der Aufrechterhaltung einer politischen Ordnung interessiert, die eine optimale Garantie gegen soziale Erschütterungen bot.“[94] Aus diesem Grunde wurde die von großen Teilen des selbständigen Mittelstandes betriebene „Refeudalisierung“[95] von der konservativen Führungspolitik unterstützt. „In eine ähnliche Richtung zielten jene ‚unsichtbaren Subventionen‘, die Detailhandel und Handwerk – ebenso wie die Landwirtschaft – vom kapitalistischen Wettbewerb abschirmen sollten und die damit die Konservierung einer vorindustriellen, an standesgemäßem Einkommen, dem ‚Recht auf Kundschaft‘ (Lederer) und dem ‚gerechten Preis‘ orientierten Wirtschaftsgesinnung ermöglichten. Die institutionellen und ideologischen Komponenten des Protektionismus verstärkten sich wechselseitig und prägten ein spezifisch mittelständisches Bewußtsein, das – jenseits wechselnder Parteiaffinitäten – konservativ und illiberal genannt werden muß.“[96] Das Konzept Miquels – die Neuauflage der Allianz von 1879 unter stärkerem Einbezug des alten Mittelstandes – hatte jedoch den Nachteil, daß es zu sehr „aus dem Blickwinkel der Machtkonstellation in Preußen entwickelt wurde“[97]. Die Basis einer großagrarisch-schwerindustriellen Kooperation war vor dem Hintergrund des allgemeinen und gleichen Wahlrechts im Deutschen Reich und des Aufstiegs des Organisierten Kapitalismus zu schmal, um damit Status-quo-Politik treiben zu können. Die Notwendigkeit, die eigene konservative Basis zu erweitern, ließ daher 1897 den Gedanken einer „großen Sammlungspolitik“ entstehen, die im Unterschied zur Miquelschen Sammlungspolitik auch das katholische Zentrum und einen Großteil des liberalen Bürgertums zu integrieren versuchte[98]. Träger dieses Sammlungskonzeptes waren vor allem Tirpitz und Bülow. Als Integrationspol diente die Schlachtflotte, die auch breite Kreise des nicht wirtschaftlich engagierten Bürgertums aller Konfessionen auf die Basis einer konservativen Innenpolitik zu ziehen versprach[99]. Diese „große“ Lösung der Sammlungspolitik wurde die Basis des ersten Bülow-Blocks (bis 1906), dessen wichtigstes Ergebnis der „Kardorff-Kompromiß“ (1902) in der Zolltariffrage wurde[100].

Neben der Sammlungspolitik kam den permanenten Staatsstreichdrohungen der Status-quo-Verteidiger im innenpolitischen Kampf besondere Bedeutung zu. Ziele der zahlreichen Staatsstreichdrohungen während der Bismarck-Zeit und in den folgenden Jahrzehnten waren die Änderung des Reichstagswahlrechts, die Ausschaltung des bestehenden Parteiensystems und Reichstages zugunsten berufsständischer Parlamente[101]. Diese Pläne – obwohl niemals realisiert – trugen wesentlich dazu bei, „daß sich die gemäßigten Parteien in kritischen Situationen eher mit den Konservativen verbanden, als daß sie sich an die Seite der fortschrittlicheren Kräfte stellten“[102].

Darüber hinaus vergifteten sie ebenso wie die „Herrschaftstechnik der negativen Integration“[103] die politische Atmosphäre. Trotz der Differenzen, die es auch im Rechtsblock gab[104], waren die Junker auf Grund ihrer engen personellen Verzahnung mit den traditionellen Trägern des Obrigkeitsstaates in Heer, Verwaltung und Diplomatie und der genannten Herrschaftstechniken in der Lage, ihre politische Machtbasis großteils zu erhalten, wobei jedoch mit fortschreitender Entwicklung des Industriestaats die soziale Basis der herrschenden Schichten erweitert werden mußte.

Begünstigt wurde diese Machterhaltungspolitik durch das politische Verhalten des deutschen Bürgertums. „Durch Angst vor den Sozialdemokraten und der sozialen Revolution verschreckt, durch konfessionelle Intoleranz sowie soziale und wirtschaftliche Interessengegensätze gespalten, von dem zentralen Problem der Reform des politischen Systems durch das Aufkommen eines aggressiven Nationalismus und (bzw. oder) durch die einseitige Konzentration auf die wirtschaftliche Tätigkeit abgelenkt, hat das Bürgertum gerade in seinen sozial führenden Schichten" – wie bereits erwähnt – „sein Heil weitgehend in der Angleichung an die alten Herrschaftsschichten und deren politische Ideen, Verhaltensweisen und Lebensformen gesucht."[105] Zu dieser Unterwerfung des Bürgertums trugen ferner wesentlich die Niederlagen von 1848 und 1866 bei, die dem Selbstvertrauen und dem selbständigen politischen Denken im liberalen Lager einen schweren Stoß versetzten[106]. Dieser Niedergang wurde durch den Börsenkrach von 1873 verschärft, der „das Signal für den äußeren und inneren Verfall der liberalen Bewegung gab, für das Erlahmen ihrer ökonomischen, politischen und ideologischen Anziehungs- und Stoßkraft, für die Verengung ihrer gesellschaftlichen Basis"[107]. Der Anteil der Großen Depression an der Diskreditierung der liberalen Kräfte ist kaum zu überschätzen. Mit dem Abwärtstrend von Preisen, Unternehmergewinnen, Dividenden und Löhnen geriet zunächst der ökonomische, bald darauf aber auch der politische Liberalismus in eine schwere Vertrauenskrise, die auch im eigenen Lager um sich griff. „Vor allem die altkonservativen Verehrer der traditionellen Gesellschaftsordnung, die streng kirchlich Gesinnten und die Sozialradikalen, die von jeher die liberal-individualistische Weltanschauung als Gestalt gebendes Prinzip der Wirtschafts- und Gesellschaftsordnung abgelehnt hatten, waren schnell bei der Hand, den Liberalen und dem Großkapital in Handel und Industrie, Bank- und Verkehrswesen die Schuld für das Versagen der freien Marktwirtschaft ..., die ‚falsche' Wirtschaftspolitik des Schleifenlassens und die akute Inflation der Spannungen und Nöte zuzuschieben."[108]

3. Bürgerliche „Reformbestrebungen" vor 1909: Handelsvertragsverein und politische Arbeitgeberbewegung

Derart in die Defensive getrieben, unternahm das Bürgertum trotz wachsender ökonomischer Macht während der Großen Depression keine bedeutenden Anstrengungen, um die politischen Machtverhältnisse zu ändern. Das Mißverhältnis zwischen ökonomischer und politischer Machtverteilung wuchs und mit ihm die Verschärfung der politisch-sozialen Spannungen[109]. Je stärker jedoch die staatlichen Organe Wirtschafts- und Sozialpolitik betrieben und in die Distribution des Sozialprodukts eingriffen, desto mehr berührten sie die Interessen der am Produktionsprozeß Beteiligten und weckten damit ihr Interesse an einer Beeinflussung dieser Politik. Hinzu kam, daß das Bestreben nach Anpassung der überholten politischen an die ökonomischen Herrschaftsverhältnisse durch die Interessenpolitik der vorindustriellen Herrschaftsgruppen stets wachgehalten wurde. Die zahlreichen Konzessionen, die die Regierungen diesen z. B. beim Kampf um den Bau des Mittellandkanals, beim Börsengesetz von 1896, in der Auseinandersetzung um die Zolltarife von 1902 – nicht zuletzt auf Kosten der ökonomisch erstarkten Wirtschaftsgruppen[110] – machen mußten, waren geeignet, diesen Bestrebungen immer wieder neue Nahrung zu geben. Es kann daher nicht überraschen, daß mit dem Ende der Großen Depression das Bürgertum „wieder in stärkerem Maße geneigt“ war, „sich von der Notwendigkeit von Reformen und sozialen wie politischen Veränderungen überzeugen zu lassen“. „Während ... in den 70er und 80er Jahren ein weitgehend am Klasseninteresse orientierter und in wachsendem Maße sozial-konservativ werdender Liberalismus mehr und mehr dominierte, dessen Abgrenzung gegenüber dem Konservatismus dementsprechend sehr fließend wurde, formierte sich seit den 90er Jahren“ – d. h. mit dem Aufstieg des Organisierten Kapitalismus – „ein sich immer stärker nach links öffnender Flügel“[111]. Diese Bewegung wurde, wie noch zu zeigen sein wird, insbesondere von den Kräften – wie z. B. den neuen Leitsektoren der Wirtschaft[112] – mitgetragen, deren politischer Einfluß am wenigsten ihrer großen und wachsenden wirtschaftlichen Bedeutung entsprach.

In dieser Situation boten sich den Kräften, die die mangelnde Synchronisation von wirtschaftlicher und politischer Entwicklung aufzuheben trachteten, verschiedene Konzeptionen[113] an:

1. die Möglichkeit, über ein Arrangement mit den vorindustriellen Herrschaftsgruppen den eigenen Einfluß auf Verwaltung und Gesetzgebung zu erhöhen („Rechtsblock“-Konzeption)[114],
2. den Versuch zu unternehmen, die bürgerlichen Kräfte (mit oder ohne Einfluß der feudalisierten Teile des Bürgertums) in einer „Konzeption der Mitte“[115] – unter „wohlwollende(r) Neutralität der SPD“[116] zusammenzufassen, um im Rahmen systemkonformer Reformen den eigenen politischen Stellenwert den ökonomischen Machtverhältnissen anzupassen;
3. die Chance, mit Hilfe eines „Linksblocks“[117], unter Einschluß der SPD als aktivem Mitglied[118], den Einfluß von Junkertum und Schwerindustrie zurückzudrängen und systemtranszendierende Reformen – z. B. Durchsetzung des parlamentarischen Systems – anzustreben.

Den beiden letztgenannten Konzeptionen stellte sich „als Grundlage deutscher Politik das Problem der Integration der Arbeiterbewegung in den Nationalstaat“[119]. Beide gingen von der Vorstellung aus, daß dies lediglich bei einer stärkeren Einflußnahme des Bürgertums auf die Politik des Deutschen Reiches zu erreichen sein würde[120]. Wesentlich für die Erfolgsaussichten dieser beiden Konzeptionen war daher die Aufnahme, die sie bei der Arbeiterschaft und deren Organisationen finden und wie weit es ihnen gelingen würde, das – auch von großen Teilen des Bürgertums – als reichsfeindlich, antinational und umstürzlerisch verketzerte Proletariat aus seiner politischen und sozialen Isolation zu befreien. „Nicht Stärkung der revolutionären Kräfte, sondern Entfremdung vom Staat, Abkapselung von der bürgerlichen Gesellschaft und Aufbau einer eigenen Lebenswelt, in der viele Sozialdemokraten auch ihre innere Befriedigung fanden, waren ... die bedeutsamsten Konsequenzen der Unterdrückungspolitik des Staates" innerhalb der Arbeiterbewegung gewesen[121]. Nur wenn es gelang, die Sozialdemokratie, die bei der Reichstagswahl von 1890 die meisten Stimmen erhielt und 1912 die stärkste Reichstagsfraktion stellte, als aktive Kraft in einen „Linksblock" zur Veränderung des politischen, wirtschaftlichen und sozialen Systems einzubeziehen, bestand bei den skizzierten Machtverhältnissen eine gewisse Chance, die Angleichung von ökonomischer und politischer Machtverteilung zu erzwingen.

Es spricht für das mangelnde politische Selbstbewußtsein und die tiefgreifende Wirkung der konservativen Sozialisationsmechanismen[122], daß das Gros der bürgerlichen „Reformer" lediglich eine stärkere Berücksichtigung ihrer Position in der bestehenden gesellschaftlichen und politischen Machtstruktur anstrebte (s. u. politische Arbeitgeberbewegung) oder über die „Konzeption der Mitte" den eigenen politischen Einfluß zu verstärken versuchte.

Erste Ansätze einer Reform boten sich während der Kanzlerschaft Caprivis, dessen Handelsvertrags- und Sozialpolitik eine Entfremdung von Schwerindustrie und Junkertum bewirkte[123]. Die neue Kräftekonstellation führte jedoch nur vorübergehend zur Isolierung der konservativen Gruppen. Ein Zusammenschluß der Kräfte, die die Handelsvertragspolitik unterstützten, unterblieb. Erst der von den Agrariern betriebene Sturz Caprivis und die Neuauflage der Sammlungspolitik von 1897 – die ihren institutionellen Ausdruck im 1897 eingerichteten Wirtschaftlichen Ausschuß zur Vorbereitung handelspolitischer Maßnahmen fand, in dem Handel und Fertigindustrie eindeutig unterrepräsentiert waren[124] – führten zu zahlreichen Versuchen, die ökonomisch erstarkten, politisch jedoch relativ einflußlosen Kreise von Fertigindustrie, Handel und Verkehr in (die einzelnen Sektoren übergreifenden) Vereinigungen zusammenzufassen. Zu erwähnen sind hier z. B. die Centralstelle zur Vorbereitung von Handelsverträgen[125] und insbesondere der Handelsvertragsverein. Beiden war ein mehr oder weniger antiagrarischer Charakter gemeinsam. Beide versuchten, ebenso wie der 1895 gegründete Bund der Industriellen Ende der 90er Jahre[126], als Alternative zum agrarisch-industriellen Kondominium ein „Interessengemeinschaftsverhältnis mit dem Zentralverband"[127] herbeizuführen, d. h. ein „möglichst geschlossenes, einheitliches Zusammengehen" der „gesamte(n) deutsche(n) Industrie" durchzusetzen, um „gegenüber den Bestrebungen von anderer Seite einig zu sein, wie das auch bei der extremen Agrarvertretung der Fall ist"[128].

Größere Bedeutung als der Centralstelle und dem Bund der Industriellen[129] kam um die Jahrhundertwende dem 1900 gegründeten Handelsvertragsverein zu. Bereits im März 1898, als deutlich wurde, daß Schwerindustrie und Agrarier im Wirtschaftlichen Ausschuß eine Änderung der Caprivischen Handelsvertragspolitik in Richtung einer verstärkten Schutzzollpolitik betrieben[130], wurde von zahlreichen liberalen Chemie-, Maschinenbau-, Elektroindustriellen und anderen Vertretern der Fertigindustrie, des Großhandels und der deutschen Großbanken gegen die „Erfüllung agrarischer Sonderforderungen" und die Zumutungen einer unter dem „irreführenden Schlagworte der ‚Sammlungspolitik' auftretenden einseitigen Wirtschaftspolitik" aufgerufen[131]. Da Wiegand, Ballin, Woermann[132] u. a., die diesen Aufruf unterzeichnet hatten, noch Anfang 1900 hofften, den Centralverband für eine gemeinsame antiagrarische Aktion gewinnen zu können, war ihr Vorschlag, eine „große starke Vereinigung von Handel, Industrie und Schiffahrt auf die Beine zu setzen, ebenso stark wie der Bund der Landwirte, ebenso laut, so vorlaut und so unangenehm"[133], zunächst nur gegen das Junkertum gerichtet, dessen politischer Führungsanspruch mit der charakteristischen Begründung, daß die Agrarier bei einem Anteil von 10 % des Volksvermögens einen Primat insbesondere in der Wirtschaftspolitik nicht beanspruchen könnten, zurückgewiesen wurde[134]. Wurde aus dieser Feststellung deutlich, daß man sich in den Gründerkreisen des Handelsvertragsvereins sehr wohl des Mißverhältnisses zwischen ökonomischer und politischer Machtverteilung bewußt war, dann mußte es überraschen, daß auf der Gründungsversammlung am 11. 11. 1900 lediglich eine „Aufrechterhaltung der bisherigen Zollpolitik" propagiert und zu diesem Zweck eine „vorübergehende Vereinigung aller Interessenten" angestrebt wurde, die das genannte „Ziel mit den dazu dienlichen Mitteln" verfolgen sollte, „indem sie insbesondere mit anderen bestehenden gleichgesinnten Organisationen sich in Verbindung" setzen und mit ihnen „möglichst gemeinsam" handeln sollte[135].

Dies deutet darauf hin, daß sich nach der gerade erst überwundenen Großen Depression die Organisations- und Konfliktfähigkeit des erwerbstätigen Bürgertums noch nicht wieder sehr weit entwickelt hatte und so auf der Gründungsversammlung ein umfangreicheres Konzept und eine Dauerorganisation als Gegengewicht zum BdL noch nicht propagiert werden konnten.

Mitglied konnten alle Gewerbetreibenden, Kaufleute und Interessenten werden, die sich zur Zahlung eines Beitrages für wenigstens drei Jahre verpflichteten. Die Mitgliederzahl stieg zunächst relativ schnell und erreichte im Mai 1902 mit 16 700 ihren Höhepunkt[136].

Die Aufschlüsselung nach Branchen weist – zumindest was die Gremien anbetrifft – auf die starke Position der Großbanken, des Großhandels und der Verkehrswirtschaft (bes. Seeschiffahrt) insbesondere aus den Handelszentren Berlin, Hamburg, Bremen, Danzig und Königsberg hin[137]. Über die Hälfte der Mitglieder des weiteren Ausschusses, dem Ende 1900 47 Mitglieder angehörten, waren Vorsitzende von Handelskammern, sieben waren Älteste der Kaufmannschaft. Die übrigen Ausschußmitglieder waren Vorsitzende größerer Interessenverbände, „Vertreter von Bürgerschaften, Kommerzienräte und Direktoren"[138]. Von Seiten der Industrie waren insbesondere die Chemie-, Maschinenbau- und Elektroindustrie stark vertreten[139]. Nach Angaben von Borgius gehörten diesen in den ersten Jahren bis 1904 Tausende von Mitgliedern aus dem „gewerblichen Mittelstand oder den freien Berufen"[140] an, ohne jedoch einen Einfluß auf seine

Politik ausüben zu können. Obwohl die Gründer und Leiter des Vereins gegenüber den politischen Parteien ständig Neutralität proklamierten[141], rekrutierten sich die Mitglieder in erster Linie aus freihändlerisch orientierten freisinnigen Kreisen[142]. Allerdings gehörten dem Handelsvertragsverein auch zahlreiche nationalliberale und einige freikonservative Mitglieder an[143]. Ein Eindringen in Zentrumskreise – wie von den Gründern zunächst erhofft[144] – gelang nicht[145].

Wie stark die Erregung über die Politik der „verhängnisvolle(n) Allianz"[146] von Junkertum und Schwerindustrie in den vom Handelsvertragsverein organisierten Kreisen war, ist zum Beispiel daran zu erkennen, daß allein im ersten Halbjahr 1901 622 größere handelsvertragsfreundliche öffentliche Kundgebungen stattfanden und daß Petitionen des Handelsvertragsvereins an den Reichstag in einigen Städten bis zu 32 000 (Bremen) und 35 000 (Königsberg) Unterschriften zählten[147]. Es erscheint daher nicht unberechtigt, in den Jahren 1900/01 den Handelsvertragsverein als „Mittelpunkt aller kapitalistischen Bestrebungen gegen den Zolltarifentwurf" zu bezeichnen[148], zumal es in den ersten beiden Jahren gelang, die unterschiedlichen Gruppen (Freihändler, gemäßigte Schutzzöllner) durch das erklärte Ziel des Vereins: Kampf für die Fortsetzung der Handelsvertragspolitik Caprivis und Abwehr des vom Bund der Landwirte geforderten lückenlosen Zollschutzes und des Doppeltarifsystems (Maximal- und Minimalzölle für alle Getreidearten), zusammenzuhalten[149]. Mit dem Fortgang der Zolltarifverhandlungen traten jedoch starke Spannungen in dieser ersten antifeudalen Sammlungsbewegung gegen die Interessenpolitik des Bundes der Landwirte und der Schwerindustrie auf[150]. Als die zahllosen Proteste des Handelsvertragsvereins ohne jeden Erfolg blieben[151], trat die freihändlerisch orientierte Gruppe dafür ein, die Annahme des Zolltarifentwurfes im Reichstag zu verhindern[152], während eine „mehr rechts stehende oppositionelle Gruppe" gemäßigter Schutzzöllner innerhalb des Handelsvertragsvereins für die Unterstützung der Regierungsvorlage plädierte; und zwar um die von der Zolltarifkommission des Reichstages über die Regierungsvorlage hinaus erhöhten Zollsätze für agrarische Produkte zu verhindern[153]. Der Kardoff-Kompromiß[154], der die Differenzen zwischen Regierung und Zolltarifkommissionsmehrheit ausräumte und am 14. 12. 1902 vom Reichstag mit den Stimmen des Zentrums, der Nationalliberalen, der Freikonservativen und der überwiegenden Mehrheit der Konservativen angenommen wurde[155], stärkte die wirtschaftliche und politische Position der ostelbischen Großgrundbesitzer und der einflußreichen Gruppen im Centralverband, und zwar auf Kosten der Exportindustriellen und der Arbeiterschaft[156].

Der Versuch des Handelsvertragsvereins, aus dieser Niederlage im Wahlkampf von 1903 Profit zu schlagen, war wenig erfolgreich. Obwohl er in ca. 80 Wahlkreisen „ausschließlich Kompromißkandidaten der (ihm) nahestehenden Parteien" unterstützte[157], vermochte er den weiteren Rückgang an Stimmen und Mandaten der freisinnigen Parteien nicht zu verhindern. Als Konsequenz beschloß der erweiterte Ausschuß ein neues Arbeitsprogramm. Aus der antiagrarischen Abwehrvereinigung auf „Massenbasis“ wurde der „Verein zur Förderung des deutschen Außenhandels“[158]. „Damit setzt ein über Jahre währender Prozeß der Einengung der sozialen Basis“ und des Abbaus der dezentralen Organisation des Verbandes ein[159]. Der Handelsvertragsverein wurde „im Laufe der nächsten Jahre eine Außenhandelsstelle für die Geschäftswelt“[160]. Damit war spätestens 1904 diese Variante einer „Konzeption der Mitte“ kläglich gescheitert. Dem Handelsvertragsverein war es weder gelungen, die tonangebenden Kreise des Zentralverbandes für sich zu gewinnen und damit das Bündnis zwischen Junkertum und Schwerindustrie zu zerschlagen, noch vermochte er – wie zunächst erhofft – über die freisinnigen Parteien hinaus Einfluß auf die Politik des Zentrums und der Nationalliberalen Partei zu erlangen. Obwohl dem erweiterten Ausschuß eine Reihe nationalliberaler Industrieller, Bankiers und Großhändler angehörte, blieb – wie das Abstimmungsergebnis über den Kardoff-Kompromiß zeigt – der Einfluß auf die nationalliberalen Abgeordneten im Reichstag gering. Über die linksliberalen Parteien hinaus gelang es dem Handelsvertragsverein lediglich, einige wenige Abgeordnete der NLP auf sein Programm zu verpflichten, während demgegenüber führende Mitglieder der nationalliberalen Fraktionen des preußischen Abgeordnetenhauses und des Reichstages leitende Positionen in Gremien des Bundes der Landwirte einnahmen[161]. – Der Vorschlag Theodor Barths, den Handelsvertragsverein zu einer Einheitsfront der Linken zu entwickeln, scheiterte ebenfalls[162]; und zwar zum einen an der „Intransigenz der Sozialdemokratie und zum anderen an der ablehnenden Haltung Eugen Richters“[163].

Bei der schmalen sozialen und politischen Basis, die dem Handelsvertragsverein damit blieb, war der Kampf gegen die vereinte Front von Großgrundbesitz und Schwerindustrie zum Scheitern verurteilt.

Die „große Sammlung“, die Basis der Bülowschen Politik bis 1906, überdauerte auch das Ausscheiden des Zentrums[164], an dessen Stelle die Linksliberalen in den Bülow-Block eintraten[165]. Das Scheitern des Konzeptes des Handelsvertragsvereins hätte nicht deutlicher dokumentiert werden können. Doch diese neue Variante der großen Sammlungspolitik funktionierte nur – sieht man einmal vom Reichsvereinsgesetz von 1908 ab[166] – bei Fragen von sekundärer Bedeutung. Die Lösung der großen Aufgaben, so z. B. die preußische Wahlrechtsreform, eine Stärkung der Position des Reichstages, wirksame Schritte zur Gleichstellung des Bürgertums in den höheren Bereichen von Verwaltung und Armee und – wie noch zu zeigen sein wird – die Reichsfinanzreform[167] scheiterten oder wurden gar nicht erst versucht[168]. Die Erfahrung, daß der erweiterte Rechtsblock in erster Linie der konservativen Führungselite zugute kam, und die Erkenntnis, daß im Rahmen der großen Sammlungspolitik weder das Mißverhältnis zwischen ökonomischer und politischer Machtverteilung abgebaut noch wesentliche Reformen durchgesetzt werden konnten, stärkten im linksliberalen Lager die Kräfte, die auch nach dem Eintritt der freisinnigen Parteien in den Bülow-Block für eine antiagrarische Politik eintraten[169].

Die zahlreichen Pläne und Forderungen, die politische Vormachtstellung der vorindustriellen Herrschaftsgruppen zu brechen, verdeutlichen, daß auch während der großen Sammlungspolitik mehr als nur ein latentes Interesse existierte, die mangelnde Synchronisation von wirtschaftlicher und politischer Entwicklung zu beseitigen. Erwähnt sei hier lediglich der in Handelskammerkreisen erörterte Plan, der sich mit den Fragen auseinandersetzte, wie die „politische Zersplitterung der industriellen und kommerziellen Kreise“ und wie ihr „ungenügender Einfluß auf Regierung, Presse und Parlament“ zu beheben sei[170]. Als Antwort auf diese „unhaltbaren Zustände“ wurde zur Reorganisation des politischen und ökonomischen Liberalismus, zur Bildung einer „Massen-Organisation“ und zur „Einigung des Liberalismus“ aufgerufen[171]. In der Freisinnigen Vereinigung wurden demgegenüber Überlegungen angestellt, wie mit der „Gründung eines Bundes zum Abbau der Getreide- und Futterzölle“ – als „Antidoton gegen den Bund der Landwirte“ – zum einen die bäuerliche Bevölkerung dem Liberalismus zurückzugewinnen und zum anderen ein größerer Einfluß auf die Handlungsgehilfen und Privatbeamten zu gewinnen seien[172]. – Erwähnt sei schließlich, daß auch Jakob Riesser seinen Plan einer antifeudalen Sammlungsbewegung bereits 1904 entwickelte[173].

Zur gleichen Zeit wurden auch im Rahmen der Arbeitgeberbewegung – in Kreisen, die dem Centralverband angehörten bzw. diesem nahestanden – Überlegungen angestellt, wie die Industrie, die sich zur „ersten wirtschaftlichen Kraft im Reich“ entwickelt habe[174], ihre wirtschaftliche Macht auch politisch einsetzen könne, „um die Landwirtschaft aus ihrer Machtstellung ... vertreiben“ zu können[175]. Im Unterschied zu der vom Handelsvertragsverein verfolgten Konzeption der Mitte verfolgten die verschiedenen Richtungen der politischen Arbeitgeberbewegung jedoch eine Aufwertung ihrer politischen Macht über eine Rechtsblock-Konzeption. D. h. im Rahmen der bestehenden gesellschaftlichen und politischen Machtstruktur sollte die Industrie entsprechend ihrer ökonomischen Stärke an Stelle der Landwirtschaft die führende Position übernehmen; die Zusammenarbeit mit der konservativen Führungselite sollte jedoch bestehen bleiben[176].

Ihre Schwerpunkte hatte die politische Arbeitgeberbewegung, die über die Industrie hinaus auch in Teilen des Handwerks Zustimmung fand[177], in Saarbrücken, Hamburg/Altona, Hannover, ferner in Nürnberg und München[178]. Einigkeit herrschte lediglich in dem Bestreben, „das riesenhafte Mißverhältnis zwischen der wirtschaftlichen Bedeutung des gewerblichen Unternehmertums und seiner politischen Geltung“ aufzuheben[179]. Während jedoch die Nürnberger Richtung dieses Ziel innerhalb der bestehenden Arbeitgeberverbände zu erreichen versuchte[180], strebten die Hannoveraner, Hamburger und Saarbrücker Vertreter der politischen Arbeitgeberbewegung zur Erlangung einer besseren Vertretung der Industrie in den parlamentarischen Körperschaften eine selbständige politische Organisation aller gewerblichen Arbeitgeber in Industrie, Baugewerbe, Handwerk, Handel und Verkehr an[181].

Auch die Programme machen deutlich, daß es sich um keine geschlossene Bewegung handelte. Während z. B. Menck die Tätigkeit der neuen Arbeitgeberorganisation auf die Sozialpolitik beschränken wollte – und zwar im Sinne der Verhinderung weiterer sozialpolitischer Gesetze[182] –, gingen die Pläne Alexander Tilles davon aus, in der angestrebten Arbeitgeberpartei die gesamten allgemeinen Interessen der Industrie zu vertreten[183]. Die Haltung gegenüber den politischen Parteien differierte ebenfalls erheblich. Tille vertrat z. B. die Auffassung, daß „die politischen Parteien sich überlebt" hätten[184], und sah in der von ihm erstrebten Arbeitgeberpartei einen Beitrag zu ihrer Überwindung. Menck und Carl König wollten demgegenüber mit Hilfe des „Bundes der gewerblichen Arbeitgeber" die Arbeitgeberinteressen gegenüber den bestehenden Parteien vertreten[185].

Von Bedeutung war, daß alle Vertreter der politischen Arbeitgeberbewegung für ein Zusammengehen mit dem selbständigen Mittelstand plädierten[186]. Solche Bestrebungen wurden jedoch von den führenden Vertretern des Centralverbandes abgelehnt. So stellte z. B. Bueck fest: „Der große Arbeitgeberbund, von Krupp herunter bis zu dem kleinsten Handwerker und Detaillisten, der als Arbeitgeber einen Lehrling beschäftigt, ist eine großzügige, ideale Idee, aber eine Idee ..., die schon scheitern muß an den großen Interessengegensätzen, die sich in einem solchen Konglomerat vereinigen."[187] Der Hauptgrund für die ablehende Haltung dürfte jedoch die Befürchtung der Centralverbands-Führung gewesen sein, daß ein Zusammenschluß aller Arbeitgeber die eigene Position schwächen würde[188]. Da neben den führenden Vertretern des Centralverbandes auch der stärkste Verband des Bundes der Industriellen, der Verband Sächsischer Industrieller, diese Bestrebungen kategorisch ablehnte – Stresemann sah in der politischen Arbeitgeberbewegung einen Versuch, die Industrie ins „konservative Lager zu locken"[189] – blieben diese Bestrebungen, die politische Vertretung der Unternehmer in den Parlamenten zu verbessern, weitgehend erfolglos[190].

Handelsvertragsverein und politische Arbeitgeberbewegung lassen einerseits erkennen, daß der Anspruch auf gleichberechtigte bzw. führende Mitwirkung in der Politik von weiten Kreisen des gewerblichen Bürgertums erhoben wurde. Ihre unterschiedlichen Konzeptionen, um dieses Ziel zu erreichen, weisen andererseits aber auch auf die zahlreichen Differenzen politischer, sozialer und wirtschaftlicher Art hin, die das gewerbliche Bürgertum noch 1908 hinderten, eine schlagkräftige und repräsentative Organisation zur Durchsetzung seiner Anwartschaft auf die politische Leitung zu bilden. Die Tatsache, daß ein Jahr später während der Reichsfinanzreform mit der Gründung des Hansa-Bundes für Gewerbe, Handel und Industrie ein Interessenverband entstand, der seine Mitglieder aus fast allen Kreisen des „erwerbstätigen Bürgertums" rekrutierte, weist darauf hin, daß der ökonomische Machtzuwachs des Bürgertums allein nicht ausreicht, um die Gründung dieses Verbandes zu erklären. Die folgende Darstellung und Analyse der Reichsfinanzreform geht – entsprechend unseren Ausgangsthesen – davon aus, daß das in weiten Kreisen des Bürgertums zumindest latent vorhandene Bestreben nach vermehrtem politischem Einfluß durch Entscheidungen der politischen Führungseliten, die diesem Verlangen zuwiderliefen, aktiviert wurde.

4. Reichsfinanzreform von 1909 und die Gründung des Hansa-Bundes

Nachdem sich zu Beginn des 20. Jahrhunderts auf dem Gebiet der Finanzpolitik eine Art „Fatalismus des Geschehenlassens"[191] breit gemacht und die Sanierungsversuche der Reichsfinanzen von 1904 und 1906 keine wesentlichen Änderungen erbracht hatten, war es der Regierung Bülow 1908 gelungen, einen „Reformvorschlag" auszuarbeiten, der – Rücksicht nehmend auf die Haltung der Bundesstaaten – zwar nicht die gewünschte organisatorische Neuregelung der finanziellen Verhältnisse zwischen Reich und Bundesstaaten beabsichtigte[192], der aber mit gewissen Einschränkungen von einer großen Mehrheit in Handel und Industrie akzeptiert wurde[193]. Als Blockkonzession an die Liberalen, die die Einführung einer allgemeinen Besitzsteuer gefordert hatten, wurde die Ausdehnung der Erbschaftssteuer auf Ehegatten und Deszendenten vorgeschlagen. „Dagegen sollten die Liberalen den ganzen Rest der indirekten Steuern annehmen, ohne daß die Berechtigung gerade dieses Verhältnisses von direkten und indirekten Steuern (1 : 5) im Regierungsprogramm weiter begründet wurde, die auch tatsächlich nicht zu begründen war, wenn man darin nicht den ziemlich richtigen Ausdruck der parteipolitischen Machtverhältnisse von Konservativen und Liberalen im Block anerkennen wollte."[194] Hinzu kamen Vorschläge wie eine Anzeigen-, Elektrizitäts- und Gassteuer, Projekte, über deren Ablehnung man sich bereits in den Kommissionsberatungen einigte[195]. Der Entwurf des Erbschaftssteuergesetzes wurde, obwohl auf Betreiben des preußischen Finanzministers von Rheinbaben wesentlich zu Gunsten der Landwirtschaft abgeändert[196], von den Konservativen besonders unter Einwirkung der Agitation des BdL scharf bekämpft; und zwar mit der Begründung, die Ausdehnung der Erbschaftssteuer auf Ehegatten und Deszendenten „widerspreche dem Volksempfinden" und bedeute „einen schweren Eingriff in das Familienleben"[197].

Nachdem bereits in den ersten Kommissionsberatungen, gerade auch zwischen den Parteien des Blocks, die prinzipiellen Gegensätze am schärfsten hervortraten[198], und sowohl die Nachlaßsteuer als auch der nationalliberale Reichsvermögenssteuerantrag Anfang März in der Hauptkommission abgelehnt worden waren, blieb „den beiden linken Blockparteien gar keine andere Wahl . . ., als dem leicht geänderten Antrag der Freikonservativen ihre Zustimmung zu geben, schon um sich nicht mit dem Odium der Blocksprengung zu belasten"[199]. Diese nachgiebige Haltung der liberalen Parteien wurde jedoch von den Konservativen nicht honoriert. Am 24. 3. 1909 teilten die Deutsch-Konservativen den Führern der Nationalliberalen ihren bereits Anfang März[200] gefaßten Fraktionsbeschluß mit, die Reichsfinanzreform – wenn notwendig – mit Hilfe des

Zentrums durchzuführen[201], was sie zwei Tage später in die Tat umsetzten. Auf dem Höhepunkt der Auseinandersetzungen über die Branntweinbesteuerung – die in der Frage der sogenannten „Liebesgabe“[202] den Gegensatz zwischen den Blockparteien besonders deutlich werden ließ – stimmten sie am 26. 3. 1909 der vom Zentrum beantragten Beibehaltung der „Liebesgabe“[203] zu, und zwar gegen die Stimmen der Liberalen. Dieses Zusammengehen von Konservativen und Zentrum bedeutete das Ende des Bülow-Blocks. In Kreisen der Liberalen[204], der Industrie und des Mittelstandes setzte daraufhin eine starke Bewegung zu Gunsten der von der Regierung vorgeschlagenen Erbschaftssteuer ein, deren anti-agrarische Spitze nach dem Zusammengehen der Deutsch-Konservativen mit dem Zentrum in der Frage der Branntweinsteuer deutlich hervortrat.

Auf der von den führenden Mittelstandsvertretungen einberufenen Versammlung[205] in Berlin am 13. 4. 1909 wurde von mehr als 4000 Teilnehmern gegen die Verschleppung der Reichsfinanzreform, gegen die „ungerechte Verteilung der Steuerlasten“ protestiert und die Einführung einer „stark progressiven Erbanfallsteuer“ gefordert[206]. Der Versuch Diederich Hahns, des Direktors des BdL, die Einwände der Deutsch-Konservativen gegen die Erbanfallsteuer vorzutragen, ging in Tumulten unter[207]. Diese Protestbewegung wurde von der Regierung noch gefördert. So ließ Bülow z. B. in einem Erlaß die Landräte dienstlich anweisen, einige vom Volkswirtschaftlichen Büro des Reichsschatzamtes verfaßte Artikel aus der „Neuen Correspondenz“ in die amtlichen Kreisblätter aufzunehmen, um dadurch der Landbevölkerung „die verschiedenen Gesichtspunkte der Erbschaftsbesteuerung in präziser und gemeinfaßlicher Weise“ darzulegen[208]. Auch der Empfang von Deputationen aus Baden, Bayern, Sachsen, Thüringen, Württemberg und des Bundes der Industriellen, deren Vorstellungen zur Reichsfinanzreform mit der Reichsregierung sorgfältig abgestimmt worden waren, enthielt trotz aller gegenteiligen Versicherungen Bülows eine antikonservative Spitze und hatte den Zweck, über eine Mobilisierung der öffentlichen Meinung Druck auf die Konservativen auszuüben[209].

Obwohl die Versuche der Konservativen, die Erhebung einer Erbanfallsteuer zu verhindern und die Beibehaltung der Branntwein-„Liebesgabe“ zu sichern, besonders deutlich werden ließen, daß nicht „nationale Interessen, sondern vor allem Rücksichten auf materielle Vorteile für ihre Politik den Ausschlag geben“[210], blieb es bei den erwähnten Protesten.

Der Gedanke an eine gegen die Konservativen und insbesondere gegen den BdL gerichtete Organisation wurde erst artikuliert, als die konservativ-klerikale Mehrheit der Finanzkommission am 19. 5. den Entwurf einer Kotierungssteuer einbrachte, der besonders in Bank- und Börsen-, aber auch in großindustriellen Kreisen einen Sturm der Entrüstung hervorrief, da nach Auffassung dieser Kreise die Kotierungssteuer[211] den Handel in ausländischen Wertpapieren von den deutschen Börsen verdrängen würde und zudem als einseitige Besitzsteuer des mobilen Kapitals abgelehnt wurde[212]. Es war das Verdienst Jakob Riessers, des Präsidenten des Centralverbandes des Deutschen Bank- und Bankiergewerbes, den psychologisch günstigen Augenblick zur Organisierung einer Protestbewegung erkannt zu haben, und ein Beweis seiner organisatorischen Beweglichkeit, daß aus einer lediglich als Protestversammlung[213] gegen die Kotierungssteuer geplanten Abwehrmaßnahme in wenigen Tagen eine mächtige Bewegung zur Gründung einer Abwehrorganisation wurde[214]. Eine sofortige Unterstützung bei der Vorbereitung der Abwehrversammlung vom 12. 6. wurde Riesser von seiten der Handelskammern zuteil, die besonders enge Beziehungen zu den Börsen hatten bzw. am Außenhandel interessiert waren. Die Protestversammlung derjenigen Handelskammern, „die in unmittelbaren Beziehungen zu den deutschen Börsen" standen, erhob am 26. 9. 1909 „den schärfsten Widerspruch gegen den völlig verfehlten Beschluß der Finanzkommission des Reichstags, der den Handel mit Wertpapieren und ihrem Besitzer in ungerechtester Weise unerträgliche Sonderlasten aufbürden" wolle. „Die beschlossene Besteuerung würde die deutschen Börsen ... aufs empfindlichste schädigen ... Vor allem aber würde sie die politischen und wirtschaftlichen Gesamtinteressen und damit die Machtstellung des Deutschen Reiches bedrohen, weil sie den deutschen Markt von den internationalen Finanzgeschäften ausschließen und so die Grundlage des für Industrie, Handel und Landwirtschaft unentbehrlichen Außenhandels erschüttern würde."[215]

Zahlreiche Verbände, in denen Handel oder Banken tonangebend waren, protestierten gegen die sich „immer von neuem wiederholende Bevorzugung der Landwirtschaft"[216], riefen zur Teilnahme an der Protestversammlung vom 12. 6. auf und stimmten der Gründung einer Abwehrorganisation zu. Über die Handelskreise hinaus gelang es auch, die großen Industrieverbände zu mobilisieren. Während Jakob Riesser von Anfang an eine antifeudale Sammlungsfront gegen das Junkertum anstrebte[217], verstand Landrat a. D. Roetger, der Vorsitzende des Centralverbandes, den neu zu gründenden Verband als Warnsignal an den Bund der Landwirte vor weiterem Machtmißbrauch[218]. Hinzu kam das Bestreben, mit Hilfe des neuen Verbandes einen größeren Einfluß auf die Regierung zu erhalten[219], und einer Bewegung, die ohne Einfluß des Centralverbandes „elementar aus der Macht der Verhältnisse heraus entstanden war"[220], dennoch den eigenen Stempel aufzudrücken[221]. Der Aufruf zur Abwehrversammlung vom 12. 6. 1909 und zur Gründung einer „Interessengemeinschaft der privaten Vertretungen von Deutschlands Industrie, Handel und Bankwesen"[221] konnte – trotz der unterschiedlichen Motive seiner Unterzeichner – als großer Erfolg der liberalen Kräfte des Bürgertums gewertet werden. Denn der bisherige Bündnispartner des Junkertums, der Centralverband, protestierte gemeinsam mit dem Spitzenverband der Banken und Börsen gegen die Ablehnung der Nachlaßsteuer und gegen die in „ihren Folgen ... bedenklichen Steuerprojekte", da diese „ausschließlich Handel, Industrie, Börse und Bankwesen in einer alle Grenzen überschreitenden Weise belasten und geeignet, vielleicht auch dazu bestimmt" seien, „die heutige wirtschaftliche Machtstellung dieser Stände niederzuwerfen".

Der Aufruf hob ferner hervor, daß „Deutschlands Industrie, Handel und Bankgewerbe am Ende ihrer auf viele und harte Proben gestellten Geduld angelangt und nicht länger gewillt" seien, „einer Gesetzgebung zum Opfer zu dienen, welche von einseitiger wirtschaftlicher Interessenpolitik beherrscht" werde[222]. Darüber hinaus forderten der Centralverband[223] ebenso wie der Bund der Industriellen[224] bereits am 26. 5. 1909 ihre korporativen Mitglieder auf, an der Protestversammlung vom 12. 6. teilzunehmen[225].

Da Rötger in Ostpreußen weilte[226], wurden die Vorbereitungen für die Gründungsversammlung von Riesser und der Geschäftsstelle des Centralverbandes des Deutschen Bank- und Bankiergewerbes geleitet[227].

Riesser berief die Vorsitzenden der führenden Verbände der Industrie, des Großhandels, des Verkehrs- und Bankwesens, ferner einige wenige Vertreter des Handwerks und des Einzelhandels in das Präsidium der Gründungsversammlung[228], das spätere konstituierende Präsidium des HB[229]. Die Beteiligung an der Abwehrversammlung war größer als erwartet[230]. Anwesend waren 2400 Delegierte von 109 amtlichen Handelsvertretungen – davon 86 Handelskammern und 13 Börsen – und 244 Verbänden, überwiegend aus Industrie und Handel, und über 4000 Mitglieder der verschiedenen Wirtschaftszweige[231]. Das Verzeichnis der bei der Kundgebung vertretenen Vereine ist zu Recht ein „Dokument der organisierten Wirtschaft"[232] genannt worden. Neben den führenden Handelskammern und Börsen waren alle Spitzenverbände von Handel, Gewerbe und Industrie vertreten, u. a. der Centralverband des Deutschen Bank- und Bankiergewerbes und seine Zweigvereine, der Handelsvertragsverein, die Centralstelle für Vorbereitung von Handelsverträgen, der Verband Deutscher Exporteure, der Verein Hamburger Reeder, der Verein Deutscher Schiffswerften, der Verband Deutscher Waren- und Kaufhäuser, ferner die Spitzenverbände der deutschen Industrie, der Centralverband und – inklusive der angeschlossenen Handelskammern und Industriebörsen – ca. 60 korporative Mitglieder[233], der Bund der Industriellen und mehr als 20 der ihm angeschlossenen Verbände[234] und zahlreiche Vereine, die keinem der beiden industriellen Spitzenverbände angehörten, wie z. B. der Verein zur Wahrung der Interessen der chemischen Industrie Deutschlands und eine große Anzahl regionaler Fachverbände, Arbeitgeberverbände; schließlich einige wenige (3) Handwerker-, 11 kleinere Angestelltenvereinigungen[235] und acht Einzelhandelsverbände; d. h. sowohl der selbständige als auch der unselbständige Mittelstand verhielten sich abwartend; von Bedeutung war lediglich die Teilnahme des Centralausschusses vereinigter Innungsverbände Deutschlands. Die liberale Presse, die außerordentlich ausführlich über die Versammlung berichtete, charakterisierte sie als „ohne Beispiel im öffentlichen Leben des neuen Reichs"[236], als „einzig in ihrer Art"[237] oder gar als „geschichtlichen Wendepunkt für das deutsche Bürgertum"[238]. Diese überschwengliche Berichterstattung konnte jedoch nur kurze Zeit die Differenzen verdecken, die bereits auf der Gründungsversammlung in Fragen der Sozial[239]-, der Steuerpolitik[240] und auch in der Haltung gegenüber dem Bund der Landwirte sichtbar wurden. Während die Protestresolution der Versammlungsteilnehmer gegen die Steuerentwürfe der konservativ-klerikalen Reichstagsmehrheit ohne Einfluß auf den Gang der Gesetzgebung blieb[241], wurde mit der Gründung des Hansa-Bundes ein erneuerter Versuch unternommen-, die Macht der „vereinten Gegner unter der Führung des Bundes der Landwirte . . ., Deutschlands eigentliche Regierung“ zu brechen[242]. Die Erkenntnis, daß die am Status quo interessierten Kräfte erneut „unverhüllt das Bestreben“ gezeigt hatten, „Gewerbe, Handel und Industrie . . . einseitig zu belasten und damit auf das schwerste zu schädigen“[243], gab den letzten Anstoß zur Gründung des neuen Verbandes. Der erneute – erfolgreiche – Versuch der konservativen Kräfte, ihre Machtposition uneingeschränkt zu bewahren und materiell für sich auszunutzen, trug dazu bei, daß die latent vorhandenen Bestrebungen zur Durchsetzung eines größeren Einflusses der ökonomisch erstarkenden Kräfte aktiviert wurden. Die maßlosen Übertreibungen, daß die vorgesehenen Steuern geeignet wären, die „Konkurrenzfähigkeit Deutschlands, insbesondere der deutschen Export-Industrie, gegenüber dem Auslande zu schwächen und für die Gesamtheit wertvolle Erwerbszweige zu vernichten“[244] und die „Lebensgrundlage der Mehrheit der deutschen Erwerbsstände an der Wurzel“ zu treffen[245], ließen die Differenzen in den Reihen der Betroffenen in den Hintergrund treten. Dies trug neben der erneuten materiellen Belastung, den von der liberalen Presse „angeheizten“ Emotionen[246] und den Aktivitäten J. Riessers[247] dazu bei, daß das seit längerem existierende Interesse, das Mißverhältnis zwischen ökonomischer und politischer Machtverteilung abzubauen, organisationsfähig wurde. Zweck des neuen Verbandes sollte es sein, dafür zu sorgen, „daß Deutschlands Gewerbe, Handel und Industrie den ihnen längst gebührenden Einfluß in der Verwaltung, Gesetzgebung und Leitung des Staates erringen“[248]; ferner „im gemeinsamen Interesse“ der im Hansa-Bund vertretenen Wirtschaftskreise „alle gegen dieselben gerichteten Angriffe und Schädigungen abzuwehren, ferner positive zum Schutze dieser Stände dienende Vorschläge zu machen und auf Ausgleichung von Gegensätzen in den eigenen Reihen hinzuwirken“. Zur Erreichung dieses Ziels sollte der neugegründete Verein insbesondere an der „Vorbereitung von Wahlen zum Reichstage und zu den Einzellandtagen für die Wahl solcher Kandidaten“ eintreten, „welche jeder Schädigung und jeder einseitigen Belastung von Handel, Industrie und Gewerbe entgegenzutreten entschlossen sind; in erster Linie soll hierbei für die Wahl von Kandidaten aus den eigenen Reihen dieser Stände eingetreten werden“[249].

II. Verbandsinterne Faktoren des Einflusses

1. Programm und Ideologie des Hansa-Bundes

Die Fähigkeit von Interessengruppen, ihre Ziele zu erreichen, hängt von einer Reihe von Faktoren ab, die teils in ihrem eigenen Selbstverständnis und in ihrer Struktur, teils in dem politischen System und der Gesellschaft liegen, in der sie ihre Zielsetzungen verfolgen müssen[1]. Zu den wichtigsten Faktoren gehören u. a. die verbandsinternen Faktoren, wobei der Programmatik und Verbandsideologie besondere Bedeutung zukommt.

Die Differenzen, die auf der Gründungsversammlung vom 12. 6. in Fragen der Sozial- und Steuerpolitik und hinsichtlich der Haltung des neuen Verbandes gegenüber dem Bund der Landwirte sichtbar wurden, ließen bereits erkennen, wie schwierig es sein würde, einem Verband mit derart heterogener Mitgliedschaft ein positives Programm zu geben. Dies um so mehr, als die verschiedenen Mitgliedergruppen dem Hansa-Bund aus unterschiedlichen Motiven beigetreten waren, und es vor der Gründungsversammlung keine Verhandlungen über das Programm des neuen Verbandes gegeben hatte.

J. Riesser, der bereits am 25. 6. vom konstituierenden Präsidium zum provisorischen Vorsitzenden des Hansa-Bundes gewählt worden war, skizzierte in zwei Artikeln in der Deutschen Wirtschaftszeitung über „das Wesen des Hansa-Bundes" Aufgaben und Ziele des neuen Verbandes[2]. Der Hansa-Bund als eine „wirtschaftliche Vereinigung mit gewissen, durch sein wirtschaftliches Programm bedingten politischen Zielen" könne nur dann Erfolg haben, wenn er „jedem, ohne Unterschied des religiösen und politischen Bekenntnisses" offenstehe, der die Ziele des Bundes anerkenne.

Hauptziel – wie bereits in § 1 seiner Satzungen zum Ausdruck gebracht – müsse die „Vertretung der gemeinsamen Interessen von Deutschlands Gewerbe, Handel und Industrie" sein, die es „gegen alle Angriffe und Schädigungen zu schützen" gelte. „Größtes gemeinsames Interesse" sei „gerade das, was den Hansa-Bund vor allem zusammengeführt" habe: „der Kampf gegen eine einseitige demagogisch-agrarische Richtung, welche bewußt die Lasten und Rechte im Staate ungleich verteilen will, und der Kampf um die Durchführung des weiteren Zieles, dem erwerbstätigen deutschen Bürgertum eine seiner wirtschaftlichen Bedeutung entsprechende Stellung in der Gesetzgebung, Verwaltung und Leitung des Staates zu verschaffen." Der Kampf um diese Ziele müsse „an der Spitze des positiven Programms des Hansa-Bundes stehen". Um sie erreichen zu können, seien der Gesetzgebungsprozeß und die Parlamentswahlen zu beeinflussen und die „Vorrechte, welche der Bund der Landwirte unter Verletzung der Interessen aller übrigen Kreise, auch des Mittelstands und des Handwerks für die Landwirtschaft allein in Anspruch" nehme und „durchzusetzen verstanden" habe, zu bekämpfen; ferner gelte es, „nach innen" das erwerbstätige Bürgertum aus seiner Gleichgültigkeit herauszureißen und mit „einem stolzen Standes- und Selbstbewußtsein zu durchdringen" und die „verschiedenen im Bunde vereinigten Richtungen und Erwerbsgruppen einander anzunähern".

Sollte also nach Riessers Vorstellungen der Kampf gegen den Bund der Landwirte an der Spitze des „positiven Programms" stehen, so vertrat demgegenüber Landrat Roetger die Auffassung, „daß ein solches Programm ... nur theoretischen, d. h. für unsere Zwecke gar keinen Wert" habe. „Wollen wir praktische Arbeit machen, dann sollen wir von Fall zu Fall die Sachen angreifen, die im gemeinsamen Interesse anzugreifen unbedenklich ist und *sich lohnt*". Für Roetger waren dies die Reichsversicherungsordnung und die Reichsfinanzreform, in der „das letzte Wort noch nicht gesprochen" sei[3].

Um sich gegenüber Riesser durchsetzen zu können, versuchte Roetger für seinen abweichenden Standpunkt im Direktorium des Hansa-Bundes Unterstützung zu mobilisieren.

Zu diesem Zweck lud er alle industriellen und gewerblichen Mitglieder des Direktoriums ein[4], um „mit denselben ganz zwanglos und unauffällig auch über das zu sprechen, was nicht zu den Aufgaben des Hansabundes gehört: Hierzu rechne ich, was Rießer so gern in den Vordergrund schieben möchte, all das Arbeiten in der Presse und anderswo mit der liberalen Phrase vom unterdrückten Bürgertum, die gänzlich zwecklosen Angriffe in der Presse auf den Bund der Landwirte und die Konservativen"[5], das heißt an Stelle des Kampfes gegen den Bund der Landwirte und die Konservativen sollte der Hansa-Bund in erster Linie Frontstellung gegenüber der Sozialdemokratie und der „immer stärker gewordene(n) Herrschaft katheder-sozialistischer Anschauungen" beziehen, deren „nachdrückliche Bekämpfung ... zu den Hauptaufgaben" des Hansa-Bundes gehören müsse[6]. Außerdem ließ er erkennen, daß über das „generelle Programm" der Satzungen hinaus der Hansa-Bund keiner „programmatischen Deklaration bedürfe"[7], und daß es ihm bei den Programm-Diskussionen lediglich um die Formulierung eines „internen Arbeitsprogramms" ging[8]. Diese Vorstellungen Roetgers trafen – trotz mancherlei Kritik[9] – in der von ihm einberufenen Versammlung ausgewählter Direktoriumsmitglieder weitgehend auf Zustimmung[10]. In der Direktoriumssitzung vom 4. Oktober wurden jedoch die von J. Riesser formulierten Richtlinien – bei nur geringfügigen Abänderungen – angenommen[11].

Die folgende Untersuchung beschränkt sich auf die wichtigsten programmatischen Erklärungen des Bundes, auf die Richtlinien von 1909 und 1912, das Mittelstandsprogramm von 1912[12], ferner auf eine Reihe von grundsätzlichen Resolutionen und Beschlüssen des Hansa-Bund-Direktoriums[13] und auf die wichtigsten programmatischen Reden J. Riessers[14].

In der folgenden Darstellung und Analyse sollen insbesondere Funktionen und Bedeutung der wichtigsten allgemeinen und konkreten programmatischen Äußerungen erörtert werden. Die Programmatik des Hansa-Bundes ist ferner auf die in ihm zusammengeschlossenen Mitgliedergruppen und deren Interessen zu beziehen, und schließlich ist danach zu fragen, wie das Programm den sich ändernden politischen Verhältnissen angepaßt wurde. Die Führung des Hansa-Bundes hatte ja „absichtlich“ nicht den Begriff Programm gewählt, weil dieser „seiner Natur nach eng begrenzt und abgeschlossen“[15] sei. Da „jeder neue Tag und jeder neue gegnerische Angriff neue, heute noch nicht übersehbare Aufgaben bringen“ könne, einigte sich das Direktorium des Hansa-Bundes auf möglichst flexibel zu gestaltende Richtlinien[16].

Die beiden wichtigsten programmatischen Grundlagen, die Richtlinien von 1909 und 1912[17] waren in gleicher Weise gegliedert. An der Spitze wurden die generellen Ziele und Forderungen und „allgemeine Gedanken“ zur Durchführung dieser Grundsätze genannt. Daran anschließend wurden diese Ziele konkretisiert, und zwar geordnet nach den Sachgebieten „Staatsleben“, Finanz-, Verkehrs-, Handels- und Gewerbe- und Sozialpolitik. Den Abschluß bildeten Richtlinien für die verbandsinterne und die nach außen, d. h. an die Adressaten des Einflusses, gerichtete Aufklärungsarbeit und Agitation des Verbandes. Die generellen Ziele blieben – wie ein Vergleich der Richtlinien von 1909 und 1912 zeigt – in den meisten Punkten unverändert; sie wurden 1912 jedoch konkreter formuliert. An ihrer Spitze stand die Forderung des Hansa-Bundes nach „Gleichberechtigung aller Erwerbsstände“, denn der „moderne Staat“ könne nur gedeihen, wenn dieser Grundsatz „den leitenden Gedanken und die unverrückbare Grundlage auch seiner Wirtschaftspolitik“ bilde. Der Hansa-Bund werde mit aller Kraft dahin wirken, daß dieser Grundsatz sowohl in der Theorie als auch in der Praxis in der Gesetzgebung, in der Verwaltung und in der Leitung des Staates durchgesetzt und daß den berechtigten Interessen der in ihm vertretenen Wirtschaftsgruppen bei dem Abschluß von Handelsverträgen und beim Erlaß von Gesetzen, Verordnungen usw. Rechnung getragen werde. Um dieses Ziel erreichen zu können, müsse der „für eine gesunde wirtschaftliche Entwicklung der Nation, für den Frieden im Innern und für unser Verhältnis mit dem Auslande gleich unheilvolle Einfluß jener einseitigen agrar-demagogischen Richtung beseitigt“ werden, „die sich bisher in ihrer praktischen Tätigkeit von entgegengesetzten Grundanschauungen leiten ließ“[18]. Bei der Durchführung dieser Grundsätze werde der Hansa-Bund stets den „nationalen Interessen“ höchste Priorität einräumen, ausschließlich die „gemeinsamen Interessen“ seiner Mitglieder vertreten, parteipolitisch strengste Neutralität bewahren und auf die Wahlen zu den Parlamenten, insbesondere auf die Aufstellung der Kandidaten Einfluß nehmen.

Ein Vergleich der Richtlinien mit dem oben skizzierten Konzept J. Riessers läßt eine deutliche Konvergenz in der Formulierung der generellen Ziele des Hansa-Bundes erkennen, auch wenn – vermutlich unter dem Einfluß anderer Direktoriumsmitglieder[19] – die Auseinandersetzung mit dem Hauptgegner, dem Bund der Landwirte, in den Richtlinien weniger provokant geführt wurde.

Die Schwierigkeiten, die heterogenen Mitgliedergruppen auf der Basis einer positiven Interessenidentität zusammenzufassen, legten neben der Entwicklung einer Gemeinschaftsideologie den Versuch nahe, zumindest eine (Schein-)Integration der Mitglieder auf der Grundlage einer militanten Abwehrideologie zu erreichen[20].

Der erste Schritt hierzu ist in dem Bemühen zu sehen, Programm und „praktische Tätigkeit" des Gegners als falsch und interessenverzerrt zu entlarven. Deshalb wurde z. B. – wie bereits erwähnt – der „agrar-demagogischen Richtung" ein unheilvoller Einfluß auf die wirtschaftliche Entwicklung, auf das Verhältnis der Interessengruppen zueinander und auf die Beziehungen des Deutschen Reiches zum Ausland attestiert, gleichzeitig aber eine Interessenkonvergenz von eigenem Programm und Gemeinwohl[21] konstatiert. Und zwar mit der Begründung, der allgemein akzeptierte Grundsatz der Gleichberechtigung aller Erwerbsgruppen sei die oberste Maxime des eigenen Handelns, während die Interessenpolitik des Bundes der Landwirte die Durchsetzung dieses Grundsatzes verhindere. Von dieser Position aus wurde der Kampf gegen den Bund der Landwirte nicht nur zum größten gemeinsamen Interesse aller Mitglieder, sondern auch zu einem nationalen Bedürfnis erklärt.

Um die Bereitschaft der eigenen Mitglieder zur Abwehr der einseitigen Interessenpolitik des Gegners und zur Änderung des Status quo zu wecken, wurde die Wirklichkeit bewußt negativ und als weit entfernt von dem gewünschten Idealzustand dargestellt und der Gegner für diesen Mißstand verantwortlich gemacht[22]. Ganz formal gesehen heißt das, daß der Bund der Landwirte in der Verbandsideologie des Hansa-Bundes eine ähnliche Funktion erfüllte wie Antisemitismus und „mobiles Kapital" in der Ideologie des Bundes der Landwirte und des konservativen Mittelstandes[23]. „Was den Hansabund ... so attraktiv und für die Agrarier gefährlich machte und sie daher ungemein verbitterte, war die Tatsache, daß sich der Hansabund ebenfalls mit einer in der Propaganda stark betonten, zugleich bündischen und erwerbsständischen Gemeinschaftsideologie in der Öffentlichkeit populär zu machen suchte."[24] Bei der Heterogenität der Mitgliedergruppen und der schmalen Basis einer positiven Interessenidentität waren die Betonung gemeinsamer Interessen[25], der Appell an Solidarität und Opferbereitschaft[26], der Versuch, das Standes- und Selbstbewußtsein des erwerbstätigen Bürgertums zu stärken[27] und die Beschwörung einer „Politik der Diagonale"[28] und des Ausgleichs notwendige Funktionen der Verbandsideologie. Der stete Hinweis, der Hansa-Bund vertrete keine Sonderinteressen[29], stellte ebenso einen Beitrag zur Gemeinschaftsideologie dar, wie die eigene Charakterisierung des Verbandes als „großartigste Schöpfung zur Versöhnung von Interessengegensätzen"[30]. Die Betonung der gemeinsamen Interessen und der Versuch der Stärkung des Standes- und Selbstbewußtseins der im Hansa-Bund vertretenen Mitgliedergruppen korrespondierten mit der Betonung des Selbsthilfegedankens und der Forderung nach mehr Bewegungsfreiheit für das Unternehmertum nach außen und im Innern des Deutschen Reiches[31], und mit der scharfen Ablehnung des von seiten des Bundes der Landwirte drohenden „Polizei- und Agrarstaats"[32] und „staatssozialistischer" Gedanken[33]. Die Forderungen nach freier Bewegung für das Unternehmertum ließen sich auch gegenüber den Angestellten als gemeinsame Interessen aller Hansa-Bund-Mitglieder vertreten, sofern diese bereit waren, sich entsprechend der Ideologie der Verbandsführung als „Prinzipale der Zukunft“[34], d. h. als Unternehmer in spe zu betrachten.

Unter Bezugnahme auf diese allgemeinen Grundsätze und Ziele strebte der Hansa-Bund folgende konkreten Ziele an: Da der Hansa-Bund die Vorherrschaft der vorindustriellen Führungseliten, insbesondere die des Bundes der Landwirte, brechen wollte, mußte er konsequenterweise in den konkreten Zielsetzungen für einen Abbau der Vorrechte dieser Herrschaftsgruppen und für eine Institutionalisierung der geforderten Mitwirkungsrechte eintreten. Neben der besonderen Bedeutung, die den Wahlen zu den Parlamenten und insbesondere der Aufstellung der Kandidaten beigemessen wurde (Kap. V), enthielten die Richtlinien von 1909 und 1912 zahlreiche konkrete Forderungen, die dem „erwerbstätigen Bürgertum“ einen größeren Einfluß auf die Verwaltung garantieren sollten, wie z. B. die Vergabe aller Staatsstellen auf Grund „persönliche(r) Tüchtigkeit und Qualifikation“, eine praktischere Ausbildung der Gerichts- und Verwaltungsbeamten, eine „umfassendere Beteiligung der kaufmännisch, gewerblich und technisch gebildeten Kreise an der Staatsverwaltung“ und Rechtsprechung[35], Forderungen, die auf Grund der personellen Verflechtung von konservativem Führungskartell und Verwaltungsapparat nur allzu berechtigt waren. Die Forderung nach *„größere(r) Selbständigkeit und Unabhängigkeit der kommunalen Selbstverwaltung“*[36] wirft ein bezeichnendes Licht auf die Behauptung des Hansa-Bundes, er trete für eine „gerechte Berücksichtigung aller Interessen“[37] ein. Wurde die kommunale Selbstverwaltung doch, zumindest in preußischen und sächsischen Städten auf Grund des plutokratischen Stimmrechts von den im Hansa-Bund vertretenen Wirtschaftsgruppen und von den von ihm unterstützten Parteien weitgehend kontrolliert.

Um die Chancen zur Verwirklichung der genannten Forderungen zu erhöhen, trat der Hansa-Bund 1912 für eine Legalisierung und Institutionalisierung der Anhörung von Sachverständigen seiner Mitgliedergruppen insbesondere *„vor* dem Abschluß von Handelsverträgen und vor dem Erlaß von Gesetzen, Verordnungen und Verfügungen in gewerblichen, kaufmännischen und industriellen Angelegenheiten“ ein[38], ferner für eine Institutionalisierung der Mitwirkung in ständigen Beiräten, für eine Abänderung der Kreis- und Provinzialordnungen, um eine bessere Vertretung von Gewerbe, Handel und Industrie zu gewährleisten, schließlich für eine Neueinteilung der Wahlkreise, für eine Abänderung des Wahlrechts in allen Bundesstaaten im Sinne der Einführung der direkten und geheimen Wahlen zu den Zweiten Kammern und für ein „gesetzliches Recht“ der im Hansa-Bund vertretenen Erwerbsgruppen „auf Sitz und Stimme in den Ersten Kammern“, Forderungen, deren Aufnahme in die Richtlinien von 1909 noch am Widerstand der Schwerindustrie gescheitert war[39]. Da diese Forderungen zum Teil die Interessen der Angestellten berücksichtigten, konnten sie von allen Mitgliedergruppen im Hansa-Bund unterstützt werden. Anders verhielt es sich mit der Forderung nach „freie(r) Bewegung und Tätigkeit von Gewerbe, Handel und Industrie". Diese linksliberale Forderung, die gegen „unnötige Verordnungen und Eingriffe von Staats- und Verwaltungsbehörden" gerichtet war, und als grundsätzlich unerläßlich für das Gesamtwohl bezeichnet wurde[40], weist auf die Grenzen der parteipolitischen Neutralität des Hansa-Bundes hin. Das gleiche gilt für die gegen die Parteien des schwarzblauen Blocks gerichtete Forderung nach Aufhebung der erlassenen Finanzgesetze der „sogenannten Reichsfinanzreform", da diese gegen den Grundsatz einer „gerechte(n) Verteilung der Staatslasten unter sämtliche Erwerbsstände und unter die Einzelnen nach Maßgabe ihres Besitzes und ihrer Leistungsfähigkeit" verstoße[41]. Die Billigung von 400 Millionen Mark indirekter Steuern, die die Arbeitnehmer proportional erheblich stärker belastete, läßt erkennen, daß die Forderung nach gerechter Belastung den eigenen Vorstellungen keineswegs zu Grunde gelegen hatte.

Die Programmpunkte für die Verkehrspolitik, u. a. die Forderungen nach „Verbesserung und Erweiterung der bestehenden Verkehrswege zu Wasser und zu Lande, ... Ermäßigung der Eisenbahntarife und der Post- und Telegraphen-Gebühren im Inland und im Verkehr mit dem Ausland"[42], richteten sich ebenfalls gegen die Politik der Konservativen und fanden, obwohl sie in erster Linie den Interessen von Großhandel, Banken und Exportindustrie[43] entsprachen, auch bei den im Hansa-Bund vertretenen Angestellten Unterstützung.

Im Unterschied zu den konkreten Forderungen in der Finanz- und Verkehrspolitik zeichneten sich die die Handels- und Sozialpolitik behandelnden Programmpunkte durch eine „priesterliche Vieldeutigkeit" aus[44]. So wurde zum Beispiel an den Abschluß von Handelsverträgen die Forderung „einer *gerechten Abwägung* der landwirtschaftlichen und der gewerblichen Interessen" gestellt[45]. Eine Formulierung, die die These bestätigt, daß „je weniger homogen die Gruppen sind, die in das Prokrustesbett angeblich gemeinsamer Interessen gezwungen werden sollen, desto verschwommener ... die Formeln werden [müssen], mit denen die Gemeinsamkeit beschworen wird"[46]. Daß sich „unter einer gerechten Handelspolitik ... viele sehr Verschiedenes denken" können, wurde dann auch von Hansa-Bund-Mitgliedern offen zugegeben[47]. Die Gegensätze in handels- und zollpolitischen Fragen waren innerhalb des Hansa-Bundes jedoch derart groß (schwerindustrielle Schutzzöllner, linksliberale Freihändler aus Bank-, Börsen- und Großhandelskreisen, Verfechter einer Rückkehr zur Handelsvertragspolitik Caprivis aus den Kreisen der Export-Industrie), daß in dieser Frage konkrete Forderungen kaum die Unterstützung der wichtigsten Mitgliedergruppen gefunden hätten. Als der Hansa-Bund in den Richtlinien von 1912 in Frontstellung zum Bund der Landwirte etwas konkreter als 1909 für die entschiedene Ablehnung einer weiteren Erhöhung der Agrarzölle und des sogenannten „lückenlosen Zolltarifes"[48] eintrat, fragte die Frankfurter Zeitung: „Ist das alles? So viel und vielleicht noch etwas mehr tut ja sogar der Zentralverband auch! Für den Hansabund aber, wenn er zur Frage der Handelspolitik überhaupt Stellung nehmen will und kann, würde es sich unseres Erachtens besser geziemen, sich auch mit den bestehenden Zöllen, vor allem den Getreidezöllen, zu befassen und zu prüfen, ob denn diese wirklich der Gleichberechtigung und den Bedürfnissen des neuen Deutschlands entsprechen. Daß eine ganz große Zahl der Hansabundsmitglieder die bestehenden Zölle nicht billigt, daß sie vielmehr deren schrittweise Ermäßigung als eine unbedingte Notwendigkeit ansieht, steht außer Zweifel: diese Mitglieder werden von dem neuen Beschluß kaum sehr entzückt sein."[49]

Diese zutreffende Stellungnahme macht deutlich, daß auch nach dem Austritt der Schwerindustrie aus dem Hansa-Bund in handels- und zollpolitischen Fragen die Interessengegensätze fortbestanden. Die Forderung der Richtlinien auf „Unterlassung aller Maßregeln, welche die Entwicklung einer dem Interesse der Gesamtwirtschaft Rechnung tragenden Exportpolitik unterbinden", da diese für die „Ernährung und Beschäftigung unserer stark zunehmenden Bevölkerung erforderlich" sei[50], richtete sich ebenso wie die Ablehnung des „lückenlosen Zolltarifes" in erster Linie gegen den Bund der Landwirte, der für eine wirtschaftliche Autarkiepolitik des Reiches eintrat[51].

Dieser Programmpunkt und die zahlreichen Forderungen (Richtlinien von 1912), die auf eine bessere Vertretung der Exportindustrie durch Regierung, Verwaltung und Diplomatie hinzielten[52], weisen ferner auf die starke Stellung der am Export interessierten Kreise im Hansa-Bund hin.

Das Bestreben dieser Kreise, die wachsende Zahl der Angestellten für den Hansa-Bund zu gewinnen[53], trug wesentlich dazu bei, daß die sozialpolitisch reaktionären Vorstellungen des Centralverbandes und weiter Teile des „alten Mittelstandes" keine Aufnahme in die Richtlinien von 1909 und 1912 fanden. Trotz der Feststellung der Richtlinien von 1912, daß die „Fortführung einer sozialen Gesetzgebung" zur „Erhaltung der Arbeitsfreudigkeit aller Arbeitnehmer notwendig" sei, war damit noch keineswegs das Verhalten des Hansa-Bundes in Fragen der Sozialpolitik festgelegt. Im jeweils konkreten Fall mußte sich zeigen, inwieweit die generelle Bejahung sozialer Gesetzgebung durch die Forderung, daß „Tempo, Inhalt und Kostenlast . . . [der Sozialpolitik] sowohl der Konkurrenzmöglichkeit der deutschen Industrie auf dem Weltmarkt wie der inneren wirtschaftlichen Lage Rechnung (zu) tragen" hätten[54], eingeschränkt oder sogar aufgehoben werden konnte. Auf Grund der schwachen Vertretung der Angestellten in den führenden Gremien des Hansa-Bundes[55], waren die Chancen der selbständigen Hansa-Bund-Mitglieder, diese vagen Formulierungen zu ihren Gunsten auszulegen, erheblich besser als die der Angestellten. Andererseits bot das Interesse der Hansa-Bund-Führung an hohen Mitgliederzahlen insbesondere auch aus Angestelltenkreisen diesen einen wichtigen Schutz gegen eine einseitige Sozialpolitik im Interesse der Selbständigen aus Industrie, Gewerbe, Banken und Mittelstand.

Die „positiven Maßnahmen", die in den Richtlinien von 1909 und insbesondere im Mittelstandsprogramm von 1912 gefordert wurden, um den selbständigen Mittelstand in seiner „Leistungs- und Konkurrenzfähigkeit zu erhalten und zu heben"[56], betonten insbesondere den Selbsthilfegedanken. Aufgenommen wurden ferner nur solche Mittelstandsforderungen, die den Interessen der

Gesamtunternehmerschaft nicht zuwiderliefen und von dieser gebilligt werden konnten[57]. Während 1909 lediglich die Unterstützung „aller Bestrebungen ... auf bessere und gründlichere Ausbildung der heranwachsenden Generation und auf Erleichterung des Bezugs billigerer Betriebsmittel“ erwähnt wurde, plädierte das Mittelstandsprogramm von 1912 ferner für eine reichsgesetzliche Regelung des Submissionswesens, für die Einschränkung der Konkurrenz von Staats- und Kommunalbehörden, der Zuchthaus- und Gefängnisarbeit, für die „Verbilligung der elektrischen Kraft“, die Verbesserung der Stellung der Handwerkskammern, die Einrichtung von Handwerksausschüssen bei den Zweigstellen des Hansa-Bundes sowie die Förderung von Wanderausstellungen, Musterbetrieben und „Zentralauskunftsstellen für das Handwerk in technischen, gewerblichen und wirtschaftlichen Fragen“[58].

Zur Förderung des Detailhandels wurden „durchgreifende Maßregeln gegen das Borgunwesen“, die Errichtung von Einziehungsämtern und Kreditanstalten und die Aufhebung aller Steuervergünstigungen der Konsumvereine gefordert. Abgesehen von dem Eintreten des Hansa-Bundes für eine „Beschränkung der Wanderlager“ und der Beamtenkonsumvereine – diese sollten nur da gegründet werden dürfen, „wo der Kleinhandel die Bedürfnisse nicht zu befriedigen“ vermochte[59] –, deckten sich diese Forderungen weitgehend mit denen der Fortschrittlichen Volkspartei[60]. Die von den Schutzverbänden des Detailhandels geforderte Antiwarenhaus- und Antikonsumvereinspolitik fand keine Aufnahme in das Hansa-Bund-Programm.

Im Unterschied zu den Richtlinien von 1909 forderte das Mittelstandsprogramm von 1912 eine sachgemäße Fortbildung der Angestellten und Maßnahmen zur Aufrechterhaltung ihrer Gesundheit und Arbeitskraft, so z. B. die „Gewährung von Urlaub, Regelung der Arbeitszeit, Erweiterung der Sonntagsruhe, angemessene Neuregelung der sogenannten Konkurrenzklausel, Verbesserung des Lehrlingswesens und der Fortbildungsschulen“, jedoch unter strikter Berücksichtigung der Rentabilität der Unternehmen[61]. Diese Einschränkung ließ den Führungsgremien des Hansa-Bundes weitgehende Handlungsfreiheit[62]. Um die genannten Ziele zu erreichen, beließ die Hansa-Bund-Führung es nicht bei Klagen darüber, daß der „politische Einfluß“ des Bürgertums „im umgekehrten Verhältnis zu seiner zahlenmäßigen und wirtschaftlichen Bedeutung“ stehe[63]. Es wurde vielmehr festgestellt, daß das Mißverhältnis zwischen wirtschaftlicher und politischer Macht[64] nicht lediglich aus den „historisch gewordenen Verhältnissen im Reich und insbesondere in Preußen, die dem Großgrundbesitz und den von ihm mehr oder weniger abhängigen Wählern auf dem Lande eine besondere Stellung sichern“ und aus der einseitigen Interessenpolitik des Bundes der Landwirte zu erklären sei[65]. Von gleicher Bedeutung für diesen Zustand sei die „namenlose Gleichgültigkeit des deutschen Bürgertums“, das durch ein jahrhundertelanges „staatliches Bevormundungssystem allmählich jede eigene Initiative in seinen eigensten Angelegenheiten völlig verloren“ und sich allmählich daran gewöhnt habe, „immer zunächst die Initiative der Regierung abzuwarten, statt sich selbst an der Leitung, an der Ordnung, an der Verwaltung der öffentlichen Angelegenheiten zu beteiligen und seinerseits die Regierung zu gewöhnen, auf die Ansichten auch des Bürgertums zu hören". Die Folgen seien bekannt: das Bürgertum sei „an die Wand gedrückt und allmählich eine quantité négligeable im Staate geworden, nicht zuletzt durch seine eigene Schuld, die seine Gegner geschickt auszunutzen gewußt hätten[66]. Die „Vertreter des mobilen Kapitals und des gesamten Bürgertums" könnten nur dann den ihnen zustehenden Anteil an der „politischen Macht als selbstverständliches und notwendiges Korrelat der von ihnen errungenen wirtschaftlichen Macht in Anspruch nehmen"[67], wenn sie sich wieder auf ihre eigene Kraft besinnen würden. Selbsthilfe sei die beste Hilfe[68]. Aufgabe des Hansa-Bundes werde es sein, ebenso wie die Reden Fichtes an die Nation das deutsche Bürgertum aus seiner politischen Ohnmacht zu befreien[69].

Durch eine vielfältige Aufklärungs- und Politisierungsarbeit, die von allen Gremien, insbesondere auch von den Zweigvereinen des Hansa-Bundes, durch Versammlungen, Hansa-Bund-Lehrgänge, Wanderredner, Aufrufe und Flugblätter zu leisten sei[70], müsse das Bürgertum von der „Pflicht tätiger Mitwirkung an den Aufgaben der Staats- und Selbstverwaltung, persönlicher Beteiligung an öffentlicher, kommunaler und parlamentarischer Tätigkeit und aktiver Teilnahme an den Wahlen"[71] überzeugt werden. Das heißt, es gelte zurückzukehren zu den Stein-Hardenberg'schen Grundgedanken[72]. Hinter dieser Identifizierung der eigenen Programmatik mit den Ideen Fichtes, Steins und Hardenbergs ist das Bestreben zu erkennen, über den Bereich der Mitglieder hinaus die eigenen Ideen gültig zu legitimieren. Dies wurde auch bei dem Bestreben deutlich, die eigene Politik und Ausgleichstätigkeit als „größten Dienst an der Nation" darzustellen mit der Begründung, daß „noch immer ... ein festes, freies, selbstbewußtes Bürgertum die sicherste Stütze vaterländischer Kultur gewesen" sei[73].

Eine Analyse der programmatischen Erklärungen Riessers und der Geschäftsführung des Hansa-Bundes läßt erkennen, daß die Aufklärungs- und Politisierungsarbeit und die Bestrebungen, das Bürgertum zu einigen, neben dem Aufbau der Organisation zunächst die „wesentlichste Aufgabe"[74] des Hansa-Bundes darstellten[75]. Denn ohne Überwindung der „politischen Abstinenz und Passivität des deutschen Bürgertums"[76], ohne festen Willen zur Macht waren auch die übrigen Ziele des Hansa-Bundes kaum erreichbar, konnte insbesondere auch der Kampf gegen die Vorherrschaft des Junkertums nicht erfolgreich geführt werden. Die Frage, ob die Änderung der Machtstruktur an der bestehenden Verfassungsordnung oder bei gleichzeitiger Verfolgung systemtranszendierender Reformen, zum Beispiel über die Durchsetzung des parlamentarischen Systems, anzustreben sei, wurde in den Richtlinien von 1909 offen gelassen. Die Feststellung in den Richtlinien von 1912, der Hansa-Bund werde „alle auf die Verschärfung der Klassengegensätze und auf die Vernichtung unserer konstitutionell-monarchischen Staatsordnung und unserer Wirtschaftsordnung gerichteten Bestrebungen mit aller Entschiedenheit bekämpfen"[77], enthielt nicht nur eine scharfe Kampfansage an die SPD, sondern stellte ebenfalls eine Absage an alle Parlamentarisierungsbestrebungen dar. Dies erregte den Unwillen der linksliberalen Hansa-Bund-Mitglieder, die diese „Konzession nach rechts“ als eindeutige Verschlechterung der Richtlinien kritisierten[78], während die konservativen Gegner diese Änderung begrüßten, jedoch die Befürchtung äußerten, daß diese „gewisse Schwenkung nach rechts . . . lediglich auf dem Papier“ bestehen und „ohne praktische Bedeutung“ sein würde[79].

Insgesamt läßt sich feststellen, daß einerseits die Behauptung Buecks, die Richtlinien des Hansa-Bundes stellten „ein Meisterwerk ersten Ranges . . . in der Kunst“ dar, „auf vier eng bedruckten Quadratseiten nichts zu sagen“[80], erheblich übertrieben war. Andererseits ist jedoch zu konstatieren, daß die Richtlinien in einer Reihe wesentlicher Fragen, so zum Beispiel in der Zoll-, Handels- und Sozialpolitik so allgemein formuliert waren – und zwar gilt dies für 1909 noch mehr als für 1912 –, daß sie je nach Standort und Interesse der Mitglieder unterschiedlich interpretiert werden konnten. Inwieweit im einzelnen die bestehenden Interessengegensätze zwischen den verschiedenen Mitgliedergruppen im Hansa-Bund auch in diesen Fragen Aktivitäten des Gesamtverbandes überhaupt zuließen, bleibt zu untersuchen[81].

Festzuhalten ist, daß den generellen und rein politischen Fragen, so zum Beispiel dem Kampf gegen den Bund der Landwirte und gegen die Politik des schwarz-blauen Blocks, der Abschaffung der Vorrechte und Privilegien aller Stände, der Forderung nach Gleichberechtigung des Bürgertums in Gesetzgebung und Verwaltung zumindest die gleiche Bedeutung wie den wirtschafts- und sozialpolitischen Postulaten zukam, zum einen, weil der Hansa-Bund sich in diesen Fragen auf Grund der Interessengegensätze in seinen Reihen eine „gewisse Beschränkung auferlegen“[82] mußte, zum anderen, weil diesen generellen Parolen und Postulaten – insbesondere den gegen den Bund der Landwirte gerichteten – eine wesentliche Bedeutung in der Entwicklung der Integrations- und Gemeinschaftsideologie des Hansa-Bundes zukam[83].

Trotz der Betonung parteipolitischer Neutralität waren zahlreiche generelle und konkrete Forderungen des Hansa-Bundes (Steuer- und Finanz-, Verkehrs- und Handels- und Zollpolitik) eindeutig gegen die Politik des schwarz-blauen Blocks gerichtet. Die weitgehende Übereinstimmung mit den Forderungen der liberalen Parteien ließ sich nicht übersehen[84]. Bezogen auf die verschiedenen Mitgliedergruppen und deren Interessen ist festzuhalten, daß das Hansa-Bund-Programm nur solche Forderungen des selbständigen Mittelstandes und der Angestellten enthielt, die den Interessen der Gesamtunternehmerschaft nicht widersprachen. Die starke Hervorhebung der Bedeutung der Exportpolitik, während – wie von seiten der Schwerindustrie moniert wurde – „von einer nationalen Wirtschaftspolitik zum Schutze der nationalen Arbeit und des heimischen Marktes nicht die Rede“ war[85], weist ebenso wie die Forderungen zur Sozial-, Handels- und Zollpolitik darauf hin, daß die Vorstellungen und Interessen der am Export interessierten Großhandels-, Banken- und Industriekreise stärkere Berücksichtigung fanden als die der Schwerindustrie. Als wichtigste Änderung in der Programmatik sind die Konkretisierung einiger Einzelforderungen in der Zoll- und Steuerpolitik, die 1912 neu aufgenommene Forderung nach Institutionalisierung zahlreicher Mitwirkungsrechte des gewerblichen Bürgertums in der Verwaltung und im Gesetzgebungsprozeß sowie insbesondere die Verteidigung der konstitutionell-monarchischen Verfassungsordnung und die Frontstellung gegenüber der SPD zu nennen, Programmpunkte also, die die Verfolgung einer Linksblockkonzeption zur Brechung der Vorherrschaft der vorindustriellen Herrschaftsgruppen zumindest theoretisch ausschlossen.

Trotz der 1912 zu verzeichnenden Konkretisierung einiger Programmpunkte blieben die Richtlinien auch nach 1912 so vage, daß den im Hansa-Bund tonangebenden Mitgliedergruppen und insbesondere der Bundesleitung ein weiter Interpretationsspielraum zur Verfügung stand[86]. Es kam also ganz wesentlich darauf an, welche der Mitgliedergruppen den größten Einfluß in den Gremien des Hansa-Bundes zu erlangen vermochten. Der Erörterung dieser Frage ist jedoch ein Überblick über die Mitgliederstruktur und -entwicklung voranzustellen, wobei von der These ausgegangen wird, daß der Erfolg eines Interessenverbandes in einem erheblichen Maße von dem Organisationsgrad des vertretenen Interesses, d. h. von der Repräsentativität des Verbandes abhängt[87].

2. Mitglieder des Hansa-Bundes

Bei der Gründung des Hansa-Bundes wurde weder die Frage der Struktur noch die des Mitgliederkreises geklärt. Nachdem der ursprüngliche Plan der Gründung einer Interessengemeinschaft oder „losen Vereinigung der Verbände" aufgegeben und die Entscheidung zugunsten eines „Personenverbandes" gefallen war[88], bemühten sich die im konstituierenden Präsidium vertretenen Spitzenverbände der Industrie, des Großhandels und der Banken und einige Mittelstandsverbände – Zentralausschuß der vereinigten Innungsverbände Deutschlands und die Deutsche Mittelstandsvereinigung – darum, ihre Mitglieder zum Eintritt in den Hansa-Bund zu bewegen, oder sie traten dem Hansa-Bund als korporative Mitglieder bei. Auf diese Weise versuchten sie sich eine möglichst starke Stellung in den Gremien des Hansa-Bundes und damit Einfluß auf seine Politik zu sichern. Dieses Bestreben der verschiedenen Mitgliedergruppen wurde von Riesser kräftig unterstützt[89], vermutlich nicht zuletzt wegen der positiven kationen folgendermaßen[91]: 1909: 220 000, März 1910: 230 000, Mitte 1911: ca. 250 000. 1912 wurden zwar Angaben über die Ortsgruppen und die Anzahl Auswirkungen auf die Mitgliederentwicklung[90].

Die Gesamtmitgliederzahl entwickelte sich gemäß den Hansa-Bund-Publider korporativen Mitglieder gemacht, eine Gesamtzahl der Einzelmitglieder wurde jedoch nicht genannt; nicht ohne Grund, denn seit Anfang 1912 waren die Mitgliederzahlen rückläufig. Im Mai 1913 hatte der Hansa-Bund nur noch 200 000 direkte und 280 000 weitere Mitglieder in 830 korporativ angeschlossenen Verbänden. Im Mai 1910 war – in maßloser Übertreibung – die Zahl der direkten und indirekten Mitglieder noch mit „weit über eine Million“ von den Hansa-Bund-Mitteilungen angegeben worden[92].

a) *Einzelmitglieder*

Stresemann, der sich für die Bildung eines „Personenverbandes“ eingesetzt hatte, sprach sich auf der Gründungsversammlung der Ortsgruppe Dresden des Hansa-Bundes für einen möglichst weitgefaßten Mitgliederkreis aus. Sein Argument: „Wenn wir eine Großmacht werden sollen, dann müssen wir im Zeitalter des Reichstagswahlrechts ... den Millionen der anderen auch ein Millionenheer unserer Anhänger entgegenstellen.“[93]

Auch die Mehrzahl der Mitglieder des konstituierenden Präsidiums hielt die „Zukunft des Hansa-Bundes“ in erheblichem Maße von seiner „Stellung zu den deutschen Privatbeamten“ abhängig[94]. Riesser selbst erklärte, „daß er das Präsidium überhaupt nur übernehme unter der Voraussetzung, daß die Privatbeamten als gleichberechtigte Personen mit in den Hansa-Bund aufgenommen würden“[95]. Diejenigen Vertreter der Schwerindustrie, des Handwerks und des Einzelhandels, die den Hansa-Bund zu einem Abwehrverband des Unternehmertums und des selbständigen Mittelstandes gegen sozialpolitische Initiativen in der Gesetzgebung gestalten wollten[96], sahen schließlich ein, daß die Aufnahme der Angestelltenkreise nicht zu verhindern und ein weiterer Widerstand aus taktischen Gründen wenig opportun war[97]. § 3 der Satzung, der die Mitgliedschaft regelte, war derart vage formuliert, daß auch Personen, die nicht dem erwerbstätigen Bürgertum angehörten, aufgenommen werden konnten[98].

Ein Antrag, „Angestellte ohne die in Paragraph 6, Abs. 1, Ziffer 2 (ursprünglicher Entwurf, S. M.) vorgesehene Beschränkung auf Handlungsgehilfen und Betriebsbeamte zuzulassen“, wurde von der Mehrheit des konstituierenden Präsidiums jedoch abgelehnt[99]. Gegen diesen Antrag hatte sich besonders der Vertreter des Handwerks, Ehrenobermeister Richt, „unter Hinweis auf die in gemischten Kollegien mit sozialdemokratischen Arbeitervertretungen gemachten schlechten Erfahrungen“ ausgesprochen[100]. Die Frage der Mitgliedschaft der „nationalgesinnten Arbeiter“ wurde auf Grund zahlreicher Anregungen von seiten der Ortsgruppen mehrfach im konstituierenden Präsidium beraten[101]. „Von mehreren Seiten“ wurde in den Diskussionen jedoch auf die „Schwierigkeiten einer Klarstellung“ des Begriffs der „nationalgesinnten Arbeiter“ und einer „Feststellung der Zugehörigkeit zu dieser Kategorie im Einzelfalle“ hingewiesen. Auf Vorschlag Roetgers wurde daher beschlossen, dem Antrag durch eine möglichst weite Auslegung des Begriffs „Angestellte“ im Sinne des Paragraphen 3 der Satzung Rechnung zu tragen. Im übrigen werde das Präsidium des Hansa-Bundes die „nationalen Arbeitervereine in geeigneter Weise darüber aufzuklären haben, daß dem Hansa-Bund eine Zusammenarbeit mit ihnen zur Erreichung gemeinsamer Ziele durchaus erwünscht sei, unbeschadet dessen, daß die Arbeiter ihre Interessenvertretung in ihren eigenen Organisationen zu finden hätten"[102]; einer klaren Entscheidung bezüglich der Mitgliedschaft national gesinnter Arbeiter wurde damit ausgewichen.

Wie aus dem Protokoll einer Sitzung von Zweigvereinsvorsitzenden vom 11. 12. 1909 ersichtlich ist, war von seiten der Führungsgremien in der Frage der Aufnahme national gesinnter Arbeiter oder ihrer Verbände bis zu diesem Zeitpunkt nichts unternommen worden; der oben erwähnte Beschluß des konstituierenden Präsidiums wurde den Zweigvereinsvorsitzenden erst auf dieser Sitzung mitgeteilt. Der erneut gestellte Antrag, die auf dem Boden der Richtlinien des Hansa-Bundes stehenden Arbeiter als „Freunde" in den Hansa-Bund aufzunehmen, wurde auf Anraten Riessers zurückgestellt[103].

Dagegen wurden große Anstrengungen gemacht, um die kaufmännischen und technischen Angestellten zum Beitritt zu bewegen. Die Aufnahme von 41 Angestellten-Vertretern in den Gesamtausschuß[104], die Propaganda einzelner führender Vertreter der Angestellten für den Hansa-Bund und eine groß angelegte, von der liberalen Presse[105] intensiv unterstützte „Aufklärungsaktion" schufen in den Kreisen der Angestellten, die bereits vor der Gründung des Hansa-Bundes in paritätisch besetzten Verbänden mit den selbständigen Kaufleuten zusammengearbeitet hatten, und sich selbst in erster Linie als Kaufleute und nicht „als Brotnehmer ihres Geschäfts" betrachteten[106], ein relativ günstiges Klima. Während das Gros der Angestellten, die dem Hansa-Bund beitraten, dies freiwillig tat, beantragten einige tausend kaufmännische und technische Angestellte nur unter mehr oder weniger starkem moralischen Druck die Mitgliedschaft im Hansa-Bund. So wurden z. B. leitende Angestellte von ihren Arbeitgebern beauftragt, Beitrittslisten unter dem Personal kreisen zu lassen und die Kollegen zum Beitritt aufzufordern. „Daß die Angestellten mit der Laterne zu suchen sind, die nicht ebenfalls unterzeichnen, wenn der Chef und der Prokurist die Beitrittslisten unterschrieben haben"[107], für diese – wenn auch insgesamt übertreibende – Behauptung lassen sich eine Reihe von Beispielen als Belege anführen, u. a. die Farbenwerke Bayer, wo innerhalb weniger Tage 650 Angestellte dem Hansa-Bund beitraten[108]. Die Angestellten, die nicht die Hansa-Bund-Mitgliedschaft erwarben, wurden nach Berichten sozialdemokratischer und dem Bund der Landwirte nahestehender Zeitungen aufgefordert, dies schriftlich oder mündlich zu begründen[109]. Andere Firmen wiederum erreichten den Beitritt ihrer Angestellten, indem sie im ersten Jahr deren Mitgliederbeiträge zahlten, was allerdings zur Folge hatte, daß zahlreiche dieser Angestellten im folgenden Jahr, als sie ihren Beitrag selbst entrichten mußten, aus dem Hansa-Bund austraten[110]. Exakte Angaben über den Anteil der einzelnen Wirtschaftszweige und der Angestellten an dem Gesamtmitgliederbestand fanden sich weder in den „Geschäftsberichten" noch in der Hansa-Bund-Zeitschrift, den „Mitteilungen" und den Rundschreiben des Hansa-Bundes.

Fest steht lediglich, daß die Angestellten in den meisten Zweigvereinen des Hansa-Bundes von allen Erwerbsgruppen die stärkste Mitgliederzahl stellten[111], insgesamt ca. zwei Drittel der Mitglieder des Hansa-Bundes. Während die

Frankfurter Zeitung im Juni 1910 die Anzahl der Angestellten mit 135 000 und die der Selbständigen mit 90 000 angab[112], sprach Alexander Tille ein halbes Jahr später von höchstens 80 000 Selbständigen und mindestens 170 000 Angestellten[113]. Mitte 1911 ist nach seinen Angaben die Anzahl der Angestellten auf 180 000 angestiegen[114]. Das heißt, daß der Anteil der im Hansa-Bund vertretenen (1911: 170 000), gemessen an den in Verbänden organisierten Angestellten (ca. 665 000)[115], ca. 26 % bzw. 11 % der gesamten technischen und kaufmännischen Angestelltenschaft betrug[116], während der Anteil der im Hansa-Bund organisierten Selbständigen (1911: 80 000) aus Gewerbe, Handel und Industrie, gemessen an der Gesamtzahl der Selbständigen in diesen Wirtschaftsbereichen (1907: ca. 3 Mill.)[117], bei knapp 3 % lag. Dieser Anteil fiel bis 1913 ebenso wie der der Angestellten an der gesamten Angestelltenschaft, da der Hansa-Bund von 1911–1913 ein Fünftel seiner Mitglieder verlor.

Unter den 80 000 bis 90 000 Selbständigen befanden sich nach Aussage Stresemanns 10 000 Handwerker[118], d. h. dem Hansa-Bund gehörten anteilsmäßig und absolut weit weniger Handwerker als direkte Mitglieder an als dem Bund der Landwirte[119]. Allerdings ist bei dieser Angabe zu berücksichtigen, daß mehr als 100 Innungen[120] – mit einem für die einzelnen Mitglieder erheblich reduzierten Beitragssatz – dem Hansa-Bund korporativ beitraten, deren Mitglieder in der genannten Zahl nicht enthalten sind. Zu welchen Anteilen sich die übrigen Selbständigen im Hansa-Bund auf die einzelnen Wirtschaftszweige verteilten, konnte nicht ermittelt werden.

Im Unterschied zu den übrigen Industrie-, Großhandels- und den meisten Mittelstandsverbänden konnten auch Frauen die Mitgliedschaft im Hansa-Bund erwerben[121]. Die Mitglieder des konstituierenden Präsidiums waren jedoch in der Mehrheit der Auffassung, daß es „nicht wünschenswert" sei, „eine besondere Agitation zum Zwecke der Heranziehung weiblicher Mitglieder, insbesondere weiblicher Angestellter, zu entfalten"[122]; eine Einschränkung, die 1912 auf Grund rückläufiger Mitgliedschaft fallen gelassen wurde[123]. Die geographische Aufgliederung der Mitglieder ergibt folgendes Bild: Schwerpunkt des Hansa-Bundes war sein Ursprungsort Berlin; mit 50 000 Mitgliedern – ca. 20 % der Gesamtmitgliedschaft – gab es hier die weitaus größte Ortsgruppe, gefolgt von dem Landesverband Hamburg, der ca. 18 000 – bzw. 7 % – aller Mitglieder umfaßte[124]. Relativ große Mitgliederzahlen – jeweils 4000–6000 – konnten ebenfalls die Zweigvereine in den ehemaligen Hansestädten Bremen und Lübeck, ferner die Handelsmetropole Frankfurt a. M. vorweisen, während es in den Industriestädten wie Hannover, München, Nürnberg, Stuttgart jeweils kaum mehr als 3000 Mitglieder gab[125]. Die Hansa-Bund-Bewegung hatte sich also besonders in den Städten durchgesetzt, in denen Handel, Banken und Verkehrswirtschaft die tonangebenden Wirtschaftszweige waren. In den Industrierevieren des Rheinlands (26 000) und Westfalens (6700)[126] bzw. des Königreichs Sachsen (12 000–13 000)[127] hatte der Hansa-Bund, verglichen mit Berlin und gemessen an der Bevölkerungszahl bzw. an der Zahl der Erwerbstätigen relativ wenig Mitglieder rekrutieren können. Besser als in den Industrierevieren schnitt der Hansa-Bund in der Mitgliederwerbung in Württemberg (11 000), in Baden (9500) und in Hessen-Nassau (12 000) ab, d. h. in den Einzelstaaten bzw. Provinzen, in denen die Gewerbevereine, die wirtschaftspolitisch liberaler als die zünftlerisch eingestellten reinen Handwerksverbände waren, ihren regionalen Schwerpunkt hatten[128]. In Südbayern konnte er demgegenüber lediglich 3600 direkte Mitglieder rekrutieren (Nordbayern 6700)[129]. Der Anteil der Hansa-Bund-Mitglieder an den Erwerbstätigen (ohne Arbeiter) in Gewerbe, Handel und Industrie[130] schwankte zwischen 20 % (Berlin) und ca. 2 % in Südbayern, Westfalen und den Ostprovinzen, während er in Hessen-Nassau 8 in Württemberg 7, in Baden 6 in der Rheinprovinz 5 und im Königreich Sachsen, der Hochburg des BdI, lediglich 3 % betrug.

b) Korporative Mitglieder

Nach Paragraph 3 der Satzung des Hansa-Bundes von 1909 konnten neben Einzelmitgliedern auch „Innungen, Innungsverbände und Innungsausschüsse", ferner „Freunde der Bestrebungen des Hansa-Bundes, wenn sie mit dessen satzungsmäßigen Zielen einverstanden" waren, und als „Ehrenmitglieder" juristische Personen des öffentlichen Rechts[131], d. h. „öffentliche Korporationen jeder Art, Handels-, Gewerbe- und Handwerkskammern und dgl. mehr"[132] – die Satzung nennt u. a. auch Stadtgemeinden! – die Hansa-Bund-Mitgliedschaft erwerben bzw. die „Ehrenmitgliedschaft" vom Hansa-Bund-Direktorium verliehen bekommen. „Wirtschaftliche Verbände und Vereine ... als solche (mit Ausnahme der Innungen)" sollten demgegenüber „nicht Mitglieder werden, vielmehr mit aller Kraft den Beitritt ihrer sämtlichen Mitglieder zum Hansa-Bunde veranlassen."[133] Im Bestreben, den Hansa-Bund zu einem Massen- und Agitationsverein auszubauen, war die Mehrheit der Mitglieder des konstituierenden Präsidiums zunächst bestrebt, die Zahl der korporativen Mitglieder möglichst gering zu halten und bemühte sich lediglich um den korporativen Beitritt der Handels- und Handwerkskammern und der Innungen. Denn die Präsidialmitglieder gingen von der – in der Regel wohl zutreffenden – Annahme aus[134], daß im Falle des korporativen Beitritts eines Verbandes dessen Mitglieder nicht zusätzlich die Einzelmitgliedschaft des Hansa-Bundes erwerben würden. Bis 1910 stellten Handelskammern und Innungen daher auch das Gros der korporativen Hansa-Bund-Mitglieder. Bis April 1910 waren bereits 65[135], d. h. ca. 43 % aller Handelskammern[136], dem Hansa-Bund beigetreten, u. a. die Handelskammern Hamburg, Bremen, Lübeck, Danzig, Hannover, Düsseldorf, Frankfurt a. M., Mannheim, Ludwigshafen, Saarbrücken und Stuttgart. Im Laufe der Jahre 1909–1914 erwarben mehr als 50 % aller Handelskammern[137] – zumindest zeitweise[138] – die korporative Mitgliedschaft des Hansa-Bundes. Nach den Angaben Alexander Tilles waren bereits bis zum 1. 9. 1910 110 Innungen – das waren weniger als 1 % der Gesamtzahl[139] – korporative Mitglieder des Hansa-Bundes geworden[140]. Der Beitragssatz für diese Innungsmitglieder betrug pro Person in der Regel nur 50 Pfennig. Diese Sonderregelung trug nach Ansicht Tilles wesentlich dazu bei, daß es dem Hansa-Bund gelang, „im Handwerk Fuß zu fassen"[141], auch wenn die Anzahl der direkten Hansa-Bund-Mitglieder aus den Kreisen des Handwerks – mit ca. 10 000 – zunächst relativ gering blieb. Von den erwähnten 110 Innungen waren nicht weniger als 32 Fleischerinnungen, 15 waren Schlosser- bzw. Schmiede-, 14 Bäcker- und Konditorinnungen, 8 gehörten dem holzverarbeitenden Gewerbe an, 10 der Textil- bzw. Lederbranche, 20 dem Baugewerbe und verwandten Zweigen (Tapezierer, Steinsetzer, Glaser, Installateure usw.) und 11 sonstigen Gewerben an[142].

Die verhältnismäßig starke Vertretung dieser Innungen hatte verschiedene Gründe. Zum einen kam der – wesentlich vom Bund der Landwirte und den Konservativen initiierten und getragenen – Schutzzollpolitik, die die Einfuhr billiger Rohprodukte besonders der Fleischer und Bäcker verhinderte, für das überdurchschnittlich starke Engagement dieser Handwerkerkreise im Hansa-Bund erhebliche Bedeutung zu[143]. Zum anderen handelte es sich bei den relativ stark vertretenen Handwerkskreisen fast durchweg um Branchen, die keiner starken industriellen Konkurrenz ausgesetzt waren[144]. Die Innungen dieser Branchen waren in der Regel weniger protektionistisch ausgerichtet, ihre überregionalen Innungsverbände wurden nicht selten von liberalen Handwerkern geführt[145].

Mitte 1910, als der Beitritt von Einzelmitgliedern erheblich nachließ, wurde der Beitritt korporativer Mitglieder – 1909 noch unerwünscht – gefördert. Die Zahl der korporativen Mitglieder stieg sprunghaft von 202 (März 1910) auf 660 (März 1911)[146] und bis Mitte 1912 auf 823 an[147]. Mitte 1913 stellte die Hansa-Bund-Zeitschrift fest, daß „besonders ... diese auf die Gewinnung neuer wirtschaftlicher Organisationen gerichtete Tätigkeit des Hansa-Bundes von Erfolgen begleitet gewesen" sei und gibt für Juni 1913 die Zahl der angeschlossenen Vereine und Verbände mit 863[148] und für Juni 1914 mit 870 an[149]. Listen, die die Aufschlüsselung der korporativen Mitglieder auf die einzelnen Wirtschaftsbereiche erlaubt hätten, wurden vor 1914 nicht veröffentlicht. Die in den „Mitteilungen vom Hansa-Bund" und in der Hansa-Bund-Zeitschrift erwähnten Beitritte erlauben nur einen unvollständigen Überblick.

Nach Angaben Alexander Tilles gehörten am 1. 9. 1910 100 industrielle Verbände dem Hansa-Bund an, davon waren 33 gleichzeitig korporative Mitglieder des CVDI[150]. Die korporativen Mitglieder des Bundes der Industriellen, die dem Hansa-Bund beitraten[151], waren (1909) insgesamt weit weniger einflußreich als die genannten Verbände des Centralverbandes. Der Centralverband und der Bund der Industriellen selbst erwarben nicht die korporative Mitgliedschaft des Hansa-Bundes[152]. Von den übrigen zahlreichen Verbänden, die weder dem Centralverband noch dem Bund der Industriellen, jedoch dem Hansa-Bund als korporative Mitglieder angehörten, sei hier lediglich der einflußreichste, der Verein zur Wahrung der Interessen der chemischen Industrie Deutschlands, erwähnt[153]. Während es im Bereich der Industrie zumindest zwei

Spitzenverbände gab, die das Gros der einflußreichen Branchen und Regionalverbände, einen großen Teil der Berufsgenossenschaften und Syndikate umfaßten, gab es dergleichen im Bereich des Handels nicht. Der Centralverband des Deutschen Bank- und Bankiergewerbes, dem ca. 80 % der Banken und führenden Bankiers angehörten, war, obwohl personell eng mit dem Hansa-Bund verflochten, kein korporatives Mitglied[154]. Die Großhandels- und Exportverbände waren demgegenüber sehr zahlreich im Hansa-Bund vertreten, der damit u. a. die Funktion eines Spitzenverbandes des Großhandels und der Verkehrswirtschaft wahrnehmen konnte[155]. Korporative Mitglieder des Hansa-Bundes waren ferner der Verband Deutscher Waren- und Kaufhäuser[156] und zahlreiche Einzelhandelsverbände für das gesamte Deutsche Reich[157], und mindestens 150 kaufmännische und Handelsvereine, die Mitglieder aller Branchen umfaßten und z. T. auch kaufmännische Angestellte als Mitglieder aufnahmen; ferner Dutzende regionaler Einzelhandelsverbände der verschiedenen Branchen und zahlreiche Gewerbevereine, denen sowohl Einzelhandelsmitglieder als auch Handwerker angehörten und schließlich der Vorstand der Deutschen Mittelstandsvereinigung (nicht der Verband als solcher)[158]. Daneben riefen einige der bedeutendsten Gewerbevereine – ohne jedoch dem Hansa-Bund korporativ beizutreten – ihre Mitglieder auf, die Mitgliedschaft im Hansa-Bund zu erwerben, so z. B. der Verband deutscher Gewerbevereine und Handwerksvereinigungen[159], dem allein ca. 1500 Vereine mit ca. 160 000 Einzelmitgliedern (1909) angehörten; ferner der Verband Bayerischer Gewerbevereine, der Verbandstag selbständiger Kaufleute und Gewerbetreibender in der Pfalz und der Verband württembergischer Gewerbevereine und Handwerksvereinigungen e. V.[160]. Die genannten Verbände waren durch ihre Vorsitzenden bzw. durch Vorstandsmitglieder in der Zeit von 1909–1914 im Hansa-Bund-Gesamtausschuß vertreten. Die Tatsache, daß jedoch nur, wie bereits erwähnt, 10 000 Handwerker dem Hansa-Bund als Einzelmitglieder beitraten, verdeutlicht, wie schwer es war, das Mißtrauen der Handwerker gegenüber dem im Hansa-Bund vertretenen Finanzkapital und der Großindustrie abzubauen. Von den großen Angestelltenverbänden forderten – nachweislich – der Verein für Handlungskommis 1858, der Verband Deutscher Handlungsgehilfen zu Leipzig und der Deutsche Verband kaufmännischer Vereine ihre Mitglieder auf, dem Hansa-Bund beizutreten[161], traten ihm jedoch nicht als korporative Mitglieder bei. Dies wurde, wie erwähnt, von der Hansa-Bund-Führung, der es auf den Beitritt zahlreicher Einzelmitglieder ankam, auch nicht angestrebt. In corpore wurden lediglich einige Ortsgruppen des Technikervereins und des Deutschen Bankbeamtenvereins Mitglieder, ferner der Verein weiblicher Angestellter in Handel und Gewerbe zu Tilsit[162] und von den Beamten- und Arbeitervereinen u. a. der Bund der Festbesoldeten[163] und der nationale Arbeiterverein zu Kirchberg in Sachsen[164].

Zusammenfassend läßt sich feststellen, daß der Hansa-Bund – unter Berücksichtigung der indirekten Mitglieder – die mitgliederstärkste, auf breitester Basis aufbauende wirtschaftspolitische Vereinigung zur damaligen Zeit darstellte, der zumindest bis 1911 das Gros der Spitzenverbände von Gewerbe, Handel und Industrie angehörte bzw. personell mit ihr verbunden war. Den 200 000–250 000 direkten und den „über 280 000 aus 830 korporativ angeschlossenen Vereinen und Verbänden“[165] stammenden Mitgliedern des Hansa-Bundes standen im Bund der Landwirte, seinem wichtigsten Gegenspieler, in den Jahren 1909–1913 „nur“ 312 000–330 000 Mitglieder gegenüber[166]. Sieht man von Berlin, den Hansestädten und einigen wenigen Handelsmetropolen ab, dann wird man jedoch feststellen müssen, daß es – bei Berücksichtigung lediglich der direkten Mitglieder – dem Hansa-Bund nicht gelang, einen ebenso großen Grad der Repräsentativität (ca. 4,6 %) zu erreichen wie der Bund der Landwirte (9,7 %)[167]. Ein Vergleich mit den indirekten Mitgliederzahlen vom Centralverband (55 000) bzw. vom Bund der Industriellen (40 000)[168], die ihrem Anspruch nach die gesamte Industrie – dies galt lange Zeit auch für den Bund der Industriellen – bzw. die Fertigindustrie vertraten, erscheint nicht zulässig und läßt sich auch anhand der statistischen Angaben nicht exakt durchführen[169]. Der Anteil der Freien Gewerkschaften an der Gesamtzahl der Arbeiter im sekundären und tertiären Sektor betrug ca. 30 % bzw. ca. 60 % der insgesamt organisierten Arbeiter[170]. Die in der Literatur anzutreffende These[171], daß mit wachsendem sozio-ökonomischem Status auch der Organisationsgrad zunimmt, wird anhand der Analyse des Mitgliederbestandes des Hansa-Bundes nicht bestätigt, denn nicht der Organisationsgrad der Selbständigen, sondern der der Angestellten war in diesem Fall am höchsten. Der geringe Organisationsgrad mußte das Durchsetzungsvermögen des Verbandes und seine Möglichkeiten politischer Einflußnahme vermindern, da der Hansa-Bund mangels ausreichender Repräsentativität kaum als Sprecher des „erwerbstätigen Bürgertums“ auftreten konnte. Verglichen mit dem Bund der Landwirte, der sich ebenfalls als Kampf- und Agitationsverband verstand, kann der Hansa-Bund jedoch nicht als Funktionärs- oder Kaderverband gekennzeichnet werden, da auf der unteren Ebene der Ortsgruppen Elemente eines Honoratiorenverbandes anzutreffen waren.

3. Organe und Willensbildungsprozeß

Sein Ziel, die Vorherrschaft des Junkertums zu brechen, konnte der Hansa-Bund nur dann erreichen, wenn es ihm gelang, das erwerbstätige bzw. das Bürgertum insgesamt aus seiner politischen Lethargie und Passivität aufzurütteln. Zu diesem Zweck mußte er seine Mitglieder in stärkerem Maße als ein Fachverband mit eng begrenzten Interessen an der Durchsetzung dieses Ziels beteiligen, zumal da dieses Ziel selbst von Anfang an umstritten war.

Dies bot einerseits die Chance, daß mit der Existenz konkurrierender Gruppen[172] der Spielraum für grundsätzliche Alternativen und die Möglichkeiten der Mitglieder-Partizipation erweitert wurden, beinhaltete andererseits jedoch die Gefahr eines Mangels an Geschlossenheit und damit an Durchschlagskraft bzw. bei zu starrer Flügelbildung die Gefahr des Immobilismus. Es erhebt sich damit die Frage, ob die Statuten des Hansa-Bundes[173] dieses Bestreben unterstützten oder ihm entgegenstanden und ob die tatsächliche Struktur des Hansa-Bundes dem Erfordernis, die Mitglieder zu aktivieren und vor einem passiven Verhalten zu bewahren, entsprach. Dabei ist zu berücksichtigen, daß der relativ hohe Allgemeinheitsgrad des Programms den führenden Gremien einen weiten Interpretationsspielraum beließ und damit indirekt den Willensbildungsprozeß entscheidend tangierte[174]. Es kam also ganz wesentlich darauf an, wie die Befugnisse zwischen den führenden Gremien verteilt waren und welche Mitgliedergruppen in ihnen den größten Einfluß zu erlangen vermochten.

a) Die Kompetenzen der Hansa-Bund-Organe

Folgende Organe sind zu analysieren: das konstituierende Präsidium, die Mitgliederversammlung, der Gesamtausschuß, das Direktorium und das Präsidium.

Wie bereits erwähnt, war das „Präsidium der Versammlung vom 12. 6." auf der Gründungsversammlung per Akklamation ins sogenannte *konstituierende Präsidium* des Hansa-Bundes „gewählt" worden[175]. Für die Zeit von Juni bis Oktober 1909 besaß dieses Übergangsorgan beinahe uneingeschränkte Vollmachten und konne ohne jede Kontrolle und Einfluß der Mitglieder der entstehenden Ortsgruppen die Satzungen des Hansa-Bundes verabschieden und die wichtigsten Gremien direkt (Gesamtausschuß und Direktorium) bzw. indirekt (Präsidium) einrichten[176].

Auch die vom konstituierenden Präsidium entworfenen Satzungen gaben den Mitgliedern keinerlei Möglichkeit auf die zentralen Führungsgremien und die Politik des Hansa-Bundes Einfluß zu nehmen[177]. Der in der Satzung vorgesehenen *Mitgliederversammlung* wurde lediglich in der Frage der Auflösung des Verbandes eine Entscheidungsbefugnis zugebilligt[178]. Bis 1912 besaßen die in den Ortsgruppen zusammengefaßten Mitglieder weder das Recht, eine Mitgliederversammlung einzuberufen und die Tagesordnung festzusetzen, noch die Möglichkeit, auf einer solchen bindende Beschlüsse zu fassen[179]. Die Satzung enthielt keinerlei Hinweis auf Recht und Aufgabe. Die Einberufung erfolgte, „wenn dies nach Ansicht des Direktoriums im gemeinsamen Interesse von Gewerbe, Handel und Industrie erforderlich" war[180]. Nach der Satzungsänderung von 1912 war zwar theoretisch die Einberufung einer Mitgliederversammlung möglich, „wenn ein Drittel der Mitglieder es verlangt(e)"[181], für die Praxis bedeutete dieses Quorum jedoch, daß die Mitglieder nicht fähig waren, aus eigener Kraft zu tagen. Die Festsetzung der Tagesordnung erfolgte ebenso wie die Einberufung durch das Direktorium[182]. § 18,2 der Satzung (1911) stellte jedoch einschränkend fest, daß „Fragen, welche vertragliche Beziehungen zwischen Prinzipalen und Angestellten betreffen, ... nicht auf die Tagesordnung der Mitgliederversammlung gestellt werden" können. Die Gründe für diese Bestimmung sind vermutlich zum einen in dem Bestreben zu sehen, nach außen ein möglichst hohes Maß an Geschlossenheit aufzuweisen, zum anderen in der Furcht vor einer Überstimmung der Selbständigen durch die zahlenmäßig im Hansa-Bund stärker vertretenen kaufmännischen und technischen Angestellten.

Die einzige Delegiertenversammlung bis zum Kriegsausbruch fand 1910 statt[183]. Sie hatte ebenso wie die seit 1911 jährlich stattfindenden Allgemeinen Deutschen Hansatage[184], die keineswegs für die Mitgliedschaft im gesamten Deutschen Reich repräsentativ waren[185], lediglich die Funktion akklamativer Öffentlichkeit[186]. Rötgers wenige Wochen nach der Gründung des Hansa-Bundes getroffene Feststellung, daß die „Mitgliederversammlung ... nicht mitzusprechen“[187] haben werde, trat durchaus ein. Der *Gesamtausschuß*, von Riesser häufig als „Parlament des erwerbstätigen Bürgertums“[188] gefeiert, hatte alle Funktionen inne, die in der Regel einer Vertreterversammlung der Mitgliedschaft zukommen: Wahl des Vorstandes (Direktorium), Prüfung der Jahresrechnung und Entlastung des Direktoriums, Beschlußfassung über die „Angelegenheiten, welche in den Kreis der satzungsmäßigen Aufgabe des Hansa-Bundes“ fielen[189] und das Recht auf Satzungsänderungen. Während das Quorum zur Aufnahme eines Antrags auf die Tagesordnung so bemessen war, daß es einer Aktivität aus den Reihen der Mitglieder des Gesamtausschusses nicht entgegenstand, machte das zwecks Einberufung einer Ausschußsitzung erforderliche Quorum (1/3 der Mitglieder) den Gesamtausschuß vom Direktorium abhängig, da die im Ausschuß vertretenen Gruppen mit Ausnahme der Industrie zum einen zahlenmäßig zu klein, zum anderen nicht fähig waren, die fraktionsmäßig nicht gebundenen Mitglieder zu einem entsprechenden Schritt zu veranlassen. Dieser Gesamtausschuß, formal durchaus mit wesentlichen Aufgaben und Rechten versehen, stellte eine Art frei schwebende Oberhausinstanz dar, deren Mitglieder, ohne Einfluß der Ortsgruppen von dem demokratisch wenig legitimierten konstituierenden Präsidium ohne zeitliche Begrenzung der Mitgliedschaft (§ 10 der Satzung) berufen, das Recht der Kooptation besaßen[190]. Sie waren damit nicht abwählbar und jeder Verantwortlichkeit enthoben. Die in den Ortsgruppen erfaßten Mitglieder besaßen bis 1912 keinerlei Recht, ein Mitglied in den Gesamtausschuß zu entsenden[191], oder die Einberufung des Ausschusses durchzusetzen. Auf den Willensbildungsprozeß im Hansa-Bund blieb der Gesamtausschuß ohne Bedeutung. Das lag zum geringeren Teil an seiner Größe[192], wesentlicher für die Einflußlosigkeit war die Mißachtung bzw. Beschneidung seiner Rechte durch das Präsidium bzw. Direktorium des Hansa-Bundes. Die fünf Tagungen des Gesamtausschusses waren reine Propaganda- und Akklamationsveranstaltungen[193]. Diskussionen oder auch nur vereinzelte Wortmeldungen hatten Seltenheitswert, waren wahrscheinlich auch gar nicht erwünscht, um nicht die so oft hervorgehobene „vollkommene Einigkeit auf der ganzen Linie“[194] zu gefährden. Das Verhalten des Hansa-Bund-Vorstandes war keineswegs darauf ausgerichtet, die Diskussionsbereitschaft der Mitglieder des Gesamtausschusses zu fördern. Die Tatsache, daß z. B. die Änderungen der Satzungen und der Richtlinien (1912) erst zu Beginn oder sogar erst im Verlaufe der Tagung vorgelegt wurden, und daß das Präsidium den Antrag auf en-bloc-Annahme derselben stellte[195], verdeutlicht, daß den tonangebenden Kräften im Hansa-Bund an einer Diskussion in diesem Gremium nicht gelegen war, und weist deutlich auf die Aushöhlung der formalen Rechte des Gesamtausschusses hin. Wie wenig die Führungsgremien des Hansa-Bundes geneigt waren, die Rechte des Gesamtausschusses zu respektieren, zeigt ferner die Tatsache, daß die satzungsmäßig Ende 1910 anstehenden Neuwahlen des Direktoriums durch den Gesamtausschuß (§ 7 Abs. 3) überhaupt nicht stattfanden[196]; der Gesamtausschuß wurde weder vom Direktorium noch vom Präsidium einberufen; die gemeldeten „Neuwahlen" und „Zuwahlen" zum Direktorium[197] stellten eine satzungswidrige Selbstbestätigung der genannten Gremien dar.

Überraschend ist für ein in der Praxis derart einflußloses Gremium die relativ hohe Beteiligung – jeweils knapp 50 % – der Mitglieder an den Tagungen[198]. Sie erklärt sich zum einen aus der starken Stellung der Berliner Vertreter im Gesamtausschuß, deren Mitglieder z. B. auf der 1. Tagung zu über 70 % anwesend waren[199], aus dem Prestigebedürfnis der Angestelltenvertreter[200], zum anderen wohl daraus, daß die Mehrzahl der weitgehend unpolitischen Mitglieder des Gesamtausschusses mit der ihr zugedachten Akklamationsrolle zufrieden war und die Tagung eher als gesellschaftliches Ereignis betrachtete und aus diesem Grunde daran teilnahm.

Die Leitung des Hansa-Bundes lag beim *Direktorium* und bei dem *Präsidium,* das aus seiner Mitte gewählt wurde[201]. Der Versuch einer Abgrenzung der Kompetenzen beider Gremien stößt auf Schwierigkeiten. Zahlreiche Befugnisse, die die Satzung von 1909 dem Direktorium einräumte, so z. B. über die Aufnahme von Mitgliedern zu entscheiden (§ 4), die Mitgliedsbeiträge festzusetzen (§ 6), die Geschäftsführer, Vertrauensmänner und hauptamtlich tätigen Angestellten zu bestellen (§§ 7, 21) und die Satzungen der Zweigvereine zu genehmigen, konnte das Präsidium auf Grund von Paragraph 2 der Geschäftsordnung des Direktoriums selbst wahrnehmen, wenn ihm aus „Rücksicht auf die Dringlichkeit der Entscheidung oder aus anderen Gründen eine Verhandlung im Direktorium oder seinen Kommissionen nicht tunlich" erschien[202]. Erschwert wurde eine Kompetenzabgrenzung auch durch die Bildung von Kommissionen, die die Aufgabe hatten, die Beschlüsse des Direktoriums in Fragen der „Vorbereitung öffentlicher Wahlen", der Finanzen und der „Agitation und Werbetätigkeit des Bundes" vorzubereiten[203]. Das Recht des Präsidiums, die Schriftführer dieser Kommissionen zu bestellen und selbst an den Beratungen und Abstimmungen teilzunehmen[204], gab ihm eine gute Ausgangsposition, um seine Politik in diesen Gremien durchzusetzen. Wurde in diesen Kommissionen bei Beschlüssen Einstimmigkeit erreicht, dann konnte das Präsidium diese ausführen, ohne die Zustimmung des Direktoriums einholen zu müssen[205]. Erheblichen Machtzuwachs erzielten beide Gremien aus der Mißachtung der Rechte des Gesamtausschusses. So wurden z. B. selbst die Richtlinien von 1909 dem Gesamtausschuß nicht einmal zur formalen Billigung vorgelegt[206] und, wie bereits erwähnt, bestätigte sich das Direktorium Ende 1910 selbst in seinem Amt.

Obwohl das Direktorium formal die größeren Befugnisse besaß[207], konnte das Präsidium aus verschiedenen Gründen mehr Einfluß auf die Politik des Hansa-Bundes nehmen. Zum einen, weil zur Beilegung der bestehenden Differenzen zwischen den verschiedenen Mitgliedergruppen das kleinere vertrauliche Gremium als Clearing-Stelle diente[208], zum anderen, weil das Direktorium vom Vorsitzenden des Präsidiums nur selten einberufen wurde[209]. Hinzu kam, daß Sitzungen des Direktoriums nur selten stattfanden und die Tagesordnungen und Vorlagen in der Regel vom Präsidium vorbereitet und strukturiert wurden[210]. Wichtige Entscheidungen, wie z. B. die Billigung der Richtlinien vom 4. 10. 1909 oder der Beschluß über die Haltung des Hansa-Bundes zur SPD wurden in gemeinsamen Sitzungen beider Gremien gefaßt[211] oder sogar lediglich vom Präsidium[212]. Um die Frage nach der Machtverteilung innerhalb der genannten Gremien beantworten zu können, sind diese im folgenden näher zu analysieren.

b) Zusammensetzung und Machtverteilung innerhalb der Hansa-Bund-Organe

aa) Das konstituierende Präsidium

Versehen mit dem Recht, die Satzungen zu entwerfen und zu beschließen, und mit der Führungsauslese für die wichtigsten Gremien betraut[213], kam dem konstituierenden Präsidium hinsichtlich der Zielsetzung und Struktur des aufzubauenden Verbandes über die Gründungsphase hinaus entscheidende Bedeutung zu. Eine Analyse der Zusammensetzung dieses Gremiums läßt daher wichtige Aufschlüsse über die Machtverteilung innerhalb des Verbandes während der Aufbauphase erwarten. Die Frage nach der sozialen Zusammensetzung ergibt, daß das konstituierende Präsidium eine für die damalige Zeit kaum zu überbietende Ansammlung persönlichen Reichtums darstellte. Mindestens 33 der 54 Mitglieder waren Millionäre mit einem Vermögen von insgesamt mehr als $^1/_3$ Mrd. Mk.[214], angeführt vom Groß- und insbesondere vom Finanzkapital[215]. Diese „Koalition" aus Vorstandsmitgliedern der Großbanken, der Groß-, insbesondere der Schwer- und Elektroindustrie und der Schiffahrt einerseits[216] und Besitzern bzw. Mitinhabern bedeutender Bankhäuser und führender Unternehmer des Großhandels und der Schiffahrt, der Maschinenbauindustrie und des Bergbaus andererseits[217], repräsentierte ein Kapital von weit mehr als 2 Mrd. Mk.[218], – eine Summe, die das Kapital der mit den führenden Großbanken über Interessengemeinschaften verbundenen Provinzbanken und der Aktiengesellschaften noch nicht einmal einschließt. Insgesamt hatten die 54 Mitglieder des konstituierenden Präsidiums ca. 350 Aufsichtsratsmandate inne[219]. Ihre Machtfülle war damit noch keineswegs erschöpft. Unter den 54 Mitgliedern befanden sich die Vorsitzenden der führenden Verbände des Bankgewerbes, der Industrie, des Groß- und Exporthandels und der Schiffahrt; u. a. der Vorsitzende (J. Riesser) und seine beiden Stellvertreter des Centralverbandes

des Deutschen Bank- und Bankiergewerbes[220], aus dem Bereich der Industrie die Vorsitzenden des Centralverbandes Deutscher Industrieller (Rötger) und des Bundes der Industriellen (Wirth) sowie mehrere Vorsitzende bzw. Vorstandsmitglieder korporativer Mitglieder der genannten industriellen Spitzenverbände[221], ferner des Vereins zur Wahrung der Interessen der chemischen Industrie (B. Lepsius)[222] und des Langnamvereins (C. A. Jung), aus dem Bereich des Groß- und Exporthandels und des Verkehrs u. a. der Vorsitzende des Handelsvertragsvereins (H. Flinsch), das Vorstandsmitglied der Zentralstelle für Vorbereitung von Handelsverträgen (L. Goldberger), die Vorsitzenden des Verbandes Deutscher Exporteure (H. Hecht), des Vereins Hamburger Reeder (A. Ballin) und der Präsident der Bremer Baumwollbörse (Geo Plate). Im konstituierenden Präsidium waren ferner vertreten der Deutsche Handelstag, und zwar durch seinen Präsidenten, dessen 2. Stellvertreter und vier Ausschußmitglieder; durch ihre Vorsitzenden bzw. Vorstandsmitglieder die Handelskammern Berlin (v. Mendelsohn), Hamburg (v. Schinckel), Frankfurt a. M. (Andreae), die Vereinigung der Handelskammern des niederrheinisch-westfälischen Industriebezirkes (Rötger) sowie die Ältesten der Kaufmannschaft von Berlin durch ihren Vorsitzenden J. Kaempf.

Unter den 5 Vertretern des selbständigen „Mittelstandes" befand sich 1 Handelskammermitglied (Kaufmann H. Korth), ein mehrfacher Millionär (Kaufmann E. Feldberg), das Mitglied des Aufsichtsrats der Dresdner Bank (Prof. Crüger), ein Fleischerobermeister (Paschke) und der Vorsitzende des Zentralausschusses vereinigter Innungsverbände Deutschlands, Ehrenobermeister H. Richt[223]; die Angestellten waren im konstituierenden Präsidium überhaupt nicht vertreten.

Aufgeteilt nach Wirtschaftsbereichen ergibt sich folgendes Bild: Die Banken stellten 20, der Großhandel 7, das Verkehrswesen 3, die gesamte Industrie lediglich 19 Mitglieder, also weniger als die Banken; d. h. das Dienstleistungsgewerbe, dessen Beitrag zum Nettoinlandsprodukt 10 % (zu Preisen von 1913) nicht überstieg[224], stellte über 55 % der Mitglieder des konstituierenden Präsidiums. Die Vertreter der Industrie teilten sich wie folgt auf: Schwer- und Grundstoffindustrie 6, Maschinenbau 3, Chemie 3, Elektroindustrie 2, Industrie der Steine und Erden 1, insgesamt also 15 Vertreter der Produktionsgüterindustrie, während auf die Konsumgüterindustrie lediglich 4 Vertreter entfielen, und zwar 3 auf die Textil- und 1 auf die Nahrungs- und Genußmittelindustrie[225]. Die Überrepräsentation der Banken, die Nichtberücksichtigung der Angestellten und die vergleichsweise geringe Repräsentation der Industrie und des selbständigen Mittelstandes stellen nicht die einzigen Unausgewogenheiten in der Zusammensetzung des konstituierenden Präsidiums dar. Die soziale Struktur der Mitglieder entsprach keineswegs auch nur annähernd der des erwerbstätigen Bürgertums, und die geographische Aufgliederung der Mitglieder zeigt ein erdrückendes Übergewicht der Berliner Vertreter (29 von 54) – ein ebenso deutlicher Hinweis allerdings auf den Unsprungsort der Hansa-Bund-Bewegung wie die Überrepräsentation der Banken auf ihre Initiatoren.

Die Zusammensetzung des konstituierenden Präsidiums läßt ferner erkennen, daß die vom Hansa-Bund ständig wiederholte Forderung, die einzelnen Wirtschaftszweige gemäß ihrer wirtschaftlichen Stärke am politischen Entscheidungsprozeß zu beteiligen, zumindest in diesem Falle nicht berücksichtigt worden war[226]. Eine Aufschlüsselung der Mitglieder nach expandierenden Branchen und mit hohem Gewinn arbeitenden Firmen einerseits und stagnierenden andererseits zeigt, daß erstere im konstituierenden Präsidium eine erdrückende Mehrheit bilden[227]; d. h. die Gründungsmitglieder waren keineswegs in der Mehrzahl Vertreter der Wirtschaftszweige, die von Stagnation bedroht waren und unter Statusfurcht[228] litten.

Die von den Mitgliedern des konstituierenden Präsidiums eingenommenen – formalen – politischen Positionen entsprachen zwar keineswegs ihrem ökonomischen Machtpotential. Zwei MdR, der Präsident des Deutschen Handelstages J. Kaempf, Freisinnige Volkspartei und der Bankier Mommsen, Freisinnige Vereinigung (beide Mitglieder der geschäftsführenden Ausschüsse ihrer Parteien), vier MdL[229] – die Industriellen E. Pferdekämper und A. Steche, der Bankier M. Warburg, alle NLP und der Justizrat Prof. Crüger, Freisinnige Vereinigung –, zwei Mitglieder des Zentralvorstandes der NLP – J. Riesser und P. v. Schwabach –, ein MdH, L. Delbrück, und eins der Ersten Bayerischen Kammer, A. v. Auer, drei ehemalige Abgeordnete – MdA H. Flinsch, linksliberal und R. Wittig, NLP, ferner MdR W. Müller, RP –, fünf (von 15) Mitglieder und drei Stellvertreter des Zentralausschusses der Reichsbahn[230], drei Mitglieder in Beiräten von Ministerien[231], vier Mitglieder, die über einen guten Kontakt zu Wilhelm II. verfügten[232]; diese und weniger wichtige Positionen und Beziehungen zu den bürgerlichen Parteien und zu einzelnen Mitgliedern der Reichsregierung stellten insgesamt ein nicht unbeträchtliches Maß an Einflußmöglichkeiten dar. Der Versuch, die führenden Kräfte eines Verbandes lediglich durch eine Positionsanalyse zu identifizieren, muß jedoch unvollständig bleiben, da diese Methode allein nicht geeignet ist, die tatsächlichen und die tonangebenden Kräfte aufzuzeigen. Dies ist nur möglich, wenn die Positionsanalyse durch die Entscheidungsanalyse ergänzt wird. Die vollständig erhaltenen Protokolle der Sitzungen des konstituierenden Präsidiums und die Briefwechsel seiner Mitglieder[233] bestätigen diese These. Sie machen deutlich, daß die tatsächlichen Machtverhältnisse und die formale Verteilung der führenden Positionen keineswegs kongruent waren.

Der Entscheidungsprozeß weist den außerordentlichen Einfluß Jakob Riessers, des provisorischen Vorsitzenden[234], aus, der nicht nur die Richtlinien, Statuten und die Geschäftsordnung entwarf[235], sondern sie auch zum Teil gegen heftigen Widerstand von seiten Rötgers und anderer Vertreter des CVDI durchsetzte[236]. Er zeigt ferner, daß Rötger – auch wenn er sich in den meisten Fragen nicht durchsetzen konnte – als Widerpart Riessers eine weit größere Bedeutung zukam als den Vertretern des BdI, von denen – folgt man den Sitzungsprotokollen des konstituierenden Präsidiums – kaum eigene Initiativen ausgingen und die in der Regel sich dem Votum Riessers anschlossen[237] und keineswegs umgekehrt[238]. Eine Durchsicht der Protokolle legt zum anderen den Versuch einer Einflußnahme von Gremien und Individuen offen, denen formal hierzu keinerlei Anspruch zustand, da sie als solche nicht im konstituierenden Präsidium vertreten waren. So wurde z. B. der Satzungsentwurf des Hansa-Bundes dem Direktorium des CVDI und der Interessengemeinschaft zur Genehmigung vorgelegt[239]. Die Forderung beider Gremien, im Gesamtausschuß des Hansa-Bundes zusammen die Mehrheit und im Direktorium die Hälfte der Mitglieder zu stellen[240], wurde jedoch nicht erfüllt[241].

Es entsprach ferner der mangelnden demokratischen Legitimation und der oligarchischen Struktur des konstituierenden Präsidiums, wenn an seinen Sitzungen Nichtmitglieder aus Kreisen des Finanzkapitals, des Großhandels und der Großindustrie bzw. ihrer Verbände teilnahmen und auf seine Entscheidungen Einfluß nahmen[242].

bb) Das Präsidium des Hansa-Bundes

Noch bevor die Satzung des Hansa-Bundes und die Geschäftsordnung seiner führenden Organe auf Bundesebene verabschiedet waren, stellte Rötger bereits am 27. 6. 1909 fest, daß die „eigentliche Leitung des Bundes“ beim Präsidium (ohne Vizepräsidenten) liegen und daß die Form der Zusammenarbeit der Präsidenten im wesentlichen das Schicksal des Bundes bestimmen werde, da dem Präsidium die Kompetenz zukomme, festzulegen, womit sich der Bund zu befassen habe und was den Organen zur Beschlußfassung zu unterbreiten sei[243].

Rötgers Intentionen gingen deshalb dahin, dieses Gremium möglichst klein zu halten, zum einen, um der eigenen Stimme mehr Gewicht zu sichern, zum anderen, um auf diese Weise die Vertreter des Bundes der Industriellen vom Entscheidungszentrum im Hansa-Bund fernzuhalten.

In den Vorbemerkungen zu seinem Entwurf zur „Geschäftsordnung für das Präsidium des Hansa-Bundes“ stellte Rötger fest, daß in § 7 der Satzung „klar zum Ausdruck gebracht“ sei, daß die „Geschäfte des Bundes von den drei Präsidenten, und zwar von ihnen allein, geleitet werden sollen“. Damit sei den „Vizepräsidenten lediglich die Funktion als Stellvertreter zugewiesen“. Es könne „unter Umständen jedoch zweckmäßig“ sein, die Vizepräsidenten an den Verhandlungen und Beratungen des Präsidiums teilnehmen zu lassen, was jedoch nur in jedem einzelnen Falle auf Beschluß des Präsidiums geschehen könne. Bei diesen gemeinschaftlichen Beratungen dürfe den Vizepräsidenten „nur eine beratende Stimme zugeteilt werden; sie an der Abstimmung teilnehmen zu lassen, würde gegen den Sinn der das Präsidium betreffenden Bestimmungen der Satzungen verstoßen“[244].

Riessers Entwurf einer „Geschäftsordnung des Direktoriums“[245] sah demgegenüber vor, daß „wichtigere Angelegenheiten . . . der Entscheidung des durch Zuziehung der drei Vizepräsidenten erweiterten Präsidialrats“ unterliegen sollten. „Die Zuziehung muß erfolgen, wenn auch nur einer der Präsidenten dies verlangt." Nach Paragraph vier dieses Entwurfs besaßen jeweils zwei Vizepräsidenten ebenso wie zwei Präsidenten das Recht, eine „zur Entscheidung des Präsidiums stehende Angelegenheit ... vor das Direktorium oder die zuständige Kommission desselben zu bringen". Das Votum der Kommission[246], die vom konstituierenden Präsidium eingesetzt worden war, um die von Riesser und Rötger vorgelegten Satzungsentwürfe zu beraten und Kompromißvorschläge auszuarbeiten, kam den Bestrebungen Rötgers entgegen[247]. Die Neuformulierung des § 7 Abs. 3 in der Sitzung des konstituierenden Präsidiums vom 25. 6.: „Das Direktorium wählt aus seiner Mitte 3 Präsidenten, die gemeinschaftlich und gleichberechtigt die Geschäfte des Bundes leiten, sowie 3 Vizepräsidenten"[248], erfolgte eindeutig in der Absicht, die Position der Vizepräsidenten zu stärken. Den § 7 Abs. 3 interpretierend, stellt das Protokoll fest: „Durch die neue Fassung soll zum Ausdruck gebracht werden, daß die Vizepräsidenten nicht lediglich als Stellvertreter eines verhinderten Präsidenten in Funktion zu treten haben, sondern daß ihnen nach Maßgabe der Geschäftsordnung des Direktoriums in wichtigen Fragen eine Teilnahme an der Geschäftsleitung gemeinsam mit den Präsidenten zusteht."[249]

Die endgültige Fassung, die weitgehend dem Entwurf Riessers entsprach, eröffnete den Vizepräsidenten bei allen „wichtigeren Angelegenheiten" das Recht, an den Entscheidungen im Präsidium teilzunehmen, was Rötger um so mehr als Niederlage empfinden mußte, da bereits vorher mit Hirth und Steche zwei Vertreter des BdI als Vizepräsidenten designiert worden waren[250]. Dritter Vizepräsident wurde Crasemann[251], der als einziges Präsidialmitglied nicht dem konstituierenden Präsidium angehörte, aber an dessen Verhandlungen von Anfang an teilnahm. Die Wahl der drei Präsidenten, Riesser (NLP), Rötger (konservativ), Richt (freikonservativ) und Vizepräsidenten erfolgte in der 1. Sitzung des Hansa-Bund-Direktoriums am 4. 10. 1909 per Akklamation[252]. Obwohl der BdI als einziger Verband bis 1914 zwei Vertreter im Hansa-Bund-Präsidium stellte, kann von einer Führerschaft des BdI und einer „Anlehnung" Riessers und Crasemanns an den BdI – so die Thesen Stegmanns[253] und Kaelbles[254] – keine Rede sein. Solche Fehleinschätzung resultiert aus der Unkenntnis der Entscheidungsabläufe im Hansa-Bund-Präsidium. Aus der größeren Anzahl der Positionen des Bundes der Industriellen in diesem Führungsgremium resultierte kein entsprechend höheres Maß an Einfluß. Die Politik des Hansa-Bundes wurde weitgehend von Riesser bestimmt, der als einziges Präsidialmitglied in ständigem Kontakt mit der von ihm bestellten Geschäftsführung stand[255] und in den entscheidenden Monaten der Aufbauphase alleiniger provisorischer Vorstand des Hansa-Bundes war.

Ein kontinuierlicher Einfluß der BdI-Vertreter[256] war insofern nicht möglich, da sie – in Stuttgart bzw. Leipzig ansässig – lediglich zu den Sitzungen des Präsidiums und Direktoriums nach Berlin – dem Sitz der Hansa-Bund-Zentrale – kamen. Hinzu kam, daß wesentliche Entscheidungen, wie z. B. die Haltung des Hansa-Bundes zur SPD und die Stellungnahme zu den Stichwahlen in Verhandlungen zwischen Riesser und Rötger – unter Ausschaltung der Vizepräsidenten – vorgeklärt wurden[257]. Duisberg, den Riesser nach dem Ausscheiden Rötgers bat, den Posten eines Präsidenten oder zumindest den eines Vizepräsidenten zu übernehmen, lehnte ersteres mit seiner Arbeitsüberlastung, letzteres mit der Begründung, „wenn ich ... nicht Präsident sein kann, dann möchte ich auch nicht als Ja- und Amen sagender Vizepräsident wirken“[258], ab. Damit soll keineswegs die These vertreten werden, die Vertreter des Bundes der Industriellen wären im Präsidium ohne jeden Einfluß geblieben. Ihre weitgehende Übereinstimmung mit den programmatischen Vorstellungen J. Riessers und das Faktum, daß es keinerlei Konfliktstoff von Bedeutung zwischen ihnen und Riesser gab[259], ließen sie in der Regel bei den Auseinandersetzungen im Hansa-Bund auf der Seite der siegreichen Partei erscheinen. Diese Feststellung berechtigt jedoch keineswegs, von einer Führerschaft des Bundes der Industriellen zu sprechen, dessen Position erst nach dem Austritt der Schwerindustrie aus dem Hansa-Bund[260] und mit dem Eintritt Stresemanns ins Direktorium und in die Geschäftsführung des Hansa-Bundes wesentlich gestärkt wurde[261].

cc) Direktorium

Bei der Beratung der Hansa-Bund-Satzung im Direktorium des Centralverbandes wurde u. a. die Forderung erhoben, der Industrie entsprechend ihrer Bedeutung die Hälfte der Sitze im Hansa-Bund-Direktorium zuzugestehen[262]; die Industrie müsse „ausreichend vertreten sein“, damit sie „nicht majorisiert werden“ könne[263]. Deutlicher hatte sich Rötger in seinem Brief vom 27. 6. 1909 an den Aufsichtsrat der Fried. Krupp AG geäußert: Um den im Hansa-Bund vertretenen Gegnern des Centralverbandes „paroli bieten zu können“ und um dem Centralverband einen weitgehenden Einfluß auf die Richtung des Hansa-Bundes zu sichern, müsse er besonders prominent und zahlreich im Hansa-Bund und seinen Gremien vertreten sein[264]. Um die Auseinandersetzung wegen der Zusammensetzung der Gremien „herunterzuspielen“, schrieb Riesser an Rötger, daß dieser Frage nur begrenzte Bedeutung zukomme, da der Hansa-Bund in wichtigen Fragen nur bei Einstimmigkeit „Aktionen nach außen“ vornehmen könne. Ein „Vorgehen auf Grund bloßer Mehrheitsbeschlüsse (müsse) vermieden werden“[265]. Entgegen Rötgers Darstellung in der Ausschußsitzung des Centralverbandes vom 6. 11. 1911[266] war damit keineswegs das Interesse der Führung des Centralverbandes an der Frage der Zusammensetzung des Hansa-Bund-Direktoriums erschöpft. Noch bevor die vom konstituierenden Präsidium beauftragte Kommission sich mit dieser Frage beschäftigte[267], wurde in Verhandlungen zwischen Rötger und Riesser eine allerdings vorläufige Liste zusammengestellt, die in ihrer Zusammensetzung den Vorstellungen des Centralverbandes erheblich entgegenkam. Von den 29 in dieser Liste aufgeführten Personen[268] gehörten nicht weniger als zwölf dem Centralverband an oder standen ihm zumindest nahe; während der Bund der Industriellen lediglich mit drei Vertretern und die übrige Industrie nur mit einem Vertreter berücksichtigt worden waren. Mit 16 der 29 Sitze war damit der Industrie entsprechend der Forderung des Centralverbandes die Mehrheit zugestanden worden, während nach dieser vorläufigen Liste auf den Großhandel nur drei, auf die Banken fünf, das Verkehrsgewerbe und das Handwerk je ein und auf die Angestelltenschaft zwei Vertreter entfielen.

Diese Liste wurde in der Sitzung der Kommission des konstituierenden Präsidiums vom 21. 7. 1909 gründlich revidiert[269]. Die Anzahl der Direktoriumsmitglieder wurde auf 43[270] Personen erweitert und das Übergewicht der Industrie und besonders des Centralverbandes zu Gunsten des Handels und des selbständigen Mittelstandes zurückgedrängt. Die drei zusätzlich ins Direktorium berufenen Vertreter der Industrie, Heilner, Hirth und Nusch gehörten dem Bund der Industriellen an, der zahlenmäßit (7) im Direktorium weniger stark als der Centralverband (11) vertreten blieb[271].

Der Bund der Industriellen konnte jedoch insbesondere in handelspolitischen Fragen auf die Unterstützung der Banken, des Großhandels und der übrigen im Hansa-Bund vertretenen exportorientierten Fertigindustrie rechnen. Das Anteilsverhältnis der einzelnen Wirtschaftskreise und der Angestellten stellte sich nach den in der Kommission vorgenommenen Korrekturen folgendermaßen dar: Industrie 41 %, Großhandel, Banken und Verkehrswesen 34 %, selbständiger Mittelstand 17 %, Angestellte 7 %.

Ein Vergleich des Direktoriums von 1909 mit dem konstituierenden Präsidium weist einige beachtenswerte Unterschiede auf. Die Banken, im konstituierenden Präsidium mit 20 von 54 Mitgliedern stark überrepräsentiert, stellten im Direktorium nur noch fünf Vertreter, waren jedoch wie Großhandel (fünf) und Verkehrswesen (vier Direktoriumsmitglieder) im Vergleich zur Industrie immer noch überrepräsentiert. Selbständiger und unselbständiger Mittelstand waren im konstituierenden Präsidium erheblich unter- bzw. überhaupt nicht (Angestellte) repräsentiert gewesen, sie erhielten im Direktorium drei (Angestellte) bzw. sechs Vertreter und verbesserten damit ihre Repräsentation leicht[272]. Erheblich veränderte sich die Zusammensetzung der Industrievertreter. Im Vergleich zum konstituierenden Präsidium verschob sich das Zahlenverhältnis von Produktions- und Konsumgüterindustrie von 15 : 4[273] auf 10 : 8[274]. Ferner veränderte sich der Anteil der Parlamentarier. Rötgers Forderung, aus den Organen des Bundes alle Parlamentarier fernzuhalten – und zwar um sie nicht „von vornherein unter parlamentarische Einflüsse", sprich parteipolitische, geraten zu lassen[275], wurde weitgehend befolgt[276]. Die einzigen Parlamentarier im Direktorium waren Kaempf (MdR) und Steche (MdL)[277]. Wenn auch – im Vergleich mit dem konstituierenden Präsidium – nicht unerheblich gemildert, so bestand auch im Direktorium eine beträchtliche Überrepräsentation der Berliner Vertreter, die zwar nicht die Mehrheit der Mitglieder im Direktorium stellten, aber immerhin inklusive der Präsidenten 17 Mitglieder und, zusammen mit den Vertretern Hamburgs, die Majorität im Direktorium besaßen. Unwesentlich verändert – im Vergleich mit dem konstituierenden Präsidium – blieb das Verhältnis zwischen selbständigen Unternehmern und Großhändlern einerseits und Vorstandsmitgliedern der Aktiengesellschaften andererseits; erstere besaßen inklusive des selbständigen Mittelstandes sogar ein leichtes Übergewicht.

Die Form der Selektion, der hohe Prozentsatz der Selbstwahl – das konstituierende Präsidium wählte 25[278] seiner Mitglieder ins Direktorium, die dort ca. 60 % der Mandate innehatten – sind ein eindeutiger Hinweis auf die oligarchische Struktur dieser Führungsgruppe.

dd) Gesamtausschuß

In der Sitzung der Kommission des konstituierenden Präsidiums vom 21. 7. 1909 herrschte Einigkeit darüber, daß entscheidender Wert darauf zu legen sei, daß alle Erwerbszweige im Gesamtausschuß eine Vertretung erhalten sollten. Das Bedenken, daß die Aktionsfähigkeit des Gremiums durch eine entsprechende Ausdehnung der Mitgliederzahl verhindert werde, wurde mit dem Hinweis auf die Notwendigkeit, allen Erwerbszweigen „die Möglichkeit zu gewähren, im Gesamtausschuß zu Wort zu gelangen", zurückgestellt[279]. In einem Brief vom 27. 6. 1909 an den Aufsichtsrat der Fried. Krupp AG hatte Rötger betont, daß es für die „im Centralverband vertretenen Interessen und politischen, wirtschaftlichen und sozialpolitischen Anschauungen" wünschenswert sei, wenn ihm die „Möglichkeit, an der Auswahl der Personen, die dem provisorischen Präsidium für Direktorium und Gesamtausschuß vorzuschlagen sind, in autoritärer Stellung mitzuwirken gegeben wäre", daß er ferner Zusicherungen erhalten habe, daß der „Industrie in ihrer Gesamtheit weitaus die Mehrheit" der Sitze im Gesamtausschuß zukomme und daß den Wünschen des Centralverbandes „in weitestem Maße" Rechnung getragen werde[280]. Die von der Kommission zusammengestellte Vorschlagsliste war dementsprechend zusammengesetzt[281]. Um die Vertreter der übrigen Wirtschaftskreise zur Annahme dieser Liste geneigt zu machen, betonte Rötger in der Kommissionssitzung vom 21. 7. 1909, „daß es für keine der vertretenen Richtungen von Erheblichkeit sein werde, im Gesamtausschuß die Mehrheit zu haben bzw. für bestimmte Fragen auf eine solche zählen zu können, da in wichtigen, die Interessen bestimmter Erwerbszweige berührenden Fragen die Majorisierung einzelner Mitgliedergruppen schon nach den Satzungen des Bundes ausgeschlossen sei"[282]. In der Sitzung des konstituierenden Präsidiums vom 22. 7. 1909 wurden die für den Gesamtausschuß von der Kommission vorgeschlagenen Personen zwar einstimmig in den Gesamtausschuß gewählt, die Kommission jedoch beauftragt, weitere Vorschläge zu erarbeiten, und zwar unter Berücksichtigung der bereits existierenden Zweigvereine und der den Hansa-Bund unterstützenden Handelskammern, der bedeutenderen wirtschaftlichen Vereinigungen, besonders des gewerblichen Mittelstandes und des Handwerks und der bisher unterrepräsentierten Provinzen bzw. Bundesstaaten[283]. Das gelang nicht[284]. Die unter Berücksichtigung der übrigen genannten Auflagen nachgereichten Vorschläge, die zumeist gebilligt wurden, brachten eine erhebliche Verschiebung der Mitgliederanteile der einzelnen Wirtschaftszweige im Hansa-Bund mit sich. Die Industrie, die nach der Vorschlagsliste der Kommission noch ca. zwei Drittel der Mitglieder des Gesamtausschusses stellte, wurde auf knapp die Hälfte der Mitglieder zurückgedrängt[285], und zwar zu Gunsten des alten Mittelstandes, besonders des Handwerks. Zusätzlich zu den in der ersten Liste gewählten 19 Handwerkern wurden 49 der 55 nachgereichten Vorschläge akzeptiert[286]. Dies war wohl in erster Linie den Verhandlungen Riessers mit dem Vorstand der Deutschen Mittelstandsvereinigung zuzuschreiben[287], der geschlossen in den Hansa-Bund-Gesamtausschuß eintrat und 41 der 55 Vertreter des Handwerks (Liste 2) für den Gesamtausschuß vorschlug[288]. Zusammen mit den Vertretern des Zentralausschusses der vereinigten Innungsverbände, Richt und Paschke[289], nominierte die Deutsche Mittelstandsvereinigung ca. 90 % der Handwerksvertreter, was wohl den Schluß erlaubt, daß die Hansa-Bund-Bewegung in die übrigen Verbände noch keinen Eingang gefunden hatte.

Ebenso wie beim Handwerk kam auch beim Einzelhandel die Mehrzahl der Nachwahlvorschläge von einer kleinen Gruppe führender Verbandsvertreter[290], u. a. von den beiden Mitgliedern des konstituierenden Präsidiums E. D. Feldberg und H. O. Korth, ferner von J. Aufseesser, der Detaillistenkammer Hamburg und dem Verband der Deutschen Detailgeschäfte der Textilbranche. Dies und die Tatsache, daß einige Vorschläge für den Einzelhandel aus den Reihen der Industrie und des Großhandels kamen[291] und daß unter den Vorgeschlagenen sich mindestens 9 Handelskammermitglieder befanden, spricht dafür, daß ein Großteil der Einzelhandelsmitglieder im Gesamtausschuß den Kräften zuzuordnen ist, die bereits vor der Gründung des Hansa-Bundes zur Zusammenarbeit mit den genannten Wirtschaftszweigen bereit waren[292], und daß zunächst ein größerer Einbruch in die Mitgliederschichten der Einzelhandelsverbände nicht gelang. Im Vergleich mit den Handwerkern fällt auf, daß ein weit höherer Prozentsatz (ca. 39 %, Handwerk ca. 11 %) der Vorschläge für den Gesamtausschuß nicht akzeptiert wurde, ein deutlicher Hinweis für die weitaus geringere Bedeutung, die von der Hansa-Bund-Führung dem Einzelhandel im Vergleich zum Handwerk beigemessen wurde. Unter Berücksichtigung der Machtverhältnisse im Hansa-Bund und des Bestrebens der Banken, des Großhandels und der dem Bund der Industriellen angehörenden Fertigindustrie, die kaufmännischen und technischen Angestellten möglichst zahlreich als Mitglieder des Hansa-Bundes zu gewinnen, fällt die von der Kommission des konstituierenden Präsidiums vorgeschlagene Zahl von lediglich fünf Angestelltenvertretern (1. Liste) auf; von den neun nachträglichen Vorschlägen wurden nur sechs akzeptiert. Lediglich zwei der Nachwahl-Vorschläge kamen von paritätisch besetzten kaufmännischen Vereinen, die übrigen von Vertretern der Industrie bzw. von der Deutschen Mittelstandsvereinigung, der auch Handwerker und Beamte des öffentlichen Dienstes angehörten[293]. Erst auf Grund des Protestes eines Mitgliedes der Vereinigung Sächsischer Spinnereibesitzer[294] gegen die „zu geringe Anzahl der Angestelltenvertreter im Gesamtausschuß“ wurde von der Hansa-Bund-Führung die Frage aufgeworfen, „ob es – insbesondere im Hinblick auf den Eindruck der Veröffentlichung der Zusammensetzung des Gesamt-Ausschusses nach außen – ratsam erscheinen könnte, die bereits im Gesamtausschuß vertretenen Handlungsgehilfenverbände sowie den Deutschen Werkmeisterbund numerisch zu verstärken, indem man die gewählten Vertreter zu Zuwahlvorschlägen, am besten vielleicht aus dem Kreise der in den Ortsgruppenvorständen sitzenden Angestelltenvertreter aufforderte“[295].

Obwohl entsprechend verfahren wurde, verdeutlicht die Begründung, daß die Hansa-Bund-Führung nicht geneigt war, den Angestellten eine ihrer Mitgliederzahl im Hansa-Bund entsprechende Position im Gesamtausschuß zuzubilligen. Im Unterschied zum selbständigen und unselbständigen Mittelstand kam die Mehrzahl der nachträglichen Zuwahlvorschläge der Banken, des Großhandels, der Schiffahrt und der Industrie von einer Vielzahl größerer Fachverbände. Über diese Nachwahlvorschläge konnte der Bund der Industriellen seine Position gegenüber dem Centralverband verbessern, der bis 1911 jedoch im Gesamtausschuß die stärkere Vertretung besaß[296]. Zieht man die reale Machtverteilung innerhalb des Hansa-Bundes in Betracht, d. h. geht man von der relativen Einflußlosigkeit des Gesamtausschusses aus, dann wird man diesem Faktum keine übergroße Bedeutung beimessen können.

Da das Gros der nachträglich vorgeschlagenen Vertreter der Angestellten und der Wirtschaftszweige Mitglieder des Gesamtausschusses wurde – die Kommission lehnte lediglich einige Vorschläge ab, um zu verhindern, daß einzelne Branchen im Handwerk oder im Einzelhandel[297] übermäßig stark vertreten waren –, läßt sich aus dem unterschiedlich hohen Prozentsatz der Ablehnungen nicht unbedingt auf die Machtverhältnisse im konstituierenden Präsidium schließen. Von Bedeutung erscheint jedoch, daß allen vorgeschlagenen Geschäftsführern der Industrie-, Handels- und Handwerksvereinigungen die Mitgliedschaft im Gesamtausschuß verweigert wurde, sehr wahrscheinlich, um zu verhindern, daß dieser ein zu großes Gewicht erhielt oder unter den Einfluß einiger weniger sehr einflußreicher Geschäftsführer geriet[298]. Während dieser Gruppe die Mitgliedschaft im Gesamtausschuß vom konstituierenden Präsidium verweigert wurde, verzichtete eine Gruppe von Vertretern der Industrie, die zumeist dem Centralverband angehörte, auf die Mitgliedschaft im Hansa-Bund, so z. B. der stellvertretende Vorsitzende des Vereins der deutschen Zuckerindustrie, der Generalbevollmächtigte des Großgrundbesitzers und Großindustriellen Henckel von Donnersmark, der Vorsitzende des Verbandes Deutscher Müller, ein Düngemittelfabrikant u. a.[299], d. h. Vertreter der „Agrarindustriellen“, die auf Grund der gegen den Bund der Landwirte gerichteten Agitation des Hansa-Bundes nicht bereit waren, diesem beizutreten.

Festzuhalten ist insbesondere das fast völlige Fehlen innerverbandlicher Demokratie im Hansa-Bund, der sich damit in diesem Punkte wenig positiv von den führenden konservativen Interessengruppen abhob. Die Mitglieder- und Delegiertenversammlungen, in demokratisch strukturierten Verbänden auf der jeweiligen Ebene oberste Entscheidungsorgane, besaßen im Hansa-Bund lediglich auf Zweigvereinsebene[300] mehr als nur Akklamationscharakter. Sie unterschieden sich damit nur unwesentlich von den entsprechenden Organen im Centralverband und im Bund der Landwirte[301]. Formal gesehen hatten die Mitglieder des Bundes der Landwirte sogar größere Mitwirkungsrechte, denn sie konnten an der alljährlich stattfindenden Generalversammlung des Bundes und damit „an den Entscheidungen des höchsten Beschlußorgans aktiv" teilhaben[302]. Die eigentliche Leitung lag beim Hansa-Bund ebenso wie beim Bund der Landwirte und dem Centralverband bei den Vorständen[303]. Diese unterlagen zwar formal der Kontrolle der Ausschüsse[304], die reale Machtverteilung in allen drei Verbänden weist jedoch auf eine erheblich reduzierte Kontrolltätigkeit hin[305]. Dazu trug auch bei, daß in den obersten Gremien des Hansa-Bundes nicht in erster Linie die in den Ortsgruppen zusammengefaßten Mitglieder[306], sondern die dem Hansa-Bund angeschlossenen einflußreichen korporativen Mitglieder Berücksichtigung fanden[307]. Die soziale Zusammensetzung der Führungsgremien war weder für die Mitgliedschaft des Hansa-Bundes noch für das „erwerbstätige" Bürgertum repräsentativ. Die gleiche Feststellung ist auch für den Centralverband und den Bund der Landwirte zu treffen[308].

4. Gründung der Ortsgruppen und Aufbau der Organisation

Parallel zur Bildung der Gremien auf Reichsebene erfolgte die Gründung der ersten Ortsgruppen und der Aufbau der Organisation auf Orts- und ab 1910/11 auf Provinzial- bzw. Landesebene. Dieser Prozeß – hier am Beispiel Frankfurts a. M. dargestellt – vollzog sich in der Regel, zumindest formal – in demokratischen Formen.

Wenige Tage nach der Gründungsversammlung vom 12. 6. in Berlin begrüßte die Handelskammer Frankfurt a. M. in einem Aufruf, der mehrere Tage in mindestens neun Zeitungen Frankfurts und der Umgebung erschien, die Gründung des Hansa-Bundes und forderte sämtliche Angehörige des erwerbstätigen Bürgertums zum Beitritt in den Hansa-Bund auf[309]. Diesem Aufruf folgte eine Einladung des Präsidenten der Handelskammer (J. Andreae) und des Vorsitzenden des Handelsvertragsvereins (H. Flinsch) – beide Mitglieder des konstituierenden Präsidiums des Hansa-Bundes – an alle kaufmännischen Verbände und gewerblichen Vereine und an die Handwerkskammer Wiesbaden zu einer Sitzung, um über die Einberufung einer Gründungsversammlung und die Bildung einer Ortsgruppe[310] zu beraten. Die 34 Vertreter der Verbände, der Banken und der Börse, die diesem Aufruf Folge leisteten, entsandten Vertreter in ein Komitee[311], das die Werbung und Vorbereitung der Gründungsversammlung übernahm, in der die Konstituierung der Ortsgruppe und die Wahl des Vorstandes vorgenommen wurde, der sich im wesentlichen aus den Mitgliedern des Komitees rekrutierte[312], das die Gründungsversammlung vorbereitet hatte.

Auf Anordnung der Zentrale wurde in allen Ortsgruppen darauf geachtet, daß sämtliche Wirtschaftszweige und die Angestellten berücksichtigt wurden.

Im Unterschied zu Frankfurt a. M. – wo Banken, Börse und Großhandel tonangebend waren[313] – und zum Gros der anderen Städte hatten es die führenden Vertreter der Schwerindustrie im Ruhrgebiet „mit der Bildung einer Ortsgruppe ... nicht allzu eilig". Der Syndikus der Essener Handelskammer und Vertrauter der führenden Vertreter der Schwerindustrie, W. Hirsch, gab den Rat, „Vorsicht ... walten (zu) lassen, bis die Suppe sich etwas geklärt" habe[314]. Das Drängen der Hansa-Bund-Zentrale[315], der von einzelnen Handelskammermitgliedern geäußerte Wunsch nach Gründung von Ortsgruppen[316] und besonders die gegen ihren Willen und ohne Einfluß der Schwerindustrie erfolgte Gründung einer Ortsgruppe in Dortmund zwang die Schwerindustrie, in erster Linie, um die Hansa-Bund-Bewegung im Ruhrgebiet unter Kontrolle zu behalten, zum Handeln. Um das „weitere Entstehen von Ortsgruppen wie in Dortmund im Revier zu verhüten"[317], lud Hirsch (Essen) die Handelskammer-Syndici von Dortmund, Bochum, Mülheim a. d. R., Oberhausen und Duisburg zu „einer Besprechung im engeren Kreise" ein und plante mit ihnen die Gründung einer Bezirksgruppe des Hansa-Bundes für das gesamte Ruhrgebiet, zum einen, um auf diese Weise „das nötige Schwergewicht im Hansa-Bund zu gewinnen"[318], zum anderen, um die Hansa-Bund-Bewegung im Revier besser unter Kontrolle halten zu können[319]. Den übrigen Verbänden fiel bei diesem Gründungsprozeß lediglich die Rolle von Statisten zu. Damit der Einfluß der Schwerindustrie gesichert war, legten die fünf Handelskammer-Syndici die Zusammensetzung des provisorischen Ausschusses, der die Gründungsversammlung vom 13. 2. 1910 vorbereiten sollte, fest[320] und betrieben in der Gründungsversammlung dessen Wahl zum Ausschuß der Bezirksgruppe, der seinerseits die Wahl der Vorstandsmitglieder vornahm, in dem die Vertreter der Schwerindustrie dominierten[321].

In der Regel bildeten sich die Ortsgruppen entsprechend dem skizzierten Beispiel Frankfurts zumeist unter der Führerschaft der jeweiligen Handelskammer[322], an deren Syndici Riesser bereits am 1. 8. 1909 in einem Rundschreiben die Frage richtete, „ob und evtl. in welcher Weise und unter welchen Bedingungen sie bereit sein würden, unbeschadet ihrer sonstigen amtlichen oder dienstlichen Verpflichtungen, der Werbearbeit für den Hansa-Bund ihre Kräfte zu widmen. Erwünscht wäre namentlich ein Auftreten in öffentlichen Versammlungen, ein Eintreten für die Sache des Hansa-Bundes in Tageszeitungen und Fachzeitschriften betreffs Aufklärung über die Ziele des Hansa-Bundes und betreffs Widerlegung der gegen denselben gerichteten Angriffe sowie eine unmittelbare Einwirkung auf die dem betreffenden Gremium angehörigen Erwerbskreise"[323]. Diesem Appell blieb der Erfolg nicht versagt[324]. Neben den Handelskammern waren es vor allem Großhandels- und Exportverbände, häufig der linksliberal ausgerichtete Handelsvertragsverein und in den kleinen Ortsgruppen kaufmännische Vereine und einzelne Honoratioren aus Industrie-, Bank- und Handelskreisen[325]. Die jeweils führenden Kreise waren stets bedacht, auch Vertreter des Handwerks und des Einzelhandels zu finden, die bereit waren, Aufrufe zum Beitritt oder zur Teilnahme an den Gründungsversammlungen des Hansa-Bundes zu unterzeichnen. Aber ob in Frankfurt/M., Bremen, Duisburg oder München, überall nahmen das Handwerk und zu einem erheblichen Teil auch der Einzelhandel zunächst eine abwartende oder gleichgültige Haltung ein[326]. Die von der Handelskammer Duisburg z. B. an 32 Innungen gerichtete Aufforderung, einen Aufruf betr. Beitritt zum Hansa-Bund zu unterschreiben, wurde lediglich von zwei Innungen positiv beantwortet, während die übrigen dreißig nicht antworteten[327]. Sehr häufig brachten Handwerk und Kleinhandel dem Hansa-Bund ein „gewisses Mißtrauen" entgegen, und es bedurfte „großer Überredungskünste", um diese Kreise „überhaupt zur Beteiligung zu bewegen". Die Gründung zahlreicher Ortsgruppen verzögerte sich deshalb nicht unerheblich[328]. Immerhin gab es kaum sechs Wochen nach der Gründungsversammlung vom 12. 6. 1909 in Berlin bereits 58 Ortsgruppen und einen Provinzialverband, 94 in Bildung begriffene Zweigvereine, davon zwei Provinzialverbände und 33 Orte, in denen bereits Aufrufe zwecks Bildung von Ortsgruppen erfolgt waren[329].

Wie die folgende Tabelle nachweist, verlief der Aufbau der Organisation bis 1912 recht zügig[330]:

	Landes-Prov.- u. Bez.-Gruppen	Ortsgruppen	Vertrauensleute
März 1910	22	445	1100
Juni 1910	36	513	1124
Dez. 1910	46	601	1370
März 1911	51	603	1432
Okt. 1912	67	643	1600
Anf. 1913	60	649	1600

Nach Provinzen und Bundesstaaten aufgeteilt, ergab sich Ende 1910 folgender Organisationsstand[331]: Relativ weit fortgeschritten war der Ausbau der Organisation in den Berlin-nahen Teilen Brandenburgs – die Hälfte der 83 Ortsgruppen und 71 Vertrauensleute entfiel auf Berlin mit näherer Umgebung –, in Württemberg (52 Ortsgruppen, 16 Vertrauensleute), Hessen-Nassau (50/57)[332], Schlesien (38/148), Provinz Sachsen (38/64), in Teilen der Rheinprovinz (38/139), im Königreich Sachsen (37/68), in Baden (21/87) und in den Hansestädten, die jeweils eine gut ausgebaute Orts- bzw. Landesgruppe bildeten. In den Hochburgen des Bundes der Landwirte dagegen, in den ostelbischen Provinzen[333] und in Hannover, hatte sich der Hansa-Bund weit weniger etablieren können: in Posen gab es lediglich 7, in Westpreußen 13, Ostpreußen 14, in Pommern 26 und in Hannover 32 Ortsgruppen. In Westpreußen, Posen, Mecklenburg und Oldenburg existierten noch keine Landesverbände bzw. Bezirksgruppen. Schwach ausgebildet war die Hansa-Bund-Organisation auch in den Hochburgen des Zentrums[334]; in Westfalen, in weiten Teilen der Rheinprovinz und in Bayern, wo lediglich in Mittelfranken mit dem Zentrum Nürnberg eine relativ gut ausgebaute Organisation (Landesverband Nordbayern) existierte; der Landesverband Südbayern, gemessen an der Mitgliederzahl und dem Ausbau der Organisation erheblich schwächer als derjenige Nordbayerns, bestand im wesentlichen aus der Ortsgruppe München des Hansa-Bundes[335]. Insgesamt läßt sich feststellen, daß es dem Hansa-Bund nicht gelang, in dem Gros der Kleinstädte und auf dem Lande (Ausnahmen: z. T. Hessen-Nassau, Württemberg) Fuß zu fassen. Der anfangs in dieser Richtung unternommene Versuch wurde 1911 aus finanziellen Gründen aufgegeben. Man begnügte sich mit einem relativ gut ausgebauten Vertrauensmännersystem, dem für die Agitation und Werbung der Mitglieder und bei der Vorbereitung der Wahlen besondere Bedeutung zukam[336].

Der relativ zügige Aufbau der Organisation erklärt sich im wesentlichen aus der finanziellen Potenz[337] des Hansa-Bundes und aus der Konzentration der Kräfte der Ortsgruppen und der Hansa-Bund-Zentrale auf diese Aufgabe in den ersten eineinhalb Jahren nach seiner Gründung. Riessers Parole „erst Organisation, dann Agitation“[338] wurde weitgehend befolgt. Vorbilder beim Aufbau der Organisation waren der Bund der Landwirte und die Sozialdemokratie. Von führenden Hansa-Bund-Mitgliedern wurde immer wieder auf die „glänzende Organisation des Bundes der Landwirte“[339] und, indem die eigene Interessenpolitik mit dem Allgemeinwohl identifiziert wurde, auf die Notwendigkeit verwiesen, „im Interesse des deutschen Vaterlandes“ eine „dem Bunde der Landwirte überlegene Organisation“ zu schaffen, „um zunächst den erstrebenswerten Einfluß bei den bevorstehenden Wahlen, im weiteren Verfolge auf die Gesetzgebung und Verwaltung überhaupt gewinnen zu können“[340]. Die in Hansa-Bund-Kreisen weitverbreitete Auffassung, „die Beispiele der Sozialdemokratie und des Bundes der Landwirte“ bewiesen, „daß alles auf eine leistungsfähige und schlagfertige Organisation“[341] ankomme, verdeutlicht, wie sehr die Leistungswirksamkeit der Organisation als solcher überschätzt wurde, was u. a. leicht zu einer Fehleinschätzung der eigenen Stärke und der des politischen Gegners führen konnte. Denn es besteht kein adäquater Kausalzusammenhang zwischen Organisation und politischem Durchsetzungsvermögen[342]. Eine straffe, schlagfertige Organisation wird auch dann „keine großen politischen Erfolge zeitigen, wenn die Repräsentativität des Verbandes gering und der Organisationsgrad in einem wirtschaftlichen Sektor niedrig bleibt“. Ferner steht der „Organisationsgrad einer Gruppe ... nicht in direktem Zusammenhang mit der Möglichkeit des Zugangs zu den Politikern“[343]. Infolge der Überschätzung der Organisation als solcher, übersah man im Hansa-Bund-Kreise z. B., daß ebenso notwendig die Existenz einer klaren Zieldefinition und der Wille der Mitglieder zur Partizipation war[344]. Dies aber setzte die Politisierung der Mitgliedermassen voraus. Die Hansa-Bund-Zentrale hatte von Anfang an die Gründung von Ortsgruppen initiiert und Richtlinien für den Aufbau derselben erteilt[345]. Nach dem Ausbau der Hansa-Bund-Zentrale und mit dem

Herannahen der Reichstagswahlen griff sie jedoch immer häufiger zugunsten einer stärkeren Zentralisation in die Entwicklung der Organisation ein. So wurden, um eine „straffere Organisation herbeizuführen", eine Reihe von Ortsgruppen direkt der Zentrale angeschlossen[346], kleinere Ortsgruppen wurden größeren angegliedert[347], oder auf Betreiben der Zentrale aufgelöst[348]. An ihre Stelle wurden Vertrauensmänner berufen, die der Zentrale direkt unterstellt wurden. Ferner versuchte die Zentrale, kleine Ortsgruppen zu einem Zusammenschluß zu einer größeren Einheit – Orts- bzw. Bezirksgruppe – mit einer Geschäftsstelle zu bewegen[349]. Während die Hansa-Bund-Führung die Notwendigkeit solcher Zusammenschlüsse damit begründete, daß durch die „Zentralisierung die Möglichkeit gegeben sei, auch in finanzschwachen Gruppen mit Hilfe der Eingänge aus finanzstarken eine kräftige Propaganda zu entfalten", daß „ferner die ganze Unsumme von Kleinarbeit ... den einzelnen Vorständen durch die Geschäftsstelle abgenommen werde"[350], lag für sie allerdings das entscheidende Motiv für einen solchen Zusammenschluß darin, über den Geschäftsführer – dessen Einstellung in der Regel nur mit Billigung der Zentrale erfolgen konnte[351] – einen größeren Einfluß auf die Ortsgruppen und ihre Entscheidungen zu erhalten.

Dieses in Richtung „straffer Disziplin" und Zentralisation gerichtete Vorgehen der Hansa-Bund-Führung fand seine Grenzen in der „Berücksichtigung der Verhältnisse und Konstellationen in den einzelnen Wahlkreisen"[352] und der Stärke einzelner Ortsgruppen und Landesverbände, deren weitgehende Selbständigkeit – in organisatorischer und finanzieller Hinsicht – die Zentrale anerkennen mußte[353]. Wie bereits erwähnt, besaßen die in den Ortsgruppen zusammengefaßten Mitglieder keinen Einfluß auf die Rekrutierung der Führungsgremien des Hansa-Bundes auf Reichsebene. Die seit 1912 verstärkte Übung des Gesamtausschusses, Vorsitzende der mitgliederstarken Ortsgruppen zu kooptieren bzw. eine größere Anzahl Vorsitzender der Landes- und Provinzialgruppen in das Direktorium des Hansa-Bundes zu wählen[354], konnte erst allmählich den Einfluß der Zweigvereine in diesen, seit 1909 im wesentlichen von den Spitzenverbänden besetzten Gremien, stärken. Der Vorschlag des Direktoriumsmitgliedes Orlopp, das Prinzip der Kooption aufzugeben und den Gesamtausschuß aus Wahlen der Zweigvereine hervorgehen zu lassen, um das Interesse der Mitglieder und der Ortsgruppen an der Politik der Hansa-Bund-Zentrale zu verstärken, wurde, obwohl er auf der Sitzung des Gesamtausschusses vom 12. 6. 1912 „lebhafte Zustimmung" fand, von Riesser ausweichend beantwortet[355]; eine entsprechende Änderung der Satzung wurde nicht vorgenommen. Ebenfalls ignoriert wurde der von einem Gesamtausschußmitglied[356] eingebrachte Vorschlag, Statutenänderungen in Zukunft vor der Beschlußfassung in den obersten Bundesgremien den Ortsgruppen zur Prüfung vorzulegen.

Der Einfluß der Ortsgruppen auf die Entscheidungen der obersten Bundesgremien wurde nach 1912 nicht nur nicht verstärkt, sondern durch die Satzungsänderung von 1912 noch weiter geschwächt; denn der neu in die Satzung aufgenommene § 19 Abs. 2 ermächtigte das Präsidium, „Meinungsverschiedenheiten jeder Art, die zwischen ihm und der Verwaltung oder Geschäftsführung von Zweigstellen des Hansa-Bundes entstanden sind, dem Direktorium zur endgültigen Entscheidung zu überweisen“[357]. Von einer Willensbildung von unten nach oben konnte – abgesehen von einigen Ausnahmefällen – keine Rede sein. Die Politik des Hansa-Bundes wurde vom Präsidium z. T. in Zusammenarbeit mit dem Direktorium formuliert, in zahlreichen Fragen sogar weitgehend von Riesser alleine.

Die Ortsgruppen konnten an der Entscheidungsfindung lediglich indirekt über die Beantwortung der zahlreichen Umfragen der Hansa-Bund-Zentrale teilnehmen[358]; in der Regel blieb ihnen jedoch nur die Möglichkeit, die von den führenden Gremien formulierte Politik zu unterstützen[359], wobei geringfügige Änderungen, wie z. B. bei der Unterstützung der gegen die Verteuerung der Lebensmittel verfaßten Resolution der Zentrale, durchaus üblich waren und von der Zentrale ohne weiteres akzeptiert wurden. Die Möglichkeit, die Initiative zu ergreifen und der Zentrale entsprechende Vorschläge bzw. Resolutionen zwecks Unterstützung zu unterbreiten, wurde nur äußerst selten ergriffen, wahrscheinlich, weil kaum ein Einfluß darauf bestand, daß die Hansa-Bund-Zentrale im gewünschten Sinne verfuhr.

Eine gewisse Bedeutung erreichten die in der Regel alljährlich stattfindenden Sitzungen der Zweigvereinsvorsitzenden, obwohl diese Zusammenkünfte nach Riessers Auffassung lediglich dazu dienen sollten, sich „gegenseitig Anregungen zu geben und Erfahrungen und Überzeugungen auszutauschen“[360], und nicht in der Lage waren, Beschlüsse zu fassen, die die Hansa-Bund-Zentrale gebunden hätten. Ein Vergleich der Protokolle dieser Sitzungen mit den von der Zentrale formulierten und an sämtliche Zweigvereine verschickten Mitteilungen und Instruktionen zeigt, daß die Zentrale in einigen Fällen die Vorschläge der Ortsgruppen aufgriff[361], sofern sie sich im Rahmen der von ihr verfolgten Politik hielten.

Das Interesse der Ortsgruppen wurde von der Zentrale bewußt – neben der Materialbeschaffung als Grundlage der Tätigkeit des zentralen Apparates und der Hansa-Bund-Führung – auf die lokalen Verhältnisse gelenkt. In den Instruktionen der Zentrale wurden die Ortsgruppen aufgefordert, bei Mißständen lokaler Natur selbständig einzugreifen. Es müsse „mehr geschrieen und mehr aktiv vorgegangen“[362] und dürfe nicht ruhig akzeptiert werden, daß die Wünsche des erwerbstätigen Bürgertums überhört würden. Es sei Pflicht der Ortsgruppen, sich mit den Abgeordneten ihres Bezirks in Verbindung zu setzen, damit die Wünsche der Hansa-Bund-Mitglieder in den Parlamenten zur Sprache gebracht würden[363]. Erhalte ein Mitglied des Hansa-Bundes auf ein Gesuch oder eine Beschwerde keine Antwort von der zuständigen Regierungsstelle, dann müsse die Ortsgruppe die Angelegenheit bis zu ihrer Klärung in die Hände nehmen; um den eigenen Wünschen Nachdruck zu verleihen, sei es erforderlich, daß die Ortsgruppen sich stets auch an die Öffentlichkeit wendeten.

Zusammenfassend läßt sich feststellen, daß die Aufgabe der Ortsgruppen neben der Befassung mit lokalen Fragen, der Mitgliederwerbung, der Aufklärungs- und Beratungsfunktion in erster Linie darin bestand, die Entscheidungen der Zentrale, die sie lediglich indirekt – und auch das nur zum Teil – zu beeinflussen vermochten (Materialbeschaffung), zu reproduzieren bzw. auszuführen; d. h. dem Gros der Ortsgruppen kam lediglich die Funktion eines Multiplikators im Dienste der Hansa-Bund-Führung zu. Ihr Einfluß auf den Willensbildungsprozeß innerhalb des Hansa-Bundes war nicht wesentlich größer als der der Wahlkreisabteilungen, Orts- und Bezirksgruppen des Bundes der Landwirte, deren Hauptaufgabe im wesentlichen in der „Weitergabe der Vorstandspolitik nach unten" bestand[364].

5. Funktionäre des Hansa-Bundes

Während die Angestellten das Gros der Hansa-Bund-Mitglieder stellten, rekrutierte sich die überwiegende Mehrheit (ca. drei Viertel) der ehrenamtlich tätigen Funktionäre aus den Kreisen der Selbständigen. Die Ortsgruppen wurden mehrfach aufgefordert, „im Vorstande und in den Ausschüssen der Zweigvereine den Richtlinien des Hansa-Bundes gemäß, sämtliche Konfessionen, Stände und Richtungen" zu berücksichtigen[365]. In der Regel wurden entsprechend dieser Instruktion in den Zweigvereinen Industrielle, Handeltreibende und Vertreter des selbständigen und unselbständigen Mittelstandes gewählt, das bedeutete, daß die Angestellten, die ca. zwei Drittel der Mitglieder stellten, maximal ein Viertel der Vorstands- und Ausschußsitze innehatten; bedeutend geringer war ihr Anteil an den Vorsitzendenposten, die in der Regel mit Honoratioren aus Industrie, Großhandels- und Bankkreisen besetzt wurden[366]. Erheblich einseitiger war die soziale Zusammensetzung der Führungsgremien auf Reichsebene. Die Behauptung Riessers, diese Organe seien „in der denkbar demokratischsten und nicht in plutokratischer Weise" zusammengesetzt[367], traf keineswegs zu. Die Führungsgremien stellten in keiner Weise auch nur annähernd einen repräsentativen Querschnitt des erwerbstätigen Bürgertums dar. Die einseitigste Zusammensetzung wies das konstituierende Präsidium auf. Während im Deutschen Reich 1913 1,27 % der Steuerpflichtigen ein Vermögen von über 1 Million Mk. versteuerten[368], gehörten über 60 % der Mitglieder des konstituierenden Präsidiums dieser Steuerklasse an. Angestellte waren in diesem Gremium nicht vertreten. Von den 42 Mitgliedern des Direktoriums (1909) besaßen sogar 28, d. h. ca. 66 %, ein Vermögen von über 1 Million Mk. und im Gesamtausschuß des Hansa-Bundes – dem „Parlament des erwerbstätigen Bürgertums" (Riesser) – betrug deren Anteil immerhin noch 36 % (mindestens 165 von 458)[369].

Noch einseitiger war die soziale Zusammensetzung der Funktionärskader des Bundes der Landwirte. Die Großgrundbesitzer, die einen Mitgliederanteil von weniger als 1 % besaßen[370], kontrollierten alle wichtigen Organe des Bundes, und zwar nicht nur den engeren Vorstand, die „erste und letzte Instanz" des Bundes. Auch die Kader der ehrenamtlich tätigen Funktionäre im Gesamtvorstand, in den Landes- und Provinzialabteilungen und in den Wahlkreisen rekrutierten sich überwiegend aus den Kreisen der Fideikommißbesitzer, der Ritterguts- und anderer Großgrundbesitzer[371]. Auch die soziale Zusammensetzung der Gremien des Centralverbandes zeichnete sich durch krasse Einseitigkeit aus[372].

6. Der Apparat des Hansa-Bundes

Den Geschäftsführern, die unter der Aufsicht des Präsidiums die Beschlüsse der Hansa-Bund-Organe auszuführen und den Vorsitzenden des Präsidiums bei der Erledigung der laufenden Geschäftsgänge zu unterstützen hatten, kam bei der Größe der Organisation erhebliche Bedeutung zu; zumal § 6 Abs. 1 der Geschäftsordnung des Direktoriums die Möglichkeit bot, die Geschäftsführer an den Sitzungen des Präsidiums mit beratender Stimme teilnehmen zu lassen.

Um die Schwerindustrie zur Teilnahme an der Gründung des Hansa-Bundes zu bewegen, machte Riesser bereits vor der Gründungsversammlung Rötger u. a. das Zugeständnis, daß „kein dem Centralverband Deutscher Industrieller unerwünschter Geschäftsführer angestellt“[373] werde. Im Einvernehmen mit Rötger und Kirdorf verhandelte Riesser daher zunächst mit dem Geschäftsführer der Deutschen Teerprodukten-Vereinigung[374], Regierungsrat Dr. Meydenbauer[375]. Die Gründe für das Scheitern dieser Verhandlungen sind den Unterlagen nicht zu entnehmen. Die darauf mit dem freikonservativen Oberbürgermeister von Potsdam, Kurt Vosberg, MdH, geführten Verhandlungen verliefen erfolgreich und führten zunächst zu einem mündlich abgeschlossenen Anstellungsvertrag[376]. Nach diesem Vertrag sollte seine Anstellung als 1. Geschäftsführer mit dem Titel eines Direktors für sechs Jahre erfolgen, und zwar mit einem Gehalt von insgesamt 270 000 Mk., also durchschnittlich 45 000 Mk. pro Jahr, für damalige Verhältnisse ein außerordentlich hohes Gehalt für einen Geschäftsführer[377].

Als dieses Abkommen vorzeitig bekannt wurde, trat Vosberg davon zurück[378]. Zum 1. Geschäftsführer wurde schließlich im Dezember 1909 der Oberbürgermeister von Bromberg, Alfred Knobloch, MdH, bestellt, der Anfang 1910 sein Amt antrat[379]. Knobloch war parteipolitisch nicht gebunden, in wirtschaftspolitischen Fragen eindeutig liberal ausgerichtet[380].

Bis zur Übernahme der Geschäftsführung durch Knobloch – d. h. in der für die Entwicklung des Hansa-Bundes wichtigen Gründungs- und Aufbauphase – lag die Geschäftsführung in den Händen des CVBB-Geschäftsführungsmitgliedes RA Bernstein, der im Nebenamt als Syndikus des Hansa-Bundes fungierte[381], und des Vizegeschäftsführers Reg. Ass. a. D. Kurt Kleefeld[382], eines Schwagers Stresemanns. Nach dem aus gesundheitlichen Gründen bedingten Ausscheiden Knoblochs (1912)[383] bestand die Hansa-Bund-Geschäftsführung aus zwei gleichberechtigten, dem Präsidium des Hansa-Bundes verantwortlichen Geschäftsführern, und zwar Kurt Kleefeld und MdR Frh. Hartmann von Richthofen (NLP)[384]. Der von ihnen geleitete Apparat, die Zentrale, war recht zweckmäßig gegliedert[385]: Neben der allgemeinen und volkswirtschaftlichen Abteilung[386] existierten eine Organisations-[387], eine Wahl-[388] und Presseabteilung, von der gleichzeitig das Archiv und die Bibliothek geführt wurden.

Während diese Abteilungen hauptsächlich die „wirtschaftlichen und wirtschaftspolitischen materiellen Arbeiten" zu erledigen hatten, lag die Behandlung der kaufmännischen Fragen in der Hand des Zentralbüros, unter dessen Leitung die kaufmännische Abteilung[389], die Listenabteilung, die Expedition und die Abrechnungsstelle standen. Die „gesamte Innenorganisation" stand unter „ständiger Aufsicht führender Kreise der Industrie und der Kaufmannschaft"[390], d. h. des Präsidiums. Die die Zweigorganisationen betreffenden Fragen wurden vom Präsidium (1912) auf die beiden Geschäftsführer folgendermaßen verteilt[391]: Während Kleefeld innerhalb der Geschäftsführung für die Agitation und Aufklärung und für die Verbindung zur Presse zuständig war, ferner die allgemeinen volkswirtschaftlichen Fragen bearbeitete, die Großveranstaltungen des Hansa-Bundes vorzubereiten und den Kontakt mit den Ortsgruppen, die keine eigenen Geschäftsführer besaßen, aufrechtzuerhalten hatte, leitete Frh. von Richthofen die Auslandsabteilung und bearbeitete sämtliche Fragen der Organisation von Groß-Berlin, ferner die des Großhandels und des Mittelstandes. Zu seinem Einflußbereich gehörten insbesondere die Submissionszentrale, der Zentralausschuß für die Interessen des Einzelhandels im Hansa-Bund und der Handwerkerausschuß. Als „Beirat" der Geschäftsführung bearbeitete ab Mitte 1912, also nach dem Ausscheiden der Schwerindustrie aus dem Hansa-Bund, das Mitglied des Hansa-Bund-Direktoriums, G. Stresemann[392], die die Industrie betreffenden grundsätzlichen Fragen und alle Angelegenheiten, welche Industrie und Angestellte „gemeinsam berühr(t)en"; ferner war Stresemann für die Verbindung der Zentrale mit den Zweigvereinen, die eigene Geschäftsführer angestellt hatten, zuständig, d. h. mit den finanzkräftigsten und einflußreichsten Gruppierungen auf Orts- und Landesebene.

Der Kompetenzbereich von Obermeister Kniest[393], Kassel, der als Beirat für die „grundsätzlichen Fragen des Handwerks" zuständig war und den Vorsitz im Handwerker-Ausschuß innehatte, überschnitt sich teilweise mit dem des Geschäftsführers von Richthofen, der in der Praxis jedoch Kniest die Bearbeitung der Handwerkerfragen überließ.

Angaben über die Größe des Apparates der Hansa-Bund-Zentrale sind weder in den Geschäftsberichten und Rundschreiben noch in den vom Hansa-Bund herausgegebenen Publikationen zu finden. Die relativ große Anzahl von Abteilungen und die umfangreiche Tätigkeit der Zentrale[394] erlauben die Schlußfolgerung, daß in der Zentrale mindestens einige Dutzend Angestellte beschäftigt waren. Im Unterschied zum Bund der Landwirte, dessen hauptamtliche Mitarbeiter bis zu 80 % in der Bundeszentrale beschäftigt waren[395], entfiel beim Hansa-Bund das Gros der Mitarbeiter auf die Außenstellen in den Landesverbänden und Ortsgruppen.

Spätestens Anfang 1912 hatten alle 67 Landes-, Provinzial- bzw. Bezirksgruppen Geschäftsstellen eingerichtet, die zumeist von promovierten Juristen oder Nationalökonomen geleitet wurden und häufig mehrere Hilfskräfte beschäftigten[396]. Das gleiche gilt u. a. von den größeren Ortsgruppen wie Berlin, Frankfurt a. M., Köln, Leipzig[397]; ein deutlicher Hinweis auf die erheblichen finanziellen Mittel des Bundes, weniger auf eine eigenständige Politik dieser Untergliederungen. Um die Mitglieder in Zoll- und Steuerfragen[398] und in Angelegenheiten der Buchführung[399] beraten zu können, wurden in der Hansa-Bund-Zentrale und in zahlreichen Ortsgruppen Auskunftsbüros eingerichtet, die den Mitgliedern unentgeltlich Auskunft erteilten. Das „Buchführungs- und Rechnungskontor" des Ortsverbandes Groß-Berlin, das unter der Leitung eines Handelslehrers und Bücherrevisors stand, übernahm sogar gegen ein geringes Entgelt „Anlage, Fortschreibung und Abschluß der Bücher, Aufstellung der Inventur und der Steuererklärung nach der Methode der ‚Hansa-Buchführung'"[400]. Vorschläge, der Hansa-Bund möge ebenso wie der Bund der Landwirte „seinen Mitgliedern bei Abschluß von Versicherungen Rabatte verschaffen, ferner in Erwägungen darüber eintreten, ob es sich nicht empfehle, eine Sterbekasse und eine Unterstützungskasse einzurichten"[401], wurden von der Hansa-Bund-Führung nie ernsthaft diskutiert.

Insgesamt läßt sich daher feststellen, daß der Hansa-Bund nicht in gleichem Maße wie der Bund der Landwirte mit seinen zahlreichen angegliederten Organisationen[402] die Merkmale eines Dienstleistungsbetriebes annahm. Daß aber auch beim Hansa-Bund, in erster Linie, um neue Mitglieder zu gewinnen und um den Mitgliederbestand zu erhalten, der Beratungsfunktion eine nicht unerhebliche Bedeutung zukam, läßt sich zu Recht feststellen.

7. Agitationsmittel

Der öffentlichen Agitation und Propaganda wurde vom Hansa-Bund – ebenso wie vom Bund der Landwirte – außerordentlich große Bedeutung beigemessen. Dies entsprach durchaus dem Selbstverständnis des Bundes als politischen Kampfverbandes und als Massenbewegung. Wie bei allen politischen Kampfverbänden[403] hatte die Agitation die Funktion, einerseits als Appell des Verbandes die öffentliche Meinung zu beeinflussen, zum anderen, den Kontakt zwischen der Führungsspitze und den Mitgliedern aufrecht zu erhalten. Mit Rücksicht auf die liberale Presse, die dem Hansa-Bund sehr wohlwollend gegenüber stand[404], wurde auf die Herausgabe einer eigenen Tageszeitung verzichtet[405]. Zentralorgan des Hansa-Bundes war seit Januar 1911 die wöchentlich und seit April 1913 monatlich in einer Auflage von 200 000 Exemplaren erscheinende Zeitschrift „Hansa-Bund", die den Mitgliedern seit April 1913 kostenlos zugestellt wurde. Daneben wurden seit 1909 als Zeitungskorrespondenz die wöchentlich erscheinenden „Mitteilungen vom Hansa-Bund" (Auflage 30 000), ferner in unregelmäßigen Abständen die sogenannte „grüne Korrespondenz" (65 000 Exemplare), das Jahrbuch (20 000 und die „Bürgerkunde" (10 000) und zahlreiche andere Veröffentlichungen in mehr als 50 000 Exemplaren verschickt[406]. Einige Landesverbände bzw. Ortsgruppen gaben eigene Organe heraus, so der Landesverband Nordbayern seit 1912 in einer Auflage von 10 000 das Organ „Der Hansa-Bund“[407], der Provinzialverband Hessen-Nassau die monatliche Zeitschrift „Hansa“[408] und die Ortsgruppe Leipzig bzw. ab April 1912 der Landesverband Sachsen „Nachrichten aus dem Königreich Sachsen“[409]. Zeitungskorrespondenzen gaben der Landesverband Nordbayern unter dem Titel „Mitteilungen des Landesverbandes Nordbayern“[410], der Landesverband Baden unter dem Titel „Mitteilungen des Landesverbandes Baden“[411] heraus, die dazu dienten, die Beziehungen zwischen dem Hansa-Bund und der Presse auszubauen, Angriffe der gegnerischen Presse zu parieren und die öffentliche Meinung über die Tätigkeit des Hansa-Bundes „aufzuklären“, d. h. die Funktion hatten, über die Presse indirekt die öffentliche Meinung zu beeinflussen[412]. Demgegenüber diente das Zentralorgan des Verbandes eher als Integrationsfaktor und zur Aufrechterhaltung des Kontaktes mit den Mitgliedern[413]. Das Zentralorgan berichtete über die Tätigkeit der Zentrale und der Zweigvereine (Rubrik „Aus den Ortsgruppen“) bot den Mitgliedern aus den verschiedenen Wirtschaftsbereichen – in einem nicht-offiziellen Teil – ein Forum der Diskussion und setzte sich mit der gegnerischen Presse auseinander. Um eine möglichst große Breitenwirkung zu erzielen, wurden die Ortsgruppen angehalten, das Zentralorgan des Verbandes in Hotels, Cafés und dgl. öffentlich auszulegen[414] bzw. der Provinzpresse Mitteilungen des Organs zugänglich zu machen[415]. Welche Bedeutung vom Hansa-Bund der Presse beigemessen wurde, beweist die Einrichtung einer eigenen Presseabteilung bei der Zentrale. Die Hauptaufgabe dieser Abteilung bestand in der dauernden Beobachtung „besonders der gegnerischen Presse und der geeigneten Aufklärung über die Arbeiten, Ziele und Tätigkeiten des Hansa-Bundes sowie [der] Bekämpfung gegnerischer Angriffe“. Diese erfolgte in erster Linie durch die sogenannte „grüne Korrespondenz“[416]. Aus der Tatsache, daß täglich 180 Zeitungen ausgewertet wurden und daneben der gewerblichen Fachpresse besondere Aufmerksamkeit gewidmet wurde[417], erscheint es zulässig, auf eine gut ausgebaute Presseabteilung zu schließen. Außerdem wurden zu Zwecken der Agitation den Ortsgruppen und angeschlossenen Verbänden kostenlos Dutzende von Flugblättern zugestellt (1909 bis Ende 1911 über 30) und zusätzlich einige Broschüren, die entweder gezielt einzelne Wirtschaftskreise bzw. die Angestellten ansprachen oder der Propaganda und Rechtfertigung der Politik des Hansa-Bundes dienten[418]. In der Regel wurden die Flugblätter in einer Auflage in Höhe bis zu 500 000–600 000 verbreitet[419].

Durch dieses breite Spektrum publizistischer Mittel wurde ein relativ großer Kreis des erwerbstätigen Bürgertums angesprochen. Indem einige Fachorgane, wie z. B. die in Frankfurt herausgegebene Handwerks- und Gewerbezeitung, mit Hilfe von Zuschüssen verpflichtet werden konnten, die Mitteilungen des Hansa-Bundes ungekürzt abzudrucken[420], konnte der Grad der Beeinflussung erheblich verstärkt werden. Die Möglichkeiten, den Erfolg dieser Öffentlichkeitsarbeit zu messen, sind gering. Gemessen an der Häufigkeit der in den Tageszeitungen erscheinenden Berichte über den Hansa-Bund müßte seine Propaganda- und Öffentlichkeitsarbeit als relativ erfolgreich angesehen werden. Die Tatsache, daß jedes Jahr Hunderte[421], wenn nicht Tausende von Berichten, Notizen und dgl. über den Hansa-Bund erschienen, sagt jedoch noch nichts über die Intensität des Einflusses aus. Diese hängt ganz wesentlich davon ab, wie nahe die Adressaten den Interessen und Werthaltungen des Verbandes standen.

Auf die zahlreichen Versammlungen, eins der wesentlichsten Agitationsmittel des Hansa-Bundes, denen neben der Meinungsvermittlung insbesondere die Funktion der Stärkung des Zusammengehörigkeitsgefühls der im Hansa-Bund vertretenen Gruppen zukam, sei hier lediglich verwiesen. Auf sie wird im Zusammenhang mit den Wahlen näher eingegangen werden[422].

Der Umfang der Agitationsmittel des Hansa-Bundes war für damalige Verhältnisse erheblich[423], erreichte insgesamt jedoch nicht die Stärke und Intensität derjenigen des Bundes der Landwirte. Denn dieser gab seit 1893 sein Zentralorgan „Bund der Landwirte“, ein wöchentlich erscheinendes Blatt, in den Jahren nach 1909 in einer Auflagenhöhe von 200 000–250 000 Exemplaren heraus[424]. Daneben besaß der Bund der Landwirte in der „Deutschen Tageszeitung“ ein Instrument der täglichen Meinungsbildung (Auflagenhöhe 30 000–40 000). Unter den Abonnenten befanden sich jedoch wesentlich mehr Gutsbesitzer, Beamte, Juristen, Offiziere und Ärzte, d. h. wichtige „opinion leaders“, als Bauern[425]. Für die Durchsetzung der Politik des Bundes war dies ganz gewiß nicht von Nachteil. Die größere Auflagenhöhe der Korrespondenzen der Hansa-Bund-Zentrale („Mitteilungen vom Hansa-Bund“, 30 000) und seiner Landesverbände (zum Vergleich: „Korrespondenz des Bundes der Landwirte“: 30 000[426]) und die wohlwollende Haltung der auflagenstarken liberalen Blätter[427] weist andererseits auf eine größere Reichweite der Agitationsmittel des Hansa-Bundes hin. Einen Vergleich der Intensität der Agitation lassen die vorhandenen Unterlagen nicht zu.

8. Finanzen des Hansa-Bundes

Es ist problematisch, die Finanzstärke eines Verbandes mit seinem Einfluß gleichzusetzen. Für die Agitation und Werbung, bei der Unterstützung von Parteien und bei der Kandidatenaufstellung kommt der Finanzkraft eines Verbandes jedoch erhebliche Bedeutung zu. Die Finanzverwaltung des Hansa-Bundes wies zwar eine Tendenz zu zentralistischer Gestaltung auf; im Unterschied zum Bund der Landwirte verblieben den Ortsgruppen jedoch ein Drittel der von ihnen eingenommenen Beiträge; einflußreichere Ortsgruppen konnten eine für sie günstigere Regelung durchsetzen[428]. Über die finanziellen Mittel des Hansa-Bundes liegt ebenso wie über die anderer einflußreicher Verbände dieser Zeit wenig authentisches Material vor. Wie jedoch aus den Mitteilungen der

Ortsgruppen und den Briefwechseln führender Hansa-Bund-Mitglieder hervorgeht, wurde von den potenteren Mitgliedern der in der Satzung festgelegte Mindestbeitrag von 3,- Mk. für Selbständige bzw. von 1,- Mk. für Angestellte erheblich überschritten[429].

Während das Gros der Einnahmen im Gründungsjahr des Hansa-Bundes von zahlreichen Banken, insbesondere den Berliner Großbanken, Warenhäusern, Export- und Importfirmen und Unternehmen des Verkehrswesens, Firmen der Schwerindustrie, der Chemie-, der Elektro-, Maschinenbau-Industrie u. a. aufgebracht wurde, ferner von zahlreichen, dem Hansa-Bund korporativ angeschlossenen Verbänden und Handelskammern, die, wie das Kohlensyndikat bzw. der Stahlwerksverband Beiträge bis zu einer Höhe von 50 000–60 000 Mk. leisteten[430], gewannen in den folgenden Jahren die Beiträge der einfachen Mitglieder an Bedeutung. Die in Meyers Konversationslexikon gemachten Angaben – Jahreseinnahmen: 500 000 Mk. und Gründungsfonds: 300 000 Mk.[431] – sind ganz sicher zu niedrig angesetzt. Viktor Schweinburg verwies in einem Schreiben vom 14. 6. 1909 an von Loebell besonders auf die „sehr reichen Geldmittel" des Hansa-Bundes und hielt „2 bis 3 Millionen für nicht zu hoch angenommen"[432]. M. E. dürften diese Angaben für das erste Jahr durchaus zutreffend sein, während in den folgenden Jahren der Jahreshaushalt des Bundes mit Einnahmen und Ausgaben in Höhe von ca. 1 Mill. Mk. abgeschlossen worden sein dürfte. Hinzu kommt, daß zahlreiche Ausgaben des Hansa-Bundes – besonders im Gründungsjahr – für die Mitgliederwerbung von den korporativen Mitgliedern oder den ihm nahestehenden Verbänden bzw. Handelskammern, z. T. auch von Einzelpersonen, übernommen wurden; durch diese Sach- und Dienstleistungen wurde der Etat des Hansa-Bundes nicht unwesentlich entlastet. In finanzieller Hinsicht dürfte der Hansa-Bund – zumindest bis 1911 – kaum von den übrigen politisch bedeutsamen Massenorganisationen übertroffen worden sein; denn das ordentliche Haushaltsvolumen der SPD, des Volksvereins für das katholische Deutschland und des Bundes der Landwirte, das „um die Jahrhundertwende relativ einheitlich um eine halbe Million Mark" zentrierte, „stieg bis 1910, weniger einheitlich, höchstens bis zur Millionengrenze an"[433]; der Etat der beiden industriellen Spitzenverbände, die finanziell sehr stark von ihren korporativen Mitgliedern bzw. Landesorganisationen abhängig waren, betrug demgegenüber lediglich ca. 60 000 (1912) für den Bund der Industriellen und 130–180 Tausend Mk. (1910–1913) für den Centralverband. Letzterer besaß 1910 daneben jedoch noch einen Reservefonds von ca. 750 000 Mk.[434].

Festzuhalten bleibt, daß die formale und erst recht die tatsächliche Struktur des Verbandes keineswegs dem Erfordernis genügte, die Mitglieder zu aktivieren und vor einem passiven Verhalten zu bewahren. Die in den Ortsgruppen zusammengefaßten Mitglieder hatten nur geringe Möglichkeiten, an der Rekrutierung der Führungsgremien teilzunehmen. Das gleiche galt für die Formulierung der Politik des Verbandes. Von einer Willensbildung von unten nach oben konnte in der Regel keine Rede sein. Da das Präsidium bzw. das Direktorium die Verfügungsgewalt über das Gros der Finanzen und die Verbandspresse besaß und ebenso den Verbandsapparat kontrollierte – die Geschäftsführer der Zweigvereine unterlagen der Weisungsgewalt des Präsidiums und Direktoriums –, kam den Ortsgruppen in der Regel lediglich die Funktion regionaler Multiplikatoren im Dienste der Hansa-Bund-Führung zu. Nur die einflußreicheren, finanziell gut ausgestatteten Ortsgruppen vermochten es teilweise, eine eigenständige Politik zu betreiben. Berücksichtigung in den obersten Gremien fanden nicht in erster Linie die in den Ortsgruppen zusammengefaßten Mitglieder, sondern die dem Hansa-Bund angeschlossenen einflußreichen korporativen Mitglieder. Die soziale Zusammensetzung der Führungsgremien war weder für die Hansa-Bund-Mitgliedschaft noch für das erwerbstätige Bürgertum repräsentativ.

III. Der Hansa-Bund im Spektrum organisierter Interessen

Der Aufbau der Organisation und die Mitgliederentwicklung, die sich zunächst sehr günstig gestalteten, führten bei der Hansa-Bund-Führung nicht zu einer Überschätzung der eigenen Stärke. J. Riesser betonte von Anfang an, daß zur Durchsetzung der Ziele des Hansa-Bundes „ein langer, schwerer und vielleicht erbitterter Kampf zu führen" sein werde, denn man dürfe „nicht glauben, daß ein Bau, der in Jahrhunderten errichtet" worden sei und der „jahrhundertelang allem Einfluß wandelnder Zeiten zu trotzen wußte, in wenigen Jahren zu Fall gebracht werden" könne. Das Bürgertum müsse den Kampf um die ihm „gebührende Mitherrschaft und Gleichberechtigung im Staate" auch dann führen, wenn „dessen Früchte vielleicht erst" seine „Söhne oder Enkel ernten" würden[1].

In richtiger Einschätzung des politischen Einflusses der von ihr vertretenen Mitgliedergruppen suchte die Hansa-Bund-Führung über die Zusammenarbeit mit gleichgesinnten Verbänden ihre Position gegenüber den konservativen Kräften zu verbessern. Sie betonte dabei stets, daß der Hansa-Bund nicht in die „Selbständigkeit und in den Tätigkeitsbereich" der bestehenden Interessenvertretungen eingreifen werde. Der Hansa-Bund werde „nicht in einen Wettbewerb mit diesen Vereinigungen, Innungen und Verbänden treten"[2]. Mit diesem Hinweis sollten in erster Linie die Bedenken zahlreicher Mittelstandsvereinigungen ausgeräumt werden, die – beeinflußt durch die Agitation des Bundes der Landwirte – im Hansa-Bund eine „Konkurrenz-Organisation" sahen[3].

Im folgenden Kapitel ist insbesondere danach zu fragen, inwieweit es dem Hansa-Bund gelang, diese Bedenken auszuräumen und eine Interessenübereinstimmung mit den übrigen Spitzenverbänden herzustellen. Dabei wird von der These ausgegangen, daß den Motiven dieser Verbände für die Zusammenarbeit mit dem Hansa-Bund größere Bedeutung zukam als dem Grad der personellen Verflechtung. Wichtig erscheint ferner die Frage, ob die Zusammenarbeit der Spitzenverbände und ihre personelle Verflechtung ein Verhältnis der Dominanz oder ein solches wechselseitiger Einflußnahme bewirkte.

1. Personelle Verflechtung und Zusammenarbeit mit Banken und Großhandel

a) Hansa-Bund und Bankgewerbe

Da das Gros der Banken und des Großhandels im Centralverband des Deutschen Bank- und Bankiergewerbes (CVBB) oder im Deutschen Handelstag

(DHT) oder in beiden Verbänden organisiert war, erscheint es gerechtfertigt, die Frage nach der Stellung des Hansa-Bundes zum Großhandel und den Banken auf das Verhältnis von Hansa-Bund einerseits und DHT[4] und CVBB andererseits zu beschränken. Ebenso wie die Handelskammern und der Deutsche Handelstag bemühten sich die Banken, deren Spitzenverband die Gründungsversammlung organisiert und in der Aufbauphase zu einem erheblichen Teil Agitation und Organisation finanziert und getragen hatte[5], in den folgenden Jahren im Hintergrund zu bleiben[6]. Auf diese Weise hofften sie zu verhindern, daß die Teile des Mittelstandes und der Industrie, die starke Aversionen gegen die Bank- und Börsenkreise hegten[7], dem Hansa-Bund fernblieben. Die konservative, die Zentrums- und die dem Bund der Landwirte nahestehende Presse wies dennoch – zu Recht – darauf hin, daß die Bank- und Börsenoligarchie der „geistige Urheber, Führer und auch finanzielle Stützpunkt“ des Hansa-Bundes sei und forderte die Vertreter des selbständigen Mittelstandes auf, den Hansa-Bund zu verlassen, da er auf Grund der „Diktatur der linksliberalen Hochfinanz“[8] nur eine Statistenrolle im Hansa-Bund spiele. Die liberale Presse und die Hansa-Bund-Organe bemühten sich demgegenüber stets, den Einfluß der Banken herunterzuspielen[9]. Obwohl personell eng mit den Hansa-Bund-Führungsgremien verbunden – neben Riesser, dem Vorsitzenden, gehörten sechs der neun Vorstandsmitglieder des Centralverbandes des Deutschen Bank- und Bankiergewerbes den Hansa-Bund-Führungsgremien an; zahlreiche Landesverbände wurden ferner von Vertretern des Bankgewerbes geleitet[10] –, vermied es der CVBB aus diesem Grunde, in der Öffentlichkeit zusammen mit dem Hansa-Bund aufzutreten. Hinzu kam, daß er nicht in die innenpolitischen Auseinandersetzungen hineingezogen werden wollte. Selbst bei der Aufzählung der Verbände, mit denen sich der Hansa-Bund freundschaftlich verbunden fühlte, wurde der CVBB nicht erwähnt[11].

Wie groß das Interesse des CVBB auch nach 1909 an einem Erfolg der Hansa-Bund-Politik war, zeigt die Spendenfreudigkeit seiner Mitglieder für dessen Wahlfonds[12]. Die nach außen geübte Zurückhaltung wurde dadurch möglich, daß neben J. Riesser, der die entscheidende Position im Hansa-Bund einnahm, im Direktorium mit W. Müller (Dresdner Bank), A. Salomonsohn (Disconto-Gesellschaft) und C. Helfferich die bedeutendsten Richtungen[13] der Börsen- und Bankoligarchie vertreten waren.

Wie die Reichsfinanzreform und die Novellierung des Börsengesetzes von 1908 gezeigt hatten, waren – entgegen der These Riessers[14] – die Großbanken allein nicht stark genug, um ihre Sonderinteressen durchzusetzen. Die Banken und Börsen, als „goldene Internationale“ vom Bund der Landwirte und konservativen Mittelstandskreisen scharf befehdet[15], hatten das größte Interesse, die Macht der vorindustriellen Gruppen zu brechen, und zwar nicht nur aus bank- und verkehrs-, sondern ebenso aus handelspolitischen Gründen[16].

b) Hansa-Bund, Handelskammern und Deutscher Handelstag

Das gleiche galt auch für die Handelskammern, insbesondere für jene, in denen Großhandel und Banken den Ton angaben, und für die zahlreichen Großhandelsverbände, die bei der Gründung der Ortsgruppen des Hansa-Bundes eine führende Rolle gespielt hatten. Das Gros der Handelskammern hatte nicht nur seine Mitglieder zum Beitritt zum Hansa-Bund aufgefordert, sondern auch in überregionalen und regionalen Tageszeitungen für den Hansa-Bund Mitglieder geworben, war selbst dem Hansa-Bund korporativ beigetreten[17] und hatte ferner häufig den Hansa-Bund-Komitees bzw. den Zweigvereinen die Handelskammergebäude für Tagungen zur Verfügung gestellt und die Agitation des Hansa-Bundes finanziell unterstützt. Die personelle Verflechtung zwischen den Handelskammern und dem Hansa-Bund war entsprechend intensiv[18], das gleiche gilt für die Dachorganisation der Handelskammern, den Deutschen Handelstag. Nicht weniger als fünf der sechs Vorstandsmitglieder gehörten dem Hansa-Bund an, davon zwei als Mitglieder des Hansa-Bund-Direktoriums und einer als Mitglied des Hansa-Bund-Gesamtausschusses. Mindestens 60 % der Ausschußmitglieder des DHT waren Hansa-Bund-Mitglieder, mehr als ein Drittel gehörte dem Hansa-Bund-Gesamtausschuß an[19]. Diese Verflechtung wurde bis 1914 nicht unwesentlich verstärkt. 1913 wurden das Ausschußmitglied des Deutschen Handelstages, Emil Engelhardt, ins Hansa-Bund-Präsidium und die Ausschußmitglieder Craemer (Vorsitzender des Landesverbandes Thüringen des Hansa-Bundes) und Schultze (Vorsitzender der Handelskammer Oldenburg) ins Hansa-Bund-Direktorium gewählt[20].

Das Faktum, daß der Beitritt der Mehrzahl der Handelskammern einstimmig bzw. selbst in Hochburgen des Zentrums lediglich gegen wenige Stimmen beschlossen wurde[21], weist zum einen auf die insgesamt schwache Position der konservativ-klerikalen Kräfte in den Handelskammern hin und läßt zum anderen erkennen, daß die Handelskammern, denen als öffentlich-rechtliche Körperschaften politische Stellungnahmen nicht gestattet waren[22], nicht geneigt waren, diese Bestimmung allzu eng auszulegen. Auch die Handelskammern, die „aus grundsätzlichen Erwägungen den Beitritt zu anderen Vereinigungen" ablehnten[23], begrüßten die Gründung des Hansa-Bundes „als Gegengewicht gegen den Bund der Landwirte" und warben inoffiziell für die Mitgliedschaft im Hansa-Bund[24]. Von den Gegnern eines korporativen Beitritts der Handelskammern wurde insbesondere darauf verwiesen, daß der Hansa-Bund, um Erfolge zu erzielen, Einfluß auf die Parteipolitik nehmen müsse. Die Handelskammern, die in wirtschaftlichen Fragen „eine rein sachliche Stellung" einzunehmen hätten, würden durch ihre Beteiligung an einer solchen politischen Vereinigung Gefahr laufen, „politischen Erwägungen einen nicht statthaften Einfluß auf ihre jeweilige Stellung in den einzelnen Fragen einzuräumen". Außerdem wurde die Befürchtung geäußert, daß in die Wahlen zu den Handelskammern eine politische Agitation hereingetragen werde[25]. Die Handelskammern müßten demgegenüber „auf neutralem Boden stehend" versuchen, ihre Aufgaben zu erfüllen[26]. In zahlreichen Eingaben forderten Konservative bzw. Abgeordnete des Zentrums – indem sie diese Argumente z. T. aufgriffen – die zuständigen Landesministerien auf, den Handelskammern die Mitgliedschaft im Hansa-Bund zu untersagen[27]. In der Begründung wurde darauf verwiesen, daß bei einem Beitritt der Handelskammern zum Hansa-Bund andersdenkenden Handelskammermitgliedern – auf Grund der Zwangsmitgliedschaft und Beitragspflicht – nicht zugemutet werden könne, mit ihren Beiträgen gegen ihren Willen einen wirtschaftspolitischen Agitationsverein der Liberalen zu unterstützen, daß eine Beteiligung der Handelskammern an einem privatrechtlichen Verein, der sich parteipolitisch betätige, den Handelskammergesetzen widerspreche, daß ferner, da der Staat die Handelskammern finanziell unterstütze, bei einem korporativen Beitritt der Handelskammern zum Hansa-Bund Staatsgelder indirekt der Parteipolitik zugewendet würden[28]. Der preußische, der bayerische und die zuständigen Minister der anderen Bundesstaaten lehnten diese Argumente, besonders das der parteipolitischen Betätigung des Hansa-Bundes als unbewiesen ab und erklärten sich deshalb außerstande, den Handelskammern die Mitgliedschaft im Hansa-Bund zu untersagen. Eine Entscheidung, die von der konservativen und der dem Bund der Landwirte nahestehenden Presse als „öffentlicher Skandal", als „Begünstigung des Hansabundes durch die Regierung" diffamiert wurde[29]. Die offizielle „Korrespondenz des Bundes der Landwirte" drohte gar: „Sollte aber Minister Sydow seinerseits des Staatsdienstes überdrüssig sein, dann hat er sich sicher durch seine ‚Fußwaschung am Hansabunde' die Anwartschaft auf eine pekuniär wesentlich verbesserte Stellung in den goldenen Auen der Hansabundsgebietiger (sic!) erworben."[30]

Mit diesen Vorstößen sollte einerseits der Hansa-Bund getroffen und einer seiner stärksten Stützen beraubt werden, andererseits sollten die Handelskammern, die zum großen Teil antiagrarisch eingestellt waren[31] und zu den schärfsten Kritikern der Reichsfinanzreform gehörten[32], mundtot gemacht werden[33]. Auch wenn die genannten Regierungen das Argument der parteipolitischen Betätigung als unbewiesen ablehnten, so ist doch darauf hinzuweisen, daß spätestens bei der Schaffung des Hansa-Bund-Wahlfonds[34] und der – fast ausschließlichen – finanziellen Unterstützung liberaler Kandidaturen dieser Vorwurf zum großen Teil berechtigt war. Allerdings ließe sich dies mit der gleichen Berechtigung für die übrigen industriellen Spitzenverbände feststellen[35], denen ebenfalls zahlreiche Handelskammern angehörten.

Da sowohl im Hansa-Bund als auch im Deutschen Handelstag die antiagrarischen Flügel und die Vertreter eines gemäßigten Schutzzolls den Ton angaben und ebenfalls in verkehrspolitischen Fragen keine Differenzen existierten, gab es zwischen beiden Interessenvertretungen kaum Verständigungsschwierigkeiten. Lediglich die Abgrenzung der Tätigkeitsbereiche war umstritten, da der Hansa-Bund in handelspolitischen Fragen in die Kompetenzen des Deutschen Handelstages eingriff[36]. Um Reibereien zu vermeiden, wurde im März 1911 ein Abkommen über die Abgrenzung der beiderseitigen Arbeitsgebiete zwischen dem Deutschen Handelstag und dem Hansa-Bund abgeschlossen[37].

Nach Darstellung des Hansa-Bundes diente das Abkommen ferner dem Bestreben, über die Organisation des Hansa-Bundes weiteste Kreise über die Arbeit des Deutschen Handelstages zu informieren und diese, „soweit angängig, mit den Wünschen und Interessen der übrigen im Hansa-Bund vertretenen gewerblichen Mitglieder in Einklang zu bringen". Ferner wurde vorgesehen, in geeigneten Fällen eine besondere Verständigung über die Behandlung wichtiger Angelegenheiten herbeizuführen[38]. Beispiele einer solchen Zusammenarbeit zwischen Hansa-Bund-Zentrale und Deutschem Handelstag konnten jedoch nicht festgestellt werden, wohl aber zwischen Hansa-Bund-Zentrale und den Handelskammern. Während auf der einen Seite eine Reihe Handelskammern die Hansa-Bund-Zentrale mit Material zu handelspolitischen Fragen, zur Frage des Submissionswesens usw. versorgten, die z. T. erst die Agitation des Hansa-Bundes ermöglichten[39], nahmen zahlreiche Syndici und Handelskammerpräsidenten als Mitglieder der Führungsgremien, als Vorsitzende oder Vorstandsmitglieder bzw. Geschäftsführer von Hansa-Bund-Zweigvereinen Einfluß auf seine Politik. Die Zusammenarbeit mit dem Hansa-Bund bot den Handelskammern ferner die Möglichkeit, ihn als Sprachrohr zu benutzen, d. h. über den eigenen Mitgliederkreis hinaus für die Interessen der Handelskammern zu werben[40].

2. Die Mitarbeit des Centralverbandes im Hansa-Bund — Ende des Bündnisses zwischen Junkertum und Schwerindustrie?

In diesem Abschnitt soll nach den Motiven des Beitritts der Mitglieder des Centralverbandes zum Hansa-Bund, nach den Formen der Zusammenarbeit beider Verbände, der Einflußnahme des Centralverbandes auf die Hansa-Bund-Politik und nach den Gründen für das Scheitern der Zusammenarbeit gefragt werden.

Einzugehen ist ferner auf die bereits von Fischer[41], Stegmann[42] u. a. zurückgewiesene These, daß das „Bündnis mit dem Junkertum ... in der ersten Dekade des 20. Jahrhunderts von der CVDI-Leitung ideologisch und praktisch aufgegeben"[43] und durch „ein Bündnis mit den Verbänden der übrigen Industrie und des Handels" ersetzt wurde und daß „gerade die Beziehungen des CVDI zum Hansabund zeigen ..., daß sich das Gravitationszentrum seiner sozialen Beziehungen endgültig verschoben hatte und der CVDI-Leitung den Zugang zum Bündnis mit der Landwirtschaft selbst gegen ihren Willen versperrte"[44].

Wenige Monate nach der Gründung des Hansa-Bundes wies Rötger in der Delegiertenversammlung des Centralverbandes zutreffend darauf hin, daß im Centralverband „alle Ansichten und Stimmungen, die überhaupt möglich sind, über den Hansa-Bund vertreten sind, von der höchsten Begeisterung über den vorsichtigsten Skeptizismus bis zur vollen Negation", wobei der „vorsichtige

Skeptizismus“ überwiege[45]. Diese verschiedenen Stellungnahmen waren nicht zuletzt Ausdruck einer von ihren ökonomischen Interessen her heterogenen Mitgliederschaft, deren Divergenzen in der Frage der antifeudalen Sammlungspolitik stärker zutage traten, als dies von Kaelble und seinen Kritikern bisher herausgearbeitet wurde. Abgelehnt und von Anfang an bekämpft wurde der Hansa-Bund von den freikonservativen Mandatsträgern im Direktorium des Centralverbandes und den sie tragenden korporativen Mitgliedern[46]. Zu diesen Kreisen gehörten u. a. die „landwirtschaftlichen Industrien“, d. h. „Industriezweige, die sich meist in landwirtschaftlichen Betrieben finden ließen: die Zuckerindustrie, die Schnapsbrennereien, die Mälzereien, Mühlen und die Ziegeleien“, ferner Vertreter jener Industrien, die wirtschaftlich von der Landwirtschaft abhängig waren, u. a. Düngemittelproduzenten, Hersteller landwirtschaftlicher Maschinen, schließlich einige Großgrundbesitzer, die gleichzeitig industriell tätig waren[47]. D. h. im wesentlichen die Kreise im Centralverband, die bereits früher die Interessen der Landwirtschaft und die Politik des Bundes der Landwirte am entschiedensten unterstützt hatten[48]. Ablehnung fand der Hansa-Bund ferner bei einem Teil der dem Centralverband nahestehenden Presse und beim Hauptgeschäftsführer Bueck, der sich jedoch in seiner Kritik zunächst zurückhielt[49].

Die Befürworter des Hansa-Bundes kamen demgegenüber vor allem aus den dem Centralverband zugehörigen Verbänden der Fertig- und Kleinindustrie, geographisch vor allem in Süddeutschland und den mitteldeutschen Staaten beheimatet[50]. Diese Mitglieder des Centralverbandes lehnten das Bündnis mit dem Junkertum ab, da es nach ihrer Auffassung lediglich den Interessen der Agrarier zugute kam und unterstützten das Ziel des Hansa-Bundes, die Vorherrschaft des preußischen Junkertums zu brechen[51]. Die Feststellung Stegmanns, „allein“ die sogenannte Düsseldorfer Richtung (Brandt) hätte gegenüber dem Hansa-Bund eine positive Stellungnahme bezogen[52], trifft also nicht zu. Auf diese Gruppen, ihre wirtschaftliche und soziale Stellung wird noch ausführlicher eingegangen werden. Tatkräftige Unterstützung fand der Hansa-Bund in der Gründungsphase auch aus den Kreisen der politischen Arbeitgeberbewegung[53]. Alexander Tille z. B. plädierte zunächst eifrig für den Eintritt der von ihm beeinflußten Industriellenkreise der Saarindustrie in den Hansa-Bund. Der Hauptgrund für diese Unterstützung resultierte im Unterschied zu den übrigen Befürwortern der antifeudalen Sammlungsbewegung jedoch keineswegs aus einer Kritik an der Politik des Bundes der Landwirte. Die positive Einstellung der Vertreter der politischen Arbeitgeberbewegung erklärt sich vielmehr aus der falschen Überzeugung, daß die von ihnen ins Leben gerufene Bewegung, die die „Zusammenfassung der gewerblichen Arbeitgeber und später der gewerblichen Unternehmer“ erstrebte, durch die Gründung des Hansa-Bundes „voll in Erfüllung gegangen“ sei[54]. Auf Grund der Reichsfinanzreformgesetze von 1909, die den „Handel aufs schwerste trafen“, sei die politische Arbeitgeberbewegung „machtvoll im Handel aufgeflammt“[55]. Der Hansa-Bund sei damit lediglich Ausfluß der politischen Arbeitgeberbewegung. Sobald Tille jedoch feststellen mußte, daß die im Hansa-Bund tonangebenden Kräfte weder auf dem Gebiete der Sozial- noch der Zollpolitik ihm genehme Ziele verfolgten – Tille war sozialpolitisch ultrareaktionär und Schutzzöllner – und nicht die SPD zum Hauptgegner erklärten, übte er seit Anfang 1910 in zahllosen Artikeln in der von ihm herausgegebenen Südwestdeutschen Wirtschaftszeitung[56] scharfe Kritik an der Hansa-Bund-Führung und ihrer Politik und wechselte immer mehr ins Lager der Hansa-Bund-Gegner über.

Entscheidend für die Existenz und die Politik des Hansa-Bundes war zunächst jedoch das Verhalten der Schwerindustrie, d. h. des langjährigen Bündnispartners des Junkertums. Die Haltung der Schwerindustrie des Ruhrgebiets zum Hansa-Bund gab ein Brief (7. 7. 1909) des Syndikus der Duisburger Handelskammer, Dr. Woltmann, an den Direktor der Gutehoffnungshütte, Paul Reusch, treffend wieder: „Allgemein stehen wir ja alle dem Hansa-Bund skeptisch gegenüber ... Andererseits dürfen wir aber auch nicht vergessen, daß wir alle seit Jahren die politische Zerrissenheit unserer Erwerbskreise beklagt und eine kräftige Einigung herbeigewünscht haben. Dürfen wir nun in dem Augenblick zurücktreten, wo ein solcher Einigungsversuch ernstlich gemacht wird? Dürfen wir uns in einer gewissen Aversion gegen die bei der Gründung in erster Linie tätigen Kreise verleiten lassen, nicht mitzutun? Wenn die Industrie so verfährt, wird der Hansa-Bund entweder von Anfang an tot bleiben, oder er kommt ganz in die Hände der Bank- und Börsenoligarchie, in welchem Fall er nach einer Zeit ebenfalls als erledigt zu betrachten ist. Beides können wir, nachdem die Gründung nun mal ins Leben getreten ist, nicht zulassen."[57] Aus der gleichen Einstellung heraus schrieb der Syndikus der Handelskammer Essen, Wilhelm Hirsch[58], an Woltmann: „Wenn durch das Fernbleiben der Industrie von dem neuen Bunde der Zusammenschluß überhaupt hätte verhindert werden können, so wäre ja vielleicht in Frage zu ziehen gewesen, ob die Industrie nicht zweckmäßig sich zurückgehalten hätte. Nach Lage der Sache aber mußte man damit rechnen, daß der Bund unter allen Umständen zustande kam. Bei dieser Sachlage war es richtig, daß die Industrie mitging, um sich einen gewissen Einfluß zu sichern[59]." Aufschlußreich ist ferner ein Brief des Bankiers Ludwig Delbrück[60] an Gustav Krupp v. Bohlen und Halbach (24. 6. 1909), in dem er zwar die Protestversammlung vom 12. 6. und die Gründung des Hansa-Bundes nicht ablehnte, sich aber dagegen aussprach, daß Rötger, solange er Vorsitzender der Fried. Krupp AG sei, einen Präsidentenposten im Hansa-Bund übernehme. Da der Hansa-Bund „in erster Linie ein politischer Agitations-, Wahl- und Kampfverein" sein werde, würde sich die Firma Krupp im Falle einer Präsidentschaft Rötgers „gerade in den Reihen der Konservativen, die bei Bewilligung der Bestellungen die maßgebendste Rolle spielen", „Feinde zuziehen"[61]. Diese Begründung zeigt recht eindeutig, daß die Schwerindustrie und die ihr verbundenen Kreise nicht gewillt waren, das für sie so profitable Bündnis mit den Konservativen aufzukündigen.

Die Hansa-Bund-Bewegung, die „elementar aus der Macht der Verhältnisse heraus entstanden war"[62], brachte die Schwerindustrie in eine gewisse „Zwangslage“[63]. Hinzu kam die Furcht der Schwerindustrie, die von der Gründung des Hansa-Bundes überrascht worden war, bei Nichteintritt in den Hansa-Bund isoliert zu werden. In einer Studie für das Direktorium des Centralverbandes stellte z. B. Steinmann-Bucher fest, daß der Centralverband dem Hansa-Bund „Gefolgschaft ... leisten“ mußte, weil er befürchtete, „die anderen Teile (der Industrie, S. M.) schlössen sich an und isolierten dann die Zurückbleibenden. Oder ist etwa zu leugnen, daß der Centralverband fürchten mußte, der Bund der Industriellen mit seinen Landesverbänden, die Handelskammern, der Handelsvertragsverein, könnten sich dem Hansa-Bund anschließen und so könnte sich die Gegnerschaft des Centralverbandes um einen neuen Mittelpunkt sammeln“[64]. Ein Beitritt bot dagegen die Chance, eine Bewegung, deren Entstehen man nicht hatte verhindern können, unter die eigene Kontrolle zu bekommen. Für eine Mitarbeit im Hansa-Bund sprach nach Auffassung schwerindustrieller Kreise ferner die Chance, bei erfolgreicher Strategie den Hansa-Bund als Druckmittel gegenüber dem Bund der Landwirte zwecks effektiverer Durchsetzung der eigenen Interessen anzuwenden[65]. Eine Aufkündigung des Bündnisses mit der Landwirtschaft wurde nicht in Erwägung gezogen. Dem Bund der Landwirte sollte jedoch deutlich gemacht werden, daß der Centralverband nicht länger gewillt war, dessen „Mißbrauch der Macht“ tatenlos hinzunehmen[66]. Die Mitarbeit im Hansa-Bund sollte nach Auffassung Rötgers ferner den Einfluß des Centralverbandes auf die Regierung erhöhen[67]. Ein weiteres Motiv für den Beitritt der Schwerindustrie ist in der Rücksichtnahme auf einen Großteil der eigenen Mitgliederschaft zu sehen. Das Vorgehen der Konservativen und des Zentrums bei der Finanzreform schuf in den Kreisen der dem Centralverband angeschlossenen Fertig- und Kleinindustrie eine „außerordentliche Erregung“[68], die ein Untätigbleiben der von der Schwerindustrie kontrollierten Führung des Centralverbandes nicht zuließ, wollte sich dieselbe nicht von den korporativen Mitgliedern[69], die die Gründung des Hansa-Bundes begrüßten, den Vorwurf gefallen lassen, indirekt den Bund der Landwirte zu unterstützen und das Risiko eingehen, diese Mitglieder zu verlieren.

Die Führung des Centralverbandes beteiligte sich also in erster Linie aus taktischen Erwägungen an der Gründung des Hansa-Bundes. Von Anfang an unternahm die Schwerindustrie den Versuch, den von Riesser initiierten Verband auf die eigene Linie „einzuschwören“, d. h. sie versuchte das Kampfbündnis gegen rechts in ein Kampfbündnis gegen links, in erster Linie gegen die Sozialdemokraten und die Gewerkschaften, umzugestalten[70]. Um diese Zielsetzung zu erreichen, versuchte Rötger – wie bereits erwähnt –, für den Centralverband bzw. für die „Interessengemeinschaft“ die Mehrheit in den Gremien des Hansa-Bundes, besonders im Direktorium zu erhalten und die Einstellung eines dem Centralverband nahestehenden Geschäftsführers durchzusetzen[71]. Beides mißlang. Dem gleichen Ziel dienten die gescheiterten Versuche, die Etablierung des Hansa-Bundes als Personenverband zu verhindern – da der Einfluß der zahlenmäßig kleinen Gruppe des Centralverbandes in einem Massenverband erwartungsgemäß geringer sein mußte als in dem von ihm angestrebten

„Verband der Verbände" – und die führenden Kräfte im Hansa-Bund davon abzuhalten, ein „sogenanntes positives Programm" aufzustellen[72]. Auch in dieser Frage konnte sich die Leitung des Centralverbandes nicht durchsetzen. Da die Richtlinien des Hansa-Bundes sehr allgemein abgefaßt waren, versuchte die im Centralverband tonangebende Schwerindustrie, um ihr Ziel einer Sammlungspolitik gegen links zu erreichen, die Richtlinien ihren Vorstellungen gemäß zu interpretieren und eine entsprechende Politik im Hansa-Bund durchzusetzen. Dies mißlang jedoch weitgehend, wie die Ausführungen über die Politik des Hansa-Bundes gegenüber der SPD, den Konservativen und dem Bund der Landwirte, über die Reichstagswahlen von 1912, die Änderung des preußischen Wahlrechts und die Sozial- und Handelspolitik zeigen werden[73]. Die Schwerindustrie vermochte weder die Angriffe der im Hansa-Bund tonangebenden Kräfte – Banken, Großhandel, exportorientierte Fertigindustrie – auf den Bund der Landwirte und die Konservativen noch die Agitation zugunsten einer Änderung des preußischen Wahlrechts und einer Neueinteilung der Reichstagswahlkreise zu verhindern, noch die Hauptstoßrichtung des Hansa-Bundes gegen die Sozialdemokratie und die Linksliberalen zu lenken[74]. Als ferner immer deutlicher wurde, daß sie auch ihre Vorstellungen über die einzuschlagende Sozial- und Handelspolitik – derart, daß das Bündnis mit dem Bund der Landwirte nicht belastet würde – nicht durchzusetzen vermochte, schied die Mehrzahl ihrer Vertreter aus dem Hansa-Bund aus[75].

Den Anlaß zum Austritt bot die Rede Riessers auf der Hansa-Bund-Tagung vom 12. 6. 1911, in der er den Bestrebungen der Schwerindustrie eine vernichtende Absage erteilte. Riesser proklamierte den verschärften Kampf gegen den Bund der Landwirte. Der Nationalliberalen Partei warf er vor, nicht zu erkennen, „wie hinter den Kulissen und ganz im Stillen die Sammlung gegen die Sozialdemokratie sich mehr und mehr in eine Sammlung aller bodenständigen und rückständigen Elemente gegen das vorwärtsstrebende Bürgertum verwandelt" habe[76].

Daß hinter diesen reaktionären Bestrebungen auch die Führung des Centralverbandes stand, trat nach ihrem Austritt aus dem Hansa-Bund sehr deutlich zutage[77]. Wäre der Hansa-Bund den Vorstellungen dieser Kreise gefolgt, dann hätte er, wie Riesser zu Recht feststellte, „nicht mehr den satzungsmäßigen wirtschaftspolitischen Kampf gegen die Übergriffe des Bundes der Landwirte ..., sondern einen satzungswidrigen Kampf gegen alles, was links steht"[78], führen müssen; oder, mit anderen Worten, er wäre – wie die Hansa-Bund-Zeitschrift feststellte – zu einer „bloßen Konkurrenzorganisation des Reichsverbandes gegen die Sozialdemokratie" degradiert worden[79]. Diese von der Führung des Centralverbandes verfolgte Politik fand jedoch nicht die Zustimmung aller Mitglieder. Die Übereinstimmung mit ihr reichte keineswegs so weit wie Fischer und Stegmann konstatieren. Die Feststellung Fischers, „die Großindustrie verließ geschlossen den Hansa-Bund; voran ging Rötger als Vorsitzender des Direktoriums des BdI[80], es folgten Kirdorf, Hilger, Semlinger, von Rieppel; nur Vogel (sächsischer Textilindustrieller) wie Duisberg als Vertreter der chemischen Industrie blieben. Die rheinisch-westfälische Industrie ebenso wie die Saarindustrie und die oberschlesische Schwerindustrie zogen sich vom Hansa-Bund zurück"[81], übertreibt den Umfang der Austrittsbewegung[82]. Ebenso unrichtig ist es, in diesem Zusammenhang den Austritt zahlreicher Handwerksinnungen zu erwähnen, die auf Grund eines Erlasses des preußischen Handelsministers ihre korporative Mitgliedschaft im Hansa-Bund aufgeben mußten und nicht etwa aus Protest gegen die von Riesser verfolgte Politik den Hansa-Bund verließen[83].

Von der „rheinisch-westfälischen Industrie" (Fischer) oder der „Großindustrie Rheinland-Westfalens"[84], die angeblich „geschlossen" den Hansa-Bund verließ, blieben außer den Großindustriellen der Chemieindustrie auch Vertreter der Elektro-, der Textil-, der Nahrungsmittel-[85] und sogar der Eisen- und Stahlindustrie, wie z. B. der Vorsitzende (A. Servaes) und der Geschäftsführer (W. Beumer) der Nordwestlichen Gruppe des Vereins Deutscher Eisen- und Stahlindustrieller und des Vereins zur Wahrung der gemeinsamen wirtschaftlichen Interessen im Rheinland und in Westfalen im Hansa-Bund. Der Langnamverein selbst blieb weiterhin korporatives Mitglied des Hansa-Bundes[86]. Daß außer Servaes und Beumer auch der Geschäftsführer der Süddeutschen Gruppe des Vereins Deutscher Eisen- und Stahlindustrieller, Meesmann[87], weiterhin im Hansa-Bund blieb, ferner die Vorsitzenden des Deutschen Braun-Kohlen-Industrie-Vereins (Bergrat Siemens), des Vereins für die bergbaulichen Interessen Niederschlesiens und des Niederschlesischen Kohlensyndikats (Grunenberg) und der Oberschlesischen Stahlwerksgesellschaft (O. Niedt)[88], verdeutlicht, daß selbst in Kreisen der Schwerindustrie das Vorgehen der Centralverbands-Führung mißbilligt wurde.

Von den führenden bayerischen Industriellen traten zwar die Vorsitzenden des Bayerischen Industriellenverbandes (A. v. Rieppel) und des Vereins Süddeutscher Baumwollindustrieller (H. Semlinger) aus dem Hansa-Bund aus; die beiden Vereine blieben jedoch korporative Mitglieder[89], und mehrere ihrer führenden Vertreter arbeiteten weiterhin in den Gremien des Hansa-Bundes mit[90]. Die Formulierung, daß die „bayerischen Textil- und Maschinenbauindustriellen"[91] aus dem Hansa-Bund auftraten, trifft also nicht zu; das gleiche gilt für die Feststellung, daß „die Industriellen aus Hessen und aus Oberschlesien"[92] den Hansa-Bund verließen. Fast alle hessischen Industrievertreter, die bereits 1909 den führenden Hansa-Bund-Gremien angehörten, waren auch noch 1914 deren Mitglieder; so z. B. die Vorsitzenden des Mittelrheinischen Fabrikantenvereins (L. Beck) und der Norddeutschen Wagenbauvereinigung (J. Gastell) – beide Mainzer Industrielle –, ferner die Frankfurter Industriellen H. Kleyer, Vorsitzender des Vereins Deutscher Motorfahrzeug-Industrieller und B. Salomon, der Generaldirektor der Elektrizitäts-AG, vorm. Lahmeyer und Co., alle vier übrigens Mitglieder des Centralverbandes; die drei erstgenannten Vorsitzende korporativer Mitglieder dieses industriellen Spitzenverbandes[93]. Die Tatsache, daß zahlreiche Mitglieder des Centralverbandes weiterhin im Hansa-Bund blieben, muß als Kritik an der Politik ihrer Führungsgruppe gewertet werden; dies bestätigen interne, aber auch öffentliche Äußerungen führender Vertreter dieses Verbandes[94].

Die Reaktionen innerhalb des Centralverbandes auf den Austritt der Mehrzahl der Direktoriumsmitglieder aus dem Hansa-Bund lassen erkennen, daß insbesondere die korporativen Mitglieder aus der stärker exportorientierten Fertigindustrie, die von Anfang an den Hansa-Bund loyal unterstützt hatten, nicht gewillt waren, der schwerindustriellen Führungsgruppe kritiklos zu folgen. Aus Protest gegen ihr Vorgehen traten der Bergische Fabrikanten-Verein[95] und die Bergische Handelskammer zu Lennep[96] – in denen die Kleineisenindustrie tonangebend war –, die Industriebörse Mannheim[97], ferner der Arbeitgeberverband der rheinischen Seidenindustrie (Krefeld)[98], der Verband ostdeutscher Industrieller (Danzig)[99], das mitteldeutsche Braunkohlensyndikat und der Verband Deutscher Fahrradfabrikanten[100] aus dem Centralverband aus, während acht weitere korporative Mitglieder des Centralverbandes zusätzlich die Mitgliedschaft im Bund der Industriellen erwarben[101]. Der Unmut in den Reihen des Centralverbandes wurde noch durch die Mitgliederwerbung des Bundes der Industriellen[102] in den Reihen des Centralverbandes verstärkt. Hinzu kam, daß die Farbenfabriken Bayer[103] auf eine Reihe von korporativen Mitgliedern des Centralverbandes Druck ausübten, um diese zum Austritt aus dem Centralverband zu veranlassen, so z. B. auf den „Verein zur Wahrung der gemeinsamen wirtschaftlichen Interessen in Rheinland und Westfalen“, den „Verein der Deutschen Textilveredelungsindustrie“ (beide Düsseldorf) und den „Allgemeinen Versicherungsschutzverband“ (Köln)[104]. Duisberg unternahm ferner den Versuch, den „Verein zur Wahrung der Interessen der chemischen Industrie Deutschlands“ zu bewegen, aus der Interessengemeinschaft mit dem Centralverband und der „Zentralstelle für die Vorbereitung von Handelsverträgen“ auszutreten[105]. Dieses wurde von dem Vorsitzenden des Chemievereins „aus taktischen Gründen“ abgelehnt, da der Verein bei einem Verbleiben in der Interessengemeinschaft auf die dortigen Beratungen seinen Einfluß besonders vom Standpunkt der Exportindustrie geltend machen und „vor allem verhindern (könne), daß der Centralverband vollständig freie Hände erhält und nurmehr nur nach seinen eigenen Wünschen vorgehen kann“[106]. Ähnlich reagierten der Langnamverein[107] und der Verein der Deutschen Textilveredelungsindustrie[108]. Zweck dieser Aktion der Farbenfabriken war es, über eine Schwächung des CVDI die Abwahl des Vorsitzenden (Rötger)[109] und eine Änderung der Politik des Centralverbandes herbeizuführen[110]. Beumer z. B., der Geschäftsführer des Langnamvereins, versprach Duisberg ebenso wie einige einflußreiche Unternehmer[111], „alles zu tun ... um die Leitung im Zentralverband zu ändern und eine Verständigung zwischen Centralverband und Hansa-Bund herbeizuführen“[112]. Rötgers Austritt aus dem Hansa-Bund wurde ferner in der Ausschuß- und Delegiertensitzung (7. 11. 1911)[113] und auf der Tagung der Geschäftsführer der korporativen Mitglieder des Centralverbandes scharf kritisiert und das Direktorium des Centralverbandes mehrfach ermahnt, „bei allen Maßnahmen stets auch die Interessen der Fertigindustrie und besonders der am meisten durch die Weltlage bedrohten Industrie mehr als bisher zu wahren"[114]. Die Abwahlbestrebungen blieben jedoch erfolglos.

Mit Hilfe des Geschäftsordnungsantrages, die Wiederwahl des gesamten Direktoriums – die in der Delegiertenversammlung des Centralverbandes vom 21. 5. 1912 zur Diskussion stand – im Wege des Zurufs zu genehmigen, konnten – wie Schweighoffer seinem Vorgänger Bueck mitteilte – „auch für den Vorsitzenden [Rötger] alle Gefahren beseitigt" werden[115]. Die Geschäftsführung und die tonangebenden Kräfte waren jedoch nicht bereit, die Gründe für den Austritt der oben erwähnten Mitglieder als berechtigt anzuerkennen. Die Austrittsbewegung aus dem Centralverband und der Mitgliederzuwachs von Hansa-Bund und Bund der Industriellen wurde als Resultat der „Gedanken- und Urteilslosigkeit zahlreicher industrieller Kreise" dargestellt und auf die „großartig eingerichtete Reklame und Agitation" der genannten Verbände zurückgeführt und bedauert, daß „große Teile der Industrie" die Arbeit des Centralverbandes „so gar nicht bewerteten und jetzt nur beim Hansa-Bund und beim Bund der Industriellen das Heil erblickten"[116]. Um die „starke Erregung", die Rötgers Austritt aus dem Hansa-Bund in der deutschen Industrie hervorrief[117], zu dämpfen und das „bei einem größeren Teile der Mitglieder des Verbandes", „vor allem in Sachsen" erschütterte Vertrauen wiederzugewinnen, wurde vom Geschäftsführer Schweighoffer eine Aufklärungsaktion unter den Mitgliedern und die „baldige Aufnahme der Vorarbeiten für die Handelsvertragsverhandlungen" vorgeschlagen[118]. Erst auf der Delegiertenversammlung vom 21. 5. 1912 wurde eine Vergrößerung des Direktoriums beschlossen, die die Stellung der bisher benachteiligten Fertigindustrie in diesem Führungsgremium nicht unwesentlich verbesserte[119].

Zusammenfassend läßt sich feststellen, daß die Teilnahme der Führung des Centralverbandes an der Gründung des Hansa-Bundes und die vorübergehende Mitarbeit der Schwerindustrie nicht zum Bruch des Bündnisses zwischen Schwerindustrie und Junkertum führten. In diesem Punkt erhärten die Ausführungen einerseits die Kritik von Stegmann und Fischer an Kaelble; andererseits lassen sie jedoch erkennen, daß letztere die Homogenität des Centralverbandes erheblich überschätzen. Wenn auch Kaelbles Drei-Gruppen-These die innerverbandliche Frontenbildung im Centralverband zu stark schematisiert[120], bestätigt dieses Ergebnis über das Verhältnis von Hansa-Bund und Centralverband doch seine These von der Heterogenität des industriellen Spitzenverbandes. Während z. B. das Gros der Vertreter der Schwerindustrie lediglich aus taktischen Erwägungen dem Hansa-Bund beitrat, ging es anderen Mitgliedergruppen in erster Linie um die Bekämpfung der „Gewaltherrschaft" des Bundes der Landwirte. Aus diesem Grunde blieben sie auch nach dem Austritt des Gros der Schwerindustrie und der Führung des Centralverbandes im Hansa-Bund. Die harten Auseinandersetzungen innerhalb des Centralverbandes über das eigenmächtige Vorgehen der Führungsspitze, die aus dem gleichen Grunde erfolgten Austritte zahlreicher korporativer Mitglieder und die Bestrebungen zur Abwahl Rötgers zeigen, daß die Politik der schwerindustriellen Führungsgruppe gegenüber dem

Hansa-Bund in weiten Kreisen des Centralverbandes auf heftige Opposition stieß; und zwar in erster Linie in den Kreisen, die aus zollpolitischen Erwägungen kein Interesse an einer Fortführung des feudal-schwerindustriellen Bündnisses hatten und die ferner aus allgemeinen gesellschaftspolitischen Erwägungen die vom Hansa-Bund propagierte „Konzeption der Mitte“ unterstützten[121].

Wie stark diese Tendenzen innerhalb des Centralverbandes waren, darauf deutet die personelle Verflechtung dieses Verbandes mit dem Hansa-Bund nach 1911 hin. Nicht ein, sondern fünf Direktoriumsmitglieder des Centralverbandes gehörten nach 1914 dem Hansa-Bund an[122]; 22 korporative Mitglieder des Centralverbandes waren durch ihre Vorsitzenden – bis auf wenige Ausnahmen Mitglieder der führenden Gremien des Centralverbandes – im Gesamtausschuß des Hansa-Bundes vertreten[123]. Andere bedeutende korporative Mitglieder des Centralverbandes besaßen ebenfalls die Mitgliedschaft im Hansa-Bund oder waren durch Vorstandsmitglieder in den Hansa-Bund-Gremien vertreten; überdies arbeitete eine Reihe bedeutender Geschäftsführer weiterhin im Hansa-Bund mit[124]. Da Stegmann und Fischer im wesentlichen die Haltung der Schwerindustrie untersuchen und sich nicht mit dem Centralverband als ganzem auseinandersetzen, übersehen sie diese personellen Verflechtungen ebenso wie die Auseinandersetzungen im Centralverband über den Austritt der Schwerindustrie aus dem Hansa-Bund. Beide Fakten weisen darauf hin, daß der Centralverband nach 1911 keineswegs in seiner Gesamtheit der rechten Sammlungsbewegung zugerechnet werden kann, und daß die These Stegmanns[125] von der „haarscharf“ verlaufenden Grenze zwischen dem konservativ-reaktionären Lager einerseits und den bürgerlichen, auf eine Liberalisierung hinarbeitenden Kräften andererseits der Korrektur bedarf.

3. Hansa-Bund und Bund der Industriellen — ein Verhältnis wechselseitiger Einflußnahme

Die Zusammenarbeit zwischen Hansa-Bund und Bund der Industriellen war von Anfang an gut. Die wesentlichen Gründe sind zum einen in der engen personellen Verflechtung beider Verbände, zum anderen in der zum größten Teil gleichen Programmatik und Zielsetzung zu suchen[126].

Der Bund der Industriellen rief nicht nur – wie bereits erwähnt – seine Mitglieder auf, an der Gründungsversammlung des Hansa-Bundes teilzunehmen[127], sondern beteiligte sich – d. h. seine korporativen Mitglieder – aktiv an der Gründung mehrerer Ortsgruppen und Landesverbände des Hansa-Bundes[128]. Der Bund der Industriellen war von Anfang an relativ stark in den Hansa-Bund-Gremien auf Reichsebene vertreten. Aus seinen Reihen kamen sechs der 54 Mitglieder des konstituierenden Präsidiums, zwei der sechs Präsidial-, sechs der 42 Direktoriums- und 46 der 458 Gesamtausschußmitglieder[129]. Er besaß ferner in Kleefeld, einem Schwager Stresemanns, auch in der Geschäftsführung von Anfang an einen Vertrauensmann. Die personelle Verflechtung wurde nach dem Austritt der Schwerindustrie noch erheblich verstärkt[130]. Ende 1912 gehörten sämtliche sieben Mitglieder des BdI-Präsidiums[131], elf der sechzehn übrigen Vorstandsmitglieder[132] und mindestens 39 der 112 Mitglieder des Großen Ausschusses des Bundes der Industriellen[133] dem Hansa-Bund an; die meisten der Vorstandsmitglieder und ein Großteil der Mitglieder des Großen Ausschusses in führender Position (vgl. Anlage 14).

Daneben war zwischen einzelnen Landesverbänden und Ortsgruppen des Hansa-Bundes und korporativen Mitgliedern des Bundes der Industriellen eine außerordentlich starke Personalverflechtung zu verzeichnen. Das gilt insbesondere für den Hansa-Bund-Landesverband Sachsen und seine beiden größten Ortsgruppen Leipzig und Dresden auf der einen, und den Verband Sächsischer Industrieller (VSI) auf der anderen Seite[134], ferner für einige Ortsgruppen in Thüringen und den Verband Thüringischer Industrieller[135], für die Landesverbände Württemberg und Baden des Hansa-Bundes und die Verbände Württembergischer (VWI)[136] bzw. Südwestdeutscher Industrieller[137]. Dieser enge personelle Kontakt und die Zusammenarbeit mit den industriellen Kreisen im Hansa-Bund bot dem Bund der Industriellen, besonders nach dem Austritt des Centralverbandes aus dem Hansa-Bund, die große Chance, seinen Mitgliederbestand erheblich zu erweitern[138]. Der Jahresbericht des Bundes der Industriellen für das Geschäftsjahr 1911/12 verzeichnet unter den 33 Neuzugängen[139] (korporative Mitglieder!) neun Kammern bzw. Verbände[140], die zusätzlich zu der seit langem bestehenden Mitgliedschaft im Centralverband und im Hansa-Bund die des Bundes der Industriellen erwarben; ferner sieben Handelskammern und Verbände[141], die teils seit 1909 dem Hansa-Bund korporativ beigetreten waren, teils gleichzeitig die Mitgliedschaft im Hansa-Bund und im Bund der Industriellen erwarben. Es ist sicherlich zutreffend, davon auszugehen, daß die Zusammenarbeit der Mehrzahl dieser Verbände mit dem Bunde der Industriellen im Hansa-Bund ihren Beitritt zum Bund der Industriellen erleichterte; die besonders von Stresemann betriebenen Versuche, nach dem Austritt Rötgers aus dem Hansa-Bund auch die chemische Industrie, besonders die Farbenfabriken und ihren Generaldirektor Duisberg, der diesen Schritt Rötgers scharf verurteilte[142], zum Eintritt in den Bund der Industriellen zu bewegen[143], schlugen jedoch fehl. Daß der Bund der Industriellen auf Grund seiner starken Vertretung in den führenden Hansa-Bund-Gremien einen erheblichen Einfluß im Hansa-Bund hatte, ist unbestritten. Die These, der Hansa-Bund sei nach dem Austritt des Centralverbandes weitgehend unter den Einfluß des Bundes der Industriellen gelangt[144], trifft jedoch nicht zu. Großhandel, Warenhäuser, Banken und die im Hansa-Bund verbliebene Großindustrie[145], u. a. Chemie-, Elektro-, Maschinenindustrie, waren, soweit ihre eigenen Interessen von denen des Bundes der Industriellen abwichen, keineswegs geneigt, sich dessen Vorstellungen zu unterwerfen. Da die genannten Gruppen erheblich finanzkräftiger und einflußreicher waren als die vom Bund der Industriellen vertretenen Firmen[146], lag dazu auch kein Grund vor.

Das Urteil des Verbandes Württembergischer Industrieller, der 1913 von der „Bedeutungslosigkeit und Unzulänglichkeit des heutigen Bundes der Industriellen"[147] sprach, soll in dieser Schärfe nicht übernommen werden. Es läßt sich jedoch nicht übersehen, daß trotz aller Neuzugänge in den Geschäftsjahren 1911/12 der Bund der Industriellen selbst in den liberalen Hochburgen wie Nordbayern und Berlin nicht Fuß fassen konnte[148]. Der Versuch, im Rheinland einen Landesverband aufzubauen, scheiterte nicht zuletzt an finanziellen Schwierigkeiten[149]. Am nachteiligsten wirkte sich die schwache Position des Bundes der Industriellen in Preußen aus. Solange es hier „nur ein Konglomerat von lokalen Arbeitgeberverbänden, von einigen Repräsentationen des Gewerbes und des Handels und zerstreuten Einzelmitgliedern"[150] gab, konnte der Bund der Industriellen – wie von seiten des Verbandes Württembergischer Industrieller mit Recht festgestellt wurde – „keinerlei wirksamen Einfluß" auf die preußische Gesetzgebung und Verwaltung ausüben[151].

Geschwächt wurde die Position der Bundesgeschäftsführung ferner durch die finanzielle Abhängigkeit von den Landesverbänden[152], die stets eifersüchtig über ihre Unabhängigkeit wachten. Der Verband Württembergischer Industrieller, der einerseits den „Mangel einer festen Oberleitung"[153] beklagte, betonte andererseits, daß er „keine Tochteranstalt des Bundes" sei, die sich herumkommandieren lasse[154]. Der Vorsitzende des Bundes der Industriellen, H. Friedrichs, und der Geschäftsführer, R. Schneider, hatten auf der Generalversammlung des Verbandes Südwestdeutscher Industrieller in Mannheim das Gefühl, „als vollkommen überflüssige, unerwünschte und unbekannte Gäste" behandelt zu werden[155]. Das „Schwergewicht des Bundes"[156] lag nach Auffassung zahlreicher Mitglieder bei den Landesverbänden, deren Einfluß jedoch selten über die Landesgrenzen hinaus reichte. Auf den Vorwurf des Verbandes Württembergischer Industrieller, die Bundeszentrale habe „Annäherungsversuche" Pferdekämpers zum Centralverband nicht unterbunden, vermochte das Präsidium des Bundes der Industriellen lediglich feststellen: „Wir haben gerade so viel oder so wenig Einfluß auf diese Äußerungen des Vorsitzenden des Thüringischen Verbandes, wie wir es zu hindern vermöchten, wenn Sie im Verbande Württembergischer Industrieller die entgegengesetzte Auffassung äußern würden. Es kommt hierin eben nur zum Ausdruck, daß innerhalb des Bundes der Industriellen ebenso ein rechter wie ein linker Flügel besteht."[157] Hinzu kam, daß nach der „Mißwirtschaft" des früheren Geschäftsführers Wendlandt auch sein Nachfolger, R. Schneider, zahlreiche Kritiker in den Reihen des Bundes, insbesondere im Süden Deutschlands besaß[158]. Diese Ausführungen machen verständlich, weshalb der Einfluß des Bundes der Industriellen auf den Hansa-Bund, dessen Führung bestens über die Differenzen innerhalb des Bundes der Industriellen unterrichtet war[159], sich in Grenzen hielt.

Selbst die These, der BdI habe nach dem Austritt der CVDI-Führung in den Fragen, die speziell die Industrie betrafen, den Ton angegeben, läßt sich in dieser allgemeinen Form nicht belegen[160]. Aus dem Briefwechsel zwischen Riesser und Duisberg geht eindeutig hervor, daß Riesser in fast allen die Industrie betreffenden Fragen Duisberg konsultierte und dessen Ratschläge sorgfältig prüfte und sie weitgehend befolgte. Die Besetzung des Ende 1912 gegründeten Industrierats des Hansa-Bundes und des seit Juni 1911 – Austritt Roetgers! – vakanten zweiten Präsidentenposten durch einen Industrievertreter und die Formulierung der Hansa-Bund-Richtlinien von 1912 lassen deutlich die Grenzen des Einflusses des Bundes der Industriellen im Hansa-Bund erkennen. Von den vier bekannt gewordenen Industriellen, die Riesser für diesen Posten in Erwägung zog – Carl Duisberg[161], Kommerzienrat Emil Engelhard[162], Alwin von Beckerath[163] und Ludwig Rellstab[164] – gehörte keiner dem Bund der Industriellen an. Die gleiche Feststellung trifft für die von Riesser in Aussicht genommenen, Duisberg[165] und Henry von Böttinger[166], bzw. die schließlich gewählten drei Vorsitzenden E. Engelhard, H. Müller und W. Stöve[167] des im November 1912 gebildeten Industrierats zu.

Von den 89[168] Mitgliedern hatten nur Eich, Heilner, Hirth, O. Hoffman und Stresemann, „Beirat" des Industrierats[169], BdI-Führungsfunktionen inne. Da die Mitglieder im wesentlichen von den Hansa-Bund-Ortsgruppen vorgeschlagen wurden[170], ist aus der Zusammensetzung des Industrierats zu schließen, daß der Einfluß des BdI in den Hansa-Bund-Zweigvereinen keineswegs überwältigend war. – Die Neuformulierung bzw. Ergänzung der Richtlinien von 1909 wurde von Riesser vorgenommen[171]. Der Entwurf wurde Duisberg zwecks Geltendmachung von „Änderungs- und Ergänzungswünschen" „vertraulich" zugestellt[172]. Das Direktorium, in dem der BdI relativ stark vertreten war, besaß nur die Möglichkeit, sie einen Tag vor der Verabschiedung im Gesamtausschuß zu diskutieren[173]; mehr als redaktionelle Änderungen waren zu diesem Zeitpunkt kaum durchsetzbar und erfolgten auch nicht.

Insgesamt läßt sich jedoch feststellen, daß der Hansa-Bund und der Bund der Industriellen auf der Grundlage weitgehend gleicher Programme und Zielsetzungen[174] und der aufgezeigten personellen Verflechtung in zahlreichen Fragen reibungslos zusammenarbeiteten bzw. Parallelaktionen durchführten, so z. B. in der Agitation gegen den Bund der Landwirte[175], beim Reichstagswahlkampf von 1912 und bei einigen Landtagswahlen, ferner im Kampf um eine Änderung des preußischen Wahlrechts und für eine Neueinteilung der Reichstagswahlkreise[176]. So betonte der Bund der Industriellen ebenso wie der Hansa-Bund, daß das bestehende Wahlrecht der „agrarischen Bevölkerung ein der gegenwärtigen Bedeutung von Handel, Industrie und Gewerbe nicht entsprechendes Übergewicht in der preußischen Volksvertretung auch für die Zukunft" zusichere[177]. Generell läßt sich feststellen, daß in allen Fragen, die Wahlen und Wahlrecht betrafen, der Bund der Industriellen – nicht zuletzt auf Grund seiner schlechten Finanzverhältnisse und seiner geringeren organisatorischen Ausbreitung – den Führungsanspruch des Hansa-Bundes anerkannte[178]. Auf die Haltung des Hansa-Bundes in handels- und zollpolitischen Fragen hatte er demgegenüber – wie bereits erwähnt – einen nicht unbeträchtlichen Einfluß. Auch die im Hansa-Bund, insbesondere seit 1912, verstärkt zu verzeichnenden imperialistischen Expansionsbestrebungen wurden zu einem erheblichen Teil von Funktionären des Bundes der Industriellen getragen[179]. Sehr ähnlich war die Haltung beider Verbände gegenüber den Angestellten und in der Sozialpolitik. Beide versuchten, das „Standesbewußtsein der Angestellten zu stärken, und sie damit vor dem Versinken in radikale politische und gewerkschaftliche Anschauungen" abzuhalten[180]. Ebenso wie im Hansa-Bund wurde jedoch auch im Bund der Industriellen der Wirtschaftspolitik Priorität gegenüber der Sozialpolitik eingeräumt. Die „Deutsche Industrie", das Organ des Bundes der Industriellen, stellte z. B. fest, „daß nur eine konkurrenzfähige Wirtschaft den Arbeitern Brot verschaffen könne ..., daß also die gedeihliche Existenz der Industrie den Vorrang vor der Sozialpolitik haben müsse"[181]. Stresemann hob diese Priorität noch stärker hervor. „Höher als die Sozialpolitik, die für Alter und Krankheit sorgt, ist eine gesunde Wirtschaftspolitik, die in gesunden Tagen für ein gutes Auskommen sorgt."[182]

In den wichtigen Fragen des „Arbeitswilligenschutzes" und der Deckungsvorlage arbeiteten beide Verbände zusammen[183]. Solange die Differenzen mit dem Centralverband – z. B. in der Frage der Schutzzölle oder der Preispolitik der Syndikate und Kartelle, die dem Centralverband angehörten – fortbestanden[184], bedurfte der finanz- und mitgliederschwächere Bund der Industriellen der Zusammenarbeit mit anderen Verbänden. Der finanzstarke Hansa-Bund mit seinen relativ guten Beziehungen zu den liberalen Fraktionen des Reichstages bot für eine Zusammenarbeit besonders gute Voraussetzungen. Auf der Grundlage weitgehend gleichgerichteter Interessen entwickelte sich jedoch kein Verhältnis der Dominanz des einen über den anderen, sondern ein Verhältnis wechselseitiger Einflußnahme[185]. Schwierigkeiten in der Zusammenarbeit traten erst auf, als der Bund der Industriellen, ohne sich mit dem Hansa-Bund abzustimmen, zusammen mit dem Centralverband und Vertretern der doppelstaatlichen Wirtschaftsvereine den Versuch unternahm, die „Deutsche Gesellschaft für Welthandel" zu gründen[186]. Dies verstieß ebenso wie die Zusammenarbeit von Centralverband und Bund der Industriellen im „Kriegsausschuß der deutschen Industrie" gegen ein mit dem Hansa-Bund getroffenes Übereinkommen, „daß keiner der beiden Kontrahenten mit dem Centralverband deutscher Industrieller Abmachungen treffen dürfe, ohne die Zustimmung des anderen eingeholt zu haben[187].

4. Das Werben um den neuen Mittelstand

Die protestierenden Schlußrufe, die auf der Gründungsversammlung des Hansa-Bundes Emil Kirdorfs Polemik gegen die „übertriebene und falsch verstandene soziale Gesetzgebung"[188] und Max Schinckels Kritik an der „nimmer rastenden Maschine der sozialen Gesetzgebung"[189] begleiteten, ließen von Anfang Gegensätze in dieser Frage erkennen.

Wollte der Hansa-Bund sein Ziel erreichen, die Vorherrschaft des Junkertums und des Bundes der Landwirte zu brechen, wollte er erfolgreich auf die Parteien und die Wahlen zum Reichstag und zu den Landtagen Einfluß nehmen, durfte er keineswegs die von den sozialpolitisch reaktionären Kreisen der Arbeitgeberverbände[190] und des Centralverbandes[191] geforderte Bildung einer Arbeitgeberorganisation bzw. einer Unternehmerpartei und die damit korrespondierende Frontstellung gegen neue sozialpolitische Initiativen akzeptieren.

Der Versuch, den Hansa-Bund zu einem Instrument der Unternehmerinteressen zu gestalten[192] und gegen die Fortführung der Sozialpolitik Front zu machen, fand selbst bei einigen Vertretern der Fertigungsindustrie[193], besonders jedoch in weiten Kreisen des selbständigen Mittelstandes begeisterte Anhänger. A. Olle z. B., der Generalsekretär des Arbeitgeberverbandes für das Baugewerbe im Saargebiet, rief auf der Gründungsversammlung der Hansa-Bund-Ortsgruppe Saarbrücken dazu auf, die geplante Arbeitslosenversicherung „bis zum letzten Blutstropfen" zu bekämpfen. Denn dieses neue „Versicherungsgespenst" führe lediglich dazu, daß den „unfähigsten, trägsten, ungeschicktesten, aufsässigsten, arbeitsscheuesten ... Arbeitslosigkeitsrenten zu zahlen" wären. „Die große Masse der gar nicht von Arbeitslosigkeit Bedrohten heranzuziehen, wäre eine Vergewaltigung." Jeder „weitere" Eingriff in die Freiheit des Arbeitsverhältnisses, insbesondere jeder Versuch, „einen gesetzlichen Lohntarifzwang einzuführen"[194], müsse schärfstens bekämpft werden.

Im Gegensatz zu Tille und der DAGZ, die mit derartigen Forderungen sofort an die Öffentlichkeit gingen, hielt Rötger es aus taktischen Gründen für angebrachter, zunächst „in den leitenden Kreisen" des Hansa-Bundes energisch für diese Politik einzutreten und Verbündete zu werben. Diesem Zweck diente u. a. auch die bereits erwähnte Besprechung vom 28. 8. 1909, zu der von den Direktoriumsmitgliedern des Hansa-Bundes lediglich die Vertreter der Industrie, des Handwerks und der Schiffahrt eingeladen wurden, um sie besonders auch in Fragen der Sozialpolitik auf die Linie des Centralverbandes festzulegen. Als „Wurzel allen Übels" wurde von Rötger die „Herrschaft kathedersozialistischer Anschauungen in allen maßgebenden Kreisen" bezeichnet. „Es sei so offensichtlich für fast alle im Hansa-Bund zusammengefaßten Kreise, daß die nachdrückliche Bekämpfung dieser Anschauungen zu den Hauptaufgaben desselben gehöre, daß es nur interessieren könne zu erfahren, auf welchen Wegen diese Aufgabe angefaßt werden sollte." Es könne jedoch nicht im Interesse des Hansa-Bundes liegen, diese Aufgabe „in einem generellen Programm ... der Öffentlichkeit gegenüber zu formulieren"[195]; d. h. der Versuch, das Bündnis gegen die Vormachtstellung des Junkertums und seine stärkste Stütze, den Bund der Landwirte, in eine Sammlungspolitik gegen links mit starker Frontstellung gegen eine Fortführung der Sozialpolitik umzufunktionieren, sollte in der „Dunkelkammer" nicht öffentlich tagender Gremien verwirklicht werden, um die liberalen Kreise des erwerbstätigen Bürgertums nicht vom Eintritt in den Hansa-Bund abzuhalten. Gegen diese Tendenzen setzte Riesser die Bildung eines Mitgliederverbandes und die Aufnahme der kaufmännischen und technischen Angestellten durch, deren führende Verbände sich an der Gründungsversammlung des Hansa-Bundes nicht beteiligt hatten[196] und die auf Grund der Mitgliedschaft der oben genannten sozialpolitisch reaktionären Kräfte im Hansa-Bund zunächst eine abwartende Stellung einnahmen[197]. Durch die Zusicherung, gegenüber „entgegengesetzten sozialpolitischen Forderungen und Standpunkten der Arbeitgeber- und Handlungsgehilfen-Verbände ... strikteste Neutralität"[198] zu bewahren, gelang es Riesser, die Vorsitzenden bzw. Vorstandsmitglieder des Verbandes Deutscher Handlungsgehilfen zu Leipzig (Ende 1910 über 92 000 Mitglieder[199]), des Vereins für Handlungskommis von 1858 zu Hamburg (103 000 Mitglieder) und des Deutschen Verbandes kaufmännischer Vereine in Frankfurt a. M. (69 000 Mitglieder) zur Übernahme eines Sitzes im Hansa-Bund-Direktorium zu bewegen. Weitere Vertreter der genannten Verbände – besonders des letzteren, paritätischen Verbandes – wurden Mitglieder im Hansa-Bund-Gesamtausschuß[200]. Damit waren drei der vier bedeutenden kaufmännischen Vereine eine relativ enge personelle Verflechtung mit dem Hansa-Bund eingegangen. Der vierte und größte kaufmännische Angestelltenverband, der Deutschnationale Handlungsgehilfenverband (1911 121 000 Mitglieder), ging lediglich in einer Reihe von Ortsgruppen eine Verbindung mit den im Hansa-Bund zusammengeschlossenen Kreisen ein[201]. Von den kleineren kaufmännischen Angestelltenverbänden war der Deutsche Bankbeamten-Verein mit ca. 24 000 Mitgliedern durch seinen Vorsitzenden Max Fürstenberg im Hansa-Bund-Direktorium vertreten, ebenfalls der Verein junger Kaufleute – korporatives Mitglied des Deutschen Verbandes kaufmännischer Vereine, ca. 6000 Mitglieder –; dem Gesamtausschuß des Hansa-Bundes gehörten ferner seit 1909 der Verein der deutschen Kaufleute (18 600 Mitglieder) und der Verein reisender Kaufleute Berlins[202] an.

Einen Sitz im Gesamtausschuß des Hansa-Bundes hatten ferner die beiden mitgliederstärksten Verbände technischer Angestellter, der Deutsche Werkmeister- (51 700 Mitglieder) und der Deutsche Techniker-Verband (29 500 Mitglieder), inne[203]. Es gerieten also 1910 ca. 60 % und 1913 sogar über 70 % der in Verbänden organisierten kaufmännischen bzw. technischen Angestellten auf Grund der personellen Verflechtung in den Einflußbereich des Hansa-Bundes[204]. Dem Bestreben Riessers, Stresemanns u. a., besonders die kaufmännischen Angestellten zum Eintritt in den Hansa-Bund zu bewegen, kam entgegen, daß diese in z. T. paritätisch gebildeten Verbänden seit jeher ihre sozialpolitischen Forderungen und die Förderung ihrer Standesinteressen „durch gemeinsame Arbeit mit den Prinzipalen"[205] zu verwirklichen trachteten. In Anbetracht des seit 1907 wachsenden Bemühens aller politischen Parteien, die an Selbstbewußtsein gewinnende und auf Grund der Behandlung des Angestelltenversicherungsgesetzes im Reichstag in zunehmendem Maße politisierte Masse der Angestellten als Wählergruppe zu gewinnen[206], war der Eintritt der kaufmännischen und technischen Angestellten in den Hansa-Bund eine wichtige Vorentscheidung für den Ausgang der Wahlen – und zwar zugunsten der liberalen Parteien. Selbstverständlich unter der Voraussetzung, daß es dem Hansa-Bund gelang, durch

Unterstützung der sozialpolitischen Forderungen und verstärkte Politisierung der Angestellten diese zur Mitarbeit zu bewegen und in die antifeudale Sammlungspolitik zu integrieren.

Die Formulierung der von Riesser entworfenen Richtlinien, der Hansa-Bund werde in der Sozialpolitik „für eine, auf die gemeinsamen berechtigten Interessen der Arbeitgeber und Arbeitnehmer ... Rücksicht nehmende soziale Gesetzgebung, deren Fortschreiten, Inhalt und Kostenlast sowohl der Konkurrenzmöglichkeit der deutschen gewerblichen Tätigkeit auf dem Weltmarkt, wie der inneren wirtschaftlichen Lage Rechnung trägt und mit dieser Maßnahme namentlich auf Sicherstellung der Zukunft aller Arbeitnehmer und auf Erhaltung ihrer Arbeitsfreudigkeit Bedacht nimmt“[207], eintreten, legte – wie bereits erwähnt – das Verhalten des Hansa-Bundes in sozialpolitischen Fragen in keiner Weise fest[208]. Eindeutig in dem die Sozialpolitik behandelnden Paragraphen war lediglich die Forderung an den Gesetzgeber, eine bürokratische Ausgestaltung der sozialen Gesetzgebung zu vermeiden[209]. Von Interesse für das konkrete Verhalten des Hansa-Bundes in Fragen der Sozialpolitik erscheint daher die Frage, inwieweit die generelle Bejahung sozialer Gesetzgebung durch die Forderung, „Inhalt und Kostenlast“ derselben dürften keineswegs die Konkurrenzfähigkeit der „deutschen gewerblichen Tätigkeit“ auf dem Weltmarkt beeinträchtigen und müßten der inneren wirtschaftlichen Lage Rechnung tragen, eingeschränkt wurde. Wie leicht sich diese dehnbare Formulierung zu einem Instrument der Diskreditierung sozialpolitischer Initiativen gebrauchen ließ, zeigt die Rede Duisbergs vom 15. 6. 1910 auf der Delegiertenversammlung des Hansa-Bundes in Berlin. Obwohl die führenden Unternehmen der exportorientierten chemischen Industrie (Farbenfabriken, BASF, Höchst) 1905 bis 1910 in der Regel zwischen 20–30 % Dividende – die Farbenfabriken 1907 gar 56 % zahlen konnten[210], sah Duisberg auf Grund der Lohnsteigerungen und der „Schikanen einer übertriebenen Arbeiterschutzgesetzgebung“ bereits die Konkurrenzfähigkeit der deutschen Exportindustrie bedroht[211]. Wenn Riesser, Duisberg korrigierend, ein „unbedingtes Bekenntnis zur Sozialpolitik im Rahmen der Tragfähigkeit der deutschen Industrie“[212] ablegte, so hob sich seine Stellungnahme zwar positiv von der Duisbergs und den oben erwähnten ab; aber auch sie unterstreicht die Zweitrangigkeit der Sozialpolitik. Priorität gebührte in den tonangebenden Kreisen des Hansa-Bundes der wachstumsorientierten Wirtschaftspolitik, da nur „eine gedeihende Industrie höhere Löhne zahlen und neue soziale Leistungen auf sich nehmen“ könne[213].

Auf Grund der im Hansa-Bund herrschenden Interessengegensätze in sozialpolitischen Fragen vermochte dieser in der Regel lediglich vermittelnd tätig zu werden, keineswegs aber eindeutig Stellung zu beziehen. Er bot in seinen Gremien bzw. in ad hoc gebildeten Kommissionen (so z. B. in der Frage der Reichsversicherungsordnung und der Privatangestelltenversicherung[214]), die sich aus Vertretern aller dem Hansa-Bund angehörigen Erwerbsgruppen zusammensetzten, lediglich eine Plattform für ausgleichende Gespräche. Der gemeinsame Nenner war sowohl in der Frage der Reichsversicherungsordnung als auch in der Privatangestelltenversicherung – den beiden wichtigsten sozialpolitischen Initiativen in dem zu behandelnden Zeitraum – minimal. Einigkeit bestand in Kreisen des Hansa-Bundes lediglich in der Ablehnung der bürokratischen Ausgestaltung der Gesetze[215].

Entsprechend dem Prinzip, „gegenüber entgegengesetzten sozialpolitischen Forderungen und Standpunkten der Arbeitgeber- und Handlungsgehilfen-Verbände ... strikteste Neutralität[216] zu bewahren, wurde von seiten des Hansa-Bund-Präsidiums eine Stellungnahme – obwohl eine solche mehrfach zum Angestelltenversicherungsgesetz angekündigt wurde[217] – zu dieser Gesetzesvorlage vermieden und die Ortsgruppen aufgefordert, keine endgültigen Stellungnahmen abzugeben[218].

Die Artikel, die sich in der Hansa-Bund-Zeitschrift mit den genannten Gesetzentwürfen befaßten, referierten entweder lediglich den Inhalt der Entwürfe[219] oder gaben nur die Stellungnahme einer bestimmten Erwerbsgruppe im Hansa-Bund wieder. Während der Centralausschuß für die Gesamtinteressen des deutschen Einzelhandels im Hansa-Bund[220] – entsprechend der Stellungnahme des CVDI[221] – gegen die im Angestelltenversicherungsgesetzentwurf vorgesehene Errichtung von Sonderkassen protestierte, da sie eine unverhältnismäßig große Belastung der Kleingewerbetreibenden beinhalte und bewirke, daß ein bedeutender Teil der von den Arbeitgebern und den Angestellten aufgebrachten Beiträge für die Besoldung der zukünftigen Funktionäre der Reichsversicherungsanstalt benötigt und auf diese Weise die Leistungsfähigkeit der Versicherung erheblich gemindert werde, wurden von einem führenden Vertreter der Angestellten – Josef Reif, Vorsitzender des Verbandes Deutscher Handlungsgehilfen in Leipzig und des Hauptausschusses für staatliche Pensionsversicherung – die Vorteile des Gesetzentwurfes hervorgehoben[222]. Der Entwurf wurde insbesondere deshalb verteidigt, da er „auf die besonderen Verhältnisse und Bedürfnisse" der Angestellten, die „nun einmal andere" als die der Arbeiter seien, Rücksicht nehme[223]. Die Ablehnung eines Ausbaus der Invalidenversicherung – der die überwiegende Mehrheit der Angestellten bereits angehörte[224] – erklärte sich in erster Linie aus dem Sonderbewußtsein[225] gegenüber den Arbeitern, das um so stärker hervorgehoben wurde, je mehr ihre Tätigkeit auf Grund der „Arbeitsteilung vielfach nur aus schematischen Verrichtungen" bestand und dieser Gruppe die Gefahr der Proletarisierung drohte[226]. Das heißt, je weniger ihre Situation aus ökonomischer Sicht eine Sonderstellung gegenüber den Arbeitern rechtfertigte, desto stärker wurde das Verlangen nach Distanzierung gegenüber den Arbeitern und nach Identifizierung mit den öffentlichen Beamten[227] bzw. den selbständigen Kaufleuten. Die Bedrohung der ökonomischen Position bewirkte in weiten Kreisen der kaufmännischen Angestellten, daß die eigene Klassenlage subjektiv nicht mehr in erster Linie als Arbeitnehmersituation empfunden wurde. So wurde z. B. von Dr. Thissen, einem der führenden Angestelltenvertreter – Direktoriumsmitglied des Hansa-Bundes – in einer Rede in Hamburg, die als Flugblatt des Hansa-Bundes im ganzen Reich verbreitet wurde, die These vertreten, daß sich die kaufmännischen Angestellten „nicht in erster Linie als Brotnehmer ihres Geschäfts, sondern in ihrer Weise gleichfalls als Kaufmann fühlen"; das gelte ebenso für die gemeinsame Arbeit innerhalb des Hansa-Bundes, wo sich der Gehilfe „zunächst als Kaufmann, dann erst als Arbeitnehmer" verstehe[228]. Thissens Nachfolger im Hansa-Bund-Direktorium, Henry Schaper, erkannte zwar an, daß „Angestellter zu sein ... für mehr als vier Fünftel der Berufsangehörigen keine Übergangszeit" mehr bedeute, „sondern eine dauernde Erscheinung", verlangte aber für die „kaufmännischen und technischen Angestellten als Mittelglieder zwischen Geschäftsführung einerseits und dem Heer der Arbeiter andererseits die dauernde Aufmerksamkeit aller ..., denen die Zukunft unserer Volkswirtschaft wie die der ganzen Nation am Herzen" liege[229]. Die Hansa-Bund-Führung unterstützte kräftig dieses Bemühen der Angestellten, ihr Sonderbewußtsein – das sich vorwiegend aus der Differenz zur „Gegengruppe" der Arbeiter speiste[230] – aufrechtzuerhalten. So wurde z. B. betont, daß die „Verhältnisse im Kaufmannsstande ... nicht die gleichen, wie bei den Handarbeitern" seien und „daher nicht miteinander verglichen werden"[231] können. Für eine separate Angestelltenversicherung, die dieser „Sonderstellung" der Angestellten Rechnung getragen hätte, konnte die Hansa-Bund-Führung jedoch aus Rücksicht auf ihre kleingewerblichen Mitglieder nicht eintreten[232]. In gewissem Gegensatz zur sozio-ökonomischen Entwicklung, die weite Angestelltenschichten einer wachsenden Gefahr der Proletarisierung aussetzte, wurden die Angestellten in ihrer subjektiv falschen Einschätzung der eigenen Lage bestärkt; jedoch lediglich verbal. Die Angestellten wurden als „Prinzipale der Zukunft" gefeiert, die die gleichen Interessen wie die „Prinzipale der Gegenwart" hätten[233].

Da sich die sozialpolitischen Gegensätze zwischen Arbeitgebern und Angestellten nicht leugen ließen, wurden von der Hansa-Bund-Führung die gemeinsamen Interessen in wirtschaftspolitischen Fragen hervorgehoben, wobei besonders häufig führende Angestelltenvertreter herangezogen wurden, um diese These zu vertreten. „Vorbedingung" (i. O. gesp.) einer „Besserung der Angestelltenverhältnisse", d. h. lediglich sozialpolitischer Errungenschaften sei eine „Erhöhung der Rentabilität der Unternehmungen"[234]. Jede Hemmung des industriellen Fortschritts, jede Einschränkung der Entwicklung in Handel und Industrie müsse sich ungünstig auf die wirtschaftliche Lage der Angestellten auswirken. Denn sie verringere stets die Nachfrage nach Arbeitskräften, bewirke Arbeitslosigkeit eines Teils der Angestellten und drücke das Gehaltsniveau der übrigen. „Deshalb haben die Angestellten ein sehr materielles Interesse daran, daß die deutsche Wirtschaftspolitik endlich einmal die einseitig agrarfreundlichen Bahnen verläßt", daß einer weiteren Erhöhung der Agrarzölle und der damit verbundenen Verteuerung der Lebenshaltung entgegengetreten werde, daß das Verkehrswesen trotz des Widerstandes von seiten des Junkertums ausgebaut und eine „gerechte Verteilung der Steuerlasten unter Heranziehung aller besitzenden Klassen vorgenommen" werde[235]. D. h. die noch „national und gewerbefreundlich" eingestellten „Privatbeamten"[236] sollten also als gemeinsames Interesse von Selbständigen und Arbeitnehmern die Priorität einer „gerechten“ Wirtschaftspolitik – die die Rentabilität der Unternehmen sicherstellte – gegenüber der Sozialpolitik anerkennen.

Welches waren die Motive der Hansa-Bund-Führung für die Unterstützung des – aus ökonomischer Sicht äußerst fragwürdigen – Sonderbewußtseins der Angestellten, für die Betonung der gemeinsamen Interessen in der Wirtschaftspolitik und deren Priorität gegenüber der Sozialpolitik?

Die steten Hinweise auf die Benachteiligung der materiellen Interessen der Angestellten durch die agrarische Wirtschaftspolitik, die die Rentabilität der Unternehmen mindere und damit sich ungünstig auf die Einkommensverhältnisse der Angestellten auswirke, hatten zum einen das Ziel, die Angestellten für die „neudeutsche Wirtschaftspolitik“ des Hansa-Bundes zu gewinnen und fester in die Sammlungspolitik gegen das Junkertum und (ab 1911) die Schwerindustrie einzubinden, zum anderen verfolgten sie die Absicht, von dem Gegensatz zwischen Arbeitgebern und Arbeitnehmern abzulenken bzw. ihn „herunterzuspielen“[237]. Die Stärkung des Standesbewußtseins der Angestellten und das Bestreben der selbständigen Kaufleute und Unternehmer, die vorindustriellen Gruppen (insbesondere das Beamtentum) als „soziale Identifikationsobjekte“[238] abzulösen und diese Funktion selbst zu übernehmen, dienten dem gleichen Ziel; darüber hinaus sollten sie die von der Proletarisierung bedrohten Teile der Angestelltenschaft vor einem Abrücken in „radikale“ politische und gewerkschaftliche Anschauungen und Aktivitäten abhalten[239]. Diese Politik war einerseits geeignet, das Bündnis gegen die konservativen Kräfte zu erhalten, leistete andererseits aber der Verfestigung des Status quo Vorschub, solange man den politisch gemäßigten kaufmännischen und technischen Angestellten Zugeständnisse machte und sie im Hansa-Bund hielt, wo sie – wie Riesser an Duisberg schrieb – „zur positiven Arbeit auf der Grundlage der heutigen Wirtschafts- und Staatsordnung und zur Erhaltung einer mittleren Linie erzogen“ werden sollten[240]. Die tonangebenden Kräfte im Hansa-Bund hofften auf diese Weise auf die Angestellten „einen gewissen Einfluß auszuüben“[241] und sie kontrollieren zu können.

Um die Forderungen der Angestellten zu kanalisieren und besser kontrollieren zu können, wurde vom Hansa-Bund-Präsidium ein Angestelltenausschuß eingerichtet[242], der ferner einen Beitrag zur Mäßigung der Angestelltenforderungen leisten[243] und deshalb paritätisch besetzt werden sollte[244]. Er hatte die Aufgabe, sozialpolitische Probleme vorzuberaten, und dem Präsidium bzw. Direktorium des Hansa-Bundes Vorschläge zur endgültigen Entscheidung zu unterbreiten. Auf Grund des Widerstandes der Angestellten wurde zunächst eine paritätische Besetzung des Ausschusses verhindert[245]. Bereits ein Jahr später gelang es jedoch Stresemann, einen Beschluß des Ausschusses herbeizuführen, der die Umwandlung des Ausschusses in eine paritätisch besetzte „sozialpolitische Konferenz für Angestelltenfragen“, in der die Angestellten in der Minderheit waren, billigte[246]. Das Ziel, die Angestellten zu kontrollieren, war damit zumindest teilweise erreicht. Es waren ebenfalls in erster Linie politische Überlegungen, die Riesser bewogen, den Verein für Handlungs-Commis von 1858, den Verband Deutscher Handlungsgehilfen zu Leipzig und den Deutschen Verband kaufmännischer Vereine zur Bildung eines Stellenvermittlungs-Zweckverbandes aufzufordern[247], denn der Präsident des Hansa-Bundes befürchtete, daß der Versuch der Schwerindustrie, die bis dahin von den Angestelltenverbänden ausgeübte Stellenvermittlung in eigener Regie auszuüben, die Mitglieder der gemäßigten Verbände in die Arme der „radikalen und sozialdemokratischen" treiben werde[248]. Riesser hoffte, daß das Zusammengehen der genannten Verbände die Arbeitgeber der Schwerindustrie zum Einlenken zwingen und ebenfalls bestehende Pläne für die Einrichtung öffentlicher Arbeitsnachweise verhindern würde.

Die Zusammenarbeit des Vereins für Handlungs-Commis von 1858, des Verbandes Deutscher Handlungsgehilfen zu Leipzig und des Deutschen Verbandes kaufmännischer Vereine beschränkte sich nicht nur auf Fragen der Stellenvermittlung[249], sondern erstreckte sich nach der von den genannten Verbänden vorgenommenen Gründung einer „Sozialen Arbeitsgemeinschaft"[250] auf alle politischen Fragen.

Die Verwaltung des Vereins für Handlungs-Commis von 1858 bestritt zwar energisch, daß der Hansa-Bund die „treibende Kraft für das Zustandekommen der Arbeitsgemeinschaft"[251] gewesen sei; die enge personelle Verbindung zwischen Hansa-Bund und den drei kaufmännischen Angestelltenvereinen läßt ebenso wie die Initiative des Hansa-Bundes bei der Bildung des „Stellenvermittlungs-Zweckverbandes" und das große Interesse, das die Hansa-Bund-Führung den kaufmännischen Angestellten und der Zusammenarbeit ihrer Verbände widmete, vermuten, daß der Ausbau der Beziehungen zwischen den genannten Verbänden nicht ohne Einflußnahme des Hansa-Bundes erfolgte. Die Begründung des Verbandes kaufmännischer Vereine, die „Soziale Arbeitsgemeinschaft" biete die Gewähr dafür, „daß der Geist der Parität ... wenigstens innerhalb dieser Interessengemeinschaft nicht in den Hintergrund gedrängt"[252] werde, entsprach exakt den oben dargestellten Zielvorstellungen des Hansa-Bundes.

5. Hansa-Bund und selbständiger Mittelstand

Die Schwierigkeiten, den selbständigen Mittelstand zum Eintritt in den Hansa-Bund und zur Zusammenarbeit mit dem Großkapital und den Angestellten zu bewegen, waren zunächst sehr beträchtlich. Um sie richtig einschätzen zu können, muß man sich vergegenwärtigen, daß sich der selbständige Mittelstand seit Beginn der Industrialisierung in seinem ökonomischen und sozialen Status bedroht sah; ein Gefühl, das sich seit der Einführung der vollen Gewerbefreiheit im Norddeutschen Bund (1869) und mit Beginn der Großen Depression erheblich verstärkte[253]. Der alte Mittelstand verstand sich immer mehr als eine vom Großkapital, dem Proletariat und dem neuen Mittelstand[254] bedrohte Minderheit; wobei seit Beginn der Großen Depression seine Angriffe in erster Linie gegen das mobile Kapital zielten. Das Bankkapital wurde als der „Hauptschuldige für die Wirtschaftskrise allgemein und die Bedrängnisse der Mittelschichten im besonderen“ verantwortlich gemacht[255]. Konservative und Antisemiten unterstützten kräftig diese Auffassung und vertraten in ihrer Propaganda eine Gleichsetzung von Liberalismus, Finanzkapital und Judentum, das nicht selten als der eigentlich Schuldige für alle Probleme des selbständigen Mittelstandes denunziert wurde[256].

Die Konservativen und zeitweilig auch das Zentrum, die sich die antisemitischen Auffassungen zu eigen machten, konnten ihren Einfluß auf weite Teile des selbständigen Mittelstandes noch dadurch erhöhen, daß sie auch die protektionistischen Forderungen und Refeudalisierungstendenzen dieser Kreise unterstützten[257] und die organisatorische Zusammenfassung der verschiedenen Gruppierungen des selbständigen Mittelstandes zu beeinflussen vermochten. Weite Teile des Mittelstandes gerieten auf diese Weise – nicht zuletzt auch auf Grund der Agitation des Bundes der Landwirte – immer stärker in den Einflußbereich der Konservativen.

Die Aversion gegen das Bankkapital und die antisemitischen Tendenzen besonders in den Kreisen des selbständigen Mittelstandes mußten daher eine Agitation des Hansa-Bundes erschweren, da das den genannten Kreisen so verhaßte Bankkapital nicht nur Initiator der Gründung des Hansa-Bundes war, sondern zumindest in der wichtigen Phase des Aufbaus diese Bewegung eindeutig dominierte. Hinzu kam, daß von Anfang an der von den konservativen Mittelständlern gleichfalls angefeindete Verband der Waren- und Kaufhäuser sich der Hansa-Bund-Bewegung anschloß[258]. An die in Mittelstandskreisen weit verbreitete antikapitalistische und antisemitische Einstellung appellierend, versuchten die feudalen Kräfte einen Einbruch des Hansa-Bundes in sie zu verhindern. Der Abgeordnete Raab z. B. spottete, er werde vielleicht dem Hansa-Bund beitreten, da ihm mitgeteilt worden sei, daß auch „Leute christlicher Religion aufgenommen“ würden und weil man im Hansa-Bund die „wirkliche und wahrhaftige Mittelstandsvertretung gefunden“ habe, seien doch im Hansa-Bund alle die „Mittelstandsfreunde und -förderer“, wie die Vertreter der Konsumvereine, der Warenhäuser und Banken vertreten; so z. B. die Diskontogesellschaft, die dem „Warenhaus Wertheim die notwendigen Hypotheken zu dem Riesenramschbazar gegeben“ habe, ferner die Bank, die die ersten Warenhausaktien, die des Warenhauses Tietz, an der Börse eingeführt habe[259]. Angesichts solcher Namen wie Riesser, Wertheim, Tietz sollte schon ein „gesunder Instinkt alle Angehörigen des Mittelstandes vorsichtig machen“[260].

Die gleichen Angriffe wurden insbesondere von konservativen Handwerkerverbänden und von zahlreichen Schutzverbänden des Detailhandels, in denen die ständisch-traditionellen Elemente überwogen, vorgetragen[261].

Die Argumente des Hansa-Bundes zur Gewinnung des selbständigen Mittelstandes appellierten zwar nicht in gleicher Weise an niedrige Instinkte, waren aber zum Teil nicht weniger einseitig und unaufrichtig. Nach Auffassung des Hansa-Bundes ließen sich die Schwierigkeiten des selbständigen Mittelstandes allein als Folge der einseitigen Interessenpolitik des Bundes der Landwirte und aus dem Mangel des Mittelstandes, die Initiative zur Selbsthilfe zu ergreifen[262], erklären. Daß eine Reihe Schwierigkeiten für den Mittelstand aus der zunehmenden Konzentration in zahlreichen Wirtschaftszweigen resultierte, wurde fast immer unterschlagen. Der Hansa-Bund versuchte in seiner Agitation insbesondere die Unmutsäußerungen im Mittelstand über die von der konservativ-klerikalen Mehrheit gestaltete Reichsfinanzreform und die in erster Linie von den feudalen Kräften getragene Schutzzollpolitik wachzuhalten. Die „verkehrsfeindliche Politik der Agrarier“ wurde für die Verteuerung der Lebensmittel und der Rohstoffe, die den Mittelstand ganz besonders hart trafen, verantwortlich gemacht; ebenso attackiert wurden die Steuergesetze der Konservativen, die „den Kredit erschweren und verteuern“ und den Mittelstand „am allerhärtesten“ trafen[263]. Schließlich wurde fast immer darauf hingewiesen, daß nicht nur die ökonomischen sondern auch die „politischen Interessen des städtischen Mittelstandes in Handel und Gewerbe von den agrarkonservativen Mittelstandspolitikern verraten“ worden wären; und zwar „indem sie sich mit aller Gewalt gegen jede Änderung des preußischen Wahlrechts sträub(t)en, auch gegen die Einführung der geheimen Stimmabgabe, die angesichts des von der Sozialdemokratie ausgeübten Terrorismus für die auf ihre Kundschaft angewiesenen mittelständischen Gewerbe- und Handeltreibenden in den Großstädten auf das dringlichste erwünscht“ sei[264]. Der Mittelstand, der sich von den Konservativen „Jahrzehnte hindurch hypnothisieren ließ ... und in verhängnisvoller Weise seine Sache von der gemeinsamen großen Sache des erwerbstätigen Bürgertums trennte“[265], müsse von dieser Hypnose befreit werden und zusammen mit den übrigen Vertretern von Handel und Gewerbe dem „andauernden Bestreben der Agrarier, die beständig fortschreitende Entwicklung Deutschlands zum Industrie- und Handelsstaat durch gesetzgebende Maßnahmen zu hemmen“, entgegentreten[266]. Da der Mittelstand einerseits allein zu schwach sei[267], um seine Interessen gegenüber Parlament und Regierung durchzusetzen, andererseits von den konservativen Kräften keine echte Hilfe erwarten könne, bliebe ihm nur die Zusammenarbeit mit Handel und Industrie; eine solche Zusammenarbeit biete sich um so mehr an, als es zwischen dem Mittelstand und den übrigen im Hansa-Bund vertretenen Gruppen zahlreiche gemeinsame Interessen gäbe; so z. B. mit der Industrie in sozialpolitischen, in finanzwirtschaftlichen, in Zoll- und Handelsvertragsfragen[268].

Industrie und Handwerk seien auch insofern „unmittelbar aufeinander angewiesen“, als für „zahlreiche Handwerkerzweige ... die Industrie erst die Voraussetzungen eines blühenden Daseins“ geschaffen habe[269].

Das Handwerk solle endlich erkennen, daß weder Industrie noch Handel, sondern „der Handwerker selbst“ der „größte Feind der Handwerker“[270] sei. Anstatt in Untergangsstimmung zu verharren[271] und permanent nach Staatshilfe zu verlangen, müsse der selbständige Mittelstand zur Selbsthilfe schreiten, wobei er in zahlreichen Fragen auf die tatkräftige Unterstützung des Großkapitals rechnen könne[272].

Um sich „neue Entfaltungsmöglichkeiten" erschließen zu können, müsse die „Anpassungsfähigkeit" des alten Mittelstandes verbessert werden. Besonders wichtig sei eine bessere Ausbildung, die es dem Mittelstand ermögliche, sich stärker zu spezialisieren und Qualitätsarbeit zu leisten[273]. Nur auf diese Weise sei die „Konkurrenzfähigkeit der Kleinen gegen die Großen zu stärken". Nur in den Fällen, wo die Selbsthilfe nicht ausreiche und wo es „möglich" sei, sei „auch Staatshilfe herbeizuführen"[274]. Um die mittelständischen Kreise mit diesen Vorstellungen vertraut zu machen, ergriff die Hansa-Bund-Führung u. a. zahlreiche organisatorische Maßnahmen. So wurde bereits im Juli 1910 der „Zentralausschuß für die Gesamtinteressen des deutschen Einzelhandels" eingerichtet[275]. Neben seiner Aufgabe, „im Rahmen der Ziele des Hansa-Bundes für die wirtschaftlichen Interessen des Detailhandels, des Mittel- und Kleingewerbes zu arbeiten", sollte er insbesondere „auf den Ausgleich oder die Verminderung der Gegensätze zwischen dem Detailhandel und den übrigen in Betracht kommenden gewerblichen Kreisen" hinwirken[276]. Zu diesem Zweck wurde z. B. eine gemeinsame Sitzung mit Vertretern der Handlungsgehilfen über die Frage der Regelung der Sonntagsruhe einberufen[277].

Im April 1912 erfolgte auf Anregung aus Mittelstandskreisen[278] die Gründung des „Zentralausschusses für die gesamten Interessen des deutschen Handwerks im Hansa-Bund"[279], der sofort dazu überging, ein weitverzweigtes Netz von Vertrauensmännern aus Handwerkerkreisen über ganz Deutschland zu ziehen[280]. Die in diesem Ausschuß diskutierten Fragen, wie „Förderung der Buchführungskurse und des Kreditwesens im Handwerk", die „Beschaffung billiger motorischer Kraft für Handwerksbetriebe", Kampf gegen das „Borgunwesen"[281] usw. lassen deutlich erkennen, daß es dem Hansa-Bund gelang, zumindest die ihm angeschlossenen Mittelstandskreise stärker mit dem Gedanken der Selbsthilfe vertraut zu machen[282]. Darüber hinaus gelang es den Führungskreisen im Hansa-Bund, die mittelständischen Mitglieder auch zur Unterstützung von Forderungen, wie z. B. „Ausdehnung des Scheckverkehrs", Änderung des preußischen Wahlrechts und einzelner Zolltarife zu bewegen, an denen insbesondere die ihm angeschlossenen Kreise von Handel und Industrie interessiert waren[283]. Dem selbständigen Mittelstand jedoch wurden diese Forderungen als wesentlicher Beitrag zur Lösung seiner Probleme angepriesen[284]. Auch die Gründung der Submissionszentrale (1. 10. 1911)[285], an deren Errichtung die im Hansa-Bund vertretene Industrie gleichermaßen interessiert war, wurde von der Hansa-Bund-Führung insbesondere als ein Beweis ihrer Mittelstandsfreundlichkeit propagiert[286].

Da die Zentralausschüsse für das Handwerk und den Einzelhandel keinerlei Entscheidungsbefugnisse besaßen – sie konnten dem Direktorium bzw. Präsidium des Hansa-Bundes lediglich Vorschläge unterbreiten[287] –, blieb der Einfluß der Hansa-Bund-Führung auf die in seinen Reihen formulierte Mittelstandspolitik weitgehend gewahrt. Dazu trug auch bei, daß Angestellte der Zentrale des Hansa-Bundes bzw. Vertreter seiner führenden Gremien[288] als Geschäftsführer bzw. Vorsitzende auf die „Mittelstandsgremien" einen kontrollierenden

Einfluß auszuüben vermochten. Die Mitgliedschaft von Industrie und Handel in der Submissionszentrale[289] und des Geschäftsführers des Verbandes Deutscher Waren- und Kaufhäuser und des Warenhausbesitzers A. Wahl im „Zentralausschuß für die gesamten Interessen des deutschen Einzelhandels“[290] trug z. B. zu einem mäßigenden Einfluß auf die Formulierung zahlreicher Mittelstandsforderungen bei. Die Diskussion der Sondersteuer gegen die Warenhäuser, die in den konservativen Mittelstandskreisen eine überragende Rolle spielte, wurde im Hansa-Bund weitgehend unterdrückt[291]. Ebenso fand die mittelständische Forderung eines Preisfestsetzungsrechts der Zwangsinnungen (Aufhebung des § 100 der Gewerbeordnung), die auch vom „Zentralausschuß für die gesamten Interessen des deutschen Handwerks“ erhoben wurde[292], nicht die Billigung des Direktoriums des Hansa-Bundes[293] und fand auch in Veranstaltungen des Hansa-Bundes auf Ortsebene kaum Erwähnung[294]. Der Einfluß des Hansa-Bundes reichte jedoch nicht soweit, um durchsetzen zu können, daß die ihm angeschlossenen bzw. mit ihm zusammenarbeitenden Mittelstandsverbände in diesen Fragen seine programmatischen Vorstellungen übernahmen[295]. Um seinen Einfluß auf den selbständigen Mittelstand zu erhöhen, wurden neben den genannten zentralen Gremien auch auf Ortsebene in zahlreichen Städten Submissions-, Handwerker- und Mittelstandsausschüsse eingerichtet. Deren Aufgabe bestand neben der Materialbeschaffung für die Zentrale u. a. darin, den Kontakt mit den angeschlossenen Mittelstandsorganisationen zu pflegen und darüber hinaus weitere Mittelstandskreise mit den Arbeiten des Hansa-Bundes vertraut zu machen[296]. Die Beteiligung von Bank-, Industrie- und Handelskreisen an diesen ‚Mittelstandsausschüssen‘, zeigt auch auf dieser Ebene deutlich das Bestreben der Vertreter des Großkapitals, jederzeit Einfluß auf die Formulierung der Mittelstandsforderungen nehmen zu können[297].

Die gleichen Motive spielten auch eine Rolle bei den Bemühungen des Hansa-Bundes, außerhalb der eigenen Gremien zu einer Zusammenarbeit mit den führenden Mittelstandsverbänden zu gelangen. Erleichtert wurde diese Zusammenarbeit von seiten des Hansa-Bundes durch „beträchtliche Summen, die aus Kreisen der Bankwelt, des Großhandels und der Industrie“ flossen und „für Arbeiten und Zuwendungen verausgabt“ wurden, „die in der Hauptsache oder ausschließlich dem gewerblichen Mittelstande zugute kamen“[298]. So unterstützte der Hansa-Bund z. B. eine Reise von Mitgliedern des Zentralausschusses der vereinigten Innungsverbände zur Brüsseler Weltausstellung mit 15 000 Mark[299], finanzierte die Gründung von Mittelstandssanatorien und den Meisteraustausch mit Amerika[300] und forderte 1910 die Ortsgruppen auf, Handwerker auf Kosten des Hansa-Bundes zu dem Allgemeinen deutschen Innungs- und Handwerkertag (1910) nach Berlin zu schicken[301]. Zusammen mit der Deutschen Mittelstandsvereinigung errichtete er die erste Revisions- und Buchführungsstelle für den deutschen Mittelstand, um mittelständischen Betrieben „in allen die Wirtschaftsführung ... betreffenden Fragen“ Rat und Unterstützung erteilen zu können[302]. Diese Institution erarbeitete einen Buchführungslehrgang, der in mehr als 100 Ortsgruppen den mittelständischen Mitgliedern kostenlos angeboten wurde[303]. Einige Ortsgruppen erklärten sich auch bereit, die Kosten der ersten Einrichtung einer Buchführung durch einen Sachverständigen für die „Kleingewerbetreibenden, die den Kursen beiwohnten, zu übernehmen"[304]. Der Ortsverband Groß-Berlin richtete darüber hinaus ein besonderes Hansa-Buchführungs- und Rechnungskontor ein, das Anlage, Fortschreibung und Abschluß der Bücher, Aufstellung der Inventur und der Steuererklärung nach der Methode der Hansa-Buchführung für einen mäßigen Preis übernahm[305]. Ebenso wie auf zentraler Ebene wurden auch von den Ortsgruppen, so z. B. in Frankfurt a. M. Kontakte zwischen der Frankfurter Mittelstandsvereinigung und dem Mittelstandsausschuß der Frankfurter Ortsgruppe hergestellt und in gemeinsamen Sitzungen „ein einheitliches Vorgehen von Fall zu Fall" verabredet[306]. Zahlreiche andere Ortsgruppen errichteten in Zusammenarbeit mit den ansässigen Mittelstandsverbänden im Kampf gegen das „Borgunwesen" Einziehungsämter[307].

Auch die relativ umfangreiche Tätigkeit des Hansa-Bundes für eine Reform des Submissionswesens, zur Ausschaltung der Konkurrenz staatlicher und kommunaler Betriebe, zur Beschränkung der Gefängnisarbeit und der Tätigkeit der Beamtenkonsumvereine führte zu zahlreichen Kontakten mit anderen Mittelstandsverbänden[308].

Der wachsende Einfluß des Hansa-Bundes auf den selbständigen Mittelstand und die Nähe der Reichstagswahlen trugen wesentlich dazu bei, daß die seit der Gründung des Hansa-Bundes datierenden Bestrebungen konservativer Mittelstandskreise, das Vordringen des Hansa-Bundes im selbständigen Mittelstand zu verhindern, konkrete Formen annahmen[309]. Die unter der Führung der Mittelstandsvereinigung im Königreich Sachsen[310] initiierte Gründung einer neuen Dachorganisation wurde vom Hansa-Bund von Anfang an scharf als Filiale des Bundes der Landwirte attackiert. Die angeschlossenen Mittelstandsverbände wurden aufgefordert, dem Reichsdeutschen Mittelstandsverband fernzubleiben. Denn hier solle „nach der alten Praxis des Bundes der Landwirte und des derzeitigen Bundes der Handwerker eine Organisation gegründet werden, die besonders mit Rücksicht auf die bevorstehenden Wahlen die Kreise des Mittelstandes wiederum in das bündlerische Fahrwasser führen soll, nachdem durch die letzte sogenannte Reichsfinanzreform und die besondere Belastung des Mittelstandes diese Schichten sich gründlichst von der eigennützigen Interessenpolitik des Bundes der Landwirte haben überzeugen können, und, wie auch die bisher erfolgten Wahlen zeigen, diese Richtung nicht unterstützten"[311]. Mit ähnlichen Argumenten lehnten auch zahlreiche Mittelstandsverbände eine korporative Mitgliedschaft im Reichsdeutschen Mittelstandsverband ab. Der Hausbesitzerverein zu Dessau z. B. begründete seine Absage damit, daß es dem neuen mittelständischen Dachverband „nicht um wirtschaftliche Werbearbeit für den Mittelstand, sondern um politische Werbetätigkeit im Interesse der Konservativen, des Bundes der Landwirte und der Antisemiten" ginge. Der Mittelstand solle „vom Hansa-Bund abgezogen und dem schwarz-blauen Block zugeführt werden"[312]. Gewichtiger war natürlich die ablehnende Haltung des Zentralausschusses der vereinigten Innungsverbände Deutschlands, der die Befürchtung aussprach, daß die neue Gründung „nur dahin führen dürfte, die Kräfte zu zersplittern und damit die Stoßkraft zu lähmen und die in erfreulichem Aufblühen begriffene allseitige Rücksichtnahme auf die Interessen und Forderungen des Mittelstandes zu verringern“[313]. Auch die Deutsche Mittelstandsvereinigung[314] und die Mehrzahl der großen Fachverbände lehnten eine Mitgliedschaft im Reichsdeutschen Mittelstandsverband ab[315]. Die konservative Ausrichtung des Reichsdeutschen Mittelstandsverbandes[316], seine Forderungen, mit der „krankmachenden Sozialpolitik“ Schluß zu machen[317], seine Selbstdarstellung als „kräftiges Bollwerk“ gegen alle Umsturzbewegungen[318], seine Frontstellung gegen die goldene und rote Internationale[319], machten ihn zum natürlichen Bündnispartner der Anhänger konservativer Sammlungsbewegungen. Obwohl deshalb auch vom Bund der Landwirte und dem Centralverband Deutscher Industrieller von Anfang an organisatorisch und finanziell unterstützt[320], konnte sich der Reichsdeutsche Mittelstandsverband keineswegs zu einer „alle“ freien Mittelstandsorganisationen umfassenden Dachorganisation entwickeln[321]. Der Hansa-Bund blieb weiterhin ein ernsthafter Konkurrent im Kampf um die Einflußnahme auf den selbständigen Mittelstand.

Eine quantitative Analyse des Reichsdeutschen Mittelstandsverbandes und Hansa-Bundes ergibt folgendes Bild:

Von den in ca. 18 000 Verbänden[322] des selbständigen Mittelstandes organisierten ca. 500 000 Detaillisten (1912)[323] und 1,3 Millionen (1907) Handwerkern[324] gehörten im August 1913 502 200 und im Dezember 1914 640 000 Mitglieder dem Reichsdeutschen Mittelstandsverband an[325]. Das Gros der Mitglieder stellten der Zentralverband der deutschen Haus- und Grundbesitzervereine (180 000 Mitglieder)[326], einige quasiständische Gesamtverbände[327] des Einzelhandels, wie z. B. der Niedersächsische Schutzverband für Handel und Gewerbe (12 000 Mitglieder), der württembergische Bund für Handel und Gewerbe und der Mittelstandsbund für Handel und Gewerbe in Düsseldorf[328], ferner als zwischenständische Mittelstandsorganisation die Mittelstandsvereinigung im Königreich Sachsen (90 000 Mitglieder)[329]. Die Mitgliederzahlen, die auf Angaben des Reichsdeutschen Mittelstandsverbandes beruhen, sind jedoch mit großer Vorsicht zu behandeln. Und zwar gehörten zahlreiche Mittelstandsvereine mehreren Dachorganisationen gleichzeitig an[330], so daß es hier häufig zu Doppelzählungen kam. Darüber hinaus erscheint es sehr zweifelhaft, einige korporative Mitglieder des Reichsdeutschen Mittelstandsverbandes in ihrer Gesamtheit dem konservativen Lager zuzurechnen. Der Zentralverband der deutschen Haus- und Grundbesitzervereine betrieb zwar in seiner großen Mehrheit konservative Mittelstandspolitik; wichtige ihm angeschlossene Mitglieder, wie z. B. der Bund der Berliner Grundbesitzer Vereine mit 16 000 Mitgliedern, gehörten korporativ dem Hansa-Bund an[331], der seit Anfang 1913 verstärkt um die Kreise der städtischen Grundbesitzer warb[332]. Unzulässig erscheint ferner die Zuordnung des Verbandes der Rabattsparvereine Deutschlands (1913 ca. 70 000 Mitglieder)[333] zum konservativen Lager[334]. Daß der Spitzenverband der Rabattsparvereine dem Reichsdeutschen Mittelstandsverband beitrat, erscheint sehr fraglich[335]. Der Vorsitzende dieses Verbandes, Buchdruckereibesitzer Nikolaus, der auf der ersten Tagung in den Hauptvorstand des Reichsdeutschen Mittelstandsverbandes gewählt wurde[336], nahm diese Wahl vermutlich nicht an, denn in der Vorstandsliste von 1911 fehlt sein Name[337]. An seine Stelle trat der zweite stellvertretende Vorsitzende Max Gottlebe. Dieser gehörte jedoch ebenso wie der Vorsitzende und der Generalsekretär des Rabattsparvereins, H. Beythien, dem Gesamtausschuß des Hansa-Bundes an[338]. Das gleiche gilt für den Vorsitzenden, E. Dreßler, und den stellvertretenden Vorsitzenden, F. Gottwaldt, des Deutschen Drogistenverbandes von 1873[339]. Das Faktum, daß die Qualität der personellen Verflechtung des Spitzenverbandes der Rabattsparvereine und des genannten Drogistenfachverbandes mit dem Hansa-Bund erheblich besser war als mit dem Reichsdeutschen Mittelstandsverband, weist darauf hin, wie problematisch es ist, diese Verbände insgesamt dem konservativen Lager zuzurechnen. Schließlich ist zu berücksichtigen, daß selbst zahlreiche korporative Mitglieder des Zentralverbandes für Handel und Gewerbe (Leipzig)[340] und der Zentralvereinigung Deutscher Vereine für Handel und Gewerbe (Berlin)[341] – beide waren korporative Mitglieder des Reichsdeutschen Mittelstandsverbandes[342] – dem Hansa-Bund angehörten[343].

Die gleiche Vorsicht, die es bei der Zuordnung und der Übernahme der Mitgliederzahlen der konservativen Verbände zu beachten gilt, erscheint zum großen Teil auch für die eher liberalen Mittelstandsverbände angebracht. Keine Schwierigkeiten ergeben sich bei der Zuordnung der Gewerbevereine, die neben Handwerkern auch Kaufleute und Industrielle umfaßten und ihren regionalen Schwerpunkt vor allem in Süddeutschland besaßen. „Wirtschaftspolitisch liberaler als die zünftlerisch eingestellten reinen Handwerkerverbände", gehörten sie eindeutig zum liberalen Lager des selbständigen Mittelstandes[344].

Der Vorsitzende der Dachorganisation, des Verbandes Deutscher Gewerbevereine und Handwerkervereinigungen, Geh. Regierungsrat Noack und zahlreiche Vorstandsmitglieder der Landesverbände bzw. ihrer korporativen Mitglieder, so z. B. des Verbandes Bayrischer Gewerbevereine (14 000) und des Verbandes Württembergischer Gewerbevereine und Handwerkervereinigungen (25 000 Mitglieder), gehörten den Führungsgremien des Hansa-Bundes an[345]. Als weitere zwischenständische Verbände sind auch die Deutsche Mittelstandsvereinigung, deren gesamter Vorstand 1909 dem Hansa-Bund beitrat[346], zu nennen, und einige bedeutende „quasiständische" Gesamtverbände des Handwerks bzw. des Einzelhandels, die gleichfalls zum Einflußbereich des Hansa-Bundes gehörten. Auf seiten des Handwerks ist hier insbesondere der öffentlich-rechtliche Charakter tragende Zentralausschuß vereinigter Innungsverbände zu erwähnen[347]. Dessen Bedeutung ging zwar erheblich zurück, als 1900 mit dem Deutschen Handwerks- und Gewerbekammertag eine Dachorganisation für die neugeschaffenen Handwerkskammern gegründet wurde. Die starke personelle Verflechtung von Zentralausschuß und Hansa-Bund erregte dennoch besonderes Aufsehen in den konservativen Kreisen[348]. Ein Abwandern der ca.

300 000 Mitglieder der Innungsverbände ins liberale Lager hätte die konservativen Parteien erheblich geschwächt. Obwohl zwischen 1909 und 1914 die Vorsitzenden H. Richt bzw. desen Nachfolger P. Marcus und deren Stellvertreter, ferner zahlreiche Vorsitzende der dem Zentralausschuß vereinigter Innungsverbände Deutschlands angeschlossenen Innungsverbände sich ebenfalls dem Hansa-Bund anschlossen[349], läßt sich hieraus nicht unbedingt eine Zuordnung der Mitglieder ableiten. So traten z. B. Vorstandsmitglieder zweier bedeutender Innungsverbände, die dem „Zentralausschuß" angeschlossen waren, 1911 in den Hauptvorstand des Reichsdeutschen Mittelstandsverbandes ein[350], während gleichzeitig zahlreiche korporative Mitglieder dieser Innungsverbände dem Hansa-Bund beigetreten waren[351]. Der zweite, bedeutendere quasiständische Gesamtverband des Handwerks, der Deutsche Handwerks- und Gewerbekammertag, tendierte demgegenüber – was seine Stellungnahmen und seine personellen Verflechtungen anbetraf[352] – stärker zum konservativen Lager. Er trat jedoch nicht wie eine Reihe von Handwerkskammern dem Reichsdeutschen Mittelstandsverband bei. Dessen Geschäftsbericht von 1912/13 weist vielmehr auf die zahlreichen „Eifersüchteleien und Zuständigkeitskonflikte"[353] zwischen beiden Spitzenverbänden hin und läßt z. B. deutlich die Enttäuschung darüber erkennen, daß der Deutsche Handwerks- und Gewerbekammertag es abgelehnt hatte, „gemeinsam mit dem Reichsdeutschen Mittelstandsverbande an die Errichtung eines Reichs-Submissionsamtes heran zu gehen"[354].

Ebenso wie der Reichsdeutsche Mittelstandsverband[355] konnte auch der Hansa-Bund auf die Mitarbeit bzw. den Beitritt einiger Handwerks- und Gewerbekammern verweisen[356]. Zahlreiche personelle Verflechtungen bestanden auch zwischen dem Hansa-Bund und einer Reihe bedeutender branchenspezifischer Fachverbände[357] aus Handwerk und Gewerbe. Von den im Gesamtausschuß des Hansa-Bundes vertretenen Verbänden sind als mitgliederstärkste u. a. der „Reichsverband Deutscher Gastwirtsverbände", der „Deutsche Gastwirteverband e. V."[358], der „Deutsche Fleischerverband"[359], der „Innungsverband deutscher Schmiede-Innungen"[360], der „Bund deutscher Tischler-Innungen"[361] und der „Innungs-Ausschuß der vereinigten Innungen zu Berlin"[362] zu erwähnen.

Die diffuse interessenpolitische Organisation des mittelständischen Einzelhandels[363] erschwert seine Zuordnung zum konservativen bzw. liberalen Lager. Generalisierend läßt sich jedoch feststellen, daß die Mehrzahl der Schutzverbände[364], die während der Großen Depression entstanden – Anlaß zur Verbandsbildung war hier insbesondere „ein Gefühl der Bedrohtheit durch großkapitalistische Handelsformen"[365] – dem Lager des Reichsdeutschen Mittelstandsverbandes angehörten[366]. Diese Schutzverbände, die stark antisemitisch und antikapitalistisch ausgerichtet waren und den Primat der Staatshilfe betonten, waren von Anfang an die stärksten mittelständischen Gegner des Hansa-Bundes[367]. Von den quasiständischen Verbänden des Einzelhandels unterstützten den Hansa-Bund jedoch die wenigen öffentlich-rechtlichen Institutionen des Einzelhandels, die Detaillistenkammer Hamburg und die Kammer für Kleinhandel in Bremen[368]. Erstaunlicherweise gab es ferner zahlreiche personelle Verflechtungen zwischen ihm und einigen bedeutenden Schutzverbänden des Einzelhandels[369]. Der Hansa-Bund richtete sein Augenmerk jedoch darauf, die sachlicher argumentierenden Fachverbände[370] des Einzelhandels, die „vor allem in der Konjunkturperiode nach 1896 die Bedeutung der Schutzverbände stark zu vermindern“ begannen[371], für sich zu gewinnen. Dies gelang weitgehend; denn 1913 arbeiteten fast alle bedeutenden Fachverbände des Einzelhandels mit ihm zusammen[372]. Das gleiche galt auch für die Mehrzahl der Mitglieder der „Interessengemeinschaft großer deutscher Detaillistenverbände“[373]. Eine Einschätzung des Kräfteverhältnisses zwischen Reichsdeutschem Mittelstandsverband und Hansa-Bund wird dadurch erschwert, daß es bisher nur vereinzelt Einzelstudien über die wichtigsten Organisationen des selbständigen Mittelstandes gibt, und daß das vorliegende Zahlenmaterial über Mitgliederzahlen und dergleichen höchst lückenhaft und zudem mit großer Skepsis zu behandeln ist. Trotzdem läßt sich wohl feststellen, daß das Gros des selbständigen Mittelstandes 1911 keineswegs als Anhang konservativer Sammlungsbestrebungen charakterisiert werden kann[374]. Eine Analyse des Kräfteverhältnisses hat auch zu berücksichtigen, daß es dem Reichsdeutschen Mittelstandsverband im Unterschied zum Hansa-Bund nur höchst unzureichend gelang, sich einen organisatorischen Unterbau zu schaffen[375]. Festzuhalten bleibt ferner, daß zwischen zahlreichen Mittelstandsverbänden, die wie z. B. der Verein der Rabattsparvereine Deutschlands, der Zentralverband für Handel und Gewerbe, die Zentralvereinigung Deutscher Vereine für Handel und Gewerbe, der Zentralverband der deutschen Haus- und Grundbesitzervereine u. a. bisher uneingeschränkt dem konservativen Mittelstandslager zugeordnet wurden, und dem Hansa-Bund z. T. recht intensive personelle Verflechtungen existierten; zum anderen nahmen, wenn auch in geringerem Umfange, einige korporative Mitglieder liberaler Mittelstandsverbände gleichzeitig Führungspositionen in konservativen Mittelstandsorganisationen ein. Die These, daß zwischen beiden Blökken eine „haarscharfe“ Grenze verlief[376], erweist sich für den Mittelstand als ebenso wenig haltbar wie für das industrielle Lager. Die genannten mittelständischen Verbände, die sowohl konservativen als auch liberalen Organisationen durch Personalunion verbunden waren, verdeutlichen, wie fließend die Übergänge zwischen beiden Lagern waren. Das Faktum, daß es dem Hansa-Bund gelang, selbst Schutzverbände des Einzelhandels zu einer Zusammenarbeit zu bewegen, weist am deutlichsten auf den Wandlungsprozeß in Mittelstandskreisen hin. Dies dokumentiert u. a. auch die stärkere Betonung des Selbsthilfegedankens durch konservative Mittelstandskreise. Befriedigt konnten die Hamburger Nachrichten nach der Gründungsversammlung des Reichsdeutschen Mittelstandsverbandes feststellen: „Man braucht nur die Resolution zur Frage der Warenhäuser, Wanderlager usw., wie sie jetzt in Dresden angenommen worden ist, mit Ton und Fassung der früheren Bestrebungen auf demselben Gebiet zu vergleichen, um den großen Unterschied zu erkennen. Einst das Jammern nach Staatshilfe unter Anklagen gegen Erscheinungen des Wirtschaftslebens . . ., jetzt in erster Linie Betonung der Selbsthilfe mit modernen Hilfsmitteln, und erst in zweiter Linie für den Notfall die Mitwirkung der Gesetzgebung."[377] Inwieweit diese Änderung konservativer Mittelstandsforderungen auch auf den „relativ großen Erfolg" des Hansa-Bundes, mittelständische Kreise mit der eigenen Organisation zu verweben, zurückzuführen war[378], ließ sich nicht feststellen. Die Gründe für den Erfolg des Hansa-Bundes sind u. a. in seiner konkreten Mittelstandspolitik, die z. T. selbst von einigen Gegnern positiv gewürdigt wurde[379], in den Fehlern (z. B. Reichsfinanzreform) des konservativen Lagers, und insbesondere in der ökonomischen Entwicklung zu sehen. An die Stelle der Landwirtschaft trat – zumindest in den Städten, als „Hauptkonsument(en) gewerblicher Erzeugnisse" die „Masse der Festbesoldeten, die Arbeiterschaft, die Industriellen"[380], eine Entwicklung, die zu einer Anpassung des Mittelstandes an die politische Einstellung dieser Kreise führte[381]. Ebenfalls aus ökonomischen Gründen konnten demgegenüber die Mittelstandsverbände, die, wie z. B. der Niedersächsische Schutzverband für Handel und Gewerbe, ihre Mitglieder überwiegend aus kleinen Orten rekrutierten, keinen Kampf gegen den Bund der Landwirte aufnehmen, ohne die Existenz ihrer Mitglieder aufs Spiel zu setzen[382].

Von Bedeutung erscheint in diesem Zusammenhang auch Rahardts Feststellung, daß nicht weniger als „75 % der Handwerksmeister ... auf den Kredit ihrer Lieferanten angewiesen" waren[383]. Der Gedanke, daß sich das „Handwerk von Handel und Industrie trennen" könnte, erschien ihm daher als eine „rückständige Idee"[384]. Begünstigt wurde diese Neuorientierung durch die wachsende Erkenntnis mittelständischer Kreise über die eigene Schwäche. So wurde u. a. offen zugegeben, daß die bisherigen Mißerfolge der Mittelstandsbewegung gezeigt hätten, daß der Mittelstand nicht zuletzt aus finanziellen Gründen zu schwach wäre, seine Forderungen durchzusetzen. „Zum Krieg führen gehört vor allen Dingen Geld, viel Geld und noch einmal Geld."[385] Da der Mittelstand „nichts", die „Führer des Hansa-Bundes (aber) ... große Mittel" besäßen[386], sähe sich der Mittelstand gezwungen, „sich gegenüber den Agrariern an die mächtigen Korporationen von Handel und Industrie an(zu)schließen"[387]. Ohne Skrupel stellte Rahardt fest: „Wir sind Geschäftsleute und nehmen unsere Hilfe von wo wir sie bekommen."[388] Aus finanziellen Erwägungen und in Kenntnis der eigenen Schwäche hielt es der Vorstand des Verbandes Deutscher Gewerbevereine und Handwerkervereinigungen für einen „unverzeihlichen Fehler", wenn das deutsche Handwerk, die hier gebotene Gelegenheit (sich) einer großen wirtschaftlichen Interessenvertretung ... anzuschließen"[389], nicht wahrnehmen würde.

Für den Erfolg des Hansa-Bundes sprach ferner, daß er geschickt die Bestrebungen des Mittelstandes nach größerem politischem Einfluß aufgriff[390] und bei einer Reihe führender Mittelstandsvertreter die Auffassung durchzusetzen vermochte, der Mittelstand werde neben Handel und Industrie als „völlig gleichberechtigter Faktor"[391] innerhalb des Hansa-Bundes akzeptiert.

6. Die Agitation gegen den Bund der Landwirte

Während der Hansa-Bund sich selbst mit Hilfe einer erwerbsständischen Gemeinschaftsideologie populär zu machen versuchte und sich als Vertreter des Gemeinwohls, der die Interessen des Ganzen, die nationalen Belange stets über die Sonderinteressen der von ihm vertretenen Kreise stellte[392], ausgab, griff er den BdL und die von ihm abhängigen Konservativen als Vertreter einseitigster Interessenpolitik an. Nie sei die politische Vorherrschaft so ausgenutzt worden, wie vom BdL, der eigentlichen Regierung Deutschlands[393]. „Nie und nirgends“ sei „die Klinke der Gesetzgebung so dauernd und so kräftig zur Beschaffung von Privilegien, von Subventionen und Liebesgaben, die von den übrigen Ständen aufzubringen“ seien, „in Bewegung gesetzt“ und in „so rücksichtsloser Weise benutzt worden, um Lasten und Steuern auf andere Stände abzuwälzen, die freilich nach ihrer eigenen bisherigen Haltung nur dafür zu existieren scheinen, um Lasten zu übernehmen, Steuern zu zahlen und – den Mund zu halten“[394]. In hunderten, wahrscheinlich weit über tausend Versammlungen, in zahlreichen Flugblättern, zahllosen Artikeln in den Hansa-Bund-Mitteilungen und der Hansa-Bund-Zeitschrift, die von der liberalen Presse häufig wiedergegeben wurden, attackierte der Hansa-Bund die Förderung einseitiger Interessen, „namentlich derer des Großgrundbesitzes“[395] durch den BdL, prangerte dessen Boykottpolitik gegenüber politischen Gegnern an[396] und interpretierte den Kampf mit dem BdL um die Durchsetzung der eigenen Interessen als das Ringen „zweier, sich unversöhnlich gegenüberstehender Weltanschauungen“. Es handle sich darum, ob das Deutsche Reich, unter „völlig veränderten Verhältnissen, noch in irgend welcher Weise nach dem Muster des längst überwundenen preußischen Agrarstaats regiert und verwaltet werden soll, ob die Überagrarier in irgend einem Teile des Deutschen Reiches es auch nur noch versuchen dürfen, Bürger und Bauern ihrer Machtsphäre zu zwingen, vor dem Geßlerhut jenes übermütigen Junkertums ihre Reverenz zu machen“. Der Kampf, den man mit dem BdL auszufechten habe, sei eine „wichtige ... Etappe in dem uralten Kampfe zwischen freier Bewegung und der Gebundenheit des Willens ..., zwischen der Geschlossenheit des alten Agrarstaates und der freien Luft des modernen Staates, zwischen der Bevormundung und Reglementierung und der freien Entwicklung eines mündigen, sich seiner Kraft und seiner Ziele bewußten Bürgertums“[397]. In diesem hochgradig ideologisierten Kampf der „Weltanschauungen“ versuchte der Hansa-Bund, sich nicht nur als Vertreter des Gemeinwohls zu profilieren, sondern appellierte gezielt an die nationalen Emotionen des erwerbstätigen Bürgertums, indem er die Gründung des Hansa-Bundes mit der Entstehung des Deutschen Reiches verglich. „Hier Völker, ... die jahrhundertelang in Zerrissenheit nach einer kraftvollen Einheit schmachteten und heute in der Erkenntnis der Zusammengehörigkeit ein mächtiges Ganzes bilden, dort die verschiedenen Erwerbsstände, die jahrzehntelang, jeder nur an sich denkend, dahinlebten, bis sich die Notwendigkeit eines Zusammenschlusses immer fühlbarer machte und zur Gründung des Hansa-Bundes führte.“[398]

Die Angriffe auf den Bund der Landwirte und der Appell an die nationalen Emotionen des Bürgertums hatten die Funktion, die im Hansa-Bund zusammengefaßten unterschiedlichen Interessen zu integrieren, d. h. aus einem Konglomerat von Erwerbsgruppen eine schlagkräftige Organisation zu gestalten. Während der Hansa-Bund also mit Hilfe einer Gemeinschaftsideologie die Differenzen in den eigenen Reihen herunterspielte und die Gemeinsamkeiten der ihm angeschlossenen Erwerbsgruppen hervorhob, wies er in seinen Angriffen auf den Bund der Landwirte auf die objektiven Interessengegensätze innerhalb der Landwirtschaft zwischen den getreideproduzierenden ostelbischen Großgrundbesitzern und der Masse der Mittel- und Kleinbauern, die vornehmlich Vieh- und Veredelungswirtschaft betrieben, hin[399]. Desgleichen unterstützte er die in diesen Kreisen erhobene Forderung nach innerer Kolonisation zur „Vermehrung des mittleren und kleineren Grundbesitzes ... unter gleichzeitiger Beschränkung der weiteren Vermehrung der Fideikomisse“[400]. Diese Forderungen zielten nicht nur darauf ab, die Position des Junkertums in der Ostmark zu schwächen, sondern man hoffte auch, mit dieser Agitation die Mittel- und Kleinbauern dem Bunde der Landwirte abwerben und sie für den liberalen Deutschen Bauernbund gewinnen zu können[401]. Die gleichen Überlegungen wurden auch auf seiten der Nationalliberalen Partei und des Bundes der Industriellen angestellt. So heißt es u. a. in einem Brief Stresemanns (28. 12. 1909) an das Direktoriumsmitglied des Hansa-Bundes, David H. Heilner[402], im Geschäftsführenden Ausschuß des Bundes der Industriellen wären sich „alle darüber einig“ gewesen, „daß es gegenwärtig überhaupt keine wichtigere Frage gäbe, als die der Unterstützung der Bestrebungen des Bauernbundes ... Gelingt es, den Bauernbund zu stärken, ihn zu einem Machtfaktor werden zu lassen, so wird damit die einseitige Herrschaft des Bundes der Landwirte erschüttert“. Man glaubte, die „Anfänge einer Bewegung vor sich zu haben, die vielleicht dazu führen wird, daß doch große Teile des Bauernstandes sich abwenden von jener konservativ-agrarischen Politik, deren Eindämmung in unserem allgemeinen Interesse liegt und die sich ja besonders der Hansa-Bund auf die Fahne geschrieben hat“[403]. Ebenso wie Stresemann war auch Kleefeld, der Geschäftsführer des Hansa-Bundes, von der „Idee durchdrungen“, daß der Hansa-Bund zur Schwächung der Position des Bundes der Landwirte „nichts besseres tun“ könnte, „als den Bauernbund zu unterstützen“[404].

Noch bevor am 4. Oktober die erste Sitzung des Hansa-Bund-Direktoriums stattfand, verhandelte Riesser mit den Führern des Deutschen Bauernbundes über eine Zusammenarbeit[405]. Obwohl es z. B. in der Zollpolitik erhebliche Differenzen zwischen beiden Verbänden gab[406], wurde in der Öffentlichkeit von beiden Seiten stets die erfreuliche Übereinstimmung in allen Grundfragen betont[407]. Größere Bedeutung kam jedoch der finanziellen Unterstützung des Bauernverbandes zu, da dieser sich finanziell stets „in sehr prekärer Lage“ befand[408]. Der Hansa-Bund trug weitgehend das Defizit des Haushalts des Deutschen Bauernbundes[409], u. a. auch die Kosten für die Anstellung von drei Wanderrednern[410]. Der Erfolg des Deutschen Bauernbundes blieb jedoch begrenzt.

Von den 40 000–50 000 Mitgliedern[411], die er vor dem ersten Weltkrieg gewinnen konnte, war der weitaus größte Teil außerhalb der ostelbischen Gebiete ansässig[412].

Obwohl der Deutsche Bauernbund sein eigentliches Ziel, dem Bund der Landwirte seinen Einfluß streitig zu machen, niemals erreichte[413], fand seine Zusammenarbeit mit dem Hansa-Bund große Beachtung. Die Deutsche Tageszeitung kritisierte z. B. die nach ihrer Meinung zu „harmlose Einstellung" führender Konservativer gegenüber beiden „liberalen" Organisationen: „Die konservative Partei würde sich aber einer starken Selbsttäuschung hingeben, wenn sie wirklich der Meinung sein sollte, daß sie nicht selbst durch die Agitation des Hansa-Bundes und des Bauernbundes bedroht sei."[414] Diese Stellungnahme wird verständlich, wenn man in Betracht zieht, daß die Politik der beiden liberalen Verbände nicht nur darauf abzielte, die Klein- und Mittelbauern, sondern ebenso Teile des selbständigen Mittelstandes[415] aus dem konservativen Lager zu lösen und der eigenen antifeudalen Sammlungsbewegung einzugliedern; ein Versuch, der – wie bereits gezeigt wurde – nicht ganz ohne Erfolg blieb.

Da die Bedeutung der vorindustriellen Herrschaftsgruppen und insbesondere die des Bundes der Landwirte wesentlich auf ihrer Machtstellung in Preußen beruhte, zielte die Politik des Hansa-Bundes von Anfang an darauf ab, die preußischen Herrschaftsverhältnisse zugunsten des Bürgertums zu verändern. Neben den Forderungen nach einer Reform der preußischen Kreis- und Provinzialordnungen[416] und der Abschaffung der Vorherrschaft der Junker bei der Besetzung der Posten der Landräte, Oberpräsidenten und Regierungspräsidenten[417] kam den Bestrebungen des Hansa-Bundes, die konservative Majorität im preußischen Abgeordnetenhaus zu brechen, besondere Bedeutung zu. Bereits auf der Gründungsversammlung wurde daher das Thema der Wahlreform in Preußen aufgegriffen.

Riesser warf in seiner Eröffnungsrede dem BdL vor, „durch die Drohung der Zertrümmerung einer für das Vaterland unentbehrlichen gesunden Reichsfinanzreform, lediglich im Interesse selbstsüchtiger Parteipolitik, von der Regierung das Zugeständnis erzwingen (zu wollen), daß die Wahlreform in Preußen unterbleibe und so die Vorherrschaft der Agrarier, obwohl sie für das Wohl des Vaterlandes in keiner Weise unentbehrlich" sei, „auch in Preußen wie ein rocher de bronce verewigt" werde[418]. Wollte der Hansa-Bund sein Ziel der Brechung der agrarischen Vorherrschaft ernsthaft in Angriff nehmen, mußte er für eine Änderung des preußischen Wahlrechts und eine Neueinteilung der Reichstagswahlkreise eintreten, da seine überwiegend in den Großstädten ansässigen Mitglieder durch das bestehende Wahlrecht benachteiligt wurden[419]. Riesser stellte daher in der Sitzung des Präsidiums vom 3. 9. 1909 die Frage zur Diskussion, „ob auch die Forderung einer anderweitigen Einteilung der Reichstags- und Landtagswahlkreise unter gerechter Berücksichtigung der Interessen von Gewerbe, Handel und Industrie in die Richtlinien Aufnahme finden solle". Die Mehrheit der Präsidiumsmitglieder sprach sich jedoch, da dies „eine rein politische" Frage sei, dagegen aus[420].

Wie bei fast allen relevanten innenpolitischen Themen gab es auch in dieser Frage erhebliche Differenzen zwischen den führenden Gruppen innerhalb des Hansa-Bundes. Dies wurde deutlich, als Bethmann Hollweg das nicht eingelöste Versprechen seines Vorgängers, die Reform des preußischen Wahlrechts, wieder aufgriff und dem preußischen Abgeordnetenhaus am 10. 2. 1910 den Entwurf eines neuen Wahlgesetzes vorlegte[421]. In seiner Stellungnahme zu dieser Regierungsvorlage stellte das Hansa-Bund-Präsidium fest, daß diese „in wesentlichen Punkten" die Interessen von Gewerbe, Handel und Industrie mißachte und forderte die Einführung der direkten Wahl und eine neue Wahlkreiseinteilung, „die den Ungerechtigkeiten und Ungleichmäßigkeiten der heutigen Wahlkreiseinteilung ein Ende machte und den Änderungen der wirtschaftlichen und sozialen Verhältnisse" entspreche. Sie verlangte eine stärkere Berücksichtigung der gewerblichen, industriellen und kaufmännischen Kreise, und zwar unabhängig von ihrer Steuerleistung. Die neu zu schaffenden Sitze seien „denjenigen Wahlkreisen zuzuweisen, in denen Handel, Gewerbe und Industrie, wie in den eigentlichen Montan- und Industriebezirken des Westens und der Mitte des preußischen Staates, besonders hervortreten". Jede Wahlreform, die der sozioökonomischen Entwicklung nicht Rechnung trage, sei „nicht geeignet, eine auch nur vorläufige Beendigung der Kämpfe herbeizuführen"[422]. Selbst gegen diese zurückhaltende Erklärung des Präsidiums wurde von der rheinisch-westfälischen Bezirksgruppe (Vorsitzender: E. Kirdorf) Stellung bezogen, da sie „außer acht (lasse), daß weite Kreise, namentlich der Gewerbetätigkeit, vor allem großes Gewicht darauf legen, daß den für das finanzielle und wirtschaftliche Gedeihen unseres gesamten Staatswesens überaus wichtigen gewerblichen Kreisen die Möglichkeit wiedergegeben werden muß, auch ihrerseits in angemessener Zahl Vertreter in das Parlament zu entsenden". Diese Möglichkeit sei durch die vom Herrenhaus beschlossene Vergrößerung der Steuerdrittelungsbezirke nicht nur in den industriellen Gebieten, sondern auch in den großen und mittleren Städten gegeben. Die gewerblichen Kreise hätten daher – unbeschadet der grundsätzlichen Stellung des einzelnen zur Frage der direkten Wahl und der Wahlkreiseinteilung – „alle Veranlassung, ein Zustandekommen der Vorlage auf Grundlage der Herrenhausbeschlüsse dringend zu wünschen"[423].

Der Vorwurf, der Regierungsentwurf (§§ 8–10) nehme eine „willkürliche Unterscheidung" der Wähler vor, fiel auf das Hansa-Bund-Präsidium zurück. Seine Forderung, bei der Begünstigung bestimmter Wählergruppen „auch die gewerblichen industriellen und kaufmännischen Kreise, unabhängig von der Steuerleitung zu berücksichtigen", d. h. Mitglieder von Handels-, Handwerks- und Gewerbekammern, die selbständigen Handwerker, die die Meisterprüfung bestanden und die Angestellten, die eine höhere oder mittlere Handelsschule oder technische Schule besucht hatten[424], mit pluralem Stimmrecht auszustatten, diskriminierte die übrigen Wähler und widersprach seiner eigenen Forderung nach Gleichberechtigung aller Erwerbsstände. Das gleiche gilt in noch stärkerem Maße für die von plutokratischem Geist getragene Stellungnahme der Bezirksgruppe Rheinland-Westfalen, die die in der Regierungsvorlage beibehaltene

Einstellung der Wähler auf Grund der Steuerleistung ohne Einschränkung unterstützte[425]. Obwohl das Präsidium auf seiner Stellungnahme beharrte[426] und das Vorgehen der Bezirksgruppe Rheinland-Westfalen in der 2. Sitzung der Zweigvereinsvorsitzenden des Hansa-Bundes mißbilligt wurde[427], verzichtete es – um die Einheit des Hansa-Bundes nicht in Frage zu stellen – auf eine weitere Einflußnahme in dieser Frage. Erst das Ausscheiden der Schwerindustrie aus dem Hansa-Bund und der Wahlkampf ließen sie zu einem der wichtigsten Agitationsthemen des Hansa-Bundes werden. Die große Bedeutung, die Riesser dieser Frage beimaß, verdeutlicht ein Brief an Duisberg: „Wir kommen in Preußen, und da Preußen für Deutschland und sein Geschick maßgebend ist, auch in Deutschland, in Industrie, Handel und Gewerbe nicht weiter, wenn es uns nicht gelingt, die überagrarische Richtung und das Junkertum zurückzudrängen. Das ist aber schlechterdings unmöglich, solange das preußische Wahlrecht besteht, und deshalb muß gerade im Interesse der Industrie, des Handels und Gewerbes die so bescheidene Forderung der Einführung des direkten und geheimen Wahlrechts immer und immer wieder aufgestellt werden. Gewiß ist dies eine politische Forderung, deren Durchsetzung aber unumgänglich ist, um wirtschaftspolitische Ziele erreichen zu können."[428]

In zahlreichen Versammlungen[429] und auf mehreren Flugblättern[430] wurde daher das geradezu klägliche Wahlrecht in Preußen, das auf Grund indirekter Wahl und öffentlicher Abstimmung „jedem wirtschaftlich oder sozial Abhängigen die freie Wahl unmöglich" mache[431], attackiert und häufig darauf hingewiesen, daß dieses Wahlrecht besonders mittelstandsfeindlich sei[432]. Noch weniger jedoch könne „es von einem seines Werts bewußten Bürgertum ertragen werden, wenn diese Vormachtstellung jener Kreise, namentlich des Großgrundbesitzes, wie eine ewige Krankheit fortgeschleppt wird durch eine nur auf die Sicherung ihrer Vorherrschaft berechnete Wahlkreiseinteilung" in Preußen[433], eine „namenlose Ungerechtigkeit, die in gewissem Umfange auch auf das Reich übergegangen ist"[434].

Das erwerbstätige Bürgertum müsse sich daher für eine direkte und geheime Abstimmung in Preußen und für eine Neueinteilung der Wahlkreise im Reich und in Preußen einsetzen, um mehr Angehörige von Gewerbe, Handel und Industrie in die Parlamente entsenden zu können. Ohne Einfluß in den Parlamenten gebe es keinen Einfluß in der Gesetzgebung[435].

Die Differenzen innerhalb des Hansa-Bundes bezüglich der Stellung zu den Großagrariern behinderten die von Riesser intendierte vehemente Agitation gegen den Bund der Landwirte. Bis zum Austritt der Schwerindustrie aus dem Hansa-Bund 1911 war dieser deshalb nicht in der Lage, einen kompromißlosen Kampf gegen den Bund der Landwirte zu führen. Der Hansa-Bund erkannte einerseits zwar ganz klar, daß die Bedeutung der Feudalaristokratie im Wilhelminischen System wesentlich auf ihrer Machtstellung in Preußen beruhte, einer Reform des preußischen Dreiklassenwahlrechts daher ein zentraler Stellenwert zukam. Andererseits zeigen die Vorstellungen Riessers[436] über die Inhalte einer solchen Reform dieses Wahlrechts die Begrenztheit der Reformbestrebungen des Hansa-Bundes. Nicht Gleichberechtigung aller sozialer Gruppen – d. h. auch der Arbeiter – wurde erstrebt, sondern Bevorzugung der im Hansa-Bund dominierenden Kreise. Die im folgenden noch darzustellenden Aktivitäten des Hansa-Bundes bei den Reichstagswahlen 1912 zeigen im Unterschied zur Wahlrechtsfrage eine entschiedenere Stoßrichtung gegen rechts, d. h. in erster Linie gegen den Bund der Landwirte und die Konservativen, aber auch gegen das Zentrum und die Rechtsnationalliberalen.

IV. Adressaten der Einflußnahme

1. Fragestellungen

Chance und Intensität des Interesseneinflusses hängen von zahlreichen Faktoren ab, u. a. von den verfolgten Zielen, den eingesetzten Mitteln und Methoden der Einflußnahme, „vor allem aber von den gleichgearteten oder den entgegenstehenden Interessen der jeweiligen Adressaten“[1].

Einer der wesentlichsten Faktoren, der die Möglichkeiten und Grenzen des Einflusses von Interessengruppen bestimmt, ist das politische Bezugssystem. Das konstitutionelle System in Preußen und im Deutschen Reich war ein dualistisch strukturiertes System, in dem sich Exekutive und Legislative als unabhängige Machtfaktoren gegenüberstanden. Während die gesamte Exekutive als Prärogative der Regierung galt, nahmen Parlament und Regierung an der Legislative formell gleichberechtigt teil. Wichtige politische Grundsatzentscheidungen waren jedoch dem Parlament entzogen, da der Monarch nicht nur in Preußen Heer, Bürokratie und Diplomatie, sondern auch im Reich den Verwaltungsapparat der neuen Reichsbehörden, das Militär und die Außenpolitik kontrollierte. „In diese Arcana Imperii gelang es dem Reichstag niemals wirklich einzudringen.“[2] Der Reichstag blieb auf die Mitwirkung an der Gesetzgebung und auf die Budgetbewilligung beschränkt. Das konstitutionelle System verurteilte den Reichstag jedoch keineswegs zur Bedeutungslosigkeit. Auf dem Gebiet sozialer und wirtschaftlicher Interessenvertretung gewährte es ihm vielmehr erhebliche Einwirkungsmöglichkeiten auf die Gesetzgebung[3]. Im Gegensatz zur Annahme, daß im kaiserlichen Deutschland mit seinem hochqualifizierten Beamtentum die Interessengruppen einen geringeren Einfluß auf die Sach- und Personalpolitik hatten[4], betonen neuere Untersuchungen, daß gerade die Struktur des konstitutionellen Systems „ganz besonders stark zur Bildung von Interessenverbänden und ihrer radikal-agitatorischen Betätigung herausforderte“[5]. Der Umstand, daß die Regierung unabhängig von der Parteikonstellation gebildet wurde und die „Parteien durch die Verfassung keinen unmittelbaren Einfluß auf die Regierungsentscheidungen nehmen konnten, ermunterte zu der Suche nach Wegen, um dennoch Einfluß auf die Regierung zu gewinnen. Der Interessenverband füllte diese Lücke, indem er mit einer radikalen Agitation die öffentliche Meinung zu schaffen trachtete, um auf diese Weise einen Druck auf die Regierung auszuüben“[6]. Diese These, die in der Regierung den Hauptadressaten der Einflußnahme sieht, wird von zahlreichen anderen Autoren geteilt[7]. So stellt Nipperdey z. B. die These auf, daß die Interessenverbände und insbesondere die Unternehmerverbände im konstitutionellen System dazu tendierten, „mit den Parteien zu konkurrieren, ja sie auszumanövrieren“, indem sie z. B. versuchten, den „Beamten- und Obrigkeitsstaat gegen die Parteien zu stärken ... Man ließ sich gar nicht erst darauf ein, mit den Parteien zusammenzuarbeiten, sondern hielt sich von vornherein allein an die Ministerialbürokratie“[8]. Diese Thesen, die von der Hypothese ausgehen, daß die Interessenverbände sich als Hauptadressaten die Institutionen aussuchen, „die am meisten Macht zu haben scheinen“[9], sind zu modifizieren. Hauptadressat der Einflußnahme von Interessengruppen in politischen Systemen mit starker Funktionenteilung ist das Organ, das zum einen erhebliche Einwirkungsmöglichkeiten insbesondere auf den Gesetzgebungsprozeß ermöglicht und mit dem zum anderen die stärksten ideologischen und programmatischen Affinitäten und Personalunionen existieren.

Da, wie bereits gezeigt wurde (Kap. I), die verschiedenen Bereiche der Exekutive vorwiegend mit Vertretern der vorindustriellen Herrschaftsgruppen besetzt waren, ist zu vermuten, daß der Hansa-Bund das Parlament und nicht die Exekutive als den wichtigsten Adressaten der Einflußnahme ansah. Die Möglichkeiten und Grenzen des Einflusses des Hansa-Bundes waren daher wesentlich von seinem Verhältnis zu den Parteien und ihren parlamentarischen Organen, den – zumindest – formalen Trägern der legislativen Entscheidungsgewalt abhängig. D. h. es ist die Einstellung des Hansa-Bundes zu den Parteien allgemein und zu berufsständischen Ideologien einerseits und sein Verhalten gegenüber den einzelnen Parteien andererseits zu überprüfen. Ferner ist danach zu fragen, ob die These zutrifft, die Parteien wären auf Grund der Einflußnahme der Verbände „eigentlich keine politischen, sondern mehr wirtschaftlich-soziale oder religiös-konfessionelle Bildungen“[10], die ihre Aufgaben, die heterogenen Interessen zu politisieren und in ein politisches Gesamtkonzept zu integrieren, nicht mehr wahrzunehmen vermochten. Da Hintze in diesem Zusammenhang ausdrücklich auch den Hansa-Bund erwähnte[11], ist ferner zu überprüfen, ob der Hansa-Bund diesen Transformationsprozeß der Parteien zu „bloßen Agenten wirtschafts- und sozialpolitischer Interessenwahrung“[12] begünstigte und ob er deshalb dazu beitrug, Koalitionen der Parteien, d. h. eine Mehrheitsbildung im Parlament zu erschweren[13]. Zu fragen ist schließlich nach der Berechtigung der These, daß der Versuch, das Spektrum der organisierten Interessen und deren Einfluß auf die Politik von Reichstag und Regierung in Deutschland vor 1914 zu beschreiben, „notgedrungen zu einer Revision der bekannten These von einer allmählichen Parlamentarisierung des konstitutionellen Systems nach der Jahrhundertwende“ führen müsse[14]. Diese These geht davon aus, daß die im institutionellen Bereich festzustellenden Ansätze einer Parlamentarisierung „im Ergebnis nicht nur neutralisiert, sondern ... durch die vehement antiparlamentarischen Inhalte der Demokratisierungstendenzen im Bereich der political culture“ ausgeschaltet wurden[15]. Sie beruht u. a. auf der Feststellung, daß die die Parteien dominierenden Verbände als Faktoren des parlamentarischen Prozesses „überwiegend desintegrierend und polarisierend“ wirkten und zur „Dissoziation oder zur Lähmung der politischen Parteien“[16] beitrugen. Die Frage, ob diese These auch auf den Hansa-Bund zutrifft, macht zunächst eine Analyse des Verhältnisses von Hansa-Bund und Parteien erforderlich, nicht zuletzt auch deshalb, weil diesem Verhältnis erhebliche Bedeutung für den Zugang zu den Parlamentsfraktionen zukam.

2. Hansa-Bund und Parteien

Im Unterschied zum weit verbreiteten Antiparteieneffekt[17] und zu den von Stegmann ausführlich dargestellten Kräften, die berufsständische Ideen propagierten[18] und davon ausgingen, daß die „politischen Parteien sich überlebt hätten“[19], betonte der Hansa-Bund von Anfang an die Notwendigkeit politischer Parteien. Eine „Umwandlung der Parteien in reine Wirtschaftsgruppen“ hielt er nicht für wünschenswert[20] und vertrat die Ansicht, daß es eine „geringschätzige Auffassung des parlamentarischen Lebens und des politischen Verständnisses“ bedeutete, wenn man glaubte, daß es möglich wäre, „die Geschicke des Deutschen Reiches nach innen und außen durch Gruppierungen ständischer oder wirtschaftlicher Art zu leiten“[21]. Die seit Bismarck existierenden Bestrebungen, die Abgeordneten in den Parlamenten bewußt auf die Vertretung materieller Interessen zu beschränken und sie von den politischen Problemen fernzuhalten, wurden abgelehnt[22] und bedauert, daß seit dem Übergang zur Schutzzollpolitik sich in den Parlamenten die „bedenkliche Entwicklung zu politisch benannten und wirtschaftspolitisch zerklüfteten Parteien“ abgezeichnet habe[23]. Diese Entwicklung wäre jedoch dadurch zu korrigieren, daß die Regierung als Adressat des Verbandseinflusses den Eingaben der Interessengruppen mehr Aufmerksamkeit als bisher zukommen ließe, und wenn die Verbände nicht wie bisher ihre Einflußnahme auf die Parlamentarier beschränken würden, „sondern in erster Linie in den Lokalorganisationen der Partei des einzelnen“ aktiv würden, um die „politischen Lokalorganisationen mit ihrem Geist zu erfüllen“[24]. Sich selbst hielt der Hansa-Bund, obwohl er „keine politische Partei“[25] sein wollte, für in „hervorragendem Maße geeignet, ... die leider gewaltige Zahl jener meist aus dem bürgerlichen Lager stammenden Parteilosen in seinen Reihen zu sammeln und zu fruchtbarer positiver Arbeit zu erziehen“[26]. Darüber hinaus glaubte er, auf dem Boden der „neudeutschen Wirtschaftspolitik ... den *politischen Parteien* den Weg zeigen“ zu können, „wo sie sich, falls die *politische* Einigung nicht gelingt, unter Wahrung ihrer Selbständigkeit, in überaus breitem Rahmen *zusammenschließen könnten*“[27].

Daß die vom Hansa-Bund – zumindest verbal – abgelehnte Entwicklung der Parteien zu bloßen Agenturen wirtschafts- und sozialpolitischer Interessenwahrung im Zusammenhang mit dem konstitutionellen System stand, d. h. mit der fehlenden Möglichkeit zur Übernahme der politischen Verantwortung, wurde vom Hansa-Bund nicht erkannt. Erst die Einführung des parlamentarischen Regierungssystems hätte die Parteien gezwungen, ein politisches Gesamtkonzept für alle Bereiche des politischen Lebens zu entwickeln[28]. Obwohl die parteipolitische Zersplitterung bedauert und die Nachteile der „Fülle von Parteien, Fraktionen und Fraktiönchen im Gegensatz zu den zwei großen politischen Parteien in England“[29] durchaus erkannt wurden, lehnte der Hansa-Bund die Einführung des parlamentarischen Systems ab[30]. In seinem Programm von 1912 machte er es sich vielmehr zur Aufgabe, alle auf die Vernichtung des konstitutionellen Staates gerichteten Bestrebungen „mit aller Entschiedenheit“ zu bekämpfen[31]. Die Auseinandersetzung mit den Parteien erfolgte also im vorgegebenen politischen Bezugsrahmen.

a) Agitation gegen die Parteien des schwarz-blauen Blocks

Der relativ hohe Allgemeinheitsgrad des Hansa-Bund-Programms legte den Hansa-Bund in seiner Haltung zu den Parteien in keiner Weise fest. Um einen möglichst großen Mitgliederkreis erfassen zu können, betonte der Hansa-Bund in seinen Richtlinien, daß seine Reihen jedem Erwerbstätigen „ohne Unterschied der politischen oder religiösen Überzeugung“ offenstehen, d. h., daß ihm Mitglieder „aller politischen Parteien“ angehören könnten. Der Hansa-Bund werde „ohne Rücksicht auf politische Gegensätze, Fühlung mit allen Parteien unterhalten, welche sich zu seinen Grundgedanken und Zielen bekennen“ und werde „bei den Wahlen die politischen Parteien bei Aufstellung und Durchsetzung solcher Kandidaten unterstützen, welche die Gewähr dafür bieten, daß sie in ihrer parlamentarischen Tätigkeit von dem Grundgedanken des Bundes nicht abweichen werden“[32].

Obwohl lediglich die Punkte III, 3 und 4 der Richtlinien, die die Haltung des Hansa-Bundes zu handels- und verkehrspolitischen Fragen beinhalteten[33] im Widerspruch zu den Programmen der Deutsch-Konservativen Partei und des Zentrums standen[34], sind die ideologischen und programmatischen Affinitäten im Vergleich zu den Programmen der liberalen Parteien gering. Der Hansa-Bund versuchte jedoch, um die Position des Bundes der Landwirte zu schwächen, Einfluß auf die konservativen Parteien zu erhalten und bemühte sich – trotz der sofort einsetzenden Abwehrreaktionen – Mitglieder aus den konservativen Parteien zum Beitritt in den Hansa-Bund zu bewegen[35]. Zu diesem Zweck wurden mit großer Akribie die Beitritte bzw. alle positiven Stellungnahmen freikonservativer Politiker in der Hansa-Bund-Presse vermerkt und zwischen konservativen Kräften und „Überagrariern“ unterschieden[36].

Der Führungsspitze des Hansa-Bundes gehörten mit dem Geschäftsführer Knobloch, den Präsidialmitgliedern Roetger und Richt, den Direktoriumsmitgliedern Rahardt (ab 1910), W. Müller und mit den Ausschußmitgliedern E. Grumbt, H. Hänsel, A. March eine Reihe konservativer, jedoch fast durchweg freikonservativer aktiver bzw. ehemaliger Parlamentarier an[37], und obwohl von führenden Politikern dieser Partei die Berechtigung der Existenz des Hansa-Bundes und z. T. auch seiner Forderungen anerkannt wurde[38], gelang dem Hansa-Bund kein Einbruch in diese Kreise. Die Hansa-Bund-Führung achtete stets darauf, die Beziehung zu dieser Partei offen zu halten und unterstützte daher auch in den Stichwahlen ein halbes Dutzend freikonservativer Kandidaten[39]. In erster Linie wohl, um nach außen hin ein Alibi für die angeblich parteipolitische Neutralität des Hansa-Bundes zu haben. Aus dem gleichen Grund wurde auch das Zentrumsmitglied Müller (Fulda) während der Reichstagswahl von 1912 unterstützt. Wie die Haltung des Hansa-Bundes zur Kandidatur des Zentrumsabgeordneten Friedrichs in Düsseldorf zeigt, konnte von einer neutralen Haltung des Hansa-Bundes gegenüber dem Zentrum jedoch keine Rede sein[40]. Insgesamt war die Haltung zum Zentrum, dessen Presse den Hansa-Bund scharf attackierte und die ihr angehörigen Handwerker und sonstigen Mittelständler vor einem Beitritt zum Hansa-Bund warnte, äußerst gespannt. Die Broschüre des Katholischen Volksvereins: „Was haben wir am Hansa-Bund?", die mit den Worten schließt „Weg vom Hansa-Bund! Treu dem Zentrum", verdeutlicht, daß man in Kreisen des Zentrums die Befürchtung hegte, daß ein Teil seiner Mitglieder unter den Einfluß des liberalen Hansa-Bundes geraten könnte[41]. Das zeigt auch ein Artikel der Kölnischen Volkszeitung vom 7. 12. 1909, der den Hansa-Bund-Agitatoren riet, nicht in die Zentrumswahlkreise zu kommen, da man „den Sirenengesängen" mit der nötigen Vorsicht begegnen würde[42]. Die zahlreichen Warnungen an die Zentrumsmitglieder, dem Hansa-Bund fernzubleiben, und der Aufruf der Zentrumsabgeordneten Dr. Heim und Erzberger, den Kampf gegen den Hansa-Bund aufzunehmen[43], lassen den Schluß zu, daß zumindest in den beiden ersten Jahren einige tausend Zentrumsmitglieder die Mitgliedschaft im Hansa-Bund erwarben. Mit der Verschärfung des Kampfes der Zentrumspartei gegen den Hansa-Bund wurde auch von dessen Seite der Kampf gegen die „agrar-demagogischen Bestrebungen"[44] innerhalb des Zentrums aufgenommen, so daß sich das Verhältnis zwischen beiden seit 1910 ständig verschlechterte. Obwohl der Hansa-Bund in Flugblättern konservative Parteimitglieder mit dem Hinweis, daß sie bei einem Beitritt zum Hansa-Bund von ihren politischen Grundsätzen nicht abzugehen bräuchten, für sich zu werben versuchte[45], wurde die deutsch-konservative Parteiführung von Anfang an mit den gleichen Mitteln wie der BdL attackiert. Da die Hansa-Bund-Führung davon ausging, daß die Deutsch-Konservative Partei vom BdL dominiert wurde[46], war dieses Verhalten durchaus konsequent.

b) Zusammenarbeit mit den Liberalen

Die Kampfansage der Hansa-Bund-Gründungsversammlung an den BdL, die Frontstellung gegen die Parteien des schwarz-blauen Blocks und die scharfe Kritik an dessen Gesetzentwürfen zur Reichsfinanzreform fanden den uneingeschränkten Beifall der liberalen Presse und der liberalen Parteiführer im Reichstag und in zahlreichen Bundesstaaten. Dies war keineswegs überraschend, da sich unter den Präsidialmitgliedern der Gründungsversammlung, die das spätere konstitutierende Präsidium stellten, nicht weniger als 6 aktive und 2 ehemalige liberale Parlamentarier, ferner 2 Mitglieder des Zentralvorstandes der NLP befanden[47]. Die personelle Verflechtung zwischen Hansa-Bund und liberalen Parteien war von Anfang an sehr eng. Sie wurde bis zu den Reichstagswahlen von 1912 noch erheblich verstärkt, da der Hansa-Bund bei der Aufstellung der Kandidaten und beim Zustandekommen zahlreicher Wahlabkommen zwischen den liberalen Provinzial- bzw. Landesorganisationen zwecks Verhinderung liberaler Doppelkandidaturen – auf Grund der finanziellen Abhängigkeit insbesondere der FVp – seinen Einfluß geltend machen konnte. Wie die Anlagen 15 und 19 (parlamentarische Vertretungen des Hansa-Bundes im Reichstag 1909 bzw. Juni 1912) zeigen, hatte – formal gesehen – die personelle Verflechtung der Parteigremien der FVp mit dem Hansa-Bund eine kaum zu überbietende Intensität erreicht[48]. Die Tatsache, daß 15 (!) von 18 Mitgliedern des geschäftsführenden Ausschusses und 55 der 109 Mitglieder des Zentralausschusses der FVp Mitglieder des Hansa-Bundes waren, erklärt sich, wie das Kapitel über die Einflußnahme des Hansa-Bundes auf die Wahlen verdeutlicht, aus der katastrophalen finanziellen Situation der linksliberalen Partei, die in außerordentlich hohem Maße auf Fremdmittel, die fast ausschließlich von seiten des Hansa-Bundes aufgebracht wurden, angewiesen war[49]. Untersucht man die Qualität dieser auf den ersten Blick außerordentlich engen Verflechtung und vergleicht man sie mit der „Verfilzung“ des Hansa-Bundes mit den übrigen Spitzenverbänden und der NLP, erscheint sie weit weniger dramatisch, widerlegt jedoch die These von Puhle, daß die Linksliberalen „am wenigsten in die Querverbindungen zu den Verbänden einbezogen“ waren[50]. Von den Parteigremien der NLP gehörten „lediglich“ 5 der 15 Mitglieder des geschäftsführenden Ausschusses als einfache Mitglieder dem Hansa-Bund an; ferner 36 der 245 Mitglieder des Zentralvorstandes (vgl. Anlage 15). Der Anteil der Hansa-Bund-Mitglieder war, formal gesehen, also erheblich geringer, die Qualität der Verflechtung jedoch keineswegs schlechter, da mit dem Vorsitzenden des Hansa-Bundes, J. Riesser, der gleichzeitig dem Zentralvorstand der NLP angehörte, diese eine sehr einflußreiche Kontaktperson zum Hansa-Bund besaß. Die Verflechtung zwischen dem Hansa-Bund und den Parteigremien der liberalen Parteien wurde an Intensität noch von der Verbindung zu den Reichstagsfraktionen beider Parteien übertroffen[51]. In der Nationalliberalen Partei wurde sie jedoch keineswegs von allen Flügeln getragen. Die enge Bindung an den Hansa-Bund rief vielmehr die Kritik der agrarisch und „industriefreundlich-großbürgerlich“ orientierten Gruppierungen, die ihrerseits vom Bund der Landwirte und vom Centralverband beeinflußt waren, hervor[52]. Der schwache linke Flügel der Partei, der sich im wesentlichen auf den Reichsverband der Vereine der nationalliberalen Jugend stützte, sah ebenso wie die breite Parteimitte um Bassermann, Stresemann und Weber in der Gründung des Hansa-Bundes und des Deutschen Bauernbundes eine Stärkung der eigenen Position[53]. Denn Stresemann hatte bereits 1908, um das „Kesseltreiben Buecks“ gegen die Nationalliberale Partei zu beenden, den Plan entwickelt, die „vorhandenen industriellen Landesorganisationen (zu) veranlassen . . ., sich zu einer Centralstelle der deutschen Industrie zusammenzuschließen“[54].

Parteimitte und linker Flügel versuchten daher, die Gründung des Hansa-Bundes und Deutschen Bauernbundes für eine Neuorientierung der Partei zu nutzen[55]. Die Reaktionen des rechten Flügels, d. h. die Einstellung der Geldzuwendungen an den nationalliberalen Zentralvorstand (April 1910) und die Bestrebungen, einen Zusammenschluß von rechtsstehenden Nationalliberalen und Freikonservativen herbeizuführen (Mai 1910)[56], sollten in erster Linie die Führungsposition Bassermanns erschüttern und den linken Flügel der Partei treffen, der ebenso wie der Hansa-Bund für eine stärkere Zusammenarbeit mit den Linksliberalen eintrat. Der antifeudalen Sammlungsparole dieser Kräfte setzte der rechte Flügel die Bekämpfung der „Demokratie" entgegen; nicht der Kampf gegen klerikal-agrarische Bestrebungen, sondern der Aufbau einer Front gegen die Sozialdemokratie, den Hauptfeind der bürgerlichen Gesellschaft, wurde als wichtigste Aufgabe der Nationalliberalen Partei propagiert. Eine Zusammenarbeit mit dem Freisinn lehnten sie ab[57]. Trotz der Opposition des rechten Flügels, der, unterstützt vom Centralverband auf dem Allgemeinen Vertretertag der Nationalliberalen in Kassel (Oktober 1910) die Ablösung Bassermanns betrieb[58], hielt Bassermann an seinem politischen Konzept fest und „operierte 1911 verstärkt auf der Linie Riessers und des Hansabundes"[59]. Er lehnte nicht nur die konservative Gewaltpolitik ab, sondern erklärte auch, daß für die Sammlungsparole der Regierung kein Raum in der nationalliberalen Reichstagsfraktion wäre[60].

Der Ausgang der Reichstagswahlen[61] (Verlust von 7 Mandaten) verschärfte von neuem die Auseinandersetzungen innerhalb der Nationalliberalen Partei; altnationalliberale Organe forderten offen die Trennung von den Jungliberalen und die Ablösung Bassermanns[62]. Innerhalb und außerhalb der Partei wurden von neuem Spaltungspläne diskutiert[63]. Wenn auch die Spaltung vermieden werden konnte, so erzielten die Altliberalen jedoch auf der Zentralvorstandssitzung vom 24. 3. 1912, auf der eine „stärkere elektrische Spannung" herrschte[64], einige wichtige Erfolge. Die Wahl Bassermanns per Akklamation wurde abgelehnt, Stresemann[65] und der Jungliberale H. Fischer fielen bei den Wahlen zum Geschäftsführenden Ausschuß der Partei durch, und schließlich wurde mit 66 zu 44 Stimmen ein Antrag auf Auflösung des Jungliberalen Reichsverbandes angenommen[66].

Bereits vor dieser Sitzung hatte Bassermann zu Recht den Kampf gegen die Jungliberalen, die Exponenten des linken Flügels, gleichzeitig als einen „Kampf gegen den H(ansa)B(und), den Bauernbund und ... gegen die liberale Richtung" als solche charakterisiert. „Der Jungliberalismus, der als Organisation wenig bedeutet, ist das Aushängeschild."[67] Stresemann sah nach diesen Erfolgen des rechten Flügels die Nationalliberale Partei gar „von dem Zentralverband Deutscher Industrieller aufgekauft" und vertrat die Auffassung, daß die „ganze Aktion gegen Bassermann und gegen die Führung der Reichstagsfraktion ... vom Zentralverband Deutscher Industrieller" ausgehe. Es bestünde die echte Gefahr, daß der Centralverband die „finanzielle Führung übernehme" und sich „dafür die Gesinnung der nationalliberalen Partei (kaufe). – Daher auch die große Wut seiner Leute, daß etwa der Hansabund in dem inneren Konzern der Partei vertreten sein könnte, weil ja der Hansa-Bund in seiner Organisation die einzige Möglichkeit bietet, dies zu contrecarrieren und etwa aus seinen Mitteln die liberale Richtung in der Partei zu unterstützen“[68]. Wie negativ Stresemann die Chancen der Parteiführung sah, zeigt seine Einschätzung, daß der kommende Parteitag der „letzte“ sein würde, „auf dem Bassermann noch einmal eine Mehrheit für sich erhalten“ könnte. Sobald die Vertreter des rechten Flügels die „Mehrheit haben, werfen sie uns rücksichtslos heraus und werden versuchen, uns zur Fortschrittlichen Volkspartei abzudrängen, wenn es uns nicht gelingt, sie zu veranlassen, ihre Plätze bei den Freikonservativen zu nehmen“[69]. Im Unterschied zu Bassermann und Weber war Stresemann[70] zu diesem Zeitpunkt bereit, die Brücke zum rechten Flügel abzubrechen und riet Bassermann mehrfach, die „Politik der Versöhnung und Verkleisterung der Gegensätze“[71] nicht fortzuführen. Stresemanns Einschätzung der Stärke der Parteimitte war zweifellos zu pessimistisch[72]. Sie entsprach ebensowenig den Realitäten wie seine Information von „gut informierter Seite“, daß eine größere Anzahl von Mitgliedern der Reichstagsfraktion nach dem 12. Mai zur Fortschrittlichen Volkspartei übertreten würde[73]. Bassermann, der die Situation optimistischer beurteilte, bat Stresemann, im Interesse der Partei seine Position im Verband Sächsischer Industrieller nicht aufzugeben und als Geschäftsführer zum Hansa-Bund zu gehen[74]. Wo die „bessere Zukunft“ lag, vermochte er jedoch auch nicht zu sagen. „Gelingt es Ihnen die Industrie zu zentralisieren und Buecks Nachfolger zu werden[75], dann ist dies das bessere. Hat der Hansa-Bund eine Zukunft? Diese Frage wird von Freunden und Feinden desselben total verschieden beantwortet. Die Partei hat an beiden Stellungen und ihrer Besetzung größtes Interesse und Ihre Persönlichkeit wird denselben die Farbe geben. Jedenfalls dürfen Sie Ihre Stellung in der Industrie nicht preisgeben.“[76]

Neben dem Bestreben, in den befreundeten Verbänden eine Gegenmacht zum Centralverband und dem rechten Flügel der Partei aufzubauen, versuchte man innerhalb der Partei, in die Hochburgen des rechten Flügels einzudringen[77] und in Vorbereitung des Vertretertages vom 12. 5. 1912 Vorkehrungen dafür zu treffen, daß nur Anhänger der Parteimitte und des linken Flügels gewählt würden[78]. Der rechte Flügel reagierte auf dem Vertretertag (12. 5. 1912), auf dem die Gegensätze nur überdeckt wurden, mit der Gründung des Altnationalliberalen Reichsverbandes[79], hinter dem Stresemann insbesondere „viele unserer Kollegen, die dem Zentralverband Deutscher Industrieller“ nahestanden, vermutete[80]. Diese Auffassung teilte auch Bassermann[81], während Stresemann die Auffassung vertrat, daß man das Programm „mit Ausnahme einiger Sätze an sich ruhig unterschreiben“ könnte, beunruhigte ihn jedoch, daß die Mitglieder des Altnationalliberalen Reichsverbandes mit Hilfe der Gelder des Zentralverbandes versuchen würden, „die Partei in ihre Gewalt (zu) bekommen und namentlich auch auf die Kandidatenaufstellungen einwirken“ könnten. Es würde in „dieser Beziehung bei den nächsten Landtagswahlen ein Ringen zwischen den vom Zentralverband gestützten Altliberalen und dem vom Hansa-Bund unterstützten linken Flügel geben“[82]. Um diesen zu stärken, würde er sich nach seinem Eintritt in die Geschäftsführung des Hansa-Bundes als „wirtschaftlicher Beirat“ bemühen, die Industrie beim Hansa-Bund zu halten und in diesem die bisher von ihm im Reichstag vertretene Politik verfolgen, was „gegenüber der Riesserschen Richtung ... einen gewissen Ruck nach rechts“ bedeuten würde[83]. Die Position der Parteimitte schätzte er inzwischen erheblich stärker ein. Dazu trug auch die Erkenntnis bei, daß der Hansa-Bund eine „große Organisation“ wäre, „die noch über einen höheren Einfluß verfügte“, als er sich „selbst vorgestellt hatte“[84]. Auch Basserman sah in den Auseinandersetzungen innerhalb der Nationalliberalen Partei in erster Linie einen „Kampf des Zentralverbandes gegen Hansa-Bund“ und Bund der Industriellen. „Ich glaube, daß der Zentralverband große Mittel aufwenden wird und wenn die Partei nicht in seine Hände kommen soll, muß energisch gearbeitet werden.“[85] Er forderte deshalb Stresemann mehrfach auf, u. a. mit Hilfe des Hansa-Bundes einen Pressedienst zu organisieren[86]. Die Einschätzung der Auseinandersetzungen innerhalb der Nationalliberalen Partei als eines Machtkampfes zwischen Zentralverband und Hansa-Bund wurde durch die Protestkundgebung führender Nationalliberaler gegen den altliberalen Verband vom 18. 6. 1912 bestätigt. Die Mitglieder des Reichstags und die preußischen Landtagsabgeordneten, die diesen Aufruf unterzeichnet hatten, gehörten fast alle dem Hansa-Bund und dem Deutschen Bauernbund, der finanziell von diesem abhängig war, an[87]. Dieser Protest wies deutlich auf die Isolierung der altliberalen Kräfte innerhalb der nationalliberalen Partei hin[88], und war geeignet, die Parteiführung in ihrem Kurs einer maßvollen Liberalisierung, der sich zum großen Teil mit Zielen des Hansa-Bundes und des Bundes der Industriellen deckte, zu bestätigen[89]. Mit dem Eintritt von Stresemann und von Richthofen in die Geschäftsführung des Hansa-Bundes wurden die bereits sehr engen personellen Verflechtungen mit der Nationalliberalen Partei noch verbessert. Der Einfluß des Centralverbandes wurde entsprechend zurückgedrängt. Das zeigte ganz deutlich die Reaktion der Nationalliberalen Partei auf das Kartell der schaffenden Stände[90]. Das hieß jedoch keineswegs, daß „die rheinisch-westfälische Großindustrie allmählich das Interesse an den Nationalliberalen verlor“[91]. Sie versuchte lediglich, den abnehmenden Einfluß auf die Nationalliberale Partei durch verstärkte Verbindungen zu den konservativen Parteien zu kompensieren[92]. Auch wenn ihr Versuch, die Nationalliberalen „nach rechts zu ziehen“[93] scheiterte, war ihr Einfluß 1914 immerhin noch so stark, daß es ihr gelang, die Zuwahl Riessers zum Zentralvorstand der Partei zu verhindern[94], und daß Bassermann, ermüdet von den permanenten Auseinandersetzungen mit dem Zentralverband, erwog, zu seinem 60. Geburtstag den Parteivorsitz niederzulegen[95].

Diese Ausführungen verdeutlichen, daß die Einflußnahme von Centralverband und Hansa-Bund auf die Nationalliberale Partei diese in eine Konfrontation mit ständigen Zerreißproben brachte. Die divergierenden wirtschaftlichen und politischen Interessen zwischen der Schwerindustrie einerseits, Fertigindustrie, Handel und Banken andererseits, verschärften die Flügelbildung innerhalb der Partei und bewirkten, daß ihre „verfassungspolitische Stoßkraft entscheidend nachließ“[96]. Dies um so mehr, als mit den wachsenden Wahlkampfkosten die finanzielle Abhängigkeit der liberalen Parteien erheblich zunahm[97].

Der Hansa-Bund, der auf der einen Seite den Transformationsprozeß der liberalen Parteien zu bloßen „Agenturen wirtschafts- und sozialpolitischer Interessenwahrnehmung“ begünstigte, ermöglichte auf der anderen Seite ein weitgehendes Zusammengehen der liberalen Parteien bei den Reichstagswahlen von 1912[98]. Die Schwächung des großagrarischen Einflusses insbesondere in der nationalliberalen Reichstagsfraktion, die nicht zuletzt auf den Einfluß des Hansa-Bundes zurückzuführen war[99], trug wesentlich zu einem Zusammengehen der liberalen Parteien bei. Diese wurden darüber hinaus von führenden Vertretern des Hansa-Bundes häufig ermahnt, nicht immer auf die trennenden Momente hinzuweisen, „sondern das zu betonen, was sie gemeinsam hätten, und auf eine große einheitliche liberale Partei hinzuarbeiten“[100]. Immerhin wären die „Einigungsbestrebungen im Liberalismus“ bereits ein „gutes Stück vorwärts gekommen“. Als ein Beweis hierfür wurde darauf verwiesen, „daß die Gegensätze innerhalb jeder der beiden liberalen Parteien größer“ wären, als zwischen den „benachbarten Flügeln beider“. Die Mitglieder des Hansa-Bundes in den beiden liberalen Reichstagsfraktionen wurden deshalb aufgefordert, „zu einer dauernden Arbeitsgemeinschaft zusammen(zu)treten“. Hieraus sollte sich dann die „bürgerliche Einheitspartei mit Notwendigkeit entwickeln. Und wenn die Parteiführer sich der Lage nicht gewachsen zeigen, so geht es über ihren Kopf hinweg“[101]. Diese Forderung nach einer Einigung der liberalen Parteien kam den Vorstellungen der Fortschrittlichen Volkspartei entgegen[102]. In anderen wesentlichen Fragen bestand mehr Übereinstimmung mit den Nationalliberalen. Da sich die im Hansa-Bund vertretenen verschiedenen Interessengruppen nur sehr selten auf eine von allen gebilligte Interpretation der Richtlinien, d. h. des Hansa-Bund-Programms, einigen konnten, läßt sich der Standort des Hansa-Bundes im Spektrum der zahlreichen Flügel der liberalen Parteien anhand eines Vergleichs bzw. einer Analyse der Programme nicht feststellen. Während in allgemeinen politischen Verfassungsfragen, so z. B. in der Haltung zur Änderung des preußischen Wahlrechts[103] und zur Parlamentarisierung des politischen Systems[104] die Politik des Hansa-Bundes eher in Richtung der tonangebenden Kräfte innerhalb der NLP (Bassermann-Flügel) tendierte, entsprach seine Haltung in Mittelstandsfragen oder soweit es um ein taktisches Zusammengehen mit der SPD ging, eher dem linken Flügel der Nationalliberalen Partei bzw. der Haltung der Fortschrittlichen Volkspartei[105]. Wie stark der Einfluß des Hansa-Bundes auf die Fortschrittliche Volkspartei gerade in Fragen der Mittelstandspolitik war, läßt der Antrag des Wahlkreises Nordhausen, der Parteitag der Fortschrittlichen Volkspartei solle sich „in bezug auf die Handwerkerforderungen auf den Boden der vom Hansa-Bund festgestellten Richtlinien“ stellen, erkennen; ferner die vom Parteitag angenommene Resolution der Abgeordneten Bartschat – Mitglied des Hansa-Bund-Direktoriums – und Pachnicke – Hansa-Bund-Mitglied – die sich in allen wesentlichen Punkten mit den für das Handwerk aufgestellten Mittelstandsforderungen des Hansa-Bundes deckte[106].

c) Stellung des Hansa-Bundes zur SPD – ein Block von Bassermann bis Scheidemann?

Die Zusammenarbeit mit den liberalen Parteien stellte jedoch keine ausreichend breite Grundlage dar, um die Ziele des Hansa-Bundes durchsetzen zu können. Auf Grund der Frontstellung gegenüber den Parteien des schwarzblauen Blocks kam daher der Haltung des Hansa-Bundes gegenüber der SPD eine für die erfolgreiche Durchsetzung seiner Ziele wesentliche Bedeutung zu. Während die Presse der SPD und zahlreiche SPD-Abgeordnete im Reichstag, im preußischen Abgeordnetenhaus und in den übrigen Landtagen zur Gründung des Hansa-Bundes Stellung bezogen[107], vermied dieser zunächst eine Stellungnahme gegenüber der SPD. 1909–1910 erschien in den „Mitteilungen vom Hansa-Bund", wie die Südwestdeutsche Wirtschaftszeitung monierte, kein einziger gegen die Sozialdemokratie gerichteter Aufsatz. „Wo", so fragte die gleiche Wochenzeitung, „ist auch nur eine entfernt ähnliche Stellungnahme gegen die Alleinherrschaftsansprüche der gewerblichen Handarbeiterklasse zu finden wie gegen die vermeintlichen Alleinherrschaftsansprüche der Landwirtschaft? Wo steht in den Richtlinien etwas von der Verteidigung der liberalen Gesellschaftsordnung gegen kommunistische Angriffe ... All diese Lebensfragen der gewerblichen Ertragswirtschaft hat die Berliner Leitung des Hansa-Bundes aus Rücksicht auf die unteren Berliner Angestelltenscharen, welche z. T. sehr stark mit kommunistischem Geist durchtränkt sind, zurückgestellt, unterdrückt."[108] Es waren in erster Linie folgende Gründe, die Riesser davon abhielten, gegen die SPD Stellung zu beziehen: Zum einen seine Bereitschaft zur Zusammenarbeit mit den revisionistischen und reformerischen Kräften in der SPD; zum anderen die Rücksichtnahme auf Teile der Angestelltenschaft – besonders in den Großstädten –, die mit der SPD sympathisierten[109], die Riesser jedoch dem Hansa-Bund zuführen wollte, um eine schlagkräftige Organisation aufbauen zu können. Von Bedeutung für die Haltung der Hansa-Bund-Führung war ferner die Überzeugung, daß „das sozialistische Endziel" und selbst jeder ernsthafte Versuch, es zu erreichen, in „weiter Ferne lag", während der „Feind von rechts" das Bürgertum politisch dominierte[110]. Nach zahlreichen verdeckten Attacken auf diese Haltung der Hansa-Bund-Führung gegenüber der SPD wurde von führenden Vertretern des Centralverbandes eine Unterredung mit Riesser unter Ausschluß der übrigen Präsidiumsmitglieder verlangt. Während dieser Aussprache wurde eine völlige Umkehrung der bisherigen Hansa-Bund-Politik gefordert[111]. An Stelle des Kampfes gegen den Bund der Landwirte, dessen Einstellung verlangt wurde, sollte eine scharfe Frontstellung gegen die SPD bezogen werden, was Riesser jedoch unter Berufung auf die Hansa-Bund-Satzung ablehnte[112]. Der erste offene Angriff erfolgte durch den freikonservativen Politiker von Pechmann. In einem später veröffentlichten Briefwechsel warf er Riesser vor, „unter dem Namen des Kampfes gegen die Reaktion das deutsche Reich an die Sozialdemokratie zu verraten". Für das Bürgertum gebe es „keinen gefährlicheren ... keinen auch nur annähernd gleich gefährlichen Feind wie die Sozialdemokratie". Er könne es daher mit seinem Gewissen nicht vereinbaren, dem Hansa-Bund anzugehören, wenn dieser es auch in Zukunft unterlassen sollte, sich zum offenen Kampf gegen die Sozialdemokratie rückhaltlos zu bekennen, einerlei, ob diese Änderung der Bundespolitik einigen linksliberalen Politikern in die Wahltaktik passe oder nicht. Es sei höchste Zeit, „die stetige und energische Erziehungs- und Aufklärungsarbeit nicht länger, wie es im ersten Jahr geschehen ist, einseitig mit der Front nach rechts zu betreiben, als ob nur rechts Feinde stehen, gegen welche das Wirtschaftsprogramm des Bundes und die Ansprüche des Bürgertums auf Geltung im öffentlichen Leben durchzusetzen wären"[113]. Riesser lehnte in seiner Antwort die Forderung von Pechmanns ab, da der Hansa-Bund, würde er den Vorstellungen von Pechmanns folgen, „sich mit seinen Satzungen und sonstigen programmatischen Erklärungen in Widerspruch setzen müßte"[114]. Der Hansa-Bund könne in der deutschen Politik nur dann eine politische Bedeutung erlangen, „wenn er sich weder von seinen Feinden noch von seinen Freunden verleiten läßt, sich entgegen seinen Satzungen ... in den politischen Kampf" einzuschalten[115]. Um einen weiteren Zulauf zur Sozialdemokratie aus dem bürgerlichen Lager zu verhindern, gelte es vor allem dessen Ursache, die Unzufriedenheit dieser Kreise mit der agrarischen Wirtschafts- und Finanzpolitik durch eine „neudeutsche Wirtschafts- und Finanzpolitik", wie sie vom Hansa-Bund angestrebt werde, zu bekämpfen.

In den Mitteilungen wurde ergänzend festgestellt, daß der Hansa-Bund als eine wirtschaftliche Vereinigung bürgerlicher Kräfte auf dem Boden der heutigen Wirtschaftsordnung stehe – deren „zeitgemäße Verbesserung" er anstrebe – und ebenso auf dem Boden der heutigen Staatsordnung, „daß er also selbstverständlich und genau ebenso wie die bürgerlichen politischen Parteien Gegner einer Partei" sei, „deren ausgesprochene Absicht die Vernichtung der Grundlagen der heutigen Staats- und Wirtschaftsordnung", die „Vergesellschaftung der Produktionsmittel" und die „Aufhebung des Privateigentums" sei[116]. Die Forderung von Pechmanns, der Hansa-Bund solle durch „einen Sammlungsaufruf an das gesamte Bürgertum die Führung in dem politischen Kampfe gegen die Sozialdemokratie übernehmen", müsse abgelehnt werden, da der Hansa-Bund dazu auf Grund „seiner Natur als wirtschaftliche Vereinigung nicht in der Lage" sei[117]. Diese Feststellung engte die Handlungsfreiheit des Hansa-Bundes, besonders des Präsidiums, gegenüber der SPD in keiner Weise ein. Die Vieldeutigkeit dieser Feststellung wird offenbar, wenn man sich vergegenwärtigt, daß die Fortschrittliche Volkspartei in mehreren Stichwahlen zwischen Kandidaten der Konservativen und des Zentrums einerseits und der Sozialdemokraten andererseits letztere unterstützte. Diese Stellungnahme zur SPD tauchte seitdem unverändert in fast allen Reden Riessers und der Direktoriumsmitglieder des Hansa-Bundes auf[118], eine scharfe Frontstellung gegen die SPD wurde jedoch nicht bezogen.

Trotz des fortdauernden Druckes von seiten des Centralverbandes blieb die Politik des Hansa-Bundes gegenüber der SPD und dem Bund der Landwirte unverändert. Auf der ersten Hansa-Bund-Tagung wurde die Stellung zur SPD von Riesser präzisiert. Da den Hansa-Bund „eine Welt von den Ausgangspunkten und Zielen der Sozialdemokratie" trenne, könne nur über die Mittel gestritten werden, mit denen gegen die Sozialdemokratie mit Aussicht auf Erfolg vorgegangen werden könne, nachdem die bisher eingeschlagenen Wege (Ausnahmegesetz und dergl.) offensichtlich nur zu einer Kette von Mißerfolgen geführt hätten. Erfolgversprechend sei lediglich, wenn man mit Hilfe einer gerechten Wirtschaftspolitik den Ursachen der heute in weiten Kreisen herrschenden „Unzufriedenheit und Verbitterung entschlossen und durchgreifend zu Leibe" rücke. Die notwendige Konsequenz einer solchen Politik aber gehe dahin, daß man „zugleich die jetzt abseits stehenden sozialdemokratischen Kreise zur Mitarbeit im Staatsleben, insbesondere auch in den Parlamenten und in der Selbstverwaltung, heranziehen und damit das Staatsbewußtsein und das Gefühl der Verantwortung gegenüber dem Staatsganzen in ihnen wachrufen oder stärken" müsse[119].

Zu einer derartigen Politik, welche zugleich die „wahre Sammelpolitik" sei, gehöre allerdings der allseitige feste Wille, der agrardemagogischen Richtung, die der Durchsetzung einer solchen Politik vor allem entgegenstehe, „endlich einmal ein Ende zu machen"[120]. Diese persönliche Stellungnahme Riessers wurde von der Schwerindustrie zum Anlaß genommen, sich vom Hansa-Bund zu trennen[121]. Die Sezession[122] dieser Kreise erlaubte es Riesser, die gegenüber der SPD eingeschlagene Haltung beizubehalten. Nach den Reichstagswahlen richtete er an die revisionistischen und reformistischen Kräfte in der SPD einen erneuten Appell zur Mitarbeit im Staate. „Eine große Partei kann unmöglich auf die Dauer in dem Zustande absoluter Negation verharren; sie muß sich, auf die Gefahr einer Trennung von den ganz radikalen Elementen, an aktiver und verantwortlicher Politik beteiligen, sie muß, wenn sie nicht ihr eigener Totengräber werden will, es aufgeben, alle nationalen und bürgerlichen Forderungen grundsätzlich zu bekämpfen, und sie muß sich bewußt auf den Boden der heutigen Staatsordnung stellen. Wenn die Sozialdemokratie das jetzt nicht einsieht, wenn ihre Führer auf dem Standpunkt der Negation und des Zerstörungswillens beharren, dann wird allerdings der Moment der Sammlung der bürgerlichen Parteien, des gesamten Bürgertums gegen die Sozialdemokratie, unter einer Voraussetzung allerdings, aber unter einer wichtigen, erscheinen. Das Bürgertum muß Garantien bekommen von der Regierung, oder sie sich selbst schaffen, dafür, daß an Stelle der heutigen Politik eine dem Bürgertum voll gerecht werdende Politik eingeschlagen werde (Bravorufe); es muß Garantien bekommen oder sich durch weitere Wahlen selbst verschaffen, daß mit der agrardemagogischen Richtung gründlich und dauernd gebrochen wird (Bravorufe). Geschieht dies und ist bis dahin die Sozialdemokratie nicht zu einer auf dem Boden unserer heutigen Staats- und Wirtschaftsordnung stehenden bürgerlichen radikalen Arbeiterpartei geworden, dann ... ist allerdings der Moment der Sammlung gekommen, und ich wäre der erste, der sie dann mitmachen würde."[123]

Festzuhalten bleibt, daß beide Richtungen im Hansa-Bund – Centralverband auf der einen und die von Riesser vertretene auf der anderen Seite – einer revolutionären Sozialdemokratie feindlich gegenüberstanden.

Im Unterschied zum Centralverband sah Riesser jedoch eine Chance, daß sich in der SPD diejenigen Kräfte durchsetzen würden, die bereit waren, mit den reformerischen Kräften des Bürgertums zusammenzuarbeiten. Mittel und Methoden, mit denen die Auseinandersetzung mit der SPD geführt werden sollte, unterschieden sich daher beträchtlich. Während die im Centralverband vertretene Schwerindustrie und die ihr nahestehenden Kreise Ausnahmegesetze, die Beschränkung des Koalitionsrechts oder das Verbot der öffentlichen Organisation und Agitation der Sozialdemokratie oder die Abänderung des Wahlrechts zur Unterdrückung der SPD forderten, glaubte Riesser durch eine seiner Meinung nach gerechte Wirtschafts- und Finanzpolitik den Zulauf zur SPD aus bürgerlichen Kreisen stoppen und durch die aktive Mitarbeit auf allen Ebenen des Staates die SPD zu einer radikalen bürgerlichen Arbeiterpartei transformieren zu können; eine Taktik, die in den Augen des revolutionären Flügels der Sozialdemokratie die gefährlichere sein mußte; denn soziale und politische Zugeständnisse mußten den Willen, eine völlig neue Wirtschafts- und Gesellschaftsordnung herbeizuführen, vernichten, zumindest aber schwächen, d. h. sie dem Klassenkampfstandpunkt entfremden. Ein Linksblock, ein Block von Bassermann bis Bebel wurde damit von Riesser nicht angestrebt, wohl jedoch ein taktisches Zusammengehen aller liberalen bürgerlichen Kräfte mit den Revisionisten und Reformisten der SPD. Wie wenig Riesser bereit war, die SPD als gleichberechtigten Partner innerhalb eines Reformblocks zu akzeptieren, läßt sich auch einem Schreiben an Duisberg entnehmen, in dem er die Notwendigkeit des direkten und geheimen Wahlrechts für Preußen betont, daß die Wahlrechtsvorlage „und die Neueinteilung der Wahlkreise ohne jede Mühe so eingerichtet werden" könnten, daß „sie am allerwenigsten der Sozialdemokratie passen würde". Er betonte ferner, daß, wenn er „selbst einen solchen Gesetzentwurf ausarbeiten würde, ... die Wut der Sozialdemokratie groß" wäre; denn er bekämpfe die SPD ebenso wie „die Maulhelden auf der extremen rechten Seite, allerdings mit anderen Waffen"[124].

Die Frage war, ob sich außer der Fortschrittlichen Volkspartei und dem linken Flügel der Nationalliberalen und den Revisionisten und Reformisten innerhalb der SPD die übrigen Kräfte der genannten Parteien zu einem derartigen Zusammengehen bereit finden würden. Die entscheidende Frage nach der Strategie und Taktik der SPD lautete: Sollte sie unter Ablehnung jeglichen Kompromisses mit der bestehenden Ordnung in ihrer Sonderstellung beharren, um ihre ideologische Reinheit und ihr revolutionäres Selbstverständnis nicht zu gefährden, oder sollte sie im Rahmen der bestehenden Ordnung ihre Position als mitgliederstärkste und zweitstärkste bzw. stärkste Fraktion im Reichstag dazu benutzen, um in Zusammenarbeit mit den reformwilligen bürgerlichen Parteien die wirtschaftliche, soziale und politische Lage der Arbeiter zu verbessern[125]? Diese Frage wurde nach der Wahlniederlage von 1907 in wachsendem Maße zu Gunsten der Reformisten und Revisionisten entschieden[126]. Der Wahlsieg von 1912 und der Aufstieg pragmatisch denkender Funktionäre wie Ebert und Scheidemann in die Parteiführung vollendeten diese Entwicklung zu Gunsten des reformistischen und revisionistischen Flügels. Das weiter unten behandelte Stichwahlabkommen zwischen SPD und FVp bei den Reichstagswahlen von 1912[127], das auf seiten der SPD von den Mitgliedern des Parteivorstandes Ebert, Scheidemann und Haase abgeschlossen wurde, und von Scheidemann auf dem Chemnitzer Parteitag verteidigt wurde, ist trotz des verbalen Radikalismus des Parteivorstandes[128] ein wesentliches Indiz für die Einordnung der Mehrheit der Sozialdemokratie in das bestehende politische und gesellschaftliche System. Mit der Aufgabe der Strategie revolutionärer Aktivität wurde von der Mehrheit der Sozialdemokratie der Weg von der einflußlosen Fundamentalopposition zur Partialopposition beschritten, um auf den politischen Entscheidungsprozeß einen größeren Einfluß nehmen zu können.

Die Revisionisten der Sozialistischen Monatshefte, die den Gedanken eines Blocks von Bassermann bis Bebel bejahten, standen konsequenterweise der Gründung des Hansa-Bundes positiv-abwartend gegenüber. Die Sozialistischen Monatshefte warnten davor, den Hansa-Bund von „vornherein als quantité négligeable zu behandeln", und belehrten die Vertreter des linken Flügels, daß es „ganz verkehrt" sei, „eine neue wirtschaftliche und politische Organisation mit Spott und Mißachtung zu begrüßen, wie es dem neuen Hansa-Bund gegenüber geschehen" sei[129]. Als Positivum vermerkten sie, daß mit der Bildung des Hansa-Bundes die Einteilung der Bevölkerung nach ihren wirtschaftlichen Interessen abgeschlossen sei und daß der Hansa-Bund zu einer „Vereinfachung der parteipolitischen Gruppierung" in den Parlamenten beitragen werde. Obwohl man sich darüber im klaren war, daß der Hansa-Bund eine „großkapitalistische Partei" darstellte, enthielt bereits die erste Stellungnahme zur Gründung des Hansa-Bundes ein Angebot zur Zusammenarbeit. Gerechtfertigt wurde diese Haltung durch den Hinweis, „daß in mindestens 50 Wahlkreisen ... die Männer des Hansabunds die Entscheidung zwischen Agrariern und Sozialdemokraten in der Hand" hätten. „Sollte es ... zu einer anti-agrarischen Auffassung der industriellen Unternehmer kommen, so ist es keine Frage, daß unsere Stellung auf der Seite dieser Unternehmer und nicht auf der der agrarischen Kleinbürger, Kleinbauern und Junker ist. Wir werden schon jetzt damit rechnen müssen, bei kommenden Wahlen, wo wir die Entscheidung in der Hand haben, Nationalliberale und Freisinnige gegenüber Zentrum und Agrariern unter allen Umständen unterstützen zu müssen"[130]. Wenn auch diese Kräfte innerhalb des Hansa-Bundes erheblich überschätzt werden, machen diese Äußerungen und die Haltung der SPD während des Krieges doch deutlich, daß Riessers Vorstellungen, die Arbeiterbewegung durch soziale Zugeständnisse und

Zusammenarbeit mit der SPD in eine radikale *bürgerliche* Arbeiterpartei umzugestalten, nicht unrealistisch waren. Auf einer Kriegssitzung des Hansa-Bundes im Mai 1917 konnte Riesser mit Genugtuung feststellen: „Die Haltung des rechten Flügels der Sozialdemokratie im Kriege ... hat dieser Ansicht und nicht der mit Ausnahmegesetzen und Ausschließungsmaßregeln nach wie vor hantierenden gegenseitigen Auffassung völlig recht gegeben"[131].

Die Durchschlagskraft des Hansa-Bundes vor 1914 hing wesentlich davon ab, ob es ihm gelang, die Nationalliberalen im Reichstag zu einem taktischen Zusammengehen mit der SPD zu bewegen, so daß der Hansa-Bund sich bei seinen Bestrebungen auf eine aktionsfähige parlamentarische Mehrheit stützen konnte.

3. Hansa-Bund und Reichstag

Die folgenden Überlegungen gehen von der These aus, daß in politischen Systemen mit Funktionenteilung Hauptadressat der Interessengruppen – wie bereits erwähnt – das Organ ist, das zum einen maßgebliche Einwirkungsmöglichkeiten auf den politischen Entscheidungsprozeß und insbesondere auch auf die Gesetzgebung ermöglicht und mit dem zum anderen die stärksten ideologischen und programmatischen Affinitäten und Personalunionen existieren.

Vergleicht man unter diesem Aspekt die Zusammensetzung von Exekutive[132] und Reichstag, dann kann es nicht überraschen, daß sich die Versuche der Einflußnahme des Hansa-Bundes in erster Linie auf das Parlament konzentrierten und insbesondere auf dessen liberale Fraktionen; und daß der Hansa-Bund es als eines der wichtigsten Ziele ansah, für eine Zunahme „gewerbefreundlicher" Abgeordneter – worunter er in erster Linie eigene Mitglieder verstand – zu kämpfen[133]. Diese Bestrebungen blieben nicht ohne Erfolg[134]. Vergleicht man die Anzahl der Mitglieder des Reichstages, die Hansa-Bund-Mitglieder waren, mit den Gesamtmitgliederzahlen der liberalen Fraktionen von 1909 und 1912, so zeigt sich eine erhebliche Zunahme des Anteils der Hansa-Bund-Mitglieder nach den Reichstagswahlen von 1912[135], ein deutlicher Hinweis auf die erfolgreiche Einflußnahme des Hansa-Bundes auf die Kandidatenaufstellung. Entsprechend der personellen Verflechtung auf Parteiebene war der Anteil der Hansa-Bund-Mitglieder an der Gesamtfraktion der Fortschrittlichen Volkspartei mit 90 % erheblich höher als der der Hansa-Bund-Mitglieder an der nationalliberalen Reichstagsfraktion (ca. 40 %); bei der Qualität der Beziehungen verhielt es sich eher umgekehrt, da mit dem Geschäftsführer des Hansa-Bundes, von Richthofen, und drei Direktoriumsmitgliedern (Koelsch, Marquart, Roland-Lücke) und zwei Mitgliedern des Hansa-Bund-Gesamtausschusses doppelt so viele Mitglieder mit gehobenen Hansa-Bund-Funktionen der nationalliberalen Fraktion angehörten als der der Fortschrittlichen Volkspartei[136]. Lediglich der BdL, der 14 Mitglieder mit gehobener Funktion im Reichstag von 1912 besaß, davon 13 in den Reihen der Deutsch-

Konservativen Partei[137], verfügte über qualitativ bessere Beziehungen zum Reichstag, da der Verpflichtung der konservativen Abgeordneten auf das konkretere Programm des Bundes der Landwirte größere Bedeutung zukam als der der liberalen Abgeordneten auf die äußerst vage formulierten Richtlinien des Hansa-Bundes. Verglichen mit dem Centralverband[138] und dem Bund der Industriellen, die lediglich je ein Mitglied mit gehobener Funktion – die überdies beide zugleich als Hansa-Bund-Mitglieder dessen Führungsgremien angehörten – in der nationalliberalen Fraktion besaßen, war der Kontakt des Hansa-Bundes zu dieser Fraktion über acht Mitglieder mit Führungsfunktionen außerordentlich gut. Der vergleichsweise hohe Grad personeller Verflechtung legt – unter Berücksichtigung der Verpflichtung der vom Hansa-Bund unterstützten Kandidaten auf seine Richtlinien – die Vermutung auf programmatische Affinitäten zwischen dem Hansa-Bund und den liberalen Reichstagsfraktionen nahe. Im folgenden soll daher anhand eines Gesetzesvorhabens untersucht werden, inwieweit es dem Hansa-Bund gelang, seine Vorstellungen gegenüber den liberalen Parlamentariern durchzusetzen und welcher Mittel und Methoden er sich dabei bediente. Die Frage der Deckungsvorlagen wurde zum einen aus Materialgründen, zum anderen deshalb ausgewählt, weil sie innerhalb des Hansa-Bundes – neben den an anderer Stelle dieser Arbeit erörterten Gesetzesvorhaben (Wahlrechtsfrage, „Arbeitswilligenschutz“) – die größte Beachtung fand. Sie wurde auch deshalb ausgewählt, weil sie Erkenntnisse zur These der Polarisierung von konservativem und liberalem Sammlungslager bietet. Da der Einfluß des Hansa-Bundes auf den Gesetzgebungsprozeß nicht adäquat anhand eines einzigen Gesetzgebungsvorhabens erörtert werden kann, wird in die Analyse der Deckungsvorlagen ein von diesem Fall abweichendes Verhalten des Hansa-Bundes in anderen Gesetzgebungsverfahren miteinbezogen.

Mit der Frage der Heeres- und Deckungsvorlagen von 1912/13 mußte sich der Reichstag im Gefolge der Marokkokrise (1911) bzw. der kriegerischen Auseinandersetzungen auf dem Balkan (1912) beschäftigen[139]. Während die Wehrvorlagen zum großen Teil enthusiastisch begrüßt wurden[140], entwickelte sich ebenso wie 1909 ein harter innenpolitischer Kampf um ihre Deckung, in den auch die Verbände permanent eingriffen. Noch bevor der Willensbildungsprozeß innerhalb der Exekutive abgeschlossen war und der Bundesrat Stellung bezogen hatte[141], betonte das Direktorium des Hansa-Bundes bereits auf seiner Sitzung am 5. 3. 1912, daß gemäß den Hansa-Bund-Richtlinien die „nationalen Forderungen den gewerblichen voranzustellen“ wären. Das heißt, „diejenigen Opfer, welche zur Festigung des Reichs und zur Sicherung seiner Wirtschaft in Krieg und Frieden“ sich als notwendig erwiesen, müßten unbedingt getragen werden. Gleichzeitig betonte das Direktorium, daß nach seiner Auffassung für die Deckung des Mehrbedarfs nur eine Erbanfallsteuer in Betracht käme. „Jede weitere einseitige Belastung der deutschen Erwerbsstände“ wäre dagegen „im Interesse der Sicherung der produktiven und nationalen Arbeit von Handel, Gewerbe und Industrie energisch zu bekämpfen“[142]. Der Hansa-Bund erkannte also zum einen neue Reichseinnahmen zur Deckung der Wehrvorlagen vom

Standpunkt einer „gesunden Finanzpolitik" als notwendig an[143], und vertrat zum anderen die Auffassung, daß für die Deckung nur eine direkte allgemeine Besitzsteuer in Betracht käme[144]. Die Motive für die frühzeitige Festlegung auf die Erbanfallsteuer sind sicherlich in den seit der Reichsfinanzreform von 1909 bestehenden Aversionen gegen die Parteien des schwarzblauen Blocks zu sehen.

Die Wehrvorlage[145] wurde grundsätzlich positiv beurteilt, jedoch mit der Einschränkung, daß es „Aufgabe der Volksvertretung sein (werde), die Forderungen der Regierung zu prüfen und zu bewilligen, was im Interesse der Großmachtstellung Deutschlands und seiner Sicherheit für Gegenwart und Zukunft nötig" wäre[146]. Die Deckungsvorlage, die in dem Entwurf eines Gesetzes zur Beseitigung des Branntweinkontingents bestand, wurde demgegenüber scharf kritisiert. Nach Auffassung des Hansa-Bundes widersprach letztere sowohl den Grundsätzen einer gesunden Finanzwirtschaft[147] als auch denen einer gerechten Steuerpolitik. Da das Gesetz den landwirtschaftlichen Brennereien im Vergleich zu den gewerblichen zahlreiche neue Vergünstigungen biete, würde es „ohne besondere Kautelen" dazu führen, daß die „spiritusverbrauchende Industrie und die Einzelkonsumenten die ganze Aufhebung der Liebesgabe allein gutzumachen hätten." Das Resultat wäre „eine neue einseitige Belastung" eines großen Teils des Gewerbes und der Konsumenten und „keinesfalls eine allgemeine Steuer"[148]. Diese Argumente wurden auch von den Linksparteien im Reichstag aufgegriffen[149]. Um die erneute „einseitige Verteilung" der Steuerlasten zu verhindern, forderte der Hansa-Bund die Abgeordneten, die sich zu seinen Richtlinien bekannt hatten, und diejenigen, die für eine „gesunde Reichsfinanzwirtschaft" eintraten, auf, seine Einwendungen voll zu berücksichtigen. Darüberhinaus berief er eine 48köpfige Kommission zur Beratung der Branntweinsteuervorlage ein, in der fast alle von dem Gesetz betroffenen Verbände vertreten waren, u. a. der Zentralverband der Bäckerinnungen, der Deutsche Drogistenverband von 1873 und der Verband der Rabattsparvereine Deutschlands[150]. Nach längeren Verhandlungen kam diese Kommission, die unter dem Vorsitz des Präsidialmitglieds des Hansa-Bundes, H. Richt[151], tagte, zu dem Ergebnis, daß „in der Vorlage eine Beseitigung oder auch nur ein Abbau der seit dem Jahre 1909 bestehenden dreifachen Liebesgabe nicht enthalten" wäre, und daß der Entwurf die spiritusverarbeitende Industrie von neuem einseitig belaste[152]. Aus diesem Grunde wurde der Entwurf „nicht für annehmbar" erklärt[153]. Auf der folgenden Sitzung der Kommission wurde eine weitere Protestresolution verfaßt[154], die scharfe Kritik an der Haltung der Mehrheit der Abgeordneten der zuständigen Kommission übte, die dem Gesetzentwurf zugestimmt hatte. Da offensichtlich war, daß trotz des erneuten Protestes die Vorlage im Plenum angenommen werden würde, plädierte die Kommission in ihrer Resolution, die allen Mitgliedern des Reichstags übermittelt wurde, dafür, zumindest einige Einzelforderungen zu berücksichtigen. Insbesondere forderte sie, die „Bevorzugung der landwirtschaftlichen Brennereien gegenüber den gewerblichen" aufzuheben. Die Branntweinsteuervorlage wurde mit einer Mehrheit von 9 Stimmen angenommen. Als Erfolg seiner Aktivitäten wertete es der Hansa-Bund, daß im Gesetz auf einige seiner Einzelforderungen eingegangen wurde und daß sich im Reichstag eine starke Minderheit gegen das Gesetz ausgesprochen hatte. Mit Genugtuung wurde ferner vom Hansa-Bund darauf hingewiesen, daß die Konservativen die sog. Lex-Bassermann-Erzberger hatten akzeptieren müssen, die die Reichsregierung zwang, bis zum 30. 4. 1913 den Entwurf eines allgemeinen Besitzsteuergesetzes vorzulegen[155]. In der umstrittenen Frage, was eine allgemeine Besitzsteuer sein sollte, stimmte der Hansa-Bund dem MdR Roland-Lücke zu, daß hierunter „entweder eine Reichsvermögenssteuer oder Erbschaftssteuer und sonst nichts anderes zu verstehen sei", und stellte mit Befriedigung fest, daß der Antrag der Fortschrittlichen Volkspartei für die Erbschaftssteuer im Reichstag mit 184 zu 169 Stimmen bei einer Enthaltung angenommen worden war[156]. Da das Zentrum weiterhin eine Erbschaftssteuer ablehnte, kann als Ergebnis der Deckungsvorlage von 1912 die Aufrechterhaltung der bestehenden steuerpolitischen Auseinandersetzungen zwischen den bürgerlichen Parteien konstatiert werden[157].

Als die wichtigste Aufgabe für eine Besitzbesteuerung bezeichnete es daher Bethmann Hollweg, den Kampf zwischen den bürgerlichen Parteien zu beenden und sie in einer Einheitsfront zu sammeln, da es die „äußeren und inneren Verhältnisse Deutschlands ... jeden Augenblick erfordern können, die Stoßkraft des gesamten Bürgertums einheitlich zu konzentrieren"[158]; die Einbringung einer Erbzuwachssteuer schloß er daher aus, da diese sich lediglich mit einer Linksmehrheit realisieren ließe. Der Hansa-Bund wiederholte demgegenüber immer wieder seine Forderungen nach einer allgemeinen Besitzsteuer in Form der Erbanfallsteuer und hob hervor, daß „Industrie, Handel und Gewerbe ... nicht gewillt (seien), neue steuerliche Experimente mitzumachen, welche eine Abweichung von dem Gedanken der allgemeinen Besitzsteuer bedeuten würden"[159]. Er appellierte ferner an die Regierung, im Zuge der Regelung der Besitzsteuerfrage den Scheckstempel und das Zuwachssteuergesetz, das einen überaus schädlichen Einfluß auf die Entwicklung des städtischen und ländlichen Grundbesitzes hätte, umfassend zu revidieren[160].

Die Veröffentlichung der Wehr- und Deckungsvorlagen, auf die die deutsche Öffentlichkeit keineswegs nur enthusiastisch reagierte[161], zeigte, daß die oben erwähnten Befürchtungen des Hansa-Bundes nicht unberechtigt gewesen waren.

Während auf Grund der veränderten politischen Verhältnisse auf dem Balkan die Notwendigkeit der Wehrvorlagen nicht bestritten wurde[162], war die Frage der Kostendeckung von Anfang an heftig umstritten[163]. Das galt auch für den „Wehrbeitrag", der die einmaligen Ausgaben decken sollte[164]. Die Auseinandersetzungen konzentrierten sich jedoch von Anfang an auf den Vorschlag der Regierung zur Deckung der laufenden Ausgaben in Höhe von jährlich 186 Millionen. Hauptstreitpunkt wurde die Besitzsteuer, die insgesamt 80 Mio. Mark erbringen sollte. Der Vorschlag, diese Summe durch Matrikularbeiträge zu erheben, und zwar „mit der Maßgabe, daß die Bundesstaaten den auf sie entfallenden Betrag durch eine Einkommens-, Vermögens- oder Erbschaftssteuer erheben mußten oder aber, falls die Einzellandtage bis Ende 1914 hierzu ihre Zustimmung verweigert hatten, das Vermögenszuwachssteuergesetz nach dem Plan der Reichsregierung subsidär in Kraft treten"[165] zu lassen, wurde abgelehnt. Denn es müßte verhindert werden, daß das Reich „zum lästigen Kostgänger der Bundesstaaten" gemacht werde. Eine Akzeptierung dieses Vorschlages würde ferner bedeuten, daß alles auf die parlamentarischen Machtverhältnisse in den Einzellandtagen ankäme. Diese böten jedoch keine Gewähr dafür, daß Sonderbelastungen des in Industrie, Handel und Gewerbe arbeitenden Kapitals vermieden würden[166]. Kritisiert wurde auch das als Eventualgesetz vorgeschlagene Vermögenszuwachssteuergesetz, da es „in keiner Weise den praktischen Forderungen des deutschen Gewerbestandes an eine generelle Besitzsteuer" entspräche. Schließlich wurde die Forderung erhoben, daß im Interesse des Haus- und Grundbesitzerstandes der Zuschlag zur Grundwechselabgabe beseitigt werde[167].

Das Direktorium bekräftigte die bereits erwähnten Punkte der Kritik an den Deckungsvorlagen, erklärte die Vermögenszuwachssteuer für „unannehmbar" und forderte „statt der veredelten Matrikularbeiträge eine direkte Reichsbesitzsteuer, und zwar in erster Linie eine Reichserbanfallsteuer, welche eine gerechte, am wenigsten drückende und vor allem ertragreiche allgemeine Besitzsteuer sein würde"[168].

Diese Forderungen des Direktoriums und Präsidiums wurden in zahlreichen Ortsgruppen diskutiert und zumeist einstimmig unterstützt[169], wobei betont wurde, daß der Hansa-Bund die „volle Wehrhaftigkeit des Reiches" wünsche, aber „angesichts der Lehren der Finanzreform von 1909" aufpassen müsse, daß sich „das Spiel im Jahre 1913 nicht wiederholt", d. h. daß nicht auch hier wieder die Parteien der Rechten „von Patriotismus überfließen, aber das Zahlen den Erwerbsständen überlassen"[170].

Neben den führenden Hansa-Bund-Funktionären sprachen auch zahlreiche Mitglieder des Reichstages in Hansa-Bund-Ortsgruppen zu diesem Thema[171].

Im Laufe der Verhandlungen erhielt nach Auffassung des Hansa-Bundes auch der Wehrbeitrag einen für seine Mitglieder „schädigenden Charakter". Protestiert wurde von seiten des Hansa-Bundes gegen die Staffelung der Steuersätze bis zu 1,5 % vom Vermögen und gegen die Kapitalisierung der nicht fundierten Arbeitseinkommen des letzten Jahres. Angesichts dieser Verschlechterungen stellte der Hansa-Bund die Forderung auf, zum ursprünglichen Regierungsentwurf zurückzukehren[172].

Die Vermögenssteuer, die auch vom Deutschen Handelstag, dem Centralverband, dem Bund der Industriellen, dem Ältesten-Kollegium der Berliner Kaufmannschaft und von vielen Handelskammern, speziell aus industriellen Bezirken abgelehnt wurde, blieb jedoch bis zum Schluß Hauptangriffspunkt des Hansa-Bundes[173]. An seiner Position hielt der Hansa-Bund auch fest, nachdem er durch „private und öffentliche Mitteilungen Kenntnis davon erhalten hatte, daß zwischen großen parlamentarischen Parteien, unter Mitwirkung auch der liberalen Parteien, ein Kompromiß auf der Grundlage der Vermögenszuwachssteuer" vorbereitet wurde[174]. In einer Erklärung vom 12. 6. 1913, die allen Abgeordneten und der Presse zuging, bekräftigte er seine Vorstellungen und wies zugleich auf eine Reihe von Bedenken gegen Einzelbestimmungen hin. In seiner letzten Erklärung vom 23. 6. empfahl er, die Wehrvorlage und den einmaligen Wehrbeitrag anzunehmen, „die Entscheidung über die dauernden Deckungsvorlagen, die ja nicht im gleichen Maße eilig seien, der Herbstsession vorzubehalten"[175].

Riesser, der die Vermögenszuwachssteuer „speziell im Interesse der Industrie für außerordentlich bedenklich" hielt[176], versuchte, um sie zu verhindern, in dieser Phase auch Kontakt mit dem Centralverband aufzunehmen[177]. Während dies jedoch nicht gelang[178], war die Zusammenarbeit mit dem Bund der Industriellen sehr gut[179].

In Entgegnung der konservativen Kritik, der Hansa-Bund wäre „von den ihm nahestehenden Reichstagsabgeordneten im Stich gelassen worden", und nicht in der Lage gewesen, seine grundsätzlichen Forderungen zu verwirklichen, wies dieser darauf hin, daß gerade er in „wichtigen und grundlegenden Einzelfragen, die zuerst von ihm aufgestellten Forderungen" durchzusetzen vermochte[180]. Von Richthofen behauptete sogar, der Wehrbeitrag habe auf Grund des Einflusses des Hansa-Bundes „ein Gesicht bekommen, mit dem der Bund einverstanden sein kann"[181]. Während also von Richthofen betonte, der Hansa-Bund hätte „im großen und ganzen erreicht ..., was er im Interesse von Handel, Gewerbe und Industrie gefordert" habe[182], sparte Riesser nicht mit heftiger Kritik an den liberalen Parteien. Denn nach seiner Meinung hatten die „liberalen Parteien ... (es) in ihrer Hand, die Erbschaftssteuer durchzubringen und diejenigen zu isolieren, die auch hier ihre persönlichen Interessen höherstellten als die harten Notwendigkeiten der Staatserfordernisse. Die liberalen Parteien im Reichstage haben diese Gelegenheit leider verpaßt, und ich bedaure das ungemein."[183] Er müsse daher den Abgeordneten, die auf dem Boden der Richtlinien des Hansa-Bundes stünden, aber durch „ihre Zustimmung zum Vermögenszuwachssteuergesetz aus taktischen Gründen direkt gegen unsere berechtigten Interessen und Wünsche gehandelt" hätten, ganz deutlich „sagen, so geht es nicht weiter! Sicherlich, wir geben niemandem, dessen Wahl wir fördern, ein imperatives Mandat und muten ihm auch nicht zu, ein solches anzunehmen. Was wir aber von ihm verlangen müssen, und was wir ihm zumuten, ist, daß er unsere Ansichten *hört* und sich erst dann entscheidet, was er tun will." Das aber sei bei der Beschlußfassung über die Vermögenszuwachssteuer „nicht in ausreichendem Umfange ... geschehen"[184]. Bassermann jedoch, bei dem Riesser sich beschwerte[185], wies diese Kritik zurück. Die Auseinandersetzungen über die Wehr- und Deckungsvorlagen von 1912/13 hätten zum einen eine Reichsbesitzsteuer erbracht, die einen „Sieg des unitarischen Gedankens und eine Erfüllung liberaler Forderung" bedeute, und hätten zum andern die Konservativen isoliert. Grundlage dieses Sieges sei die „Einigung der Liberalen" gewesen; daß „diese so leicht erreicht wurde", sei ein „Verdienst des Hansa-Bundes, Ihrer Person und Ihres Einflusses, der Sie mit Recht immer diese Einigkeit gepredigt haben". „In der allgemeinen Besitzsteuer, die die Deszendentensteuer umfaßt, hat mit uns der Hansabund gesiegt, der immer die Erbschaftssteuer gefordert hat! Aber freilich die Taktik kann sich eine politische Partei nicht vorschreiben lassen: für diese tragen die Führer der politischen Parteien die Verantwortung, die ihnen eine außenstehende Organisation nicht abnehmen kann. Nur so, wie es gemacht worden ist, war die Deszendentensteuer durchzusetzen, waren die Conservativen zu überwinden."[186] Auch wenn „ein großer Teil der Mitglieder der nationalliberalen Fraktion und auch der Fortschrittler ... nur sehr ungern dem Kompromiß", d. h. der Vermögenszuwachssteuer zustimmte[187], zeigt die Darstellung der Auseinandersetzungen um die Wehr- und Deckungsvorlagen die Grenzen des Hansa-Bund-Einflusses auf die liberalen Abgeordneten. Das galt nicht nur für das untersuchte Gesetz. 1914 sprach Riesser etwas verbittert von „zahlreichen Abgeordneten, die den Hansa-Bund nur unter vier Augen kennen, aber nicht Unter den Linden" und dankte in diesem Zusammenhang dem Hansa-Bund-Direktoriumsmitglied MdR Bartschat dafür, „daß er sich im Reichstag immer offen als Anhänger des Hansa-Bundes bekannt habe"[188]. Wie schwierig es für den Hansa-Bund war, selbst seine Direktoriumsmitglieder auf den eigenen Standpunkt zu verpflichten, zeigt der Hinweis Riessers, daß bei der Erörterung der Konkurrenzklausel das Direktoriumsmitglied Marquart zusammen mit der SPD für deren Nichtigkeitserklärung eintrat und zwar, weil er sich in dieser Frage nicht „als Vertreter des Hansa-Bundes ... fühlt", sondern als „Direktor des Verbandes Deutscher Handlungsgehilfen in Leipzig und als einziger Angestelltenvertreter im Reichstage"[189]. Erwähnt sei ferner das von den Vorstellungen des Hansa-Bundes abweichende Abstimmungsverhalten des Gros' der Nationalliberalen in den Fragen der Senkung der Futtermittelzölle[190]. Bei anderen Fragen scheiterte eine Einflußnahme des Hansa-Bundes daran, daß er im innerverbandlichen Willensbildungsprozeß nicht zu einer von allen Mitgliedern akzeptierten Stellungnahme gelangen konnte (Reichsversicherungsordnung, Schutz der „Arbeitswilligen")[191]. Die bei der Deckungsvorlage in Einzelfragen erreichten Änderungen und die Tatsache, daß die Nationalliberale Partei z. B. den vom Hansa-Bund erarbeiteten Gesetzentwurf zur Regelung des Submissionswesens ohne jede Änderung im Reichstag und im Preußischen Abgeordnetenhaus einbrachte und ihn zusammen mit der Fortschrittlichen Volkspartei gegen die Angriffe der konservativ-klerikalen Mehrheit immerhin bis in die zuständige Reichstagskommission brachte, verdeutlicht, daß die Einflußnahme des Hansa-Bundes auf die liberalen Parteien andererseits auch nicht unterschätzt werden sollte[192]. Das gilt insbesondere, wie das Beispiel des Submissionswesens zeigt, für Mittelstandsfragen. Das Verhalten der liberalen Abgeordneten, die mit finanzieller Unterstützung des Hansa-Bundes in den Reichstag gewählt worden waren[193], in den erwähnten Gesetzesvorhaben zeigt, daß diese nicht bereit waren, die eingegangene Verpflichtung auf die Hansa-Bund-Richtlinien als ein imperatives Mandat anzunehmen.

Bei den Mitteln der Einflußnahme des Hansa-Bundes fällt neben dem üblichen Gebrauch der Resolutionen und Eingaben auf, daß der Hansa-Bund bei fast allen Gesetzesvorhaben sich die Unterstützung anderer Verbände sicherte[194]. Insbesondere auf Grund der Erfahrungen mit dem parlamentarischen Verlauf der Deckungsvorlage setzte sich der Hansa-Bund für einen Ausbau der parlamentarischen „Anlaufstellen“ für Interessengruppen ein. In zahlreichen Resolutionen der Zentrale und der Ortsgruppen forderte der Hansa-Bund 1913/14 die Besetzung der in § 26 der Geschäftsordnung des Reichstages vorgesehenen Kommission für Handel und Gewerbe[195]. Diese Forderung, die auch von anderen liberalen Verbänden erhoben worden war, wurde im Frühjahr auf Antrag Bassermanns und mit Unterstützung von Spahn (Zentrum) erfüllt. Von den sieben liberalen Mitgliedern gehörten fünf dem Hansa-Bund an; ein Mitglied (Bartschat) war Mitglied des Hansa-Bund-Direktoriums[196]. Gefordert wurde ferner vom Hansa-Bund zur besseren Einflußnahme die Bildung gewerblicher Kommissionen bei den Parteien[197] und ihren Parlamentsfraktionen[198] und eine frühzeitige Hinzuziehung von Sachverständigen aus Handel, Gewerbe und Industrie bei sie tangierenden Gesetzesvorhaben[199]. Angestrebt wurden ferner regelmäßige Konferenzen mit Vertretern der Legislative, die die Einflußnahme während des Gesetzgebungsprozesses erleichtern sollten[200]. Um seinen eigenen Forderungen mehr Gewicht zu verleihen, und um zu verhindern, daß sie in der Flut der Eingaben an die Legislative „untergingen“, führte der Hansa-Bund im Januar 1914 die Zusammenfassung aller bei ihm eingegangenen und von ihm bzw. seinen korporativen Mitgliedern unterstützten Eingaben ein[201]. Darüber hinaus unterstützte er insbesondere die von dem Handelskammersyndikus, Brandt, gemachten Vorschläge zur Verbesserung des Einflusses von Gewerbe, Handel und Industrie[202]. Die von den konservativen Kräften vertretenen Forderungen nach Errichtung eines Reichsoberhauses oder nach einer Änderung des Reichstagswahlrechts, um auf diese Weise den Einfluß von Handel, Gewerbe und Industrie zu erhöhen, wurden als „völlig indiskutabel“ abgelehnt[203].

4. Hansa-Bund und Regierung

Der Hansa-Bund war sich von Anfang an darüber im klaren, daß einer Einflußnahme auf die Regierung im Reich, die aus einem „vielgliedrigen komplexen Gefüge“[204] aus Kaiser, Kanzler, Staatssekretären der Reichsämter, preußischem Staatsministerium und Bundesrat bestand, erhebliche Schwierigkeiten entgegenstanden. Das gleiche galt auch für die Verwaltung. So wies er z. B. in der ersten Nummer seiner Zeitschrift darauf hin, daß den von ihm vertretenen Wirtschaftszweigen der Zugang zu der höheren Verwaltung weitgehend versperrt wäre. „Diese Stellen sind einer engbegrenzten Schicht vorbehalten, und das gilt den Bevorzugten als so selbstverständlich, daß sie im höchsten Maße erstaunt sind, wenn nicht zur Kaste Gehörige überhaupt einen Versuch machen, in die Verwaltungslaufbahn hineinzukommen.“[205] Da weder die preußische noch die Reichsbürokratie ausschließlich ausführende Organe der politischen Leitung darstellten, sondern vielmehr imstande waren, „Entscheidungen mit vorzubereiten, vorzuformulieren, direkt zu fällen oder ... zu verzögern, zu verhindern, auszuschließen“[206], grenzte die einseitige Zusammensetzung der Bürokratie die Einflußnahme von Gewerbe, Handel und Industrie erheblich ein. Die gleichen Faktoren und politische Differenzen blockierten auch den Zugang zur Regierungsspitze[207].

Während Bethmann Hollweg bestrebt war, die Bildung einer gemäßigt rechts orientierten Mehrheit im Reichstag zu ermöglichen[208], erstrebte der Hansa-Bund eine Mehrheit unter Ausschluß der Parteien des schwarz-blauen Blocks[209]. Aus diesem grundsätzlichen Gegensatz ergaben sich zahlreiche andere Differenzen. Die offiziöse Norddeutsche Allgemeine Zeitung kritisierte die unklare Haltung des Hansa-Bundes gegenüber der Sozialdemokratie insbesondere im Hinblick auf die Wahlen von 1912[210]. Die Neutralität des Hansa-Bundes in der Frage der Stichwahlparole gegenüber der SPD bedingte daher einen kaum lösbaren Widerspruch zwischen Regierung und Hansa-Bund[211]. Während des Wahlkampfes wurden mehrere Wahlaufrufe und Flugblätter des Hansa-Bundes scharf angegriffen, da sie die „Elemente der Verwirrung und Zwietracht, die ... schon genug tätig“ wären, vermehren[212] und eine Zusammenführung der bürgerlichen Parteien erschweren würden[213]. Diese Angriffe wurden mit dem Hinweis zurückgewiesen, die Zeiten seien vorbei, wo man dem deutschen Bürgertum „in einem schulmeisterlichen Ton“ vorschreiben könnte, was es sagen dürfe und was nicht[214]. Der Vorwurf der Regierung, die Sprache der Wahlaufrufe des Hansa-Bundes erinnere an die der staatsfeindlichen Parteien[215], wurde mit der Aufforderung beantwortet, die Regierung solle sich mit der einseitigen Interessenpolitik der agrarischen Kräfte beschäftigen, dann würde sie auch die scharfe Sprache des Hansa-Bundes verstehen[216].

Der Hansa-Bund seinerseits warnte seine Mitglieder vor einer „Sammlung aller rückwärts gerichteten Elemente gegen das vorwärts strebende Bürgertum“, die „hinter den Kulissen“ vorbereitet würde[217], und stellte fest, daß die Regierung auf seiten dieser Kräfte zu finden sein werde[218]. Diese Einschätzung der Lage war durchaus zutreffend, denn ein Eingehen der Regierung auf die Vorstellungen des Hansa-Bundes war – worauf Stegmann zu Recht hinweist – schon aus dem Grunde zumindest seit 1911[219] nicht zu erwarten, weil eine „Hinwendung zu dem gleichermaßen von Junkertum und Großindustrie befehdeten Hansa-Bund ... das Schicksal der Regierung Bethmann-Hollweg besiegelt“ hätte. Denn schon die mäßige Liberalisierung, die Riesser und den reformerischen Kräften in den liberalen Parteien vorschwebte, „hätte eine Schwächung der überkommenen Gesellschaftsstruktur bedeutet, die das offizielle Deutschland niemals zulassen wollte“[220].

Bei der gegenseitigen geringen Wertschätzung erscheint die Vermutung berechtigt, daß trotz mancherlei Übereinstimmung in einzelnen Fragen[221] lediglich von einer geringen Einflußnahme des Hansa-Bundes auf die Exekutive auszugehen ist. Dies bestätigte auch eine Durchsicht der Akten der Reichskanzlei, in denen sich nur wenige Hinweise auf Eingaben und sonstige Versuche einer

Einflußnahme fanden, die zudem noch zum großen Teil ohne Erfolg blieben[222]. Bethmann Hollweg erklärte sich zwar bereit, den Geschäftsführer des Hansa-Bundes, Knobloch, Anfang März 1910 zu empfangen[223], irgendwelche Einflußmöglichkeiten wurden hierdurch jedoch nicht geschaffen. In den Unterlagen der Reichskanzlei befindet sich auch ein Schreiben des Hansa-Bund-Direktors an den Unterstaatssekretär in der Reichskanzlei, A. Wahnschaffe, in dem Knobloch mitteilt, Riesser habe sich darüber beklagt, daß man sich des Hansa-Bundes bisher überhaupt „nicht bedient" habe[224].

Die Rede Riessers auf dem ersten Hansa-Bund-Tag wurde nicht nur von der Schwerindustrie zum Anlaß ihres Austritts aus dem Hansa-Bund genommen, sie veranlaßte auch die Regierung, die letzten Kontakte zum Hansa-Bund und seinem Vorsitzenden Jacob Riesser abzubrechen[225]; dafür sorgten nicht zuletzt die guten Kontakte der Konservativen zur Reichskanzlei, die von Anfang an der „wüsten Agitation des Hansa-Bundes" entgegentraten[226].

Dem Hansa-Bund blieb daher lediglich die Möglichkeit, zum einen über eine Beeinflussung der Öffentlichkeit und der Legislative indirekt auf die Regierung Einfluß auszuüben und zum anderen für eine Verbesserung des Zugangs von Handel, Gewerbe und Industrie zu den Regierungsstellen sich einzusetzen. So forderte er zur besseren Vertretung der Interessen von Gewerbe, Handel und Industrie insbesondere eine Reform des Wirtschaftlichen Ausschusses, der nicht nur für Zoll- und Handelsvertragsangelegenheiten, sondern auch für „alle sonstigen, gewerblichen, industriellen und kommerziellen Fragen" zuständig sein sollte[227] und „unter allen Umständen periodisch, und zwar in geringen Zwischenräumen" tagen sollte[228]. Es wurde kritisiert, daß der Wirtschaftliche Ausschuß bisher lediglich zur Beratung handelspolitischer Fragen und zu selten einberufen wurde. Solange bei den einzelnen Ämtern die vom Hansa-Bund und anderen Gremien geforderten Beiräte nicht existierten, wäre eine Beratung derjenigen Gesetze im Wirtschaftlichen Ausschuß zu wünschen, die Handel, Gewerbe und Industrie beträfen[229]. Kritisiert wurde schließlich auch die Zusammensetzung des Ausschusses, in dem das Handwerk völlig fehle[230] und einzelne Industriezweige unter- oder überhaupt nicht repräsentiert seien. Um die Funktionsfähigkeit des Ausschusses nicht zu gefährden, wurde der Vorschlag gemacht, bei wichtigen Wirtschaftsgesetzen den Ausschuß jeweils ad hoc durch geeignete Sachverständige mit Stimmrecht zu ergänzen. Auf diese Weise erschien es dem Hansa-Bund möglich, „bei Gesetzentwürfen, die den Gewerbestand angehen, dem Reichstag mit authentischen Gutachten zu dienen"[231]. Darüber hinaus verlangte der Hansa-Bund, Gesetzesvorlagen der Regierung von „großer Tragweite" für die betroffenen Wirtschaftszweige möglichst frühzeitig, d. h. „lange vor der parlamentarischen Beratung" zur öffentlichen Kenntnis zu bringen[232] und ferner große und wichtige wirtschaftliche Fragen in Kommissionen, Konferenzen und Enqueten geeigneter Sachverständiger durchzuberaten. Die Ergebnisse sollten in weitem Umfange publiziert werden[233].

Festzuhalten bleibt, daß die These von der Regierung als dem Hauptadressaten der Industrieverbände in dieser generellen Form nicht aufrechtzuerhalten ist. Für den Hansa-Bund zumindest gilt, daß die Hauptadressaten seiner Einflußnahmen die liberalen Parteien und deren Parlamentsfraktionen waren. Dies ist zum einen auf die Einwirkungsmöglichkeiten, die diese Organe ihm auf den Gesetzgebungsprozeß gaben und auf die zwischen ihnen und dem Hansa-Bund existierenden starken ideologischen und programmatischen Affinitäten und Personalunionen zurückzuführen; zum anderen auf die soziale Zusammensetzung von Regierung und Verwaltung, die seine Einflußmöglichkeiten erheblich reduzierte.

Die zuerst von O. Hintze aufgestellte These, der Hansa-Bund habe ebenso wie der Bund der Landwirte die Funktion der Parteien, die heterogenen Interessen zu politisieren und in ein politisches Gesamtkonzept zu integrieren, beeinträchtigt, ist so nicht haltbar. Zweifellos verstärkten die Aktivitäten des Hansa-Bundes die zentrifugale Tendenz innerhalb der Nationalliberalen Partei, die in den Vorkriegsjahren auf Grund der Heterogenität der in ihr vertretenen Interessen mehrfach am Rande einer Spaltung stand. Auf der andern Seite hat der Hansa-Bund jedoch durch seinen Einfluß ein weitgehendes Zusammengehen der liberalen Parteien bei den Reichstagswahlen von 1912 ermöglicht und sich darüber hinaus für eine Einigung der liberalen Kräfte und für ein Zusammengehen mit dem rechten Flügel der SPD eingesetzt. Hierdurch wurden punktuelle Mehrheitsbildungen im Reichstag erleichtert.

V. Einfluß des Hansa-Bundes auf die Reichstagswahlen von 1912

In diesem Kapitel soll nach Mitteln, Formen und Adressaten der Einflußnahme des Hansa-Bundes auf die Wahlen von 1912 gefragt werden, ferner nach dem Stellenwert, der dieser Einflußnahme bei der Durchsetzung des Hansa-Bund-Zieles, die Vorherrschaft der konservativ-agrarischen Führungsschicht zu brechen, zukam. Besonderes Augenmerk soll der Kandidatenaufstellung und -durchsetzung gewidmet werden, die Rückschlüsse auf die innerparteiliche Willensbildung und den Prozeß der Rekrutierung der wichtigsten politischen Führungsgruppe der liberalen Parteien, d. h. der Parlamentsfraktion, zulassen[1]. Zu fragen ist nicht nur, ob außerparteiliche Gruppen, in diesem Fall der Hansa-Bund, entscheidenden Einfluß auf die Besetzung politischer Führungspositionen nahmen, sondern auch, in welcher Art und Weise, mit welchen Mitteln und Zielsetzungen. Das heißt u. a., ob mit der Einflußnahme zugunsten bzw. gegen die Aufstellung bestimmter Kandidaten auch eine Sach- und Richtungsentscheidung angestrebt und erreicht wurde[2]. Zu untersuchen ist, welche Bedeutung den vom Hansa-Bund aufgestellten Auswahlgesichtspunkten zukam, ob sie von denen der liberalen Parteien abwichen und, wenn ja, ob sie zum Tragen kamen.

Aufschlußreich für die inneren Machtverhältnisse besonders der Nationalliberalen Partei erscheint die Frage, in welchem Anteilsverhältnis die verschiedenen Interessengruppen, besonders Hansa-Bund, CVDI und BdL bei der Kandidatenaufstellung berücksichtigt wurden[3]. Zu prüfen ist, inwieweit die These, finanzielle Abhängigkeit einer Partei von einem Verband ermögliche diesem bereits einen entscheidenden Einfluß auf den Rekrutierungs- und Nominierungsprozeß der Parlamentskandidaten, zu belegen ist[4].

Bei der Lückenhaftigkeit des Materials und dem Umstand, daß etwa im Unterschied zu Untersuchungen von Kandidatenaufstellungen zum Bundestag eigene empirische Untersuchungen und Erhebungen zwecks Aufbesserung der Materiallage natürlich nicht möglich waren, kann nur auf Tendenzen hingewiesen werden; für generalisierende Aussagen und Ansätze zur Theoriebildung reichen die vorliegenden Daten in der Regel nicht aus[5].

1. Zielsetzung des Hansa-Bundes

Ein spezielles Wahlkampfprogramm wurde vom Hansa-Bund nicht veröffentlicht. Zielsetzung und Thematik des Wahlkampfes waren im wesentlichen in den bereits im Oktober 1909 beschlossenen „Richtlinien für die nächste Tätigkeit des Hansa-Bundes“ formuliert[6]. Nach diesen Richtlinien sollte es Aufgabe des Hansa-Bundes sein, dahin zu wirken, „daß Deutschlands Gewerbe, Handel und Industrie die ihnen auf Grund ihrer wirtschaftlichen Bedeutung zukommende Gleichberechtigung sowohl in der Gesetzgebung, wie in der Verwaltung und Leitung des Staates eingeräumt“ und daß der „unheilvolle Einfluß jener einseitigen agrardemagogischen Richtung gebrochen werde“.

Um dieses Ziel zu erreichen, hielt der Hansa-Bund es für seine Pflicht, 1. „das erwerbstätige Bürgertum und damit das Bürgertum überhaupt von der unabweisbaren Pflicht ... persönlicher Beteiligung an der parlamentarischen Tätigkeit sowie aktiver Teilnahme an den Wahlen zu überzeugen“; 2. „die politischen Parteien bei Aufstellung und Durchsetzung solcher Kandidaten [zu] unterstützen, welche die Gewähr dafür bieten, daß sie in ihrer parlamentarischen Tätigkeit von den Grundgedanken des Bundes nicht abweichen werden“[7]. Da die „Geschicke des deutschen Gewerbestandes ... im Reichstag und in den Parlamenten [der Bundesstaaten] entschieden“[8] würden, sei „eines der wichtigsten Ziele, mehr gewerbefreundliche Abgeordnete in den Reichstag zu entsenden“; der Hansa-Bund werde hierbei „in erster Linie ... für die Wahl von Kandidaten aus den eigenen Reihen“ von Gewerbe, Handel und Industrie eintreten[9].

Die Forderung nach Einflußnahme auf die Wahlen wurde in fast allen Aufrufen zur Gründung von Ortsgruppen und in den Gründungsversammlungen der Zweigvereine aufgegriffen[10].

Die Zielsetzung einer aktiven Einflußnahme auf die Wahlen blieb im Hansa-Bund jedoch nicht unumstritten. Roetger und die übrigen Vertreter des CVDI[11] im konstituierenden Präsidium des Hansa-Bundes vertraten den Standpunkt, daß „bei dem Vorhandensein vielfach divergierender Interessen im Hansabund mindestens bis auf weiteres sich die Tätigkeit des Hansabundes bei den Wahlen in der Praxis in der Hauptsache wohl auf die Vermittlung zwischen den verschiedenen Interessen- und parteipolitischen Gruppen werde beschränken müssen und daß diese, übrigens sehr wichtige Tätigkeit wesentlich bei den Lokalgruppen und nicht bei der Centrale liegen“ sollte[12]. Die Mitglieder des CVDI in den Hansa-Bund-Gremien konnten die sofort einsetzende Aktivität Riessers und der ihn unterstützenden Vertreter des Handels (i. w. S.) und der Fertigindustrie jedoch nicht verhindern.

Die bereits wenige Wochen nach der Gründungsversammlung gewählte Kommission, die das Präsidium des Hansa-Bundes bei der „Vorbereitung öffentlicher Wahlen“ beraten sollte, bestand in ihrer Mehrheit aus Mitgliedern, die für eine aktive Teilnahme am Wahlkampf eintraten[13].

2. Einflußnahme auf die Nominierung der Reichstagskandidaten

Neben dem bereits erwähnten Bestreben, im verstärkten Umfange Kandidaten aus Gewerbe, Handel und Industrie in die Parlamente zu bringen, lassen sich folgende Ziele des Hansa-Bundes bei der Aufstellung von Kandidaten erkennen: Zum einen der Versuch, die liberalen Parteien in allen Wahlkreisen zu einem Zusammengehen zu bewegen und überall nur einen gemeinsamen Kandidaten zu benennen, zum anderen das Bemühen, den rechten Flügel der Nationalliberalen zu schwächen. Die seit der neunten Legislaturperiode einsetzende Eroberung der städtischen Wahlkreise – bis dahin politische Domänen von Honoratioren der Industrie, des Handels und der Großfinanz – durch die SPD schwächte die Interessenvertretung dieser Kreise im Reichstag erheblich, wenn auch ihr parlamentarischer Einfluß ihre relativ geringe Anzahl bei weitem übertraf[14]. Die wesentlichen Gründe für die quantitativ geringe parlamentarische Vertretung des Großbürgertums sind in der politischen Emanzipation weiter Bevölkerungsschichten von diesen Honoratiorenkreisen und ihrer Hinwendung zur SPD und in den nicht zu unterschätzenden Schwierigkeiten zu suchen, geeignete Vertreter dieser Schichten für die parlamentarische Tätigkeit zu gewinnen[15].

Bis auf wenige Ausnahmen gehörten die Vertreter der Großindustrie und des Großkapitals den liberalen Parteien und der Reichspartei an, so daß „das Schicksal der liberalen Parteien und der Deutschen Reichspartei ... über die Stärke der Vertretung industrieller und kapitalistischer Interessen im Reichstag“ entschied[16]. Noch schwächer als die des Großbürgertums war die parlamentarische Vertretung des erwerbstätigen Kleinbürgertums. Molt zählt für den Zeitraum von 1893–1914 lediglich 47 Angehörige kleinbürgerlicher Berufe, insbesondere selbständige Handwerker, Detaillisten, Gastwirte, die sich im Reichstag der spezifisch wirtschaftlichen Interessen dieser Kreise annahmen[17]. Obwohl die Antisemiten, Konservativen und das Zentrum bereits vor der Jahrhundertwende mittelstandsspezifische Forderungen in ihre Parteiprogramme aufgenommen hatten, lassen sich erst nach den Wahlen von 1907 ernsthafte Bestrebungen der Parteien feststellen, die Mittelstandsbewegung sich politisch zunutze zu machen und sie in die parteistrategischen Erwägungen in verstärktem Maße einzubeziehen[18]. Die Forderung des Hansa-Bundes, dem erwerbstätigen Bürgertum eine seiner wirtschaftlichen Stellung entsprechende Vertretung in den Parlamenten zu sichern, war keineswegs neu. Entsprechende Forderungen waren bereits früher vom DHT und – beschränkt auf die Industriellen – besonders vom BdI erhoben worden[19]. Es überrascht daher nicht, wenn diese populäre Forderung in fast allen Gründungsaufrufen und -versammlungen des Hansa-Bundes erhoben wurde[20], und wenn bereits Ende 1909 an alle Zweigvereinsvorsitzenden die Instruktion erging, „tunlichst binnen 4 Wochen“ aus den Kreisen des Hansa-Bundes Mitglieder zu benennen, die „gewillt und geeignet“ seien, „als Landtags- und Reichstagskandidaten aufzutreten“[21]. In diesem Sinne sollte auf die im Gesamtausschuß des Hansa-Bundes vertretenen Industrie-, Gewerbe- und Handeltreibenden zurückgegriffen werden[22].

Um den Einfluß der Hansa-Bund-Zentrale sicherzustellen, und ihre Verhandlungsposition gegenüber den liberalen Parteien zu stärken, wurden die Zweigvereine (Landes-, Provinzial- und Ortsgruppen) instruiert, „unter keinen Umständen ... einseitig vor(zu)gehen", sondern „rechtzeitig die lokalen Verhältnisse der Zentralleitung dar(zu)legen und deren Entscheidung ein(zu)holen"[23]. Wenige Monate später stellte Riesser fest, daß die Ortsgruppen dieser Aufforderung „in großem Umfange" nachgekommen seien, „so daß die Zentrale heute in der Lage sei, den verschiedenen politischen Parteien Herren zu benennen, welche auf dem Boden der Bestrebungen des Hansa-Bundes stehend, ihre Bereitwilligkeit zur Übernahme eines Mandats erklärt hätten". Dabei sei aber im Auge zu behalten, daß der Hansabund keine eigenen Reichstagskandidaten nominiere, sondern nur geeignete Persönlichkeiten den bürgerlichen Parteien bezeichne, welche die Parteien ihrerseits dann nominieren sollten. Wie schwierig es für den Hansa-Bund war, bekannte Industrielle zu politischer Tätigkeit und zur Annahme einer Reichstagskandidatur zu bewegen, zeigen die langwierigen, von Kleefeld – Geschäftsführer des Hansa-Bundes – mit W. Rathenau geführten Verhandlungen und der Briefwechsel Riessers mit Duisberg[24]. Eine Aufschlüsselung der vom Hansa-Bund unterstützten Kandidaten zeigt, daß es ihm nicht gelungen war, in erster Linie Kandidaten aus den eigenen Reihen zu rekrutieren. Unter den 220 vom Hansa-Bund unterstützten Kandidaten – Stand von September 1911 – befanden sich lediglich – inklusive 10 Syndici gewerblicher Verbände – 72 Hansa-Bund-Mitglieder, die dem erwerbstätigen Bürgertum angehörten[25], darunter 6 Direktoriums- und 15 Gesamtausschußmitglieder, 12 Vorsitzende bzw. Vorstandsmitglieder von Landes- und Provinzialverbänden oder Ortsgruppen des Hansa-Bundes. Vier der Kandidaten waren ferner 1909 Mitglieder des konstituierenden Präsidiums gewesen. Mindestens drei weitere Kandidaten (Münch, Volksschullehrer, Dr. Tubenthal, Oberstabsarzt, Gyßling, Justizrat, alle drei FVp), die keine aktiven Unternehmer, Handel- oder Gewerbetreibende waren, hatten Vorstandsämter in Ortsgruppen bzw. in einem Provinzialverband (Gyßling, Ostpreußen) inne. Mit insgesamt 26 Kandidaten, die 40 Führungspositionen innerhalb des Hansa-Bundes wahrnahmen[26], war der Hansa-Bund im Vergleich zu den übrigen Verbänden außerordentlich stark vertreten[27]. Um den Stellenwert der Verbandsaktivität für die Auswahlentscheidung der Parteien feststellen zu können, muß zunächst danach gefragt werden, ob die genannten Kandidaten, die führende Positionen im Hansa-Bund bekleideten, bereits ein parlamentarisches Mandat und/oder innerparteiliche Führungspositionen innehatten. Das trifft für 13 der 26 genannten Kandidaten zu[28]. Die Verbandsaktivität im Hansa-Bund, aber auch in anderen Verbänden[29], erhöhte ohne Zweifel ihre Nominierungschancen, da die finanziell relativ schlecht gerüsteten liberalen Parteien davon ausgehen konnten, daß der wesentliche Teil der Wahlkampfkosten führender Hansa-Bund-Vertreter vom Hansa-Bund getragen werden würde[30].

Ein größeres Gewicht hatte die Aktivität im Hansa-Bund für die Nominierung von Bewerbern, die weder ein innerparteiliches Mandat noch parlamentarische Erfahrung besaßen. Deutlich wird dies besonders bei H. Toepffer[31] – Vorsitzender des Pommerschen Provinzialverbandes und der Ortsgruppe Stettin – und A. Sturm[32] – Vorsitzender des Provinzialverbandes Nassau und der

Ortsgruppe Wiesbaden des Hansa-Bundes (beide FVp) – und bei den nationalliberalen Bewerbern Roland-Lücke und Stöve[33], deren Nominierungen aus finanziellen Gründen und parteistrategischen Erwägungen von den liberalen Parteien gefördert wurden. Die Nominierung z. B. des Vorsitzenden der Hansa-Bund-Provinzialorganisation Pommerns übte einen positiven Einfluß auf die Haltung des Hansa-Bundes gegenüber Kandidaten der FVp aus, die, wie der Gewerkschaftsvertreter Schumacher, weder als Mitglied dem Hansa-Bund noch dem von ihm vertretenen erwerbstätigen Bürgertum angehörten. Denn daß zumindest das Gros der im Hansa-Bund vertretenen Industriellen, Kaufleute, Handwerker und Detaillisten die Kandidatur des liberalen Gewerkschaftsvertreters Schumacher unterstützte[34], kann keineswegs als Selbstverständlichkeit angesehen werden.

Die seit 1907 verstärkte Werbung aller Parteien um den selbständigen und unselbständigen Mittelstand erhöhte die Nominierungschancen derjenigen führenden Mitglieder des Hansa-Bundes, die diesen Kreisen zuzurechnen waren[35].

3. Einfluß des Hansa-Bundes auf das Wahlabkommen der liberalen Parteien

Wollte der Hansa-Bund einen maßgeblichen Einfluß auf den Reichstag erhalten, mußte er sich für ein Zusammengehen der seinem Programm am nächsten stehenden Parteien, der NLP und der FVp einsetzen, da infolge der 1909 verstärkt einsetzenden Polarisierung die Gefahr drohte, daß bei einem getrennten Vorgehen der liberalen Parteien diese zwischen dem schwarz-blauen Block auf der einen und der SPD auf der anderen Seite zerrieben würden[36].

Stärkstes Druckmittel des Hansa-Bundes, um ein Zusammengehen der liberalen Parteien bei der Reichstagswahl von 1912 und bei den nach 1909 stattfindenden Landtagswahlen zu erwirken, war die Verweigerung finanzieller Unterstützung im Falle einer Nichteinigung der liberalen Parteien.

Um zu einem möglichst umfassenden Wahlabkommen zwecks Verhinderung liberaler Doppelkandidaturen zu kommen, fand bereits am 25. 4. 1910 auf Initiative des Hansa-Bundes in seinem Büro eine „Einigungsverhandlung“ zwischen den Parteisekretären der FVp und der NLP statt, auf der der Geschäftsführer des Hansa-Bundes, Kleefeld, die Hoffnung aussprach, daß „das Einigungswerk auf der ganzen Linie gelingen möge“[37]. Wie die Beratungen im geschäftsführenden Ausschuß der FVp zeigen, wurde zumindest in der FVp der Wunsch des Hansa-Bundes sehr ernst genommen. Der Abgeordnete Wiemer z. B. vertrat die Ansicht, „gegenüber den Nationalliberalen von vornherein die Geneigtheit erkennen zu lassen, unter bestimmten Voraussetzungen mit ihnen zusammenzugehen“[38], und begründete sie mit dem Hinweis, daß „der Hansa-Bund eine Verständigung zwischen den beiden liberalen Gruppen, die als berechtigt anerkannt werden muß, herbeigeführt zu sehen wünsche“. Der Zusammenkunft der liberalen Parteien vom 25. 4. 1910 mit Vertretern des Hansa-Bundes folgten zahlreiche andere, um teils zwischen den Führungsgremien der liberalen Parteien und der Hansa-Bund-Zentrale, teils zwischen Vertretern einzelner Provinzial- bzw. Landesverbände der FVp, der NLP und des Hansa-Bundes Wahlabkommen zur Verhinderung liberaler Doppelkandidaturen auszuhandeln; so z. B. für die Provinzen Pommern[39], Hannover[40], für das Rheinland[41] und die Pfalz, ferner für das Königreich Bayern[42] und das Großherzogtum Hessen[43].

Die Initiative zu diesen Verhandlungen ging teils vom Hansa-Bund, teils von den liberalen Parteien aus, die, sobald sie sich nicht einigen konnten, den Hansa-Bund zwecks Vermittlung anriefen[44]. War eine Einigung zwischen den Führungsgremien der liberalen Parteien und dem Hansa-Bund erzielt, versuchten die von diesem unter Druck gesetzten Parteispitzen[45] mit dem Hinweis „auf die Geldfrage" die Widerstände einzelner Wahlkreisorganisationen zu brechen. Der Hansa-Bund begnügte sich nicht damit, Druck dahingehend auszuüben, daß in jedem Wahlkreis lediglich ein liberaler Kandidat aufgestellt wurde, sondern nahm auch auf die inhaltliche Gestaltung der Abkommen Einfluß, indem er festzulegen versuchte, welche der beiden liberalen Parteien den Kandidaten im jeweiligen Reichstagswahlkreis stellen sollte[46].

4. Finanzielle Unterstützung der Reichstagskandidaten

a) Finanzlage der liberalen Parteien

Der Einfluß des Hansa-Bundes auf die Kandidatenaufstellung der liberalen Parteien wird verständlich, wenn man sich deren Finanzlage vergegenwärtigt.

Die laufenden Einnahmen der liberalen Parteien waren außerordentlich gering (s. Anlagen 17, 18). Sie lassen zu Recht auf eine mangelhafte Finanzorganisation und schlechte Zahlungsmoral der liberalen Parteimitglieder schließen[47]. Naumann charakterisierte den Kassenstand der meisten liberalen Vereine der FVp als „erbärmlich. Es ist so; ich habe kein milderes Wort. Einmal muß es heraus: Der Liberalismus krankt an der Knickrigkeit seiner Bekenner"[48].

Da die laufenden Einnahmen kaum die Unkosten der liberalen Parteiapparate deckten[49], waren diese zwecks Finanzierung der Wahlkämpfe in erheblichem Umfange auf einmalige Beiträge von potenten Mitgliedern[50] und ihnen nahestehenden Verbänden angewiesen; wobei die Fremdmittel die Haupteinnahmequelle der liberalen Parteien darstellten. Nach den Berechnungen Nipperdeys stellte sich für die nationalliberale Partei „das Verhältnis der einmaligen zu den festen Beiträgen ... in der Zeit von 1905 bis 1912 etwa auf 7 : 4"[51], wobei unklar bleibt, ob die einmaligen Beiträge auch die Fremdmittel von seiten der Verbände umfassen. Dies muß bezweifelt werden, da ansonsten der Verbleib der umfangreichen Mittel des Hansa-Bundes und der übrigen die liberalen Parteien unterstützenden Verbände nicht zu erklären ist[52].

Die Abhängigkeit der liberalen Parteien – besonders der FVp – von Fremdmitteln wurde seit der Gründung des Hansa-Bundes noch dadurch vergrößert, daß ein großer Teil ihrer Anhänger aus der Industrie, den Kreisen des Großhandels und der Banken nicht mehr wie bisher ihre Wahlbeiträge den Parteien zugehen ließ, sondern sie dem Hansa-Bund zur Verfügung stellte[53].

b) Wahlfonds des Hansa-Bundes

Gegen den Willen des CVDI[54] wurde seit Oktober 1910 in mehreren Aufrufen – „An die Angehörigen des Deutschen Gewerbestandes", „An die deutschen Kaufleute und Industriellen", „Rüstet zu den Reichstagswahlen", „Für den Hansapfennig des deutschen Kaufmanns!"[55] usw. – zu Spenden für den „Zentralwahlfonds des Hansa-Bundes" aufgerufen. Um das Ziel des Hansa-Bundes, „die einseitige Interessenpolitik des Bundes der Landwirte zu brechen" und „eine *allen* Erwerbsständen... gleichermaßen gerecht werdende Wirtschafts- und Finanzpolitik" durchsetzen zu können, sei es „Pflicht ... eines jeden Angehörigen des deutschen Gewerbestandes ... den Hansa-Bund in größtem Umfang finanziell... zu unterstützen"[56], wobei von den Industriellen und Großhändlern für die Jahre 1910 und 1911 Beiträge in Höhe von „mindestens 1 von 1000 der jährlich aufgewendeten Lohnsumme"[57] gefordert wurden. Die Ortsgruppen wurden verpflichtet, „mit aller Tatkraft die Sammlungen für den Wahlfonds des Hansa-Bundes zu fördern"[58]. Dem weitaus größten Teil der Ortsgruppen wurden lediglich Zubringerdienste zugebilligt. Sie hatten die Aufgabe, die Spendenaufrufe an die „geeigneten Adressen" weiterzuleiten, durch „besonders hervorragende Mitglieder" bzw. die Geschäftsführer Sammlungen vornehmen zu lassen und die Wahlfondsbeiträge der Zentrale in Berlin zu übermitteln[59].

Die Höhe der insgesamt dem Hansa-Bund und seinen Zweigvereinen zugegangenen Mittel läßt sich nur schätzen[60]. Nach einer Notiz der Reichskanzlei betrug der Wahlfonds der Hansa-Bund-Zentrale im März 1911 ca. 830 000 Mk.[61]. Acht Wochen vor der Wahl wurde von der Zentrale eine erneute Sammlung zum Wahlfonds angeregt, wobei Riesser mit weiteren Mitteln in Höhe von „mindestens 700 000 Mk." rechnete[62], Erwartungen, die sicherlich nicht völlig unrealistisch waren[63].

Zu den Mitteln des Zentralwahlfonds sind die Wahlfondsgelder einiger Ortsgruppen bzw. Landesverbände hinzuzurechnen. Denn der Versuch der Hansa-Bund-Führung, die Wahlkampfmittel bei der Zentrale zu konzentrieren, um über die Verteilung der Mittel Einfluß auf die Nominierung der Reichstagskandidaten und die Auswahl der finanziell zu unterstützenden Kandidaten treffen zu können, war nur z. T. von Erfolg gekrönt. Einige der finanzstarken Zweigvereine, u. a. Groß-Berlin, Frankfurt a. M., Hamburg, Bremen und Lübeck, konnten in Verhandlungen mit der Zentrale die Einrichtung eigener Wahlfonds, auf deren Verteilung die Zentrale nur geringen Einfluß hatte, durchsetzen[64].

In welchen Größenordnungen Anfang 1911 die Sammlung von Wahlgeldern geplant wurde, zeigt M. M. Warburgs Plan, allein in Hamburg 1 Million Mark Wahlkampfgelder aufzubringen[65].

Wenn dieser Plan auch nicht realisiert worden sein dürfte, so ist auf Grund der in wenigen Tagen von Warburg und Crasemann gesammelten Gelder[66] anzunehmen, daß dem Hamburger Zweigverein 1911/Anfang 1912 mindestens 200 000–300 000 Mark zur geplanten Unterstützung von acht nationalliberalen und acht freisinnigen Kandidaten[67] zur Verfügung standen. Die Unterlagen der Ortsgruppe Frankfurt a. M. und der Landesgruppe Lübeck lassen ebenfalls erkennen, daß beide finanziell gut ausgestattet waren, denn sie konnten ebenso wie die Hamburger Ortsgruppe zahlreiche Wahlkreise außerhalb der Grenzen der Orts- bzw. Landesgruppen unterstützen[68].

Die Hansa-Bund-Zentrale und die genannten Ortsgruppen mit eigenen Wahlfonds dürften insgesamt über 1 $^{1}/_{2}$–2 $^{1}/_{2}$ Millionen Mark für Wahlkampfzwecke verfügt haben.

c) Die Auflagen des Hansa-Bundes im Falle finanzieller Unterstützung

Neben der Verpflichtung auf die Richtlinien des Hansa-Bundes, waren es im wesentlichen zwei Auflagen, die die Bewerber oder Kandidaten bzw. die Parteien erfüllen mußten, bevor sie vom Hansa-Bund finanziell unterstützt wurden.

Wahlunterstützungsgesuche wurden – wie z. B. die der liberalen Parteien des Wahlkreises Coburg – mit der Begründung abgelehnt, daß „hier die Kandidaten zweier liberaler Parteien einander gegenüberstünden, und daß es ... nicht Sache des Hansa-Bundes sein könne, einem Unterstützungsgesuch stattzugeben, ohne daß vor (!) Aufstellung der Kandidaten mit dem Hansa-Bund im Interesse der Herbeiführung einer Einmütigkeit unter den beteiligten Parteien Fühlung genommen worden sei“[69]. Ortsgruppen mit eigenen Wahlfonds handelten entsprechend. Im März 1911 war der Hamburger Zweigverein bereit, sechzehn Wahlkreise zu unterstützen, „und zwar 8 nationalliberale und 8 freisinnige“, jedoch „nur solche Kreise, in denen sich diese beiden Gruppen nicht bekämpften“[70].

Diese Auflage des Hansa-Bundes wurde von den Führungsgremien der liberalen Parteien – da sie prinzipiell den eigenen Interessen entsprach – ohne Zögern akzeptiert. Fischbeck weist in den Sitzungen des Geschäftsführenden Ausschusses der FVp mehrfach „auch auf die finanzielle Frage einer Einigung hin unter Bezugnahme auf den Hansa-Bund“[71]. „Wir haben nichts, der Hansabund hat alles. Dieser gibt aber nur da Geld, wo ein einziger Liberaler kandidiert.“[72] „Wir dürfen uns deshalb nicht ins Unrecht setzen dem Hansa-Bund gegenüber, sondern [müssen] uns möglichst bald ... mit unseren Vertrauensmännern wegen des Kompromisses [mit den Nationalliberalen] einigen.“[73] Offener und präziser als mit den Worten Fischbecks und Kaempfs läßt sich die finanzielle Abhängigkeit der FVp vom Hansa-Bund nicht formulieren. Das gleiche kann auch von den Nationalliberalen festgestellt werden, allerdings in abgeschwächter Form, da die NLP neben dem Hansa-Bund auch noch vom CVDI und ihr agrarischer Flügel vom BdL unterstützt wurden[74].

Ein beträchtlicher Teil der Gelder, die den liberalen Parteien während des Wahlkampfes zuflossen, mußte in erster Linie im Kampf gegen den BdL eingesetzt werden. Bereits im Mai 1910 forderte der Geschäftsführer des Hansa-Bundes, Kleefeld, die Parteileitung der FVp auf, der Hansa-Bund-Zentrale „eine Liste der bisher agrarisch vertretenen, von der FVp aber ernsthaft in Angriff zu nehmenden Reichstagswahlkreise ... einzureichen". Der Hansa-Bund werde für diese Kreise „Beihilfe zur Agitation leisten"[75].

Der Vorschlag, der der FVp keinen Einfluß auf die Verteilung der Mittel beließ, wurde zunächst nicht akzeptiert. Der Geschäftsführende Ausschuß der FVp bat den Hansa-Bund, ihm eine fixe Summe zur Verfügung zu stellen, über deren Verwendung „nachher Rechenschaft abzulegen wäre"[76]. Die katastrophale finanzielle Lage zwang die FVp jedoch, wenige Monate später auf das Hansa-Bund-Angebot einzugehen. Der Hansa-Bund wurde gebeten, mitzuteilen, in welchem Umfange er Mittel „für die Vorbereitung der Agitation in den agrarischen oder von den Agrariern bedrohten Wahlkreisen der FVp geben will", und man bezeichnete „100 000 Mk. als den vorläufigen notwendigen Betrag"[77]. Ebenfalls 1910 überwies der Hansa-Bund der NLP für die Anstellung von drei Angestellten des Deutschen Bauernbundes in Ostpreußen, die dort die Agitation gegen den BdL in Gang bringen sollten[78], 10 000 Mk. Zum Ausbau der Organisation in den vom BdL beherrschten Ostprovinzen und zur Agitation für die Reichstagswahlen wurden der NLP 1910 100 000 Mk. zur Verfügung gestellt[79]. Während diese Auflage des Hansa-Bundes von der FVp ohne Zögern akzeptiert werden konnte, da sie ihrem Programm und den eigenen Interessen voll entsprach[80], bereitete sie dem rechten Flügel der NLP, der stets bemüht war, den Kontakt zu den Konservativen und zum BdL aufrechtzuerhalten und die scharfe Frontstellung des Hansa-Bundes gegen diese Kreise mißbilligte, erhebliche Schwierigkeiten[81]. In der gemeinsamen Sitzung von Vertretern des Hansa-Bundes, der geschäftsführenden Ausschüsse und der Pommerschen Provinzialorganisationen der beiden liberalen Parteien war der Generalsekretär der NLP, Fuhrmann, zwar nicht bereit, eine Erklärung abzugeben, daß in Pommern jeder nationalliberale Kandidat als Gegner des BdL auftreten werde, mußte aber zugestehen, daß „von nationalliberaler Seite kein Freund des Bundes der Landwirte aufgestellt" werde[82]. In Schleswig-Holstein, wo die Nationalliberalen in einigen Wahlkreisen mit dem BdL zusammenarbeiteten, wich die Hansa-Bund-Führung von dem Grundsatz, in Wahlkreisen mit liberalen Doppelkandidaturen neutral zu bleiben und keiner der beiden liberalen Parteien Wahlhilfe zu gewähren, ab und unterstützte finanziell die FVp[83]. Dagegen zögerte die Hansa-Bund-Zentrale aus taktischen Erwägungen[84] – insbesondere, um die Einigungsverhandlungen zwischen der FVp und den rechtsstehenden, agrarisch orientierten Nationalliberalen nicht zu erschweren –, im Großherzogtum Hessen den Kampf gegen die vom BdL unterstützten Nationalliberalen aufzunehmen. Erst die Drohungen der FVp-Mitglieder seiner hessischen Ortsgruppen[85], im Falle einer Unterstützung der agrarischen Kandidaten der NLP, die sich geweigert hatten, die Richtlinien des Hansa-Bundes „in vollem Umfange" zu unterschreiben, aus dem Hansa-Bund auszutreten, konnten die Hansa-Bund-Führung zu einer Änderung ihrer Politik veranlassen[86]. Besonderes Augenmerk wurde der Bekämpfung der agrarischen Kandidaten des Großherzogtums Hessen von der Frankfurter Ortsgruppe des Hansa-Bundes – in der freisinnige Bank-, Börsen- und Großhandelskreise den Ton angaben – gewidmet, die für diesen Zweck 50 % der ihr zur Verfügung stehenden Mittel ausgab[87]. Insgesamt wurden mit Unterstützung der Ortsgruppe „13 antisemitische Kandidaturen in Kurhessen und Hessen-Nassau bekämpft", und zwar in überwiegend ländlichen Wahlkreisen, die aus eigener Kraft kaum Wahlgelder aufzubringen vermochten[88].

Die finanzielle Abhängigkeit der liberalen Parteien, insbesondere der FVp, zeigt sich nicht nur bei der Akzeptierung der vom Hansa-Bund aufgestellten Auflagen, sondern auch bei der Zuteilung der Wahlgelder, die z. T. unter völliger Übergehung der Parteizentralen erfolgte. Im Geschäftsführenden Ausschuß der FVp wurde daher „die Art, wie ... einzelnen Wahlkreisen ohne Vermittlung und Wissen der Zentrale Beiträge überwiesen werden, allgemein als höchst bedenklich bezeichnet"[89] und „der Grundsatz ... aufgestellt, daß der Hansa-Bund Gelder an einzelne Wahlkreise nur mit Wissen der Parteileitung zu geben" habe[90]; ein Beschluß, der, wie spätere Klagen im Geschäftsführenden Ausschuß beweisen, vom Hansa-Bund nur z. T. berücksichtigt wurde[91], ein deutlicher Hinweis darauf, daß der Hansa-Bund nicht bereit war, den Parteizentralen generell einen Einfluß auf die Verteilung der Wahlbeihilfen zuzugestehen. Die These Nipperdeys, daß die relativ großen Mittel des Hansa-Bundes durch die Zentralbüros der liberalen Parteien vermittelt wurden[92], trifft also nicht zu. Das zeigt auch die Tatsache, daß Wahlgelder – zwecks Verteilung – in zahlreichen Fällen den Hansa-Bund-Ortsgruppen zugestellt wurden[93], so daß der Einfluß der Parteien auf die Verwendung der Mittel außerordentlich stark eingeschränkt war. Wenn auch der größere Teil der verbleibenden Wahlgelder pauschal oder in Monatsraten den Wahlkreisorganisationen zuging oder den Kandidaten direkt übermittelt wurde[94], so belegen die den liberalen Parteileitungen zwecks Bekämpfung des BdL und des Ausbaus der Parteiorganisation übermittelten Gelder[95] eindeutig, daß die vom Hansa-Bund aufgestellte Behauptung, er unterstütze lediglich Kandidaten, die sich zu seinen Richtlinien bekennen, jedoch keine Parteien[96], nicht den Tatsachen entsprach.

5. Die Verpflichtung der Kandidaten auf die HB-Richtlinien

Der Kreis der vom Hansa-Bund unterstützten Bewerber bzw. Kandidaten entsprach keineswegs den steten Beteuerungen politischer Neutralität des

Hansa-Bundes[97]. Denn die Verpflichtung der Bewerber bzw. Kandidaten auf die Richtlinien des Hansa-Bundes vom 9. 10. 1909 richteten sich eindeutig gegen die Parteien des schwarz-blauen Blocks und gegen den rechten Flügel der NLP, besonders gegen die weiterhin mit dem BdL zusammenarbeitenden Gruppen der „Wormser Ecke“ und die Vertreter der Schwerindustrie[98]. Da ein Bewerber bzw. Kandidat erst dann, wenn er die Gewähr dafür bot, daß er alles tun werde, um im Sinne der Richtlinien des Hansa-Bundes eine Umgestaltung der bisherigen Wirtschafts- und Finanzpolitik herbeizuführen[99], mit der finanziellen und organisatorischen Unterstützung der Hansa-Bund-Zentrale und ihrer Zweigvereine rechnen konnte, war für die Kandidaten der Parteien, die für diese Politik verantwortlich waren, eine kaum zu überwindende Barriere aufgebaut.

Daß der Hansa-Bund Bewerbern der Parteien des schwarz-blauen Blocks grundsätzlich mißtraute, selbst wenn sie seine Mitglieder waren und dem erwerbstätigen Bürgertum angehörten, verdeutlicht sein Verhalten gegenüber dem Zentrumskandidaten Friedrich. Bereits vor dessen Nominierung durch die Wählerversammlung der Zentrumspartei traten führende Mitglieder der Hansa-Bund-Ortsgruppe Düsseldorf an die Leitung der Zentrumspartei heran, um ihr den Gedanken nahezulegen, für den wichtigen industriellen Wahlkreis Düsseldorf einen Kandidaten auszuwählen, der den Interessen der Industrie und des Großhandels volles Verständnis entgegenbringe[100]. Obwohl das Zentrum dieser Forderung mit der Nominierung des Bankdirektors Friedrich, der seit 1909 Mitglied des Hansa-Bundes war, entsprach, wurde auf Betreiben der Berliner Hansa-Bund-Zentrale[101] dem Zentrumskandidaten eine Erklärung zur Unterschrift vorgelegt[102], die ihn gezwungen hätte, die bisherige Politik seiner Partei zu desavouieren. Dieses Vorgehen wurde damit gerechtfertigt, daß die Zentrumspresse von Anfang an „oft in der gehässigsten Form“ gegen den Hansa-Bund gehetzt habe, und das Zentrum „in sehr erheblichem Maße den agrardemagogischen Bestrebungen, deren Vertreter auch zahlreich in ihren Reihen sitzen, Vorschub geleistet“ habe, „während der Hansa-Bund gerade zur Bekämpfung dieser Bestrebungen gegründet“[103] worden sei.

Wenn auch die dem Zentrumskandidaten vorgelegte Verpflichtungserklärung später erheblich eingeschränkt wurde[104], so lassen das Vorgehen des Hansa-Bundes in diesen und in anderen Fällen und die obigen Ausführungen deutlich erkennen, daß lediglich die Kandidaten der FVp und diejenigen der NLP, die einem Wahlbündnis mit der FVp zustimmten und sich vom BdL distanzierten, eine Chance hatten, vom Hansa-Bund Wahlhilfe zu erhalten[105]. Kandidaten anderer Parteien wurden – bis auf drei Ausnahmen[106] – lediglich in den Stichwahlen vom Hansa-Bund unterstützt[107].

Diese Wahlpolitik des Hansa-Bundes kann, gemessen an seinem Ziel, die Vormachtstellung des BdL und des schwarz-blauen Blocks zu brechen, als relativ konsequent bezeichnet werden.

Die Frage, in welchem Anteilsverhältnis die Kandidatenwünsche der wichtigsten Interessengruppen, besonders des CVDI, des BdL und des Hansa-Bundes berücksichtigt wurden, läßt Aufschlüsse über den Standort der liberalen Parteien und – betr. der NLP – über die inneren Machtverhältnisse zu.

Für die FVp ist diese Frage relativ einfach zu beantworten. Wie aus den vorhandenen Unterlagen ersichtlich, wurden – soweit Verbandsvertreter Berücksichtigung fanden – lediglich vom Hansa-Bund vorgeschlagene Kandidaten nominiert[108]. Wie stark die Abneigung innerhalb der FVp gegenüber dem CVDI war, zeigt ihre Ablehnung des Hansa-Bund-Angebots von 1910 – vor dem Austritt der Schwerindustrie aus dem Hansa-Bund (!) – für einzelne Kandidaten der FVp finanzielle Unterstützung des CVDI zu besorgen[109]. Obwohl zwischen einigen industriellen und kaufmännischen Vertretern der FVp – die zugleich Mitglieder des Hansa-Bundes waren – und dem CVDI Kontakte bestanden[110], hat dieser auf die Nominierung der FVp-Reichstagskandidaten keinerlei nachweisbaren Einfluß ausgeübt. Nach seinen eigenen Angaben hat der CVDI lediglich über die von ihm eingesetzte Wahlfondskommission einige „Kandidaten des Hansa-Bundes [die Mitglieder der FVp waren], ja selbst führende Männer und Provinzialvorsitzende desselben unterstützt, wenn Anträge auf solche Unterstützung vorlagen und die Förderung industrieller Interessen gewährleistet schien“[111].

Ein Einfluß auf die Nominierung oder eine Verpflichtung von FVp-Kandidaten auf den BdL läßt sich für 1912 in keinem einzigen Fall nachweisen[112]. Diese Feststellung gilt nicht für die NLP. Ein Vergleich der Wahlen von 1907 und 1912 läßt jedoch einen erheblichen Rückgang des Einflusses des BdL auf die NLP erkennen. Hatte der BdL 1907 ca. 60 % der nationalliberalen Abgeordneten[113] auf sein Programm verpflichten können, so waren es 1912 lediglich 11 %[114]. Da die nationalliberalen Abgeordneten der Wormser Ecke (Dr. Osann, Heyl zu Herrnsheim, Dr. Becker) nur sehr geringe Chancen hatten, ohne die agitatorische Unterstützung des BdL gewählt zu werden, ist zu vermuten, daß der BdL auf die Wiederaufstellung und Nominierung dieser Kandidaten Einfluß ausübte. Die seit 1909 auf Grund der Reichsfinanzreform verstärkte Polarisierung der Kräfte, das Vordringen des BdL und der NLP in die jeweiligen Hochburgen des anderen, die zu einer Frontstellung der NLP gegenüber dem BdL führte, verminderte in den übrigen Teilen des Reiches den Einfluß des BdL auf die NLP erheblich, so daß nur noch vereinzelt ein Zusammengehen der beiden möglich war. Nationalliberale Abgeordnete mit gehobener BdL-Funktion gab es 1912 keine (1907 : 2), denn der vom BdL unterstützte Heyl zu Herrnsheim war seit 1909 nicht mehr Mitglied der nationalliberalen Fraktion[115].

Im Unterschied zu 1907 versuchte der CVDI 1912 verstärkt, Einfluß auf die Wahlen und insbesondere auf die Auswahl der Kandidaten auszuüben[116]. Nach eigener Darstellung bemühte sich die Wahlfondskommission insbesondere darum, „für Kandidaten aus den Kreisen der Industrie, soweit diese zur Verfügung standen, aussichtsreiche Wahlkreise zu beschaffen“[117], ein Vorhaben, das, wie der bereits erwähnte Fall des Essener Handelskammersyndikus Hirsch zeigt, selbst im Herrschaftsbereich der Schwerindustrie nicht immer erfolgreich verlief. Da dem CVDI ebenso wie dem Hansa-Bund „Kandidaten aus den

Kreisen der Industrie nur in sehr beschränkter Anzahl zur Verfügung" standen, sah sich die Wahlfondskommission gezwungen, auch „solche Kandidaten zu fördern und zu unterstützen, die zwar nicht selbst der Industrie angehören, aber der Industrie Verständnis entgegenbringen und gewillt sind, die industriellen Interessen im Reichstage in angemessener Weise zu vertreten"[118]. Von den insgesamt unterstützten 120 Kandidaten war ein knappes Dutzend CVDI-Mitglieder, von denen lediglich sechs „gehobene" CVDI-Funktionen (incl. der Delegiertenmandate) besaßen[119]. Von den ca. 70[120] unterstützten nationalliberalen Kandidaten waren es vier[121]. Zwei (W. Meyer und Kuhlo) dieser vier Kandidaten waren aktive Hansa-Bund-Mitglieder, von denen zumindest Kuhlo der CVDI-Führung durchaus zurückhaltend gegenüberstand[122].

6. Organisation der Wahlkampfagitation

Besondere Bedeutung wurde von der Hansa-Bund-Zentrale der Schaffung einer funktionsfähigen Organisation, die die Hauptlast der Wahlkampfagitation übernehmen sollte, zubemessen. Zu diesem Zwecke wurde in der Hansa-Bund-Zentrale eine Wahlabteilung eingerichtet[123]. Die Ortsgruppen wurden aufgefordert, besondere Agitationsausschüsse einzusetzen, um die Vorstandsmitglieder zu entlasten und eine steigende Zahl von Bundesmitgliedern, namentlich auch der jüngeren, für die Verbands- und speziell die Wahlagitation zu interessieren[124]. Die Zweigvereins- bzw. die Bezirksgruppen-Vorsitzenden wurden ferner instruiert, bei der Agitation die Gebiete nach Reichstagswahlkreisen einzuteilen[125]; eine „lückenlose, den konkreten Verhältnissen angepaßte individuelle Organisation der Wahlkreise" konnte in den 2½ Jahren des Bestehens bis zu den Reichstagswahlen jedoch nicht aufgebaut werden[126].

Während die Zentrale im wesentlichen die Referentenvermittlung, die Herstellung des Werbematerials, die Planung der Großkundgebungen mit Rednern der Zentrale, besonders des Präsidenten, des Direktors und der Geschäftsführer des Hansa-Bundes übernahm, war es Aufgabe der Ortsgruppen, besonders der Geschäftsführer und der Agitationsausschüsse, eine den individuellen Verhältnissen des jeweiligen Wahlkreises angepaßte Wahlagitation zu organisieren, die Verteilung der von der Zentrale gelieferten Werbematerialien zu übernehmen und die eigenen und gegnerischen Propagandamaterialien zu sammeln und an die Zentrale weiterzuleiten[127]. Besonders aktiv war von den Ortsgruppen die Gesamt-Berliner Organisation, die zahlreiche eigene Aufrufe verfaßte und eine Rednerschule einrichtete[128], die in besonderem Maße auch der Wahlagitation zugute kam, da die im wesentlichen für die Hansa-Bund-Lehrgänge ausgebildeten Redner auf Grund der Instruktionen der Zentrale fast immer auch Fragen behandelten, die sich zur Wahlagitation eigneten.

7. Themen der Wahlkampfführung

Da ein Einfluß auf den politischen Entscheidungsprozeß den Willen und die Fähigkeit der Einflußnahme voraussetzt, diese Anforderungen jedoch im erwerbstätigen Bürgertum nur in unzureichendem Maße vorhanden waren, mußte das Bürgertum zunächst politisiert werden[129], um besonders seinen Willen zur Einflußnahme zu stärken. Die Wahl der Themen war entsprechend ausgerichtet. Es galt, wie Riesser es bereits auf der Gründungsversammlung bzw. auf einer Kundgebung der Hansa-Bund-Ortsgruppe in Köln (7. 11. 1909) formulierte, das erwerbstätige Bürgertum „aufzurütteln aus dem schon zum Gespött der Gegner gewordenen Zustande schwächlicher Gleichgültigkeit und behaglicher Verzweiflung"[130]; aus einer „Gleichgültigkeit ..., welche der Todfeind jeder staatlichen Betätigung" sei[131] und das größte Hindernis für die Bestrebungen des Hansa-Bundes bilde. Der Hansa-Bund machte es daher seinen Mitgliedern zur Pflicht, sich an den öffentlichen Wahlen zu beteiligen und verlangte von den Angehörigen des Gewerbes, des Handels und der Industrie, sich in wachsendem Umfang der parlamentarischen Tätigkeit zu widmen, von der sie sich zu ihrem eigenen Schaden und zum offensichtlichen Nutzen der Gegner bisher weitgehend zurückgehalten hätten. Die „nächsten Reichstagswahlen" würden darüber „zu entscheiden haben, ob der deutsche Gewerbestand und das deutsche Bürgertum gewillt" seien, „mit aller Energie die ihnen zukommende Stellung in der Gesetzgebung, Verwaltung und Leitung des Staates sich zu erkämpfen". „Wenn das erwerbstätige Bürgertum vor der Entscheidung versagt oder zaudert, wenn es seine eigene Sache nicht mit der bei ihm sonst üblichen Energie fördert, dann verdient es die Zurücksetzung, die es erfahren hat, und alles, was ihm dann seine zahlreichen Feinde noch in größerem Umfange auferlegen werden."[132] Zur Politisierung der Mitglieder dienten, insbesondere in der Vorphase des Wahlkampfes, neben Flugblättern, Broschüren, Versammlungen (s. u.), die in fast allen Ortsgruppen eingerichteten Hansa-Bund-Lehrgänge[133], in denen auf Vorschlag der Zentrale über folgende Themenbereiche referiert werden sollte: 1. Über die Grundlagen des staatlichen und Verfassungslebens mit stetem Hinweis auf die unbedingte Notwendigkeit, sich an den öffentlichen Wahlen und durch persönliche Tätigkeit auch am parlamentarischen Leben zu beteiligen. 2. Die wirtschaftlichen Grundlagen, die Aufgaben, die Stellung und die bisherigen Leistungen der verschiedenen Erwerbsstände, einschließlich der Landwirtschaft. 3. Das bisherige Verhalten der Gesetzgebung, Verwaltung und Leitung des Staates gegenüber den verschiedenen Erwerbsständen. 4. Die Notwendigkeit und Möglichkeit, auch die Staatsbetriebe mit kaufmännischem Geiste zu erfüllen. Diese auf den ersten Blick neutral erscheinenden Themen boten sehr gute Einstiegsmöglichkeiten zur Diskussion aktueller Probleme, wie der Reichsfinanz- und Wahlreform, der einseitigen Interessenpolitik des BdL, der Benachteiligung des erwerbstätigen Bürgertums in Gesetzgebung und Verwaltung und der mangelnden Vertretung von Gewerbe, Handel und Industrie in den Parlamenten – Themen, die mit geringer Abweichung in fast allen Ortsgruppen des

Hansa-Bundes, d. h. in den Lehrgängen und Mitgliederversammlungen behandelt wurden[134] und die zum einen besonders geeignet waren, die Ressentiments gegen den BdL und die Parteien des schwarz-blauen Blocks, die für die Reichsfinanzreform verantwortlich gemacht wurden[135], wachzuhalten, und die eine geeignete Parallel- und Stützaktion der Propaganda der liberalen Parteien darstellten, zum anderen geeignet waren, die Integration der gegensätzlichen Kräfte im Hansa-Bund zu fördern.

Begleitet und angeregt wurden diese Diskussionen durch zahlreiche Beiträge gleicher Thematik in den für die Presse und die führenden Mitglieder herausgegebenen „Mitteilungen vom Hansa-Bund" und in der seit 1911 erscheinenden Hansa-Bund-Zeitschrift. Ein Thema, das besonders geeignet war, das Bürgertum zu politisieren, stellte die bereits erwähnte Diskussion um die Reform des preußischen Wahlrechts und die Neueinteilung der Reichstagswahlkreise dar[136]; eine Frage, der nach dem Ausscheiden der Schwerindustrie in der Wahlagitation des Hansa-Bundes besondere Bedeutung zukam.

Nach der Wahl wurde darauf verwiesen, daß sämtliche Kandidaten des BdL lediglich 1,7 Mill. Stimmen auf sich vereinigten, die vom Hansa-Bund unterstützten Kandidaten dagegen 3 Mill. Wenn es nicht gelungen sei, ebenso viele Mandate zu erlangen, als es dem Anteil an der Wählerschaft entspräche, so liege das „hauptsächlich an der veralteten Wahlkreiseinteilung, an deren endlicher Reformierung das gewerbetreibende Bürgertum ohne Unterschied der parteipolitischen Überzeugung das größte Interesse haben" müsse[137].

8. Mittel der Propaganda und der Einflußnahme

Die vom Hansa-Bund eingesetzten Propagandamittel entsprachen im wesentlichen den damals üblichen. In der Vorphase des Wahlkampfes kam dabei den in relativ hoher Auflage – bis zu 600 000 Exemplare – herausgebrachten, z. T. bebilderten Flugblättern die größte Bedeutung zu[138]. In der Endphase des Wahlkampfes wurden nochmals ca. drei Mill. Flugblätter verteilt. Daneben wurden 20 000 bebilderte Plakate als Antwort auf Postkarten, die vom BdL verschickt wurden, verbreitet, die weitgehende Beachtung fanden und in der dem BdL nahestehenden Presse scharf attackiert wurden; ferner wurden 10 000 Exemplare des Hansa-Bund-Jahrbuches, das eine Fülle von Agitationsmaterial enthielt, verteilt[139]. Die größeren Ortsgruppen, die über eigene Wahlfonds verfügten, gaben eigene Flugblätter mit Aufrufen zur Wahl heraus[140]. Was die Gestaltung dieser Agitationsmaterialen betraf, so wurde selbst von der gegnerischen Presse zugegeben, daß sie „geschickt gemacht und gut illustriert waren"[141].

Neben diesen auf Breitenwirkung abgestellten Agitationsmitteln wurden mehrere Dutzend Großkundgebungen und unter Mitwirkung der Zentrale ca. 300 Versammlungen veranstaltet[142]. Ferner wurden von den Ortsgruppen,

Landes- und Bezirksgruppen während des Wahlkampfes über 2000 Versammlungen abgehalten[143], die den vom Hansa-Bund unterstützten Kandidaten als Propaganda-Foren dienten[144]. Vereinzelt wurden auch öffentliche Kundgebungen veranstaltet, zu denen nicht nur die vom Hansa-Bund unterstützten Kandidaten, sondern alle in der betreffenden Provinz (bzw. Wahlkreis) aufgestellten Reichstagskandidaten und Parteiführer eingeladen wurden[145], womit vermutlich nach außen hin die parteipolitische Neutralität des Hansa-Bundes unterstrichen werden sollte[146].

Entsprechend dem Vorgehen der Wanderredner des BdL[147], traten Redner der Hansa-Bund-Zentrale und die Geschäftsführer der Ortsgruppen in ca. 200 Wahlversammlungen, teils vom Hansa-Bund unterstützter, teils gegnerischer Kandidaten auf[148].

Am Tag der Haupt- bzw. Stichwahlen wurden vom Hansa-Bund in Wahlkreisen mit ungewissem Ausgang außer zahlreichen Schleppern[149] als besonderer Werbegag Autos eingesetzt – im 1. Berliner Wahlkreis allein 30 (!) –, die auf riesigen Plakaten zur Wahl für den vom Hansa-Bund unterstützten Kandidaten aufriefen oder mit deren Hilfe zahlreiche Wähler zum Wahllokal transportiert wurden[150]; eine Maßnahme, die bereits bei den Ergänzungswahlen gute Erfolge erzielt hatte. Der Abgeordnete Kreth zitierte im Abgeordnetenhaus folgenden Vers, der bei der Siegesfeier der Hansa-Bund-Anhänger in Labiau-Wehlau gesungen worden sein soll:

> „Will einer nicht wählen, ins Automobil
> wird sanft er vom Schlepper geleitet.
> Mit Freude er zehnmal wohl wählen will,
> wenn solche Wahl-Fahrt bereitet.
> Herr Oske schmunzelt und denket: so klappt's,
> des ‚Hansa-Bundes rotes Gold' ja berappt's!"[151]

Gleichzeitig mit den letzten Aufrufen wurden alle Kaufleute und Industriellen aufgefordert, ihren Angestellten die Beteiligung an der Wahl und der Wahlarbeit im weitesten Unfange zu ermöglichen[152].

9. Zielgruppen der Wahlagitation des Hansa-Bundes

Neben Versammlungen und Flugblättern, die sich an alle Hansa-Bund-Mitglieder, Sympathisanten und „Freunde" des erwerbstätigen Bürgertums richteten[153], gab es solche, die besonders die schwankenden Wählerschichten des selbständigen Mittelstandes und die politisch sich gerade erst formierenden Gruppen der Angestellten ansprachen[154]. Zwei Monate vor den Wahlen wurde in Berlin ein Mittelstandskongreß des Hansa-Bundes abgehalten[155], der der Hansa-Bund-Führung ein vielbeachtetes Forum für ihre Agitation in diesen Kreisen bot. Die Rede Riessers war eine scharfe Abrechnung mit den Konservativen und besonders dem BdL und war darauf abgestellt, die noch schwankenden Mittelstandsangehörigen für die Liberalen zu gewinnen. Am Beispiel der Reichsfinanzreform und der Teuerungsdebatten im Reichstag versuchte Riesser nachzuweisen, wie wenig Rücksicht die Konservativen auf die Interessen des Mittelstandes und speziell des Handwerks genommen hätten. Er warf dem Mittelstand vor, sich vor der Erkenntnis gedrückt zu haben, „daß er seit Jahrzehnten ein Spielball, ein Sezierungsobjekt für die herrschenden Parteien gewesen" sei. „Für das Linsengericht des Befähigungsnachweises und anderer kleiner Mittel" habe der Mittelstand seine politische Selbständigkeit hingegeben. Auch der Reichsdeutsche Mittelstandsverband werde keine Änderung bringen, denn bei dieser Gründung seien „bestimmte politische Parteien", gemeint waren Konservative und BdL, tonangebend gewesen. „Wenn man in jenen Kreisen den ernsten Willen gehabt hätte, dem Mittelstand zu helfen, warum hat man denn dann bis wenige Monate vor den Wahlen gewartet, um etwas ins Werk zu setzen, warum hat man nicht wie wir seit langer Zeit unablässig gearbeitet?"[156] Nicht Protektionismus, sondern Erziehung zur Selbständigkeit und Selbsthilfe und die Überwindung der „Schlafkrankheit", das heißt der politischen Gleichgültigkeit, müßten die Ziele einer zukunftsorientierten Mittelstandspolitik sein[157]. Die Betonung der liberalen Elemente in der Mittelstandspolitik hatte in erster Linie den Zweck, die Angehörigen dieses Erwerbsstandes von dem Programm der rechtsstehenden Parteien zu lösen, was notwendigerweise geschehen mußte, wenn diese Kreise entsprechend der Aufforderung Riessers für die Verbreitung und Durchsetzung des wirtschaftlichen Programms des Hansa-Bundes, das heißt seiner Richtlinien vom 9. 10. 1909, in ihren Parteien eintreten sollten. Neu an der Mittelstandspolitik des Hansa-Bundes war, daß sie vorwiegend politisch orientiert war[158]. Der Versuch, Handwerk und Kleinhandel, aber auch die Privatangestellten in eine – objektiv nicht gegebene – ökonomische und politische Interessensolidarität mit dem Großhandel, den Banken und der Fertigindustrie zu bringen, war unter dem Ziel des Hansa-Bundes, die Vorherrschaft der konservativ-junkerlichen Führungsschicht zu brechen, durchaus konsequent und die einzige Möglichkeit, dieses Ziel zu erreichen. Die im Hansa-Bund tonangebenden großbürgerlichen Kreise bedurften, da sie selbst keine Massen aufzubieten vermochten, der Gefolgschaft des Mittelstandes, um sich bei den Wahlen durchsetzen zu können.

Es erscheint nicht übertrieben, wenn man feststellt, daß unter dem Einfluß des Hansa-Bundes seit 1910 eine verstärkte Tendenz zur Spaltung des Mittelstandes in eine eher liberale und eine konservativ-reaktionäre Richtung zu bemerken ist[159]. Die Parole des Hansa-Bundes von den gemeinsamen Interessen des gesamten erwerbstätigen Bürgertums hatte – auch wenn die Politik des Hansa-Bundes in der Praxis davon abwich – in „früher unbekannter Weise die städtische Bevölkerung mobilisiert"[160] und hatte den Willen zur Teilnahme an der politischen Macht in diesen Kreisen wesentlich gestärkt[161]. Soweit die dem Hansa-Bund angeschlossenen Mittelständler die ideologische Phrase von der Interessensolidarität des gesamten erwerbstätigen Bürgertums bejahten, wurden sie notwendigerweise gezwungen, eine Abschwächung ihres spezifisch mittelständischen Programms zu akzeptieren. Daß zahlreiche antiliberale Forderungen dieses Programms nicht mehr erhoben wurden, mußte letztlich den liberalen Parteien zugute kommen[162].

10. Einflußnahme auf die Stichwahlen: Stichwahlparole und Stichwahlbündnis zwischen SPD und FVp

Bereits vor den Stichwahlen zu den Reichstagsersatzwahlen in Friedberg-Büdingen und Usedom-Wollin-Ückermünde, bei denen sich die Sozialdemokraten und Konservativen bzw. ein Kandidat des BdL gegenüberstanden, wurde von seiten des CVDI versucht, den Hansa-Bund auf eine allgemeine Stichwahlparole gegen die SPD festzulegen. Die dem CVDI nahestehende „Post" stellte die Frage: „Wo bleibt der Hansa-Bund?" und drohte: „verabsäumt die Leitung des Hansa-Bundes, hier klar Stellung zu nehmen, so wird er schwerlich in der Lage sein, der Behauptung der Gegner mit Erfolg entgegenzutreten, daß der Hansa-Bund im wesentlichen linksliberale Tendenzen verfolgt. Es wird dann auch eine Scheidung der Geister innerhalb des Hansa-Bundes schwer zu vermeiden sein."[163] Während die Nationalliberalen in beiden Fällen den rechten Kandidaten unterstützten, wurde von den Linksliberalen in Usedom keine Stichwahlparole und in Friedberg-Büdingen eine solche zugunsten der SPD ausgegeben[164]. Der Hansa-Bund griff nach eigenen Aussagen in die Stichwahl nicht ein. Die „Deutsche Tageszeitung" meldete demgegenüber, daß freisinnige Redner als Angestellte des Hansa-Bundes die Stichwahlparole für die Sozialdemokratie ausgegeben hätten[165]. Die von Riesser auf der Hansa-Bund-Tagung von 1911 abgegebene Erklärung, daß elf den „Agrardemagogen" entrissene Wahlkreise die „erste Frucht" der Tätigkeit des Hansa-Bundes seien[166] – die meisten dieser Wahlkreise waren jedoch der SPD zugefallen – spricht dafür, daß die Meldung der Deutschen Tageszeitung den Tatsachen entsprach. Das heißt, daß der Hansa-Bund in der Stellung zu den konservativen Parteien und zum BdL eher die Haltung der FVp als die der Nationalliberalen vertrat. Die daraufhin vom Präsidium betreffend zukünftiger Stichwahlen veröffentlichte Erklärung blieb inkonsequent. Um sein Ziel, die Brechung der Vormachtstellung des Junkertums, zu erreichen, hätte er konsequenterweise jeden Kandidaten der „linken" Parteien, auch die der SPD unterstützen müssen. In der Erklärung des Präsidiums wurde jedoch festgestellt[167], daß der Hansa-Bund, da er Mitglieder aller bürgerlichen politischen Parteien in seinen Reihen habe, naturgemäß außerstande sei, Stichwahlparolen auszugeben. Die Mitglieder des Hansa-Bundes könnten diese lediglich von ihren Parteien erhalten. Nur die Kandidaten, die auf dem Boden der Richtlinien des Hansa-Bundes stünden und bereits in der Hauptwahl von ihm unterstützt worden seien, würden selbstverständlich auch in den Stichwahlen die Hilfe des Hansa-Bundes erhalten[168]. Eine „bindende einheitliche Stichwahlparole" wäre unmöglich, da „im Süden Deutschlands, namentlich in Bayern und in Baden ... und teilweise auch anderwärts in Deutschland nicht die Sozialdemokratie, sondern das Zentrum als der gefährlichste und als der nächste Feind gilt. Hier also würde man vom Hansa-Bund unbedingt verlangt haben, daß er sofort eine Stichwahlparole gegen das Zentrum ausgeben solle, falls er in anderen Bundesstaaten und Landesteilen eine Stichwahlparole gegen die Sozialdemokratie ausgegeben hätte"[169]. Die nach den Hauptwahlen von den Ortsgruppen herausgegebenen Aufrufe entsprachen diesen Erklärungen[170]. Eine Parole für oder gegen eine bestimmte Partei unterblieb[171].

In der Hauptwahl vom 12. 1. 1912 hatten lediglich 206 Kandidaten im ersten Wahlgang die absolute Mehrheit der Stimmen erhalten[172]. Die Entscheidung über das Stärkeverhältnis der Parteien im Reichstag mußte daher im zweiten Wahlgang fallen. Da von den 230 vom Hansa-Bund unterstützten Kandidaten lediglich vier im ersten Wahlgang gewählt, aber 90 in die Stichwahl gelangt waren[173], kam der Stichwahltaktik der Parteien auch für den Hansa-Bund entscheidende Bedeutung zu. Bis auf drei freikonservative Kandidaten gehörten alle den liberalen Parteien an. 43 der liberalen Kandidaten standen in Stichwahlen mit Parteien des schwarz-blauen Blocks, 69 dagegen mußten sich im zweiten Wahlgang der SPD stellen; d. h., daß bei einem taktischen Zusammengehen mit den rechten Parteien die Chance des Gewinns einer größtmöglichen Mandatszahl am besten war[174].

Die Möglichkeiten des Hansa-Bundes, auf die Stichwahlabsprachen der liberalen Parteien Einfluß zu nehmen, waren unterschiedlich groß. Eine Einflußnahme auf die innerlich zerrissenen Nationalliberalen, deren Führungsgremien sich der prekären Situation dadurch entzogen, daß sie es den Landesverbänden überließen, Stichwahlabkommen mit anderen Parteien zu treffen, läßt sich nicht nachweisen. Daß neben der FVp auch die Nationalliberalen den von der Regierung angestrebten Sammlungsverhandlungen sämtlicher bürgerlicher Parteien fernblieben, d. h., daß ein globales Zusammengehen aller bürgerlichen Parteien vermieden wurde, läßt eine Einflußnahme des Hansa-Bundes vermuten, der nach der Hauptwahl seine Angriffe gegen die „Überagrarier" fortsetzte, die SPD aber schonte[175]. Nach der Hauptwahl schlug der Geschäftsführende Ausschuß der FVp in einem Rundschreiben (14. 1. 1912) den Wahlkreisorganisationen vor, im Falle einer Stichwahl zwischen einem Kandidaten des schwarzblauen Blocks und der SPD „eine offizielle Wahlparole für diesen oder jenen Kandidaten nicht abzugeben". Es empfiehlt sich vielmehr in einem solchen Falle, „es den Wählern freizustellen, wie sie stimmen wollen". Der Geschäftsführende Ausschuß sei sich wohl bewußt, daß nach dem Organisationsstatut den Parteigenossen in den einzelnen Wahlkreisen die definitive Entscheidung zu überlassen sei[176]. Die nach dem 14. 1. von Fischbeck mit der SPD geführten Verhandlungen verliefen zunächst ergebnislos. Während Fischbeck in der Sitzung des Geschäftsführenden Ausschusses vom 16. 1. 1912 nicht an das Zustandekommen eines Abkommens mit der SPD glaubte, äußerte sich Mommsen – er war Mitglied des konstituierenden Präsidiums des Hansa-Bundes gewesen und der Kontaktmann Riessers zur FVp –, der „privatim" ebenfalls Verhandlungen mit der SPD geführt hatte, erheblich optimistischer. Daß es in dieser Sitzung trotz zahlreicher Bedenken zu dem Beschluß kam, mit den Sozialdemokraten weiter zu verhandeln, falls diese „wegen einer genügenden Anzahl von Mandaten Garantien geben könnten", ist nicht zuletzt – auf Grund der finanziellen Abhängigkeit der FVp vom Hansa-Bund – auf den Hinweis Gysslings (Vorstandsmitglied des Hansa-Bund-Provinzialverbandes Ostpreußen) zurückzuführen, der als Ergebnis einer Besprechung „mit den Herrn vom Hansa-Bund und einigen Nationalliberalen" mitteilte, daß „der Hansa-Bund ... für eine Verständigung unter sämtlichen Parteien der Linken" sei[177].

Ein solches Eingreifen des Hansa-Bundes entsprach den Äußerungen Riessers auf dem Hansatag von 1911, wo er vor der „Sammlung aller bodenständigen und rückständigen Elemente gegen das vorwärtsstrebende Bürgertum" warnte und eine Zusammenarbeit mit der SPD, falls diese sich zu der bestehenden Staats- und Wirtschaftsordnung bekenne, nicht ausschloß[178].

Die Tatsache, daß in der Mehrzahl der Kreise, in denen die FVp im Stichwahlabkommen der SPD Unterstützung zugesagt hatte, beträchtliche Minderheiten, in vier Fällen die Majorität, die SPD-Kandidaten im zweiten Wahlgang unterstützten[179], kann als Beweis dafür herangezogen werden, daß die vom Hansa-Bund wesentlich mitgetragene Frontstellung gegen den schwarz-blauen Block auf die liberalen Wähler nicht ohne Wirkung geblieben war. Das Ergebnis läßt jedoch auch deutlich die Grenzen dieser Einflußnahme erkennen. Die Mehrheit der Linksliberalen zog noch immer die Solidarität der bürgerlichen Parteien einer Zusammenarbeit mit der SPD vor. Die Block-Politik, d. h. die Zusammenarbeit von Konservativen und Liberalen und ihre Frontstellung gegen die SPD, war von den linksliberalen Wählern noch nicht überwunden. Daß ein großer Teil der Nationalliberalen nicht bereit war, der vom Hansa-Bund geforderten Frontstellung gegen die rechten Parteien zu folgen, zeigen die zahlreichen, von nationalliberalen Wahlkreisorganisationen abgeschlossenen Stichwahlabkommen mit den Konservativen und dem Zentrum[180].

Das endgültige Ergebnis der Reichstagswahlen ergab folgendes Bild: Die SPD wurde mit 110 Abgeordneten bei einem Stimmenanteil von 34,8 % erstmals stärkste Fraktion im Reichstag. Die Fortschrittliche Volkspartei errang 42 Mandate (Stimmenanteil 12,3 %), die Nationalliberale Partei war mit 45 Mandaten (Stimmenanteil 13,7 %) nur unwesentlich stärker. Die Zentrumsfraktion umfaßte 91 Abgeordnete (Stimmenanteil 16,4 %). Die großen Verlierer waren die beiden Konservativen Parteien. Die Deutsch-Konservative Partei verlor gegenüber 1907 17 Mandate und besaß mit 43 (Stimmenanteil 9,2 %) nurmehr eines mehr als die Linksliberalen.

Die Fraktion der RP zählte nur noch 14 Abgeordnete (Stimmenanteil 3,9 %). Die Fraktionen der SPD, Nationalliberalen Partei und Fortschrittlichen Volkspartei konnten zusammen auf 197 Abgeordnete zählen und hatten damit zumindest formal eine geringe Mehrheit gegenüber dem schwarz-blauen Block, der 163, mit Polen, Lothringern, und Fraktionslosen etwas mehr als 190 Mandate auf sich vereinigte[181].

Das Verhalten der Liberalen bei den Stichwahlen ließ aber bereits erkennen, daß die vorhandene knappe linke Majorität, vor allem auf Grund der Haltung des rechten Flügels der Nationalliberalen Partei, nur selten eine aktionsfähige Mehrheit bilden würde; es sei denn, es gelang, das Zentrum einzubeziehen.

Der Hansa-Bund selbst konnte mit dem Ergebnis seines Wahlkampfes jedoch durchaus zufrieden sein. Die Tatsache, daß die Linksliberalen als einzige der bürgerlichen Parteien gegenüber 1907 ihren Stimmenanteil steigern konnten[182], war wohl nicht zuletzt auf seine Aktivitäten zurückzuführen. Ein noch größerer Erfolg des Hansa-Bundes wurde vornehmlich dadurch verhindert, daß die von ihm unterstützten liberalen Kandidaten in den Städten gerade gegen die stark expandierende SPD antreten mußten. Von den vom Hansa-Bund unterstützten Kandidaten – darunter ca. 230 Hansa-Bund-Mitglieder – wurden 88 (56 Hansa-Bund-Mitglieder und 32 Hansa-Bund„Freunde") gewählt[183]. Der Bund der Landwirte hatte 246 Kandidaten (1907 241) unterstützt[184]. Während jedoch 1907 davon 138 auch gewählt wurden, waren es 1912 nur noch 78, die in den Reichstag einzogen[185], wobei seine Führer Hahn, Roesicke, Lucke, aus dem Winckel, Oldenburg-Januschau in ihren Wahlkreisen jeweils unterlagen. Von den 120 Kandidaten, die vom Centralverband Deutscher Industrieller unterstützt worden waren, wurden nur 41 gewählt[186]. Als einziges Mitglied des Centralverbandes saß dessen Ausschußmitglied, der Vorsitzende des Vereins Deutscher Eisen- und Stahlindustrieller, W. Meyer, für die Nationalliberale Partei im Reichstag[187]. Im Vergleich zu seinen Konkurrenten auf Verbandsebene – Bund der Landwirte und Centralverband Deutscher Industrieller – war der Hansa-Bund somit recht erfolgreich. Dies um so mehr, als auf Grund seines Einflusses auf die Kandidatenaufstellung der linke Flügel und die Parteimitte der Nationalliberalen gestärkt wurde.

VI. Verschärfung der Polarisierung oder Herausbildung einer „Konzeption der Mitte"?

Auf die Verschiebung des Kräfteverhältnisses im Reichstag reagierten die Anhänger der konservativen Sammlungsbewegung[1] mit einer verstärkten Radikalisierung ihrer Sammlungsparolen. „Berufsständische Ideologien, Antisozialismus und Antiliberalismus verbanden sich hier mit einem Antiparlamentarismus, in Abwehr aller auf Liberalisierung der bestehenden Herrschaftsverhältnisse drängenden Kräfte"[2]. Diese Entwicklung führte nach Auffassung von Stegmann, Fischer u. a. zu einer verschärften Polarisierung beider Lager. Als wesentliches Ergebnis dieses Entwicklungsprozesses wird von den genannten Autoren die Bildung des „Kartells der schaffenden Stände" genannt[3]. Dieser These, die die politischen und gesellschaftlichen Machtstrukturen nach den Reichstagswahlen mit Hilfe eines „Zweiparteienschemas" zu charakterisieren versucht, wird von anderen Autoren entgegengehalten, daß bereits vor 1914 das Zweiparteienschema durch eine „Konzeption der Mitte" in Frage gestellt wurde[4]. Hiernach bildete sich „auf dem Hintergrund des allgemeinen Trends zum Freund-Feind-Denken, und auf Grund des Polarisierungsprozesses, der in Deutschland durch die Vorgänge um die Reichsfinanzreform und den Zabernkonflikt seine konkreten Ausprägungen erhielt, ... eine Meinungsformation heraus, die ihre Aufgabe darin erblickte, eine Plattform für die Überwindung des Gegensatzes zwischen den Alternativen Klassenstaat militant-reaktionärer oder revolutionär-republikanischer Observanz anzubieten"[5]. Im folgenden soll daher anhand der Auseinandersetzungen über die beiden wichtigsten gesetzgeberischen Vorhaben in den Jahren 1912–14 – „Arbeitswilligenschutz" und die bereits analysierten Wehr- und Deckungsvorlagen von 1912/13 – und der Stellungnahmen zum „Kartell der schaffenden Stände" die Haltbarkeit der genannten Thesen überprüft werden.

Auf eine Darstellung und Analyse der Versuche, die Weiterführung der Arbeitssozialpolitik zu verhindern und die wirtschaftsfriedliche nationale Arbeiterbewegung auszubauen, wurde verzichtet, da die Fragen bereits an anderer Stelle ausführlich behandelt wurden[6]. Hier soll lediglich auf die Versuche zur Beschränkung des Koalitionsrechts der Arbeitnehmer mit Hilfe eines Ausnahmegesetzes eingegangen werden, da – wie die Deutsche Volkswirtschaftliche Correspondenz zu Recht betonte – es 1911 „keine Aktion (gab), die den antisozialdemokratischen Sammlungsgedanken entschiedener darstellt als die fast allseitige Bewegung zur Herstellung des Arbeitswilligenschutzes"[7]. Diese Forderung der Unternehmer war keineswegs neu; bereits die 1899 vom Reichstag abgelehnte Zuchthausvorlage zielte in die gleiche Richtung. Der Hansa-Bund wurde bereits ein Jahr nach seiner Gründung mit dem Problem des „Arbeitswilligenschutzes“ konfrontiert. Denn am 19. 9. 1910 schlug der Centralverband deutscher Industrieller dem Präsidium des Hansa-Bundes eine Zusammenarbeit in dieser Frage vor[8]. Obwohl der Centralverband dieses Angebot mehrfach erneuerte, erhielt er von der Geschäftsführung des Hansa-Bundes stets eine ausweichende Antwort[9]. Daraufhin entschloß sich der Centralverband zu einem Alleingang und reichte am 1. 7. 1911 eine Eingabe an den Reichskanzler[10]. Deren wichtigster Punkt bestand in der Forderung, „in das neue Strafgesetzbuch das Verbot des Streikpostenstehens aufzunehmen“ und zu diesem Zweck dem § 241 eine neue Fassung zu geben, die eine strenge Bestrafung des Streikpostenstehens ermöglichen würde[11]. Diese Forderung zielte darauf ab, das in der Gewerbeordnung (§ 152) garantierte Koalitionsrecht durch ein neues Ausnahmegesetz[12] gegen die sozialistische Arbeiterbewegung auszuhöhlen; was natürlich vom Centralverband heftig bestritten wurde[13]. Mit dem Verbot des „unentbehrlichsten und wichtigsten Kampfmittels beim Streik, ... des *Streikpostenstehens*“[14] strebte der Centralverband darüber hinaus nicht nur eine Eindämmung der Streikbewegungen, sondern auch eine Schwächung insbesondere der freien Gewerkschaften an[15]. Die Stellungnahmen zahlreicher Arbeitgeber- und Industrieverbände[16], bedeutender Mittelstandsverbände wie z. B. des Reichsdeutschen Mittelstandsverbandes, des Deutschen Handwerker- und Gewerbekammertages[17] und ebenso der mit dem Hansa-Bund zusammenarbeitenden Deutschen Mittelstandsvereinigung und des Zentralausschusses der vereinigten Innungsverbände[18], enthielten die gleichen Forderungen und Ziele.

Die Haltung des Hansa-Bundes zur Frage des sogenannten Schutzes der Arbeitswilligen war von Anfang an umkämpft. Die von der Geschäftsführung vorgelegte Denkschrift (Mai 1912) über den „Schutz des Rechts bei Berufsausübung gegen unerlaubten Zwang“[19] sprach sich gegen ein gesetzliches Verbot des Streikpostenstehens aus, plädierte für eine schärfere Anwendung der bestehenden Gesetze und für eine Ergänzung bzw. Abänderung der §§ 240/241 StGB dahingehend, daß u. a. a) in „Erweiterung des § 240 StGB eine jede mittels rechtswidriger Drohung unternommene Nötigung unter Strafe gestellt wird, b) ... eine strafbare Bedrohung insbesondere auch dann vorliegen soll, ‚wenn jemand einen anderen durch eine ihn in seinem Berufe, seiner wirtschaftlichen Existenz oder seinem Ansehen gefährdende Drohung in seinem Frieden stört‘“. Eine „Verschärfung der in den bestehenden Gesetzen angedrohten Strafen“ wurde „nicht grundsätzlich“ abgelehnt[20]. Diese Diskussionsgrundlage[21], die eine Ausnahmegesetzgebung grundsätzlich ablehnte, jedoch darauf hinwies, daß in zahlreichen Fällen des „Streikterrorismus“ die allgemeinen strafgesetzlichen Vorschriften nicht immer genügt hätten[22], stieß in konservativen Kreisen auf heftige Ablehnung[23]; das gleiche gilt für einige Ortsgruppen des Hansa-Bundes. So stimmte z. B. der Kreisverband Pfalz einstimmig für ein „gänzliches Verbot des Streikpostenstehens“[24]. Die Ortsgruppe Solingen lehnte zwar ebenso wie die Denkschrift ein Verbot des Streikpostenstehens ab, jedoch nicht aus grundsätzlichen, sondern lediglich aus pragmatisch-taktischen Erwägungen. Gegen ein Verbot wurde insbesondere ins Feld geführt, daß „Ausnahmegesetze nach allen Erfahrungen nur der Verschärfung der Klassengegensätze und damit der Sozialdemokratie dienten", und – worauf von seiten des Handwerks hingewiesen wurde – die „Bekämpfung der Schmutzkonkurrenz unmöglich" machten[25]. Der Landesverband Baden stimmte demgegenüber der Denkschrift „nur insofern zu, als darin eine Verschärfung des § 153 der Gewerbeordnung nicht für erforderlich erklärt" wurde. „Soweit die Denkschrift eine Verschärfung des Strafgesetzbuches" empfahl, wurde die „Stellungnahme bis zum Bekanntwerden der in Aussicht stehenden Novelle zum Reichsstrafgesetzbuch vertagt"[26]. Andere Ortsgruppen verzichteten auf Grund der weit auseinandergehenden Ansichten von vornherein darauf, „bestimmte Resolutionen zu fassen"[27].

Als im Mai 1912 bzw. im Januar 1913 der Reichstag sich mit konservativen Anträgen zum Schutz der Arbeitswilligen befaßte und diese mit großer Mehrheit ablehnte[28], gab es keine einheitliche Stellungnahme des Hansa-Bundes. Das Problem wurde jedoch auch nach den Abstimmungen im Reichstag weiterhin im Hansa-Bund diskutiert. Riesser nahm in mehreren Reden zu dieser Frage Stellung und wies darauf hin, daß der Hansa-Bund sich nicht „rein passiv" verhalten dürfe, sondern „positive Vorschläge machen"[29] müsse, die „allerdings schon deshalb nie den Charakter von Ausnahmegesetzen an sich tragen dürfen, weil diese immer nur Märtyrer schaffen und neue oft schwerere Schäden verursachen, als diejenigen sind, welchen sie abhelfen wollen"[30]. In weitgehender Anlehnung an die von Riesser in mehreren Reden entwickelten Vorstellungen[31] stellte der Industrierat des Hansa-Bundes in seiner Sitzung vom 8. 2. 1913 folgende Forderungen auf: „Unter voller Anerkennung des bestehenden Koalitionsrechts", das der Industrierat unangetastet wissen wollte, verlangte er 1. eine „gleichmäßige und energische Anwendung der bestehenden polizeilichen und strafrechtlichen Vorschriften." Um dies zu erreichen, sollten auf Veranlassung der zuständigen Reichsbehörden (Reichsamt des Innern) alle bundesstaatlichen, landespolizeilichen bzw. provinzialen Behörden gleichlautende Verordnungen erlassen, durch die die „polizeilichen Exekutivbeamten nicht nur über das Recht, sondern auch die *Pflicht* zum Einschreiten bei Streikexzessen anhand der bestehenden Gesetze belehrt werden" sollten; 2. eine Beschleunigung aller Strafverfahren durch Abkürzung von Fristen und eine „Verminderung von Förmlichkeiten"; 3. die Anwendung des § 31 BGB „auch auf nicht eingetragene Gewerkschaften und Berufsvereine"; d. h. die Gewerkschaften sollten zu juristischen Personen erklärt werden und „mit ihrem ganzen Vermögen" für Schäden haftbar gemacht werden, die Dritten z. B. bei der Durchführung von Streiks entstünden; 4. eine Änderung der §§ 240/41 des StGB im Sinne „einer schärferen Erfassung der Begriffe der strafbaren Bedrohung und Nötigung"[32]. Der Industrierat forderte Präsidium und Direktorium des Hansa-Bundes auf, in diesem Sinne bei den zuständigen Regierungsstellen und beim Reichstag vorstellig zu werden und sprach die Warnung aus, daß die „industrie- und gewerbefreundlichen Parteien des Reichstags eine baldige Initiative" ergreifen würden, „um der durch den übermütigen Terrorismus der Gewerkschaften verursachten fortgesetzten Bedrohung der Freiheit der unabhängigen Arbeiter baldigst ein Ende zu machen". Der Industrierat betonte schließlich, daß er in der Regelung dieser Frage „eine der wichtigsten nächsten Aufgaben des Reichstags sehe[33].

Gegen diese Entschließung, insbesondere gegen die Forderung nach Abänderung des § 31 BGB und der §§ 240/241 des StGB, die das Koalitionsrecht der Gewerkschaften tangierten, erhob sich sofort heftiger Widerstand aus Angestellten- und linksliberalen Kreisen[34]. Naumann wies z. B. seinen Parteifreund W. Genest – Direktoriumsmitglied und seit 1913 Präsident des Ortsverbandes Groß-Berlin des Hansa-Bundes[35] – darauf hin, daß bei Anwendung des § 31 BGB auf die Gewerkschaftsführungen „künftige Streiks viel ungeregelter und ohne verantwortliche Führung entstehen" würden. Denn „sobald ... die offiziellen Gewerkschaftsführer in höherem Grade juristisch und finanziell haftbar gemacht werden, wird ihnen die Führung gerade in den schwierigsten Zeiten und Angelegenheiten verloren gehen"[36]. Eine Annahme der Forderungen des Industrierats würde darüber hinaus zu einer „beträchtlichen Schädigung der liberalen Arbeiterbewegung" führen[37]. Genest, der diese Befürchtungen teilte, äußerte die Hoffnung, daß es ihm und „anderen gleichdenkenden Herren möglich sein" werde, die „Entschließungen des Industrierates nicht zu Beschlüssen des Direktoriums werden zu lassen"[38]. Dies gelang auch, obwohl die Stellungnahme des Industrierats u. a. auch die Zustimmung von Riesser, Stresemann und des Geschäftsführers von Richthofen gefunden hatte[39]. In seiner Stellungnahme vom 24. 11. 1913 betonte das Direktorium des Hansa-Bundes, daß die „Koalitionsfreiheit der Arbeitgeber und Arbeitnehmer nicht angetastet, sondern erhalten und gefördert werden müsse, und daß von Ausnahmegesetzen nicht eine Verbesserung, sondern eine Verschlechterung der heutigen Zustände zu erwarten sei"[40]. Von den Forderungen des Industrierats wurden lediglich diejenigen nach einheitlichen Streik-Instruktionen und einer Beschleunigung der erstinstanzlichen Strafverfahren unterstützt, jedoch nur unter der Voraussetzung, daß damit „keine Beschränkung der Rechtsmittel oder der Verteidigung des Angeschuldigten verbunden werde"[41]. Gegen die Forderung des Industrierats nach Erweiterung der §§ 240/41 StGB erhob sich „innerhalb des Direktoriums mehrfacher Widerspruch"[42]. Die Gegner konnten einen Beschluß durchsetzen, daß vor einer endgültigen Stellungnahme des Direktoriums zuvor noch der Gesamtausschuß, die Ortsgruppen und die angeschlossenen Verbände gutachtlich gehört werden sollten. Ein Ausschuß aus Vertretern der Industrie, des Handels und Gewerbes „einschließlich der Angestellten" sollte diese Gutachten prüfen und eine Stellungnahme erarbeiten[43]. Die Forderung nach Anwendung des § 31 BGB auf die Gewerkschaften, fand ebenfalls „nicht die Billigung des Direktoriums"[44].

Die zur Stellungnahme aufgeforderten Ortsgruppen lehnten zum größten Teil ebenfalls die Forderungen des Industrierats ab. Der Hauptvorstand des Ortsverbandes Groß-Berlin erteilte dem Direktorium ein „Vertrauensvotum, wegen seiner Stellungnahme zur Koalitionsfreiheit" und stellte in seiner Entschließung fest: „Die Erweiterung der §§ 240/241 des Strafgesetzbuches (Bedrohung und Nötigung) sowie die Ausdehnung des § 31 BGB auch auf nicht eingetragene Gewerkschaften und Berufsvereine werden abgelehnt."[45] Ähnliche Beschlüsse wurden von zahlreichen anderen Ortsgruppen gefaßt[46], insbesondere dort wo die Fortschrittliche Volkspartei das Gros der Mitglieder stellte. Nachdem sich damit in dieser Frage „ein starker und unüberbrückbarer Gegensatz herausgebildet" hatte, insofern nämlich, als „gewisse politische Kreise [Fortschrittliche Volkspartei] sowie die Angestelltenverbände jedweder Änderung des bestehenden Rechtszustandes nachdrücklich widersprächen"[47], wurde die Hansa-Bund-Führung von einigen Ortsgruppen aufgefordert, die „Angelegenheit ... nicht weiterzuverfolgen". Diese Kreise befürchteten, daß „jede entschiedene Stellungnahme, welche der Hansa-Bund in dieser Frage nach der einen oder anderen Richtung einnehme, naturgemäß breite Kreise der Mitglieder des Hansa-Bundes vor den Kopf stoße und vielleicht geradezu zum Austritt veranlasse, wodurch die Stoßkraft des Hansa-Bundes gegenüber seinem eigentlichen Gegner, dem Überagrariertum, in durchaus unerwünschter Weise geschwächt" würde[48]. Diese Differenzen innerhalb des Hansa-Bundes waren wohl auch der Grund dafür, daß entgegen dem Direktoriumsbeschluß vom 24. 11. 1913 die Frage des „Arbeitswilligenschutzes" nicht auf der Tagesordnung der Sitzung des Gesamtausschusses vom 12.–14. 6. 1914 stand[49]. Obwohl die Stellungnahmen des Hansa-Bundes – das gilt selbst für die des Industrierates – im Vergleich zu denjenigen des Centralverbandes und der Arbeitgeberverbände durchaus gemäßigt waren, stießen sie auf heftige Kritik bei der SPD und den Gewerkschaften[50]. Unterstützung fand der Hansa-Bund auf Verbandsebene in dieser Frage lediglich beim Bund der Industriellen und beim Deutschen Handelstag[51] und mit gewissen Einschränkungen beim Verband Sächsischer Industrieller[52].

Festzuhalten bleibt, daß sowohl auf Partei- als auch auf Verbandsebene nicht von einer Geschlossenheit zweier Blöcke gesprochen werden kann. Während auf der Ebene der Parteien das Zentrum mit den Kräften stimmte, die im allgemeinen eine Liberalisierung des bestehenden politischen, sozialen und ökonomischen Systems anstrebten, wurde auf Verbandsebene das Lager der am Status quo orientierten Kräfte durch bedeutende Verbände (u. a. Deutsche Mittelstandsvereinigung, Zentralausschuß der vereinigten Innungsverbände) gestärkt, die ansonsten eher mit dem reformerischen Lager zusammenarbeiteten. Nationalliberale, Fortschrittler, Zentrum und auf Verbandsebene u. a. Hansa-Bund, Bund der Industriellen und Deutscher Handelstag nahmen in der Frage des „Arbeitswilligenschutzes" eine Position ein, die sowohl von Rechts als auch von Links (SPD, Gewerkschaften) scharf kritisiert wurde.

Auch die Stellungnahmen zu den Heeres- und Deckungsvorlagen von 1912/13 weisen – wie bereits gezeigt wurde – keineswegs auf zwei geschlossene Blöcke hin. Erinnert sei hier lediglich an die Mitarbeit dreier bedeutender Mittelstandsverbände, die alle im Hauptvorstand des RDMV vertreten waren, und einiger korporativer Mitglieder des Centralverbandes Deutscher Industrieller[53] in der Branntweinsteuer-Kommission des Hansa-Bundes und an die gemeinsame Gegnerschaft (1913) von Hansa-Bund, Bund der Industriellen und Centralverband gegen die Reichsvermögenszuwachssteuer, während auf Parteiebene das Zentrum wiederum zusammen mit den liberalen Parteien und den Sozialdemokraten stimmte und die Konservativen isolierte. Die Fronten auf der Verbandsebene, die anders als auf der Parteiebene verliefen, passen schlecht zu der Behauptung, daß die finanzielle Deckung der Wehrvorlagen im Sommer 1913 „wiederum die Isolierung von Großindustrie und Großlandwirtschaft in aller Schärfe" zeigte[54]. Die Analyse der beiden wichtigsten Gesetzesvorhaben von 1912/13 bestätigt mithin wohl kaum die These von der durchgehend verschärften Polarisierung nach den Reichstagswahlen von 1912.

Auch an anderen Erscheinungen läßt sich zeigen, daß von einer scharfen Abgrenzung zwischen zwei sich gegenüberstehenden, geschlossenen Blöcken innerhalb des Unternehmerlagers vor 1914 nicht die Rede sein kann. So existierten, wie bereits dargestellt wurde, auch nach dem Austritt der Schwerindustrie aus dem Hansa-Bund relativ enge personelle Verflechtungen zwischen diesem und dem Centralverband[55]. Letzterer war, wenn auch nicht im selben Umfang, ebenfalls mit dem Bund der Industriellen verbunden. 1912 gehörten 14 Industrieverbände bzw. Handels- und Gewerbekammern beiden Spitzenverbänden gleichzeitig als korporative Mitglieder an[56], und eine Reihe bedeutender Industrieller waren Mitglieder der führenden Gremien beider Verbände[57]. Neben gemeinsamen Interessen, z. B. in der Zollpolitik und in der Gegnerschaft zum Bund der Landwirte, trug nicht zuletzt die personelle Verflechtung zwischen den aufgeschlosseneren Vertretern des Centralverbandes einerseits, Hansa-Bund und Bund der Industriellen andererseits dazu bei, daß auch nach 1912 nicht von einer starren Polarisation gesprochen werden kann[58]. Die Behauptung, daß bereits nach dem Austritt des Bundes der Industriellen aus der Interessengemeinschaft „die Verständigungsversuche zwischen beiden industriellen Interessenverbänden ... endgültig" scheiterten[59], muß daher bezweifelt werden. Neben der Zusammenarbeit im „Mitteleuropäischen Wirtschaftsverein", in der „Ständigen Ausstellungskommission der deutschen Industrie" und den beiden Arbeitgeberverbänden, deren Zusammenschluß zur „Vereinigung Deutscher Arbeitgeberverbände" 1913 erfolgte[60], lassen sich auch für die Zeit nach dem Austritt der Schwerindustrie aus dem Hansa-Bund zahlreiche Kontaktversuche zwischen Centralverband einerseits und Hansa-Bund und Bund der Industriellen andererseits feststellen. Getragen wurden diese Bestrebungen innerhalb des Centralverbandes von Industriellen, die als Alternative zur Zusammenarbeit mit dem Bund der Landwirte eine Interessengemeinschaft der Industrie erstrebten, wobei die wichtigsten Motive die ablehnende Haltung zum Bund der Landwirte und seinen zollpolitischen Forderungen waren. Auf den Einfluß dieser Kräfte war es zurückzuführen, daß nach dem Austritt der Schwerindustrie aus dem Hansa-Bund noch im gleichen Jahr Vermittlungsverhandlungen mit dem Hansa-Bund geführt wurden, die über den Vorsitzenden des Chemie-Vereins liefen[61]. Im Direktorium des Centralverbandes wurde ferner ein Beschluß gefaßt, gegenüber dem Hansa-Bund und dem Bund der Industriellen „möglichst alle Polemik (zu) vermeiden“[62]. Die Kontakte über von Böttinger verliefen jedoch ebenso erfolglos wie die Gespräche zwischen Schweighoffer und Duisberg[63]. Duisberg, den Stresemann vergeblich für den Bund der Industriellen zu gewinnen versuchte, erklärte sich bereit, nach Beendigung des „Konflikt(es) des Zentralverbandes mit dem Hansa-Bund ... in den Zentralverband einzutreten, nicht, um zu allem, was dort geschieht, Ja und Amen zu sagen, sondern zu versuchen, ihn zu modernisieren und auf eine mehr vermittelnde Bahn zu bringen“[64]. Daneben gab es Versuche von seiten des Hansa-Bundes, bei einzelnen Gesetzesvorhaben, so z. B. beim preußischen Wassergesetz, oder bei der Lösung der Frage der Konkurrenz-Klausel und des Vermögenszuwachssteuergesetzes mit dem Centralverband zusammenzuarbeiten[65]. Intensiver waren die Kontakte zwischen Centralverband und Bund der Industriellen, die jedoch erst Anfang 1913 verstärkt wurden. Während einige Industrielle, wie z. B. Georg Marwitz, der sowohl dem „Großen Ausschuß“ des Bundes der Industriellen als auch dem Ausschuß des Centralverbandes angehörte[66], für eine Verschmelzung beider Verbände eintraten[67], zielten die übrigen Kontakte in erster Linie auf den Wiedereintritt des Bundes der Industriellen in die „Interessengemeinschaft“ bzw. auf eine Zusammenarbeit in Fragen gemeinsamen Interesses ab[68].

Diese Verhandlungen, die zu Beginn erfolgversprechend verliefen[69], erfuhren durch den Abschluß des Kartells der schaffenden Stände zunächst eine Unterbrechung. Dieses „Bündnis“ der konservativen Kräfte kam keineswegs überraschend. Bereits vor dem Austritt der Schwerindustrie aus dem Hansa-Bund hatte Dr. Oertel auf der Landesversammlung (1911) des Bundes der Landwirte für das Königreich Sachsen darauf hingewiesen, daß eine Verständigung zwischen dem Bund der Landwirte und dem Centralverband „leicht möglich“, ja „vielleicht schon unterwegs“ sei[70]. Die Einflußnahme des Bundes der Landwirte und des Centralverbandes auf die Gründung des Reichsdeutschen Mittelstandsverbandes, „ohne jedoch nach außen hin in Erscheinung zu treten“[71], stellte bereits einen wichtigen Schritt in Richtung einer engeren Zusammenarbeit der an der Erhaltung des Status quo interessierten Kräfte dar. Bund der Landwirte und Centralverband waren bestrebt, der Reichsdeutschen Mittelstandsbewegung, „auch fernerhin ... weitere Aufmerksamkeit zu schenken und (sich) die Möglichkeit einer Einflußnahme ... zu erhalten“[72]; wobei insbesondere betont wurde, daß die „neue Bewegung sich z. B. hinsichtlich eines besseren Schutzes der Arbeitswilligen ganz im Programm des Centralverbandes halte“[73]. Es war daher nur folgerichtig, wenn nach der Niederlage der konservativen Kräfte in den Reichstagswahlen von 1912, nach den Abstimmungsniederlagen in der Frage der Verbesserung des „Arbeitswilligenschutzes“ und der Deckung der Wehrvorlagen die betroffenen Kräfte eine engere Zusammenarbeit anstrebten[74]. Bereits einige Monate vor der 3. Reichsdeutschen Mittelstandstagung wurde auf dem 2. Westdeutschen Mittelstandstag in Essen die Bildung eines Ausschusses angeregt, „der die wirtschaftliche Gemeinschaftsarbeit des selbständigen gewerblichen Mittelstandes mit Industrie und Landwirtschaft" und die Ausarbeitung positiver Vorschläge ins Auge fassen sollte[75]. Diese Bestrebungen führten schließlich dazu, daß in Leipzig die Führungsspitze des Centralverbandes, der Bund der Landwirte und konservative Mittelstandskreise zur Erhaltung des wirtschaftlichen und sozialen Status quo das „Kartell der schaffenden Stände" bildeten[76]. Der Hinweis von Graef, das Kartell solle das Gegengewicht zur „demokratischen Welle, die wieder einmal über Deutschland geht", bilden[77], wies darauf hin, daß die Angst vor einer realen Machtverschiebung das Hauptmotiv für die Bildung des Kartells darstellte. Auch das vom Hauptvorstand des Reichsdeutschen Mittelstandsverbandes vorgeschlagene Arbeitsprogramm macht dies deutlich: „1. Zusammengehen der drei Gruppen: gewerblicher Mittelstand, Industrie und Landwirtschaft zur gegenseitigen Unterstützung und Bekämpfung der Auswüchse im Organismus unseres Wirtschaftslebens, 2. Aufrechterhaltung der Autorität in allen wirtschaftlichen Betrieben, 3. Schutz der nationalen Arbeit, Sicherung angemessener Preise und Schutz der Arbeitswilligen, 4. Bekämpfung der Sozialdemokratie und sozialistischer Irrlehren"[78].

Während der Bund der Landwirte das neue „Bündnis" einstimmig begrüßte[79], führte der Auftritt Schweighoffers auf dem 3. Reichsdeutschen Mittelstandstag zu heftigen Auseinandersetzungen innerhalb des Centralverbandes. Der erste Protest erfolgte bereits auf die Ausführungen Graefs vom 29. 7. 1913 hin[80]. Dieser Kritik Büttners, des Geschäftsführers des Vereins Süddeutscher Baumwollindustrieller[81], schloß sich P. Dirr, der bayerischen Industriekreisen nahestand, an[82]. Er warnte die rheinisch-westfälische Industrie insbesondere davor, den „Hochagrariern zu der ... weiteren Heraufschraubung der Agrarzölle zu verhelfen", d. h. mit anderen Worten, die Forderung des Bundes der Landwirte nach einem „lückenlosen Zolltarif" zu unterstützen[83]. Das gemeinsame Vorgehen von Büttner und Kuhlo[84] und die Kritik von Dietrich[85] auf der Ausschußsitzung des Centralverbandes vom 15. 9. 1913 zwang dessen Führung, einer Resolution zuzustimmen, die feststellte, daß der Centralverband „einer weiteren Erhöhung der von weiten Kreisen ... als zu hoch empfundenen Zölle auf Lebensmittel und einem sogenannten lückenlosen Zolltarif nicht zustimmen" könne[86]. Damit war eine wichtige Forderung der stärker exportorientierten Industriekreise des Centralverbandes durchgesetzt. Andererseits gelang es der Führung des Centralverbandes, das Referat Schlenkers, des Syndikus der Handelskammer Saarbrücken, von der Tagesordnung der Delegiertenversammlung abzusetzen[87], und damit einen der Kritiker des Kartells „mundtot" zu machen. Schlenker hatte nämlich kurz vor der Tagung des Centralverbandes Stresemann mitgeteilt, daß er in seinem Referat „Finanzpolitik und Industrie" die Gelegenheit wahrnehmen werde, „die gemeinsamen Interessen" der Industrie hervorzuheben. Er werde in einer „ganz bestimmten Richtung die unerläßliche, notwendige ‚Gemeinschaftsarbeit' zwischen Zentralverband, Bund der Industrie, Hansabund und dem Deutschen Handelstag nachdrücklichst betonen"; denn die deutsche Industrie könne sich den „Luxus, sich dauernd in getrennten Lagern zu bewegen, nicht leisten!“ Um auf „übertriebene Gelüste“ innerhalb des Centralverbandes „nach einer Verbrüderung mit der Landwirtschaft hemmend einzuwirken“, schlug er den Beitritt möglichst vieler Firmen des Verbandes Sächsischer Industrieller zum Centralverband vor. „Je mehr das Beispiel, das die Handelskammern Chemnitz und Plauen gegeben haben – Zugehörigkeit zum Zentralverband sowohl wie auch zum Bund der Industriellen – *Nachahmung findet*“, desto eher sah Schlenker „eine Gewähr dafür gegeben, daß die Beziehungen zwischen beiden Verbänden *friedlich* und freundlich sein“ würden[88]. Auf Ablehnung stieß das Kartell nicht nur bei den erwähnten süddeutschen Geschäftsführern und bei Max Schlenker, einem bedeutenden Vertreter der Saarindustrie, sondern insbesondere auch bei zahlreichen sächsischen Industriellen. Außer dem erwähnten Syndikus der Handelskammer Plauen, der sich „gegen übermäßige Ansprüche der Agrarier“ aussprach[89], favorisierten u. a. das Direktoriumsmitglied H. Vogel und das Ausschußmitglied des Centralverbandes, G. Marwitz, anstelle der Zusammenarbeit mit dem Bund der Landwirte ein „friedliches Nebeneinander der großen Verbände der deutschen Industrie“[90]. Vogel ging aufgrund der Erklärungen Rötgers und Schweighoffers auf der Tagung des Centralverbandes vom 15. 9. 1913 davon aus, daß die „Annahme, daß zwischen dem Centralverband und dem Bund der Landwirte ein Bündnis geschlossen sei, widerlegt“ worden sei; er schlug dem Bund der Industriellen vor, sich mit dem „Centralverband wegen des Eintritts ... in die Interessengemeinschaft ... in Verbindung zu setzen“[91].

Abgelehnt wurde das Kartell auch von der Deutschen Bergwerkszeitung[92], die der Führung des Centralverbandes mangelndes Zielbewußtsein vorwarf und darauf verwies, daß der Bund der Landwirte häufig als Gegner industrieller Lebensinteressen aufgetreten wäre; eine Folge seiner „egoistischen und rücksichtlosen Politik“[93] sei z. B. die Lebensmittelverteuerung, die wiederum für die Lohnforderungen der Arbeiter und die verstärkten Arbeitskämpfe verantwortlich zu machen sei. Daß die Deutsche Bergwerkszeitung als Alternative zur Zusammenarbeit mit dem Bund der Landwirte der Führung des Centralverbandes eine Anlehnung an den Hansa-Bund vorschlug[94], macht wiederum deutlich, daß selbst in den Kreisen der Schwerindustrie das Bündnis mit dem Junkertum keineswegs einhellig unterstützt wurde. Auch Kirdorf lehnte das Kartell ab[95]; und Stresemann erwähnte in einem Schreiben vom 24. 9. 1913 an das Direktoriumsmitglied des Hansa-Bundes, Kommerzienrat Müller (Krefeld)[96], daß auch bei „einem Teil der Mitglieder des Zentralverbandes die Neigung zu einem Zusammengehen mit dem Bund der Industriellen und dem Hansa-Bund“ bestände, und daß insbesondere auch „Hugenberg ... als Träger solcher Anschauungen genannt“ würde[97]. Insgesamt erschien Stresemann bei Verhandlungen jedoch Vorsicht geboten, da man in „gewissen Kreisen des Zentralverbandes anscheinend darauf hinarbeite ..., eine Interessengemeinschaft irgendwelcher Art mit dem Bund der Industriellen zu Stande zu bringen, den Hansa-Bund aber auszuschließen“[98] versuche. Angesichts der augenblicklichen Sachlage könne eine Verständigung mit dem Zentralverband jedoch nur dann akzeptiert werden,

„wenn gleichzeitig auch der Hansa-Bund in diese Verständigung mit einbegriffen“ würde[99].

Festzuhalten bleibt, daß der Centralverband weit weniger einheitlich auf das Kartell reagierte als von Stegmann dargestellt. Das Lager derjenigen, die anstelle eines Bündnisses mit dem Bund der Landwirte und dem Reichsdeutschen Mittelstandsverband eine Zusammenarbeit mit dem Bund der Industriellen und dem Hansa-Bund favorisierten, verlor auch nach der Gründung des Kartells keineswegs an Bedeutung. Die Kontakte zwischen Centralverband einerseits und Hansa-Bund und Bund der Industriellen andererseits, die insbesondere von Industriellen getragen wurden, die beiden Lagern angehörten, rissen auch nach der Schaffung des Kartells nicht ab. Sie wurden jedoch z. T. gestört. Das galt insbesondere für die Kontakte zwischen Centralverband und Hansa-Bund.

Riesser hatte mit „ausdrücklicher Billigung des Direktoriums“ die Erklärung des Hansa-Bundes zur Gründung des Kartells, „so entworfen, daß jede Schärfe und jede Polemik gegenüber dem Centralverband ausgeschlossen wurde, schon um künftig eine Verständigung von Fall zu Fall nicht zu hindern oder auszuschließen“[100]. Die Resolution des Direktoriums des Hansa-Bundes wies lediglich auf die Widerstände innerhalb des Centralverbandes gegen ein Zusammengehen mit dem Bund der Landwirte hin und stellte dann fest, „daß der ganze Vorgang offensichtlich nur ein Glied in einer großen Kette von ähnlichen Vorgängen ist, welche seinerzeit auch zum Austritt eines Teils der im Zentralverband vertretenen schweren Industrie aus dem Hansa-Bund geführt haben, und welche auf die Neigung gewisser Kreise des Zentralverbandes Deutscher Industrieller schließen lassen, den Kampf gegen den Bund der Landwirte einzustellen, um in eine engere Fühlung mit der extremen Rechten und deren wirtschaftlichen und politischen Verbänden zu treten“[101]. Während der Centralverband bewußt geschont wurde, um eine spätere Zusammenarbeit nicht von vornherein unmöglich zu machen, wurde in der Resolution scharfe Kritik am Bund der Landwirte geübt. Da sich weder Programm und Taktik noch die Leitung des Bundes der Landwirte geändert hätten, wurde jegliche „Annäherung an diesen Bund und jedes Paktieren“ mit ihm strikt abgelehnt, da dies bei „Fortbestand seiner agrardemagogischen Richtung nicht nur die Lebensinteressen der Industrie und des Handels, sondern auch des Kleingewerbes, des Handwerks und der Angestellten aufs empfindlichste schädigen“ würde. Zur Bekräftigung dieser Kritik wurde auf zahlreiche Beispiele antiindustrieller Politik des Bundes der Landwirte verwiesen. An die Adresse des Centralverbandes gerichtet, wurde schließlich betont, daß der Hansa-Bund bereit wäre, unter den gegebenen nationalen und internationalen Verhältnissen sowohl der Industrie als auch der Landwirtschaft den ihnen notwendigen Zollschutz zu gewähren. Jede Erhöhung der bestehenden Agrarzölle und der lückenlose Zolltarif wurden jedoch strikt zurückgewiesen[102]. Indem der Hansa-Bund einerseits die bestehenden Differenzen innerhalb des Kartells betonte, andererseits auf die Gemeinsamkeiten mit dem Centralverband in zollpolitischen Fragen verwies, versuchte er ebenso wie mit seiner maßvollen Kritik, dem Centralverband den Rückzug aus der Arbeitsgemeinschaft mit dem Bund der Landwirte und dem Reichsdeutschen Mittelstandsverband zu erleichtern. Diesem Bestreben diente auch die Feststellung, daß das „gewerbliche Bürgertum seine erbittertsten und gefährlichsten Gegner sowohl auf der extremen Linken wie auf der extremen Rechten zu suchen" habe[103]. Es entsprach auch der gedämpften Kritik am Centralverband, daß dessen Mitarbeit am Kartell auch in den Ortsgruppen nur selten diskutiert und kritisiert wurde[104].

Den Bestrebungen Stresemanns und H. Ch. Müllers, bereits im Oktober 1913 zu einer „Annäherung mit dem Zentralverband" zu kommen, stand Riesser jedoch eher ablehnend gegenüber[105]. In einem Brief an das Ausschußmitglied des Centralverbandes, H. Toepffer (FVp)[106], wurde der Centralverband scharf kritisiert, seine Beteiligung am Kartell als „unerhört" charakterisiert und Toepffer aufgefordert, das Zusammengehen des Centralverbandes mit den „geschworenen Feinden von Industrie und Handel mit dem Austritt aus dem C. V." zu beantworten[107]. Mit dieser Stellungnahme stimmte überein, daß in späteren Äußerungen des Hansa-Bundes das Kartell als Kampforganisation angegriffen wurde, die einseitige und reaktionäre wirtschaftliche und politische Forderungen verfolge, die lediglich geeignet wären, die politischen und sozialen Gegensätze zu verschärfen[108]. Die Änderung in der Einstellung zum Centralverband läßt sich nur erklären, wenn man sich vergegenwärtigt, daß dessen Führung versuchte, unter Ausschluß des Hansa-Bundes eine Übereinkunft mit dem Bund der Industriellen zu erzielen[109].

Ebenso wie – zunächst – der Hansa-Bund übte auch der Bund der Industriellen nur verhaltene Kritik am Zusammengehen des Centralverbandes mit dem Bund der Landwirte und konzentrierte sich bei seinen Angriffen auf das Kartell ebenfalls auf den Bund der Landwirte[110], nicht zuletzt, um die Kontakte zwischen den beiden industriellen Spitzenorganisationen nicht zu gefährden. Am 7. 11. 1913 befaßte sich der Vorstand des Bundes der Industriellen mit den Verhandlungen zwischen H. Vogel und Stresemann und begrüßte als deren Ergebnis das „freundschaftliche Verhältnis, welches dadurch zwischen den dem Zentralverband Deutscher Industrieller angehörenden sächsischen Firmen und den Firmen des Verbandes Sächsischer Industrieller geschaffen"[111] worden sei; er billigte die Bestrebungen Dr. Zöphels[112] und Stresemanns, dieses Verhältnis „noch zu vertiefen"[113]. Demgegenüber lehnte der Verband Württembergischer Industrieller jede Form einer Annäherung an den Centralverband ab, solange dieser an seiner bisherigen Politik, die die verarbeitende Industrie eindeutig schädige, festhielt[114]. Er trat vielmehr dafür ein, die Mitarbeit des Centralverbandes im Kartell zu einem „organisatorischen Ausbau" des Bundes der Industriellen zu nutzen[115], d. h. u. a. auch zu versuchen, unzufriedene Centralverbandsmitglieder für den Bund der Industriellen zu gewinnen. Stresemann ignorierte diese Stellungnahme und führte die Kontakte mit Vogel fort. Er warnte jedoch den Centralverband vor einem Bündnis mit dem Bund der Landwirte und wies darauf hin, daß der „weitüberwiegende Teil der deutschen

Industrie bis in die Reihen der Großindustrie hinein, von einer Vereinigung mit dem Bund der Landwirte nichts wissen" wolle[116]. Dieses Bündnis sei auch keineswegs notwendig, da von einer „Bedrohung der gegenwärtigen Wirtschaftspolitik nicht gesprochen werden" könne[117]. Ein Kartell von Centralverband und Bund der Landwirte würde „eine Interessengemeinschaft zwischen dem Zentralverband und dem Bund der Industriellen für fast alle Zukunft unmöglich machen und zum Schaden der gemeinsamen industriellen Interessen die Kluft zwischen den zentralen Organisationen der Industrie vertiefen"[118]. Der Vorschlag des Centralverbandes, der Bund der Industriellen solle in die Interessengemeinschaft eintreten[119], wurde als „zur Zeit ... undurchführbar" abgelehnt[120]. Die Proteste des Verbandes Württembergischer Industrieller und die „ganze Stimmung im Vorstand gegen den Zentralverband" machten einen Eintritt unmöglich. „Das Mißtrauen gegen das in der Presse so lebhaft erörterte Kartell der schaffenden Stände war ein so großes, daß wir nach der Mehrheitsmeinung im Vorstand ... direkt die Existenz des Bundes aufs Spiel gesetzt hätten, wenn wir diese Vorschläge akzeptiert hätten."[121] Ein Eintritt in die Interessengemeinschaft erschien dem Bund der Industriellen nur bei einer „Anerkennung des Grundsatzes völliger Gleichberechtigung zwischen den die Interessengemeinschaft bildenden Organisationen möglich"[122]. Solange der Centralverband nicht bereit war, auf den alleinigen Vorsitz zu verzichten, ließ sich nach Auffassung des Bundes der Industriellen diese Voraussetzung für seinen Eintritt nicht erfüllen[123]. Als erster Schritt einer Annäherung wurde vereinbart, die Polemiken und Auseinandersetzungen zwischen den beiden industriellen Spitzenverbänden in der Presse zu beenden[124]. Der Bund der Industriellen betonte ferner, daß er in all denjenigen Fragen, in denen keine Differenzen zwischen beiden Verbänden bestünden, ein „Zusammenwirken von Fall zu Fall zwischen Zentralverband Deutscher Industrieller und Bund der Industriellen nicht nur für möglich, sondern auch für wünschenswert" erachte[125]. Auf diese Weise solle eine sachliche Grundlage für eine Zusammenarbeit geschaffen werden und an die Stelle der Arbeitsgemeinschaft von Centralverband und Bund der Landwirte solle die „einzig mögliche Interessengemeinschaft, diejenige zwischen industriefreundlichen Organisationen" treten[126].

Entsprechend diesen Vorstellungen nahm im Oktober 1913 Generaldirektor Guggenheimer[127] für den Centralverband an den Beratungen des Bundes der Industriellen über das Patentgesetz teil[128]; angestrebt wurde ferner eine Zusammenarbeit in der Frage der Konkurrenzklausel[129]. Nachdem bereits Schweighoffer auf der Leipziger Tagung des CVDI (15.9.1913) diejenigen Mitglieder „die sowohl dem Centralverband Deutscher Industrieller wie dem Bund der Industriellen angehörten", aufgefordert hatte, darauf hinzuweisen, daß die bestehenden Gegensätze und Mißverständnisse „aus dem Wege geräumt würden"[130], schlug Rötger Anfang 1914 eine „Vereinigung der schaffenden Stände" zusammen mit dem Bund der Industriellen vor[131]. Eine Möglichkeit, diesem Ziel näher zu kommen, boten die auf Initiative Ballins[132] hin aufgenommenen Verhandlungen zur Gründung einer „Deutschen Gesellschaft für Welthandel", die eine „Zusammenfassung der Auslandsinteressen der deutschen Industrie“ erstrebte[133]. Diese Verhandlungen wurden zunächst vom „gesamten Vorstand“ des Bundes der Industriellen begrüßt, denn die Gesellschaft würde, „wenn sie zustande käme, eine gewaltige Stärkung des Bundes bedeuten, da in der gesamten Organisation dieser Gesellschaft die völlige Gleichberechtigung des Bundes der Industriellen und des Zentralverbandes Deutscher Industrieller festgelegt“ werden würde[134]. Der Vorstand des Bundes der Industriellen beschloß jedoch in seiner Sitzung vom 17. 2. 1914, daß „die Behandlung zoll- und handelspolitischer Fragen, insbesondere die Vorbereitung von Handelsverträgen aus dem Tätigkeitsbereich der Gesellschaft grundsätzlich ausgeschlossen werde“[135]. Dieser Beschluß wurde auf der nächsten Vorstandssitzung des Bundes der Industriellen indirekt vom Generaldirektor Eich kritisiert[136]. Wenige Tage nach dieser Sitzung, auf der bereits Vorschläge für die Besetzung des Präsidiums der angestrebten Gesellschaft gemacht[137] wurden – d. h., man rechnete in den Reihen des BdI mit einem erfolgreichen Abschluß der Verhandlung –, teilte der Geschäftsführer des Bundes der Industriellen den Vorstandsmitgliedern mit, daß der Plan zur Gründung der Deutschen Gesellschaft für Welthandel „zur Zeit unausführbar“ wäre[138]. Da auch der Centralverband zwei Tage vor diesem Rundschreiben des Bundes der Industriellen seinen Mitgliedern am 12. 3. 1914 mitteilte, daß „nach langen und eingehenden Beratungen, formell und sachlich eine vollständige Einigung zwischen dem Bund der Industriellen und dem Centralverband Deutscher Industrieller erzielt“[139] worden sei, liegt die Vermutung nahe, daß die Gründe für das Scheitern der Bestrebungen zur Errichtung der „Deutschen Gesellschaft für Welthandel“ in erster Linie in Faktoren außerhalb beider Verbände zu suchen sind.

Nach Schweighoffer waren die Gegner „in erster Linie in denjenigen Kreisen zu suchen, . . . die von einer Verwirklichung des Plans die ihnen unerwünschte Folge befürchteten, daß der Bund der Industriellen und der C. V. in gemeinsamer Arbeit an einem großen Werke sich näher kommen würden“[140]. Gemeint war damit außer dem Verband Württembergischer Industrieller[141] insbesondere der Hansa-Bund, dessen Geschäftsführer die Deutsche Gesellschaft für Welthandel als „Mißgeburt allererster Sorte“ charakterisierte[142] und befürchtete, daß die neue Vereinigung dem Hansa-Bund nur Nachteile bringen würde. „Der Welthandelsbund will Arbeitsgebiete in Angriff nehmen, auf denen wir ebenso wie der Handelstag bereits tätig gewesen sind. Er wird finanzielle Kräfte absorbieren, die wir ja eigentlich für uns dringend notwendig hätten. Und endlich trägt er durch die Vermählung des Zentralverbandes mit dem Bund der Industriellen, ohne daß vorher eine tatsächliche Auseinandersetzung über die großen politischen und handelspolitischen Fragen erfolgt wäre, dazu bei, eine in hohem Maße unklare und für uns nicht günstigere Situation zu schaffen“[143]. Besonders irritierte die Hansa-Bund-Geschäftsführung, daß im Unterschied zu den Verhandlungen bei der Gründung des Deutsch-Amerikanischen Wirtschaftsvereins die Führungsspitze des Hansa-Bundes nicht zu den vorbereitenden Verhandlungen zur Gründung der Deutschen Gesellschaft für

Welthandel hinzugezogen worden war[144], obwohl es zwischen dem Hansa-Bund und dem Bund der Industriellen ein Abkommen gab, das beide Verbände verpflichtete, nur gemeinsam mit dem Centralverband zu verhandeln[145]. Es lag daher nahe, wenn der Hansa-Bund, der von der neuen Vereinigung nur Nachteile zu befürchten hatte, deren Gründung zu verhindern versuchte[146]. Ob es dabei zu einem Zusammenspiel mit den Kräften innerhalb der beiden industriellen Spitzenverbände kam, die ebenfalls die Neugründung bekämpften, ließ sich nicht feststellen. Das gleiche gilt für die Frage, inwieweit das Bestreben des Centralverbandes, über die Finanzierung das Übergewicht in der Deutschen Gesellschaft für Welthandel zu erlangen[147], für das Scheitern der Verhandlungen verantwortlich zu machen ist[148].

Die Frage nach den Motiven des Centralverbandes für eine Zusammenarbeit mit dem Bund der Industriellen wirft die Frage nach Erfolg oder Mißerfolg des Kartells auf. Von Richthofen sah das Hauptmotiv für die Kontakte des Centralverbandes mit dem Bund der Industriellen im Scheitern des „Kartells der schaffenden Stände", und führte dieses darauf zurück, daß derjenige Teil der konservativen Partei, der bereit war, für ein Zusammengehen mit dem Centralverband „gewisse wirtschaftliche Opfer zu bringen", den „Ultraagrariern unterlegen" war[149]. Die von diesen Kräften erneut erhobene Forderung nach einem lückenlosen Zolltarif, war auch für rechtsgerichtete Großindustrielle „eine Unmöglichkeit. Folge hiervon, ein Ruck nach links seitens des Zentralverbandes, offizieller Verzicht seiner führenden Männer, Röchling, Fuhrmann im Abgeordnetenhaus auf Verbot des Streikpostenstehens etc., scharfe Rede Fuhrmanns gegen die Konservativen und für den Zusammenschluß der Industrie und als ein wichtiges Glied in der Kette Herrn Schweighoffers Annäherung an Ballin und Stresemann"[150].

Für diese Analyse spricht zunächst, daß es auch nach der Bildung des Kartells Differenzen zwischen der Schwerindustrie und dem Bund der Landwirte gab. So widersprach es z. B. der These eines generellen „Gleichklangs der Ideologien und der Interessen"[151], wenn Schweighoffer und Beumer betonten, daß man streng zwischen Landwirtschaft und Bund der Landwirte zu unterscheiden habe[152]. Eine Zuschrift des Centralverbandes an die Kölnische Zeitung vom 30. 10. 1913 betonte, daß der „Centralverband niemals einen Zweifel daran gelassen (habe), daß er den Bund der Landwirte sowohl wegen seiner Kampfmethoden wie mit Rücksicht auf seine übertriebenen unerfüllbaren Forderungen als die Gesamtvertretung der deutschen Landwirtschaft nicht anerkennen" könne[153]. Es widersprach ferner dem manchmal allzusehr betonten Gleichklang der Interessen von Schwerindustrie und Bund der Landwirte[154], wenn Schweighoffer auf der Delegiertenversammlung des Centralverbandes vom 15. 9. 1913 „mit Rücksicht auf die von einzelnen Vertretern der Landwirtschaft aufgestellten extremen und unberechtigten Forderungen die Industrie mehr denn je genötigt" sah, „ihren Lebensinteressen nachdrücklichst Geltung zu verschaffen", und wenn er betonte, daß der Centralverband keineswegs in der Lage sein werde, „einer weiteren Erhöhung der Lebensmittelzölle oder dem sogenannten ‚lückenlosen' Zolltarif zuzustimmen"[155].

Neben Forderungen aus den Reihen des Bundes der Landwirte nach einem lückenlosen Zolltarif[156] dürfte insbesondere die Kritik aus den eigenen Reihen[157] und die geringe öffentliche Unterstützung die Führung des Centralverbandes zu der von Richthofen konstatierten Neuorientierung bewogen haben. Denn von den Parteien und Verbänden unterstützten lediglich die Konservativen[158], die äußersten rechten Flügel des Zentrums und der Nationalliberalen[159], die Mitglieder des Bundes der Landwirte, das Groß der Mitglieder des Reichsdeutschen Mittelstandsverbandes und die imperialistischen Verbände das Kartell[160]. Die Massenbasis blieb relativ schmal, da nicht nur die liberale Reichstagsfraktion und die Parteiführung um Bassermann, sondern auch die preußischen Nationalliberalen das Kartell ablehnten. Selbst Fuhrmann, der Geschäftsführer des Altnationalliberalen Reichsverbandes, distanzierte sich von diesen Bestrebungen[161]. Neben SPD und FVp und dem Gros der Zentrumsmitglieder[162] zählten insbesondere die Angestelltenverbände zu den Kartell-Gegnern[163]; und zwar – wie Nipperdey zu Recht betont – auch der „stark alldeutsch geprägte Deutschnationale Handlungsgehilfenverband", der sich maßgeblich an der Kundgebung zur Verteidigung der Sozialpolitik gegen das Kartell beteiligte[164]. Zu den Gegnern gehörten ferner die mit dem Hansa-Bund zusammenarbeitenden alten Mittelstandsverbände[165]. Die Deutsche Mittelstandsvereinigung z. B. sah in dem Bündnis den „Versuch, ... unter Hintansetzung der handwerklichen und industriellen Interessen ... dem Bund der Landwirte in seiner politischen Arbeit Gefolgschaft zu leisten"[166].

Unter dem Druck dieser Fakten, insbesondere der innerverbandlichen Kritik, reduzierte Schweighoffer die Leipziger Verständigung zu einer bloßen „Sympathieerklärung"[167]. Die Direktiven, die Schweighoffer am 14. 9. 1913 für sein weiteres Verhalten gegenüber der Landwirtschaft und dem Reichsdeutschen Mittelstandsverband erhielt, nämlich nach beiden Seiten „Fühlung" beizubehalten bzw. von Fall zu Fall neu aufzunehmen, wobei der „Gedanke einer späteren festen Organisation dieser Beziehungen im Hintergrund bleiben könnte", waren denkbar vage[168]. Da die ursprünglich geplanten Reichs-, Provinzial-, Landes- und Ortskartelle nicht eingerichtet wurden[169], scheint die Frage berechtigt, ob das Direktorium des Centralverbandes sich mit diesem Beschluß nicht bewußt alle Optionen offen halten wollte.

Der Verzicht auf eine institutionelle Verfestigung des Kartells erlaubte es dem Centralverband, auf der einen Seite weiterhin mit den Konservativen zusammenzuarbeiten und auf der anderen Seite ebenfalls von Fall zu Fall eine Verständigung mit dem Bund der Industriellen anzustreben. Eine Zusammenarbeit von Centralverband und Bund der Industriellen in der Deutschen Gesellschaft für Welthandel mußte gerade auch für den Centralverband von großem Interesse sein; hätte sie es ihm doch zum einen erlaubt, dieses Gremium als Gegengewicht gegen den Bund der Landwirte zu benutzen und zum anderen die Zusammenarbeit zwischen Hansa-Bund und Bund der Industriellen zu stören.

VII. Ergebnisse

Die Struktur des Deutschen Kaiserreiches nach 1871 war gekennzeichnet durch die fehlende Synchronisation von sozio-ökonomischer und politischer Entwicklung. Die Trendperiode von 1873–1896/97 – auf Grund der industriellen Wachstumsstörungen und der strukturellen Agrarkrise als „Große Depression" bezeichnet – brachte in Deutschland den Übergang vom Agrar- zum Industriestaat. Eine noch stärkere Verschiebung der ökonomischen Machtverhältnisse zugunsten der Industrie erfolgte während der langen Welle der Konjunktur 1896/97–1914. Trotz der skizzierten fundamentalen Wandlungen im ökonomischen und sozialen Bereich blieb die politische Macht zur gleichen Zeit weitgehend in den Händen der ökonomisch geschwächten vorkapitalistischen Herrschaftsschichten (Junkertum, Bürokratie, Militär). Die Geschichte des Kaiserreiches stellt sich so als ein unablässiger Versuch dieser alten Eliten dar, die Synchronisierung von sozialökonomischer und politischer Entwicklung zu verhindern und mittels Sammlungspolitik, sozialprotektionistischer Mittelstandspolitik, Schutzzöllen, Flottenbau und Staatsstreichdrohungen den Druck, den die fortschreitende Industrialisierung auf das überkommene preußisch-deutsche Herrschaftssystem, wie es sich endgültig 1866/71 und 1878/80 herausgebildet hatte, dauerhaft zu beseitigen.

Nach 1900 ließen sich verschiedene Ansätze feststellen, diese Disparität von sozio-ökonomischer und politischer Entwicklung aufzuheben. Getragen wurden diese bürgerlichen Reformbestrebungen insbesondere von den stark expandierenden neuen Leitsektoren der Elektro-, Chemie- und Maschinenbauindustrie. Der 1900 als antifeudale Sammlungsbewegung gegründete Handelsvertragsverein konnte sich jedoch nur eine schmale soziale und politische Basis im Bürgertum sichern. Von daher war sein Kampf gegen die Front von Großgrundbesitz und Schwerindustrie zum Scheitern verurteilt.

Im Unterschied zu der vom Handelsvertragsverein verfolgten „Konzeption der Mitte" erstrebten die verschiedenen Richtungen der politischen Arbeitgeberbewegung eine Aufwertung der politischen Macht der Industrie über eine Rechtsblockkonzeption, d. h., innerhalb des bestehenden Herrschaftssystems sollte die Industrie entsprechend ihrer ökonomischen Stärke an Stelle der Landwirtschaft die Führung übernehmen.

Die unterschiedlichen Konzeptionen, um dieses Ziel zu erreichen, wiesen auf die zahlreichen Differenzen politischer, sozialer und wirtschaftlicher Art hin, die das gewerbliche Bürgertum vor 1909 hinderten, eine schlagkräftige und repräsentative Organisation zur Durchsetzung seiner Anwartschaft auf die politische Herrschaft zu bilden. Die Reichsfinanzreform, der erneute und erfolgreiche Versuch der konservativen Kräfte, ihre Machtposition uneingeschränkt zu bewahren und materiell für sich auszunutzen, trug dazu bei, daß die latent vorhandenen Bestrebungen zur Durchsetzung eines größeren Einflusses der ökonomisch erstarkenden Kräfte aktiviert und organisationsfähig wurden und zur Gründung des Hansa-Bundes führten.

Ziel des Verbandes war es, die Disparität zwischen der ökonomischen und politischen Entwicklung im Kaiserreich zu beseitigen, d. h. die Vorherrschaft der vorindustriellen Herrschaftsgruppen zu brechen und dem liberalen Bürgertum die seiner ökonomischen Stärke entsprechende politische Macht zu verschaffen. Da diese weitgespannten Ziele nicht verwirklicht werden konnten, erscheint es berechtigt, von einem gescheiterten Versuch antifeudaler Sammlungspolitik zu sprechen. Die Schwierigkeiten, die heterogenen Mitgliedergruppen auf der Basis einer positiven Interessenidentität zusammenzufassen, legten neben der Entwicklung einer Gemeinschaftsideologie den Versuch nahe, zumindest eine (Schein-)Integration der Mitglieder auf der Grundlage einer militanten Abwehrideologie zu erreichen. Von dieser Position aus wurde der Kampf gegen die Vorherrschaft der konservativen Machteliten zum größten gemeinsamen Interesse aller Mitglieder und zu einer nationalen Notwendigkeit erklärt.

Obwohl der Hansa-Bund unter Berücksichtigung der indirekten Mitglieder die mitgliederstärkste, auf breitester Basis aufbauende wirtschaftspolitische Vereinigung der damaligen Zeit darstellte, der zumindest bis 1911 das Gros der Spitzenverbände von Gewerbe, Handel und Industrie angehörte bzw. personell mit ihr verbunden war, blieb seine Durchschlagskraft begrenzt. In einer Reihe wesentlicher Fragen, wie z. B. in der Zoll-, Handels-, Sozial- und Mittelstandspolitik mußten auf Grund der divergierenden Mitgliederinteressen die Richtlinien so allgemein formuliert werden, daß diesem Programm eine relativ geringe Integrationskraft zukam. Weiterhin mußte der geringe Organisationsgrad das Durchsetzungsvermögen des Verbandes und seine Möglichkeiten politischer Einflußnahme vermindern, da der Hansa-Bund mangels ausreichender Repräsentativität kaum als Sprecher des „erwerbstätigen Bürgertums" auftreten konnte. Verglichen mit dem Bund der Landwirte, der sich ebenfalls als Kampf- und Agitationsverband verstand, kann der Hansa-Bund jedoch nicht als Funktionärs- oder Kaderverband gekennzeichnet werden, da auf der unteren Ebene der Ortsgruppen Elemente eines Honoratiorenverbandes anzutreffen waren. Die formale und erst recht die tatsächliche Struktur des Verbandes genügten keineswegs dem Erfordernis, die Mitglieder intensiv zu aktivieren. Die in den Ortsgruppen zusammengefaßten Mitglieder hatten nur geringe Möglichkeiten, an der Rekrutierung der Führungsgremien teilzunehmen. Das gleiche galt für die Formulierung der Politik des Verbandes. Von einer Willensbildung von unten nach oben konnte in der Regel keine Rede sein. Da das Präsidium bzw. das Direktorium die Verfügungsgewalt über das Gros der Finanzen und die Verbandspresse besaß und ebenso den Verbandsapparat kontrollierte – die Geschäftsführer der Zweigvereine unterlagen der Weisungsgewalt des Präsidiums und Direktoriums –, kam den Ortsgruppen in der Regel lediglich die Funktion regionaler Multiplikatoren im Dienste der Hansa-Bund-Führung zu. Nur die einflußreicheren, finanziell gut ausgestatteten Ortsgruppen vermochten es teilweise, eine eigenständige Politik zu betreiben. Berücksichtigung in den obersten Gremien fanden nicht in erster Linie die in den Ortsgruppen zusammengefaßten Mitglieder, sondern die dem Hansa-Bund angeschlossenen einflußreichen korporativen Mitglieder. Die soziale Zusammensetzung der Führungsgremien war weder für die Hansa-Bund-Mitgliedschaft noch für das erwerbstätige Bürgertum repräsentativ, denn der Verband wurde beherrscht von einer Oligarchie aus Bank-, Großhandels- und Industriekreisen.

In richtiger Einschätzung des politischen Einflusses der von ihr vertretenen Mitgliedergruppen suchte die Hansa-Bund-Führung über die Zusammenarbeit mit gleichgesinnten Verbänden ihre Position zu verbessern. Zu einer engen Zusammenarbeit kam es jedoch nur mit dem Deutschen Handelstag, dem Centralverband des Deutschen Bank- und Bankiergewerbes und dem Bund der Industriellen. Im Unterschied zu Stegmann und Kaelble erscheint es nicht berechtigt, von einer Dominanz des Bundes der Industriellen gegenüber dem Hansa-Bund zu sprechen, sondern von einem Verhältnis wechselseitiger Einflußnahmen.

Von einem Scheitern des Hansa-Bundes muß ferner auch insofern gesprochen werden, als das Bemühen Riessers und der ihn stützenden Kräfte, die Schwerindustrie aus dem Bündnis mit dem Junkertum herauszulösen und in die eigene antifeudale Sammlungsbewegung zu integrieren, erfolglos blieb. In diesem Punkt erhärtet diese Untersuchung des Hansa-Bundes einerseits die Kritik von Stegmann und Fischer an Kaelble; andererseits läßt sie jedoch erkennen, daß letztere die Homogenität des Centralverbandes erheblich überschätzen und diesen zu Unrecht in seiner Gesamtheit dem rechten Sammlungslager zurechnen.

Wollte der Hansa-Bund erfolgreich auf die Parteien und die Wahlen zum Reichstag und zu den Landtagen Einfluß nehmen, so mußte er versuchen, den parteipolitisch noch nicht festgelegten, schnell expandierenden neuen Mittelstand für sich zu gewinnen. Hierbei errang er beachtliche Erfolge, gerieten doch bis 1913 über 70 % der organisierten kaufmännischen und technischen Angestellten auf Grund personeller Verflechtung in den Einflußbereich des Hansa-Bundes. Der Hansa-Bund unterstützte das Sonderbewußtsein der Angestellten gegenüber den Arbeitern, um die Hinwendung der von der Proletarisierung bedrohten Teile der Angestelltenschaft zur SPD zu verhindern und um sie bei Negierung der objektiven Interessengegensätze zwischen Arbeitgebern und Arbeitnehmern für die eigenen Ziele „einspannen“ zu können.

Die Gewinnung des in seiner Grundhaltung antiliberal und antiindustriell eingestellten selbständigen Mittelstandes stellte den Hansa-Bund vor besondere Probleme. Ein wesentliches Indiz dafür, daß es dem Hansa-Bund zumindest teilweise gelang, die liberaler eingestellten Mittelstandskreise für sich zu gewinnen, ist die gegen ihn gerichtete Neuformierung der konservativen Mittelstandskreise im Reichsdeutschen Mittelstandsverband. Festzuhalten bleibt ferner, daß auf der einen Seite zwischen zahlreichen Mittelstandsverbänden, die bisher uneingeschränkt dem konservativen Mittelstandslager zugeordnet wurden, z. T. recht intensive personelle Verflechtungen mit dem Hansa-Bund existierten und auf der anderen Seite, wenn auch im geringeren Umfange, einige korporative Mitglieder liberaler Mittelstandsverbände gleichzeitig Führungspositionen in konservativen Mittelstandsorganisationen einnahmen. Die mittelständischen Verbände, die sowohl konservativen als auch liberalen Organisationen durch Personalunionen verbunden waren, verdeutlichen, wie fließend die Übergänge zwischen beiden Lagern waren. Das Faktum, daß es dem Hansa-Bund gelang, selbst Schutzverbände des Einzelhandels zu einer Zusammenarbeit zu bewegen, weist am deutlichsten auf den Wandlungsprozeß in Mittelstandskreisen hin. An der konservativen Grundhaltung des Gros des selbständigen Mittelstandes vermochte der Hansa-Bund freilich wenig zu ändern.

Um seine Ziele erreichen zu können, mußte der Hansa-Bund nicht nur die Unterstützung der oben genannten Interessenorganisationen zu erhalten suchen, es kam ebenso darauf an, diese Unterstützung in Einfluß auf den Entscheidungsprozeß in Legislative und Exekutive umzusetzen. Die Frage nach dem Hauptadressaten der Einflußnahme des Hansa-Bundes ist dahingehend zu beantworten, daß er in erster Linie eine Einflußnahme über die liberalen Parteien und ihre Parlamentsfraktionen erstrebte. Dies ist zum einen auf die Einwirkungsmöglichkeiten, die diese Organe ihm auf den Gesetzgebungsprozeß gaben und auf die zwischen ihnen und dem Hansa-Bund existierenden starken ideologischen und programmatischen Affinitäten und Personalunionen zurückzuführen; zum anderen auf die soziale Zusammensetzung von Regierung und Verwaltung, die seine Einflußmöglichkeiten erheblich reduzierte.

Da die Zusammenarbeit mit den liberalen Parteien keine ausreichend breite Grundlage darstellte, um gegenüber den konservativen Kräften Erfolge erzielen zu können, kam daher seiner Haltung gegenüber der SPD eine wesentliche Bedeutung zu. Während der schwerindustrielle Flügel im Centralverband eine Strategie der Ausnahmegesetze gegen die SPD verfocht, war Riesser zu einem taktischen Zusammengehen aller liberalen bürgerlichen Kräfte mit Reformisten und Revisionisten in der SPD bereit. Sein Ziel war es, die SPD durch eine Mitarbeit innerhalb des bestehenden Staates zu einer radikalen bürgerlichen Arbeiterpartei zu transformieren.

Der Kampf des Hansa-Bundes gegen den Bund der Landwirte und die Feudalaristokratie und darüber hinaus seine Bestrebungen, den selbständigen Mittelstand und die Angestellten zu gewinnen und das deutsche Bürgertum zu politisieren, erreichten ihren Höhepunkt in den Reichstagswahlen von 1912. Wie konsequent er hierbei sein Ziel anstrebte, verdeutlicht sein Abweichen von dem Grundsatz bei liberalen Doppelkandidaturen keinen der beiden Kandidaten zu unterstützen. Von diesem Grundsatz wurde in zahlreichen Fällen immer dann zugunsten der Kandidaten der Fortschrittlichen Volkspartei abgewichen, wenn ihre Gegner dem rechten Flügel der Nationalliberalen Partei angehörten, der in einzelnen Provinzen (z. B. Schleswig-Holstein, Hannover) bzw. Bundesstaaten (Großherzogtum Hessen) mit dem BdL zusammenarbeitete. Trotz der erheblichen finanziellen Abhängigkeit besonders der Fortschrittlichen Volkspartei vom Hansa-Bund war sein Einfluß auf die Kandidatenaufstellung nicht unbegrenzt. Das zeigt sich an dem nur bedingt erfolgreichen Bemühen, Bewerber besonders aus Gewerbe, Handel und Industrie zu nominieren, sowie am erfolgreichen Widerstand einzelner Wahlkreise gegen Nominierungsvorschläge des Hansa-Bundes. Dieser Widerstand der Parteigremien der liberalen Parteien wurde dadurch ermöglicht, daß dem Hansa-Bund die Alternative fehlte, geeignete Kandidaten anderer Parteien zu unterstützen.

Die Wahlagitation des Hansa-Bundes, d. h. sein Bemühen, das „erwerbstätige Bürgertum" aus seiner Gleichgültigkeit gegenüber politischen Fragen zu reißen, ist neben der finanziellen Unterstützung der liberalen Parteien als die wirksamste Einflußnahme des Verbandes auf den Wahlkampf anzusehen. Im Wahlkampf vermochte der Hansa-Bund zahlreiche parteipolitisch nicht organisierte Mitglieder des Bürgertums direkt anzusprechen; er stellte seine Versammlungen bereitwillig den von ihm unterstützten Kandidaten als Plattformen zur Darstellung und Diskussion ihrer programmatischen Ansichten und zur Werbung um Unterstützung zur Verfügung; und er wirkte indirekt durch seine propagandistischen Parallelaktionen, die zwar außerhalb der liberalen Parteien aber in deren Interesse veranstaltet wurden. Eingeschränkt wurde dieser Einfluß auf die Wahl der einzelnen Kandidaten durch die Tatsache, daß das Gros der vom Hansa-Bund unterstützten liberalen Kandidaten in den Städten gerade gegen die stark expandierende SPD antreten mußte.

Während das Hansa-Bund-Ziel, die konservativ-klerikale Mehrheit im Reichstag zu brechen, erreicht wurde und zahlreiche Führer des Bundes der Landwirte, insbesondere auch auf Grund der Agitation des Hansa-Bundes „auf der Strecke blieben", war sein Einfluß auf die Nationalliberale Partei – die nicht zuletzt auf Grund seiner Einflußnahme auf die Kandidatenaufstellung und auf den Abschluß der Wahlabkommen mit der Fortschrittlichen Volkspartei in erheblich veränderter Zusammenetzung 1912 in den Reichstag zurückkehrte (vgl. Anlage 15) – nicht genügend intensiv, um sie zu einem taktischen Zusammengehen mit der Fortschrittlichen Volkspartei und den Sozialdemokraten, zumindest mit deren rechtem Flügel, zu bewegen.

In Reaktion auf den Ausgang der Reichstagswahl, vor allem auf das Anwachsen der SPD, rückten die extrem konservativen Interessengruppen in Industrie, Gewerbe und Landwirtschaft wieder enger zusammen. Die erneute Intensivierung und Radikalisierung der konservativen Sammlungspolitik führte 1913 zum Zusammenschluß dieser Kräfte im „Kartell der schaffenden Stände". Im Unterschied zu Fischer und Stegmann, die im Kartell den dominierenden Faktor der deutschen Innenpolitik sehen, haben Berghahn, Fricke, Lederer, Nipperdey, Wehler, Winkler und andere darauf hingewiesen, daß das Kartell lediglich „eine Fühlungnahme, eine Kundgebung und ein Programm der rechten Wirtschaftsverbände[1] (Nipperdey) gewesen sei. Dieser Auffassung ist zuzustimmen, da das Kartell sowohl organisatorisch scheiterte, wie ihm auch keineswegs die von Stegmann behauptete Bedeutung zukam. Nicht zuletzt auch deshalb, weil die Vertreter des Zweiparteienschemas die Geschlossenheit der beiden Lager erheblich überschätzen und die personellen Verflechtungen zwischen den bedeutendsten Verbänden der Industrie und des selbständigen Mittelstandes unterschätzen. Gegen diese These sprechen ferner die Stellungnahmen der wichtigsten Parteien und Verbände zur Frage des Arbeitswilligenschutzes, zur Heeres- und Deckungsvorlage und zum Kartell der schaffenden Stände. In keiner dieser wichtigen Fragen deckten sich die Stellungnahmen mit den „Blocksgrenzen". Die zahlreichen Kontakte und Personalunionen zwischen Centralverband einerseits und Hansa-Bund und Bund der Industriellen andererseits, das Zusammengehen des Zentrums in der Frage der Regelung des Arbeitswilligenschutzes und bei der Abstimmung über die Wehr- und Deckungsvorlage mit den liberalen Parteien, die Kritik an dem Kartell im Centralverband selbst und die darin vorhandenen Bestrebungen, an Stelle des Bündnisses mit den Junkern eine „Interessengemeinschaft der Industrie" zu bilden, vermitteln ein differenziertes Bild der Beziehungen auf der Verbandsebene; zumindest punktuell bildeten sich neue Kräftekonstellationen. Dies galt teilweise auch für die Parteiebene, auf der z. B. die Nationalliberalen und das Zentrum „Mehrheitsbildungen ohne bzw. gegen die Konservativen" beitraten[2]. Insoweit erscheint es durchaus gerechtfertigt, von einer „Koaliton im Werden"[3] bzw. von Anzeichen einer „Konzeption der Mitte" zu sprechen.

Auf Verbandsebene ist die Differenziertheit der Kräftekonstellationen hervorzuheben. Beim Hansa-Bund, dem Bund der Industriellen, der Deutschen Mittelstandsvereinigung und Teilen des Centralverbandes lassen sich Hinweise auf reformerische gesamtpolitische Alternativen zur Herrschaft der Koalition der vorindustriellen Machteliten und der Schwerindustrie erkennen, ohne daß diese Reformgruppen in der Lage waren, ein mehr oder weniger einheitliches Konzept zu entwickeln. Insgesamt läßt sich wohl feststellen, daß die auf Veränderung des Herrschaftssystems drängenden Kräfte im behandelten Zeitraum an Bedeutung zunahmen. Die These jedoch, die die „Offenheit der innenpolitischen Situation in den letzten Vorkriegsjahren"[4] hervorhebt, erscheint überzogen. Die Radikalisierung der konservativen Sammlungspolitik dokumentiert zwar, daß die am Status quo orientierten Kräfte ihre Herrschaft bedroht sahen. Obwohl sie zumindest in einigen wichtigen Fragen isoliert und in die Defensive gedrängt wurden, behielten die im „Kartell der schaffenden Stände" zusammengefaßten Kräfte, die auf den Beistand der Bürokratie und des Militärs zählen konnten, insgesamt den größeren Einfluß. Unter Einsatz aller Defensivmittel gelang es ihnen, eine Modernisierung des politischen Systems zu verhindern.

Anhang

I. Anlagen

1. Mitglieder des konstituierenden Präsidiums des Hansa-Bundes (12. 6.–4. 10. 1909)

Vorsitzender

Riesser, Jakob (1853–1931), Prof., Dr. jur.; 1895–1905 Direktor der Bank für Handel und Industrie (Darmstädter Bank); 1901–1930 Vors. des von ihm gegr. CVBB; Ältester der Kaufmannschaft zu Berlin; seit 1902 Mitgl., 1904 Vizepräs. der HK Berlin; 1902–1905 Ausschußmitgl. d. DHT; Hrsg. der Zs. „Bankarchiv".
MdAR 1909 u. a.: Bank f. Handel u. Industrie, Berlin, insges. 9 AR-Sitze;
MdR 1916–1918, NLP, 1921–1928 DVP, 1921–1928 Vizepräs. d. RT; Mitgl.: Zentralvorstand der NLP bzw. der DVP.

stellv. Vorsitzender

Roetger, Max (1860–1923), Landrat a. D.; bis 1909 Vors. des Direktoriums der Friedr. KruppAG; bis 1910 Vors. der HK Essen und der Vereinigung niederrheinisch-westfäl. Handelskammern; ab 1905 Mitgl., seit 1909 Vors. des Direktoriums des CVDI; Präs. des HB 1909–1911.

Mitglieder

Abel, Rudolf, Geh. Kom. Rat; Bankier in Fa. Wm. Schlutow, Stettin; VdAR der Maschinenbau AG „Vulkan" in Stettin (Schiffsbau); A-Mitgl. des CVBB.
Andreae, Jean, (geb. 1870), Geh. Kom. Rat, Generalkonsul; Direktor der Bank f. Handel u. Industre, Ffm.; seit 1900 Präsident der HK Ffm.; Mitgl. des Börsenausschusses Ffm.; VdAR bzw. Stellv. von 10, MdAR von 8 weiteren Aktiengesellschaften, u. a.: Chemische Fabrik Griesheim-Elektron, Deutsche Gold- und Silber-Scheide-Anstalt, Bayer. Bank f. Handel u. Industrie, Banque Internationale de Bruxelles, Süddeutsche Bodenkreditbank, Banca Mamorosch Blank u. C. Bukarest, Amsterdamsche Bank, Berg- u. Metallbank, Ffm.; seit 1906 Ausschußmitgl. des DHT.
Arnhold, Eduard, Geh. Kom. Rat; Kfm. in Fa. C. Wollheim (Kohlengroßhandel, Reederei, Schiffsbau), Berlin; seit 1902 Mitgl. d. HK Berlin, 1903 stellv. Vors.; 1903–1906 Ausschußmitgl. des DHT, MdAR Dresdner Bank, AEG, L. Löwe u. Co. AG, stellv. VdAR AG f. Anilin-Fabrikation zu Treptow, VdAR Groß-Berliner Straßenbahn, Berlin-Anhalt. Maschinenbau AG; stellv. Mitgl. des Zentralausschusses der Reichsbank.
Arons, Barthold, Bankier in Fa. Arons u. Walter, Berlin; MdAR u. a.: Dresdner Bank, Rhein. Bergbau u. Hüttenwesen AG; Mitgl. des Zentralausschusses der Reichsbank; Vorstandsmitglied des CVBB.
Artmann, Fritz, Direktor der Ludwigshafener Walzmühlen, Ludwigshafen; Mitgl. des Verbandes Südwestdeutscher Industrieller, 1913 stellv. Vors. dess.; Mitgl. des Großen Ausschusses des BDI; 1909 stellv. Vors. des Verbandes Deutscher Handelsmüller, Ludwigshafen.
von Auer, Dr. Adolf, Reichsrat der Krone Bayern, Exzellenz, München; 2. Präs. der Kammer der Reichsräte, VdAR u. a.: Bayerische Notenbank, Bayerische Hypotheken- und Wechselbank, MdAR: Continent, Gesellschaft f. elektr. Unternehmungen, München.

Ballin, Albert (1857–1918), seit 1888 Vorstandsmitgl., ab 1899 Generaldirektor der HAPAG; Vors. des Vereins Hamburger Reeder; MdAR u. a.: Disconto-Gesellschaft, Berlin, Berliner Handelsgesellschaft, AEG.
von Borsig, Konrad (geb. 1873), Kom. Rat; Fabrikbesitzer in Fa. A. Borsig, Tegel; Vizepräs. der HK Potsdam; VdAR bzw. MdAR von 4 Aktiengesellschaften.
Crüger, Hans (1859–1927), Prof. Dr. jur., Justizrat; MdAR: Dresdner Bank, Berlin; Anwalt des Allgemeinen Verbandes der auf Selbsthilfe beruhenden Erwerbs- und Wirtschafts-Genossenschaften (Schulze-Delitzsch); MdR 1901–1903, DFrVp, 1912 RT-Kandidat der FVp.; 1899–1903 und 1906 MdA.
Delbrück, Ludwig (1860–1913), Bankier in Fa. Delbrück, Leo u. Co. ab 1910 Delbrück, Schickler u. Co.; Mitglied des Zentralausschusses der Reichsbank; MdH; Mitgl. der Staatsschuldenkommission; 14 AR-Sitze, MdAR u. a.: Friedr. Krupp AG (seit 1903), AEG, Schlesische AG f. Bergbau u. Zinnhüttenfabrik, Lipine, Deutsch-Ostafrikanische Bank, Hypothekenbank, Hamburg.
Feldberg, Emil; Vors. des Verbandes Deutscher Detailgeschäfte der Textilbranche, (1913 ca. 4200 Mitgl.), Hamburg.
Flinsch, Heinrich (geb. 1839); Fa. Flinsch u. Co. (Schriftgießerei, Gründungen, Finanzierungen); Stadrat; 1909 Vors. des Handelsvertragsvereins; Vors. der Vereinigg. der Schriftgießerei-Besitzer Deutschlands; 1913 Vors. des Deutsch-Französischen Wirtschaftsvereins; 1913 Vors. der Bezirksgruppe Frankfurt des HVV; 1913 Mitgl. des Großen Ausschusses des BdI; VdAR bzw. MdAR von 6 Aktiengesellschaften; 1887–1893 MdA, Fortschrittspartei.
Fürstenberg, Carl (1850–1933); Geschäftsinhaber der Berliner Handelsgesellschaft, Berlin; Mitgl. des Zentralausschusses der Reichsbank; VdAR von 7, u. a. AEG; stellv. Vors. von 10, u. a. Maschinenbau AG „Vulkan“, Stettin, MdAR von 29 Aktiengesellschaften, u. a. Harpener Bergbau AG, Berliner Elektrizitätswerke, Oberschlesische Eisen-Industrie AG, Eisenhütte Silesia, Hibernia AG, Rhein. Stahlwerke.
Goldberger, Ludwig, Max (1848–1913), Geh. Kom. Rat, Berlin; 1909 Vorstandsmitgl. der Zentralstelle für Vorbereitung von Handelsverträgen; seit 1904 Mitgl. des wirtschaftlichen Ausschusses zur Vorbereitung und Begutachtung handelspolitischer Maßnahmen; 1912 Vors. der Ständigen Ausstellungskommission f. d. dt. Industrie, 10 Jahre Präs. des Vereins Berliner kaufmännischer, gewerblicher und industrieller Vereine.
Hecht, Hermann; Kfm. in Fa. Hecht, Pfeiffer u. Co., Berlin; 1909 Vors. des Verbandes deutscher Exporteure; 1913 2. Vors. dess.
Heilner, David, Generaldirektor der Germania-Linoleum-Werke, Stuttgart; Mitgl., 1913 1. stellv. Vors. des Verbandes Württembergischer Industrieller; 1913 BdI-Vorstandsmitglied.
Hemptenmacher, Theodor (1853–1912), Geh. O. Reg. Rat; 1883 Hilfsarb. im Finanzmin., 1897 Staatskommissar bei der Berliner Börse; seit 1909 Direktor der Commerz- u. Disconto-Bank, Berlin; 1909 A-Mitgl. des CVBB.
Hilger, Ewald, Geh. Bergrat; ab 1905 Generaldirektor der Königs- und Laurahütte, Berlin; Vors. der östlichen Gruppe des Vereins Deutscher Eisen- und Stahlindustrieller; seit 1905 Mitgl. des Direktoriums des CVDI, MdAR u. a.: Dresdner Bank, Berlin.
Hirth, Albert, Ingenieur; Mitinhaber Fa. Fortunawerke, Mitgl., 1913 Vors. des Verbandes Württembergischer Industrieller, Stuttgart; 1913 Mitgl. des BdI-Präsidiums.
Hoffmann, Otto (geb. 1859); seit 1892 Direktor der Deutschen Steinzeugwarenfabrik, Friedrichsfeld-Mannheim; Mitgl. der HK Mannheim; Mitgl. des Verbandes Südwestdeutscher Industrieller, 1912 Vors. dess.; Vorstandsmitgl. des BdI.
Jacob, Emil (1844–1912), Geh. Kom. Rat; Spediteur u. Kfm.; 1909 Vors. des Vereins Berliner Kaufleute und Industrieller; Präsident des Zentral-Ausschusses Berliner kaufmännischer, gewerblicher und industrieller Vereine; Mitgl. der HK Berlin.
Jung, Carl August (geb. 1842), Mitinhaber der Fa. Jung u. Simons, Mechanische Weberei; seit 1874 Mitgl., seit 1906 Vors. der HK Elberfeld; seit 1907 Mitgl. des Aus-

schusses des DHT, 1909 Vorstandsmitgl. des Vereins zur Wahrung der gemeinsamen wirtschaftlichen Interessen in Rheinland und Westfalen, Düsseldorf.

Kaempf, Johannes (1842–1918); Stadtältester in Berlin; 1871–1899 Direktor der Bank für Handel u. Industrie (Darmstädter Bank); seit 1882 Mitgl., seit 1902 Präs. der Ältesten der Berliner Kaufmannschaft; seit 1900 Mitgl. des Vorstandes, seit 1905 Präs. des DHT; Mitgl. des Zentralausschusses der Reichsbank. 1909 VdAR: Darmstädter Bank, Berlin; seit 1907 stellv. Präs. der Berliner Hypothekenbank; MdAR: Württemberg. Bankanstalt; MdR 1903–1918 Freisinnige Volkspartei, ab 1910 FVp, 1907 1. Vize-Präs. RT, 1912 Präs. RT.

Kaesemacher, Hermann (geb. 1839), Kom. Rat, Gründer (1872) u. Generaldirektor der „Union", Fabrik chemischer Produkte, Stettin; mehrere AR-Sitze.

Kirdorf, Emil (geb. 1847), Geh. Kom. Rat; seit 1892 Generaldirektor der GBAG; ab 1893 AR-Vors. des rheinisch-westfälischen Kohlensyndikats; 1900–1919 Mitgl. d. Direktoriums des CVDI, 1904–1908 stellv. Vors. dess.; VdAR bzw. MdAR von 14 Aktiengesellschaften u. a.: Disconto-Gesellschaft, Berlin, Rheinisch-Westfälische Disconto-Gesellschaft, Aachen, Rhein.-Westf. Kohlensyndikat, Essen.

von Koch, Rudolf (1847–1923), Generalkonsul, Kom. Rat; 1878–1909 Direktor der Deutschen Bank, Berlin; 1911 stellv. AR-Vors. ders.; Mitgl. des Zentralausschusses der Reichsbank; MdAR u. a.: Sächsische Bank zu Dresden (Notenbank), Schlesischer Bankverein, Breslau (Vors.), Mecklenburgische Hypotheken- und Wechselbank, Schwerin, Rheinische Kreditbank, Mannheim; Hannov. Bank, Bergisch-Märkische Bank, Deutsche Vereinsbank, Phönix AG für Bergbau, insges. 15 AR-Sitze, A-Mitgl. des CVBB.

Korth, H., Kaufmann i. Fa. H. O. Korth, Berlin; Mitgl. der HK Berlin.

von Mendelssohn, Franz (1865–1935), Generalkonsul; Mitinhaber des Bankhauses Mendelssohn u. Co., seit 1902 stellv. Vors. HK Berlin, 1914 Vors. ders.; seit 1906 Mitgl. des Ausschusses und des Vorstandes des DHT, seit 1912 MdH; 1921–1931 Präs. des DIHT.

Lepsius, Bernhard (geb. 1854), Prof. Dr. phil.; 1899–1909 Techn. Direktor der Chemischen Fabrik Griesheim-Elektron, Ffm.; seit 1900 Mitgl., 1906–1909 Vors., ab 1909 2. stellv. Vors. des Vereins zur Wahrung der Interessen der chemischen Industrie Deutschlands; 1906–1909 Mitgl. im Ausschuß des DHT; Mitgl. des Reichsgesundheitsrats.

Mommsen, Karl (geb. 1861), Gerichtsassessor a. D.; seit 1897 Direktor der Mitteldeutschen Creditbank, Ffm. und Berlin; 1894 Syndikus der Fa. Siemens u. Halske; MdR 1903–1912 Freisinnige Vereinigung, seit 1910 FVp; MdA 1912–1918, FVp.

Mueller, Waldemar, Geh. Oberfinanzrat; Direktor der Dresdner Bank, Berlin; zuvor Landrat, OB v. Posen; Direktoriumsmitgl. der Reichsbank, MdAR u. a.: Deutsch-Asiatische Bank (Notenbank f. d. Kolonien), Rheinische Bank, Essen, A. Schaaffhausenscher Bankverein, Köln, Berlin, Essen, Schlesische Zinkhütten AG, Lipine, Phönix AG für Bergbau, Felten & Guilleaume-Lahmeyer-Werke AG, Deutsch-Luxemburgische Bergwerks AG, insges. 28 AR-Sitze; Vorstandsmitgl. des CVBB.

Müser, Robert, Geh. Kom. Rat; Generaldirektor der Harpener Bergbau AG, Dortmund; Vors. des Vorstandes der Gewerkschaften Glückauf-Sondershausen, Orange u. a. MdAR: Berliner Handelsgesellschaft, Rombacher Hüttenwerke u. 3 weiterer Aktiengesellschaften.

Paschke, Gotthelf, Fleischerobermeister, Berlin.

Pferdekämper, Ewald, Kom. Rat.; Direktor Fa. Weidaer Jutespinnerei und Weberei AG; 1909 Vors. des Verbandes Thüringischer Industrieller; 1913 Präs.-Mitgl. des BdI, Vors. der HK Weimar; seit 1907 MdL, GHTM Sachsen, 1910–1917 Vors. der NLP-Fraktion.

Plate, Geo (1844–1914), Mitinh. der Baumwollfirma Gebr. Plate, Bremen; 1891–1903 Mitgl., 1899 Präses der HK; 1892–1911 Präsident der Bremer Baumwollbörse; 1892 bis 1910 VdAR: Norddeutscher Lloyd, Atlas-Werke AG, Norddeutsche Automobil- und

Motoren AG, Petroleum-Raffinerie, vorm. A. Korff, MdAR u. a.: Deutsche Bank, Berlin, Suezkanal-Gesellschaft (1899–1911).
Possehl, Emil, Senator; Inh. der Firma L. Possehl u. Co. (Kohle-Eisen- und Stahlhandel und Reederei).
Rathenau, Emil (1838–1915), Geh. Baurat, Dr. ing. h. c.; Gründer (1883) und Generaldirektor der AEG, Berlin und der Berliner Elektrizitätswerke; Mitgl. der Ältesten der Kaufmannschaft, Berlin, u. a. Vors. Verwaltungsrat Berliner Handelsgesellschaft, Bank für elektrische Unternehmungen, Zürich, Berg- u. Metallbank AG, Ffm., Maschinenbau-AG „Vulkan", Stettin, Aluminiumindustrie AG, Neuhausen, insges. 30 AR-Sitze, VdAR bzw. stellv. Vors. von 14 Aktiengesellschaften.
Ravené, Louis (geb. 1855), Geh. Kom. Rat; Inh. der Firma J. Ravené Söhne (Eisen-, Messing- Kurzwarengroßhandlung); 1902 2., 1914 1. Vizepräs. der HK Berlin. Ausschuß-Mitgl. des CVDI; 1909 stellv. Mitgl. des Zentralausschusses der Reichsbank; MdAR: Disconto-Gesellschaft, Berlin, Union für Bergbau, Dortmund, Eisenhütte Silesia AG, Paruschowitz, VdAR: AG Deutscher Eisenhandel; Rittergutsbesitzer.
Richt, H., sen.; Ehrenobermeister der Tischlerinnung Berlin; 1909–1912 Vors. des Zentralausschusses vereinigter Innungsverbände Deutschlands; Vors. des Innungs-Ausschusses der vereinigten Innungen zu Berlin; 1912 Vors. des Bundes deutscher Tischlerinnungen.
Richter, Max, Kom. Rat; Inh. des Bankgeschäfts Emil Ebeling, Berlin; Ältester der Kaufmannschaft von Berlin; stellv. Mitgl. des Zentralausschusses der Reichsbank; VdAR bzw. stellv. Vors. von 10 Aktiengesellschaften; insges. 13 AR-Sitze u. a.: Harkortsche Bergwerke, „Union", Fabrik chem. Produkte, Stettin; Chem. Fabrik (vorm. E. Schering), Berlin, Deutsche Hypothekenbank AG.
Salomonsohn, Arthur, Dr. (1859–1930), seit 1895 persönl. haftender Gesellschafter der Discontogesellschaft, Berlin, MdAR u. a.: Norddeutsche Bank, Hamburg, Allgemeine deutsche Credit-Anstalt, Leipzig; stellv. Vors. des CVBB.
Schinkel, Maximilian (1849–1938); 1895–1908 Geschäftsinhaber der Norddeutschen Bank, Hamburg und der Discontogesellschaft Berlin; 1909 Präsident der HK Hamburg; A-Mitgl. des CVBB; VdAR u. a.: Deutsch-Asiatische Bank, Brasilianische Bank für Deutschland, Hamburg, Dynamit-AG vorm. Nobel u. Co., Hammonia Stearin-Fabrik, Hamburg, Jute-Spinnerei und Weberei, Hamburg-Harburg, stellv. AR-Vors.: HAPAG; MdAR: Deutsche Waffen- und Munitionsfabriken, Berlin, GBAG, Vereinigte Königs- und Laurahütte; insges. 16 AR-Sitze.
Schrey, Otto, Regierungsrat a. D., Geh. Baurat; Generaldirektor der Waggonfabrik Danzig, Gf. Vorstandsmitglied der Norddeutschen Wagenbauvereinigung, Vors. des Verbandes Ostdeutscher Industrieller; ab 1911 Mitgl. des Direktoriums des CVDI.
von Schwabach, Paul, H. (1867–1938), Generalkonsul; Mitinhaber des Bankhauses S. Bleichröder, Berlin; Mitgl. des Zentralausschusses der Reichsbank; VdAR: Königs- und Laurahütte; MdAR: Sächsische Bank (Notenbank), Dresden, Landbank, Berlin; Norddeutscher Lloyd, Hibernia Bergwerksgesellschaft, Deutsche Waffen- und Munitionsfabriken, Berlin, Felten- und Guilleaume-Lahmeyer-Werke AG; 15–20 AR-Sitze; A-Mitgl. des CVBB.
Spiecker, Friedrich, Albert (geb. 1854); Direktor der Siemens- und Halske AG und der Siemens Schuckert Werke GmbH, Berlin; 1913 Vors. des Verbandes Deutscher Berufsgenossenschaften.
Schwitzer, Samuel; Direktor des A. Schaaffhausenschen Bankvereins, Berlin; MdAR u. a.: Oldenburg.-Landesbank, Oldenburg; Schwarzburg. Landesbank, Sondershausen; A-Mitgl. des CVBB.
Steche, Albert, Dr. phil. (geb. 1862); Fabrikbesitzer, Fa. Heine u. Co., Leipzig (Chem. Fabrik); 1909 Vors. der Ortsgruppe Leipzig des Verbandes Sächsischer Industrieller, Vorstandsmitglied des BdI; MdL 1909–1916, Königreich Sachsen, NLP.
Stinnes, Hugo (1870–1924); Firma Hugo Stinnes GmbH, Mülheim a. d. Ruhr (Produktion von und Handel mit Kohlen und Eisen, Reederei) mit 21 Filialen im In- und

Ausland; VdAR u. a.: Deutsch-Luxemburgische Bergwerks- und Hütten-AG; Mülheimer Bergwerkverein, RWE, Essen, Süddeutsche Eisenbahngesellschaft; stellv. VdAR u. a.: Rheinische Bank, Mülheim a. d. Ruhr, MdAR u. a.: GBAG, Kohlensyndikat, Essen; Saar- und Moselbergwerksgesellschaft, Metz-Carlingen; insges. 17 AR-Sitze, Mitgl. des Vorstandes von 5 Zechen u. a. Mathias Stinnes, Carnap; Graf Beust, Essen; Carolus Magnus, Borbeck.

von Stroell, Adolf; 1900–1917 Direktor der Bayerischen Hypotheken- und Wechselbank, München; Ausschußmitgl. des CVBB.

Warburg, Max (1867–1946); Bankier in Firma M. M. Warburg u. Co., Hamburg; 1903 bis 1933 Mitgl. der HK Hamburg; 1904–1933 Mitgl. des Vorstandes der Wertpapierbörse; 1902–1934 Vorstandsmitgl. des CVBB; 1919–1925 Mitgl. des Zentralausschusses der Reichsbank; 1909 MdAR u. a.: HAPAG; Mitgl. der Hamburger Bürgerschaft 1904–1919, NLP.

Williger, Gustav; Bergrat, Generaldirektor der Kattowitzer AG, Kattowitz.

Wirth, Hermann; Geh. Kom. Rat; Mitinhaber der Firma Poppe u. Wirth (Teppich-Linoleumhandel), Vors. des BdI.

Witting, Richard; (geb. 1856), Geh. Regierungsrat; Direktor der Nationalbank für Deutschland, Berlin; MdA 1907–1908, NLP; A-Mitgl. des CVBB.

2. Präsidiumsmitglieder des Hansa-Bundes

1909–1920	*Riesser,* Jakob, Vors. (s. o. konst. Präs.)
1909–1911	*Roetger,* Max, stellv. Vors. (s. o. konst. Präs.)
1909–1912	*Richt,* H. (s. o. konst. Präs.)
1912–(1914)*	*Marcus,* Paul, Obermeister der Schlosser-Innung Berlin, (ca. 600 Mitgl.); 1913 stellv. Vors. des Innungsausschusses der vereinigten Innungen zu Berlin; seit 1912 Vors. des Zentralausschusses der vereinigten Innungsverbände Deutschlands (Nachf. von H. Richt) und des Schutzverbandes deutscher Schlossereien; seit 1909 A-Mitgl. des Hansa-Bundes; stellv. Vors. des Zentralausschusses für die Gesamtinteressen des deutschen Handwerks im H-B.
1913–(1914)	*Engelhard,* Emil (geb. 1854), Kom. Rat; Inh. der Firma H. Engelhard (Tapetenindustrie); seit 1905 Mitglied, 1908–1911 stellv. Vors., seit 1911 Vors. der HK Mannheim, seit 1909 Mitgl. des Ausschusses des DHT, seit 1909 Mitgl. der I. Kammer der badischen Landstände.
	Vizepräsidenten
1909–1912	*Crasemann,* Rudolf (geb. 1841); Teilh. der Firma Crasemann u. Stavenhagen (Import u. Export); Mitgl. HK Hamburg; MdAR u. a.: Deutsche Bank, Berlin, Vors. des Hamburger Landesverbandes des HB; 1880–1907 Mitgl. der Hamburger Bürgerschaft, NLP.
1909–(1914)	*Hirth,* Albert (s. o. konst. Präs.)
1909–(1914)	*Steche,* Albert (s. o. konst. Präs.)
1912–(1914)	*Witthoefft,* Franz, H.; Großkaufmann, Firma Arnold Otto Meyer (Import und Export), Hamburg; Mitgl., 1915 Vors. der HK Hamburg; MdAR u. a.: Commerz- und Disconto-Bank, Hamburg und Berlin.

3. Mitglieder des Direktoriums des Hansa-Bundes

Außer den Mitgliedern des Präsidiums gehörten dem Direktorium folgende Mitglieder an:

1909–(1914) *Artmann,* Fritz (s. o. konst. Präs.)

* Ende des Betrachtungszeitraums, nicht der genannten Funktion.

1913–(1914) *Arco,* Graf, Georg (geb. 1869); 1898–1903 Ing. bei der AEG; ab 1903 Direktor von Telefunken; 1911 Direktor und Chefingenieur der Gesellschaft für drahtlose Telegraphie mbH, Berlin.

1909–(1914) *Ballin,* Albert (s. o. konst. Präs.)

1912–(1914) *Bartschat,* Franz (1872–1952); Klempnermeister, Königsberg; seit 1904 Stadtverordneter, seit 1906 Vors. des Innungsausschusses der vereinigten Innungen Königsbergs; 2. stellv. Vors. des Zentralausschusses für die Gesamtinteressen des deutschen Handwerks im HB.
MdR 1912–1918, 1919–1921, 1924–1928, März 1930–Sept. 1930. FVp bzw. DDP.

1913–(1914) *Baschwitz,* Georg, Konsul; Schaufensterausstattungen, Berlin

1913–(1914) *Bornemann,* Ludwig, Postsekretär, Berlin; Vors. des Bundes der Festbesoldeten, 1913 stellv. Vors. dess. (ca. 20 000 Mitgl.).

1909–(1913) *Collenbusch,* Adolph (geb. 1841), Geh. Kom. Rat; Firma A. Collenbusch (Tabakindustrie); seit 1886 Mitgl., ab 1902 Vors. der HK Dresden; seit 1902 Mitgl. des Ausschusses des DHT; Mitgl. des Wirtschaftl. Ausschusses im Reichsamt des Innern.

1913–(1914) *Craemer,* Carl (geb. 1844), Geh. Kom. Rat; Firma A. Fleischmann u. Craemer, Firma Craemer u. Heiser (Spielwarenhandel, Porzellanindustrie), Mengersgereuth; seit 1882 Mitgl., seit 1902 Vors. der Handels- und Gewerbekammer Sonneberg; seit 1903 Mitgl. des Ausschusses des DHT, 1909 Vors. der HB-Ortsgruppe Meininger Oberland u. A.-Mitgl. des HB, ab 1913 Vors. des Landesverbandes Thüringen des HB; Mitgl. des Zentralausschusses der FVp.

1912–(1914) *Deter,* Arthur, Fabrikbesitzer (Tabakindustrie) Breslau; Präs. des Bezirksverbandes des HB für Mittelschlesien und der Ortsgruppe Breslau.

1912–(1914) *Daubner,* Richard, Berlin-Südende, Generaldirektor der Schlesischen Kleinbahn AG, Kattowitz; Vors. der Ortsgruppe Kattowitz des HB.

1913–(1914) *Diederichsen,* H., Konsul; Inh. der Firma H. Diederichsen (Reederei), Kiel; 1913 Vors. des HB-Provinzialverbandes Schleswig-Holstein.

1912–(1914) *von Dreyse,* Nicolas, Kom. Rat, Potsdam; Mitgl. des Wirtschaftl. Ausschusses; 1913 Vorstandsmitgl. des BdI.

1909–(1914) *Duisberg,* Carl (1861–1935), Prof. Dr. phil., Geh. Reg. Rat; 1884–1888 Chemiker, ab 1888 Prokurist, seit 1899 Direktor der Farbenfabriken vorm. Friedrich Bayer u. C., Leverkusen.

1912–(1914) *Eich,* Nicolaus, Kom. Rat; Generaldirektor der Mannesmann-Röhrenwerke, Düsseldorf; Mitgl. der HK Düsseldorf; MdAR u. a.: Berg. Märkische Bank, Elberfeld; 1913 Vorstandsmitgl. des BdI.

1912–(1914) *Eisenführ,* Bruno; Inh. der Firma Wilhelm Eisenführ (Werkzeug- und Werkzeugmaschinengeschäft),Berlin; Mitgl. der HK Berlin; Vors. des Verbandes Berliner Spezialgeschäfte; A-Mitgl. des HB seit 1909.

1911–(1914) *Eisner,* Paul, Direktor des Vereins junger Kaufleute, Berlin (1912 ca. 6000 Mitgl.); 3. Vors. des Verbandes deutscher kaufmännischer Vereine (1912 ca. 80 000 Mitgl.); A-Mitgl. des HB seit 1909.

1909–(1914) *Fürstenberg,* Max, Bankbuchhalter; Vors. des Deutschen Bankbeamten-Vereins, Berlin (1912: ca. 30 000 Mitgl.)

1913–(1914) *Genest,* Werner (geb. 1850), Dipl.-Ing., Kgl. Baurat; Fabrikbesitzer, Firma Emil Zorn (Isoliermaterial); 1913 Präsident des Ortsverbandes Groß-Berlin des HB.

1909–(1914) *Gestrich,* Georg, Architekt; Inh. der Firma Hermann Streubel, Berlin; Vors. des Innungsverbandes deutscher Baugewerksmeister (1913 333 Innungen mit 9746 Mitgl.); Vors. der Submissionszentrale des HB.

1909– *Goldberger,* Ludwig, Max (s. o. konst. Präs.)

1909–1913 *Görges,* H., Prof., TH Dresden; 1909 Vors. des Verbandes Deutscher Elektrotechniker e. V. (1912: ca. 5100 Mitgl.).

1913–(1914) *Groebler,* Alfred, Bergrat; Generaldirektor der Buderus'schen Eisenwerke, Wetzlar; Vors. der HB-Kreisgruppe Wetzlar.

1911–(1914) *Haeberlein,* Hans (1871–1928); seit 1902 Magistratsrat, Nürnberg; Großhändler (Nahrungsmittel), seit 1901 Mitgl. der HK; Gf. Vors. des Landesverbandes Nordbayern des HB; 1905–1918 MdL Bayern, Liberale Vereinigung; Stellv. Mitgl. des Zentralausschusses der FVp; 1912 RT-Kandidat, FVp.

1909–(1914) *Hecht,* Hermann (s. o. konst. Präs.)

1909–(1914) *Heilner,* David (s. o. konst. Präs.)

1909–1915 *Helfferich,* Karl (1872–1924), Prof. Dr., Wirkl. Legationsrat; 1901–1906 in der Kolonialabt. des AA; 1915 Staatssekretär des Reichsschatzamtes, 1916/17 Staatssekretär des Innern und Vizekanzler; 1908–1915 Vorstandsmitgl. der Deutschen Bank, Berlin; 1920–1924 MdR, DNVP.

1909–1911 *Hilger,* Ewald (s. o. konst. Präs.)

1909–1911 *Hiller,* Georg, kfm. Angestellter, Altlandsberg b. Berlin; vor 1909 1. Vorsteher des Verbandes Deutscher Handlungsgehilfen zu Leipzig (Verband 1912 ca. 100 000 Mitgl.).

1911–(1914) *Hoffmann,* Otto (s. o. konst. Präs.)

1909–1912 *Jacob,* Emil (s. o. konst. Präs.)

1909–(1914) *Kaempf,* Johannes (s. o. konst. Präs.)

1912–(1914) *Kelm,* Carl, Maurermeister, Stettin; Ehrenvors. des Innungsverbandes Pommerscher Baugewerksmeister; 2. Vors. der Ortsgr. Stettin und des Pommerschen Provinzialverbandes des HB.

1912–(1914) *Kind,* Paul, Fabrikbesitzer, Firma J. A. Henckels Zwillingswerk, Solingen; Vors. der Ortsgr. Solingen des HB.

1909–1911 *Kirdorf,* Emil (s. o. konst. Präs.)

1909–(1914) *Knabenschuh,* Ingenieur, Stendal; 1909 Vorstandsmitgl. der Deutschen Mittelstandsvereinigung.

1912–1914 *v. Knapp,* H. Dr., Kom. Rat; Fabrikbesitzer; Vors. des Mecklenburgischen Landesverbandes des HB.

1912–(1914) *Kniest,* Wilhelm (geb. 1863), Schreinerobermeister, Kassel; Vors. des Innungsausschusses von Kassel; ab 1912 Beirat der HB-Geschäftsführung für Fragen des Handwerks; MdR 1920–1924 DDP, 1924 MdL, Preußen.

1912–(1914) *Knobloch,* Alfred (Pseud.: Benjamin Corda) RA; 1899–1909 OB Bromberg; bis 1910 MdH; 1909 bis Mai 1912 Direktor der HB-Zentrale, Berlin.

1911–(1914) *Kölsch,* Leopold (1870–1923); Kaufmann (Wollwarenhandlung) Karlsruhe; seit 1903 Mitgl. der HK Karlsruhe; seit 1909 Vors. der Ortsgruppe Karlsruhe des HB; MdR 1912–1913, NLP; Mitgl. des Zentralvorstandes der NLP.

1910–1913 *Köthner,* Franz, Dr.; Gesellschafter der vereinigten Wohlgeruchs- und Feinseifenfabriken F. F. Schwarzlose Söhne, Treu u. Nuglisch, Berlin; Vors. des Zentralausschusses für die Gesamtinteressen des deutschen Einzelhandels im HB.

1913–(1914) *Lehment,* Fritz, Konsul; Spritfabrikant, Kiel; 1909 Vors. der H-B-Ortsgruppe Kiel; seit 1909 A-Mitgl. des HB.

1910–(1914) *List,* Alfred, Dr.; Handelsattaché a. D.; Prokurist im Bankhaus S. Bleichröder, Berlin.

1911–(1914) *Marquart,* Felix (1858–1920); Verbandssekretär Leipzig; Vorstandsmitgl. des Verbandes deutscher Handlungsgehilfen zu Leipzig, Redakteur der Verbandsblätter dess.; MdR 1912–1918, NLP.

1912–(1914) *Mayer,* Eugen (geb. 1849), Kom. Rat; Inh. der Firma Carl Mayers Kunstanstalt und Verlag; Landrat a. D., Magistratsrat; MdAR u. a.: Nürnberger Lebensversicherungs-Bank, Vereinsbank, Nürnberg; Präs. der HK Nürnberg; Vors. des Landesverbandes Nordbayern des HB.

1912–(1914) *Meißner,* Oskar, Geh. Kom. Rat, Görlitz; Mitgl. des Ergänzungssteuer-Schätzungs-Ausschusses; Vors. der Bezirksgruppe des HB für die Preußische Oberlausitz.

1912–(1914) *Müller,* Heinrich, Kom. Rat; Firma Heinr. Müller Johs. Sohn (Textil-Veredelung), Krefeld; seit 1909 Vors. der HB-Ortsgruppe Krefeld und A-Mitgl. des HB.

1909–(1914) *Mueller,* Waldemar (s. o. konst. Präs.)

1912–(1914) *von der Nahmer,* Adolf; Direktor des Alexanderwerks, Remscheid.

1913–(1914) *Nusch,* Emil, Kom. Rat, Greiz; Firma Mechanische Wollweberei C. G. Weber u. Feustel, Greiz; Stellv. Vors. des Verbandes Sächsisch-Thüringischer Webereien, Greiz; Vorstandsmitgl. des BdI.

1912–(1914) *Orlopp,* Othmar; Kaufmann in Firma Blells Nachf. (Importhaus), Königsberg; seit 1909 stellv. Vors. des Verbandes Deutscher Großhändler der Nahrungsmittel- und verwandten Branchen e. V., Berlin; seit 1909 A-Mitgl. des HB.

1909–(1914) *Paschke,* Gotthelf (s. o. konst. Präs.)

1912–(1914) *Pfeiffer,* Carl Ludwig; Mitinh. des Bankgeschäfts L. Pfeiffer; 1912 Vors. der Stadtverordnetenvers. und der HK Kassel; Vors. des Landesverbandes Hessen des HB und der Ortsgruppe Kassel.

1913–(1914) *Pferdekämper,* Ewald (s. o. konst. Präs.)

1909–1912 *Plate,* Geo (s. o. konst. Präs.)

1909–(1914) *Possehl,* Emil (s. o. konst. Präs.)

1909–(1914) *Pschorr,* Georg Theodor (geb. 1865), Kom. Rat; Brauereibesitzer (Pschorrbräu) München; Vorstandsmitgl. und Schatzmeister des Bayer. Industriellen-Verbandes.

1910–1912 *Rahardt,* Karl (geb. 1861); Obermeister der Tischlerinnung Berlin; Vorst.-Mitgl. des Innungsausschusses der vereinigten Innungen Berlins; seit 1906 Vors. der Deutschen Mittelstandsvereinigung; seit 1902 Vors. des Arbeitgeber-Schutzverbandes für das deutsche Holzgewerbe; A-Mitglied des HB seit 1909; seit 1908 MdA, Hospitatnt der Dt. Konserv. Partei, ab 1910 Freikons. Partei.

1912–(1914) *Rasp,* Carl Ritter von (geb. 1848), Kgl. Regierungsdirektor, München; 1887 Leiter des Bayer-Statist. Büros, 1896 Direktor der Bayer. Hypotheken- und Wechselbank; 1909 Generaldirektor der Bayer. Versicherungsbank AG; Vors. des Deutschen Vereins für Versicherungswissenschaft u. d. Zentralverbandes der Deutschen Privatversicherungen, 1913 Vors. des HB-Landesverbandes Südbayern.

1909–(1914) *Ravené,* Louis (s. o. konst. Präs.)

1909–(1914) *Richter,* Max (s. o. konst. Präs.)

1909–1911 *Rieppel,* Anton von, Dr. ing. et phil., Geh. Baurat; Generaldirektor der MAN; MdAR u. a.: Siemens-Schuckert AG; 1911 Vors. des Gesamtverbandes Deutscher Metallindustrieller; Vors. des Verbandes Bayer. Metallindustrieller, des Bayer. Industriellenverbandes (1905) und mehrerer anderer Verbände; Mitgl. des Direktoriums des CVDI 1901–1919, ab 1908 1. stellv. Vors., ab 1898 Mitgl. des Wirtschaftl. Ausschusses beim Reichsamt des Innern.

1912–(1914) *Ringel,* Anton; Präsident des Deutschen Gastwirtsverbandes, Berlin-

Pankow (1913: 754 Vereine mit 53 000 Mitgl.); seit 1909 A-Mitgl. des HB.

1909–(1914) *Röchling,* Louis, Kom. Rat; Mitinhaber der Firma Gebr. Röchling, Völklingen a. d. Saar; 1909 Vors. der Südwestl. Gruppe des Vereins Deutscher Eisen- und Stahlindustrieller und des Stahlwerkverbandes; Mitgl. des Ausschusses des CVDI.

1911–1914 *Roland-Lücke,* Ludwig (1855–1917); Gutsbesitzer (Gut Sonneberg Bez. Potsdam); 1894–1907 Vorst.-Mitgl. der Deutschen Bank und der Deutschen Überseeischen Bank, Berlin; MdAR u. a.: Bergisch-Märkische Bank; Rheinische Creditbank, Mannheim, bis 1907 MdAR u. a.: Schlesischer Bankverein, Siemens u. Halske AG, Privatbank zu Gotha; 1912–1914 Vors. der Finanzkommission des HB; Schatzmeister des BdI, MdR 1912–1917, NLP.

1909–(1914) *Salomonsohn,* Arthur (s. o. konst. Präs.)

1910–(1914) *Schaefer,* Carl Ludwig; Vors. des Verbandes Deutscher kaufmännischer Vereine (1912: ca. 80 000 Mitgl.).

1912–(1914) *Schaper,* Henry, Privatbeamter; 1912 Vorstandsmitgl. des Vereins für Handlungskommis von 1858, Hamburg; Mitgl. der Hamburger Bürgerschaft, Fraktion der Linken.

1909–(1914) *Schmersahl,* Albert (geb. 1842); Inh. der Firma A. Schmersahl (Modewarenhandel); 1906–1909 und ab 1911 Vors. der Detaillistenkammer Hamburg; Mitgl. des Ausschusses des DHT seit 1910; Vorstandsmitgl. des Zentralausschusses für die Gesamtinteressen des deutschen Einzelhandels im HB.

1909–(1914) *Schmidt,* Fritz, Bäcker-Obermeister; 1909 Mitgl., 1913 Vors. des Innungsausschusses der vereinigten Innungen zu Berlin (ca. 25 000 Mitgl.); Vors. der Bäckerinnung Berlin (2000 Mitgl.).

1913–(1914) *Schmidt,* Max, Ing.; Direktor der Maschinenbau AG vorm. Starke u. Hoffmann, Hirschberg in Schlesien.

1909–1911 *Schrey,* Otto (s. o. konst. Präs.)

1912–(1914) *Schultze,* August (geb. 1848), Geh. Kom. Rat; Direktor der Oldenburg.-portugiesischen Glashütte; seit 1900 Vors. der HK Oldenburg; seit 1904 Mitgl. des Ausschusses des DHT; seit 1904 Vors. des Deutschen Nautischen Vereins bzw. des Deutschen Seeschiffahrtstages; 1882–1899 MdL, Oldenburg, lks lib.

Semlinger, Heinrich (geb. 1849), Geh. Kom. Rat; Direktor der Mechanischen Baumwollspinnerei und -Weberei, Bamberg; seit 1907 Vors. des Vereins Süddeutscher Baumwollindustrieller; seit 1904 Direkt.-mitgl des CVDI, 1903–1906 Mitgl. des Ausschusses des DHT.

1912–(1914) *Streffer,* Martin, Konsul; Direktor der Kölner Filiale des Barmer Bankvereins Hinsberg, Fischer u. Co., Köln; VdAR: Köln-Ehrenfelder Gummiwerke AG, Leonh. Tietz AG.

1912–(1914) *Stresemann,* Gustav, Dr. phil. (1878–1929); von 1902–1919 Syndikus des Verbandes Sächsischer Industrieller; 1912 Präsidiumsmitglied des BdI.; Vors. des Angestelltenausschusses des HB, als solcher „Beirat“ der Geschäftsführung des HB; MdR 1907–1912, 1914–1918, ab 1917 Fraktionsvors., Mitglied des Gf. A.; 1913 Mitgl. des Zentralvorstandes NLP.

1909–1911 *Sturm,* Albert, Wiesbaden; Direktionsmitglied der Firma Matheus Müller KG, Eltville; Vors. des Prov.-Verbandes Hessen-Nassau des HB; 1912 RT-Kandidat FVp; stellv. Mitgl. des Zentralausschusses der FVp.

1912–(1914) *The Losen,* Paul, Bankdirektor, Bergisch Märkische Bank, Düsseldorf; seit 1909 Vors. der Ortsgruppe Düsseldorf u. A-Mitgl. des HB; seit

1912 Vors. des Provinzialverbandes des HB für Rheinland und Westfalen.

1909–1912 *Thissen,* H. J., Dr.; Verwaltungsdirektor des Vereins für Handlungskommis von 1858, Hamburg (1912 Mitgliederzahl: 120 000).

1912–(1914) *Toepffer,* Helmut, Dr.; Fabrikbesitzer, Firma Portlandzement-Fabrik „Stern", Finkenwalde b. Stettin; Vors. des Pommerschen Provinzialverbandes des HB; A-Mitgl. des HB seit 1909; 1912 Reichstagskandidat, FVp.

1909–(1914) *Vogel,* Hermann, geb. 1841, Geh. Kom. Rat; Inhaber Fa. W. Vogel (Textil- u. Papierindustrie); Vors. d. Verbandes der Textilindustriellen, Chemnitz, u. des Verbandes der Arbeitgeber der Sächsischen Textilindustrie; Mitbegründer der Hauptstelle Deutscher Arbeitgeberverbände und des Vereins Deutscher Arbeitgeberverbände; seit 1905 Direkt.-mitgl. des CVDI; seit 1881 Mitgl. des Ausschusses, seit 1908 Vorstandsmitgl., seit 1912 2. Vors. des DHT; 6 AR-Sitze, u. a. Dresdner Bank, Berlin.

1912–(1914) *Waldschmidt,* Walter Franz (geb. 1860), Dr. jur., Justizrat; Generaldirektor der Fa. Ludwig Loewe & Co. AG (Maschinen und Waffen); 1912 Vors. des Vereins Berliner Kaufleute und Industrieller und des Zentralausschusses Berliner kaufm., gewerbl. und industr. Vereine, Mitgl. der HK; 1912 Präs. des Ortsverbandes Groß-Berlin des HB.

1910–(1914) *Wagner,* Franz; bis 1912 Direktor der Pfälzischen Hypothekenbank und Präs. der HK Ludwigshafen a. Rh.; Vors. des Kreisverbandes Pfalz des HB.

1909–(1914) *Wahl,* Hermann, Kom. Rat; Teilhaber der Fa. S. u. R. Wahl (Manufakturwaren); Mitgl. der HK Barmen; Mitgl. der Kleinhandelskommission des DHT; Vors. des Detaillisten-Verbandes von Rheinland und Westfalen (1912: ca. 4000 Mitgl.) Barmen; Vorstandsmitglied des Zentralausschusses für die Gesamtinteressen des deutschen Einzelhandels im HB.

4. Geschäftsführung des Hansa-Bundes

Direktor:

1909–1912 *Knobloch,* Alfred (s. o. Direktorium)

Geschäftsführer:

1909–1916 *von Kleefeld,* Kurt (geb. 1881), Dr. jur., Reg. Ass. a. D.

1912–1922 *von Richthofen,* Hartmann, Oswald (1878–1953), Legationsrat a. D., MdR 1912–1918 NLP, 1919–1920, 1924–1928, DDP.

Beiräte: *Kniest,* Wilhelm (s. o. Direktorium)
Stresemann, Gustav (s. o. Direktorium)

5. Satzung des Hansa-Bundes (vom 12. 6. 1909)*

I. Zweck, Name, Sitz, Geschäftsjahr.

§ 1.

Der Hansa-Bund hat den Zweck, Angriffe und Schädigungen, welche sich gegen die gemeinsamen Interessen von Gewerbe, Handel und Industrie richten, abzuwehren und die gemeinsamen Interessen von Gewerbe, Handel und Industrie zu fördern.

* u. a. im Archiv Rötger

§ 2.

Die Vereinigung führt den Namen: Hansa-Bund für Gewerbe, Handel und Industrie, ihr Sitz ist *Berlin,* ihr Geschäftsjahr ist das Kalenderjahr.

II. Mitgliedschaft und Beitragspflicht.

§ 3.

Als Mitglieder können dem Hansa-Bund beitreten die im Besitze der bürgerlichen Ehrenrechte befindlichen volljährigen Personen, welche dem Gewerbe, dem Handel oder der Industrie *von Berufs wegen* angehören. Hierzu zählen:

1. Inhaber, Vorstands- oder Aufsichtsratsmitglieder von gewerblichen, kaufmännischen oder industriellen Unternehmungen, sowie Personen, welche diese Eigenschaft früher besessen haben.
2. Angestellte derartiger Unternehmungen, sofern sie die Eigenschaft von Handlungsgehilfen besitzen (HGB § 59) oder Betriebsbeamte im Sinne des § 133 a der Gewerbeordnung sind.

Die Mitgliedschaft beim Hansa-Bunde können ferner erwerben:

3. Innungen, Innungsverbände und Innungsausschüsse.
4. Freunde der Bestrebungen des Hansa-Bundes, wenn sie mit dessen satzungsmäßigen Zielen einverstanden sind.

Die Eigenschaft von *Ehrenmitgliedern* des Hansa-Bundes kann juristischen Personen des öffentlichen Rechts (Stadtgemeinden, Handelskammern) oder physischen Personen, die sich um den Hansa-Bund Verdienste erworben haben, durch das Direktorium verliehen werden.

§ 4.

Der Beitritt zum Hansa-Bund ist unter Angabe des Namens und Wohnsitzes des Beitretenden sowie seiner Firma und Branche schriftlich bei dem Direktorium anzumelden.

Über die Aufnahme entscheidet das Direktorium. Die Aufnahme ist erfolgt, sobald von dem Anmeldenden der erste volle Jahresbeitrag gezahlt und ihm hierüber Quittung erteilt ist.

§ 5.

Die Mitgliedschaft erlischt:

1. Durch den Tod.
2. Durch Austritt aus dem Hansa-Bund, welcher jedoch nur für den Schluß des Kalenderjahres erklärt werden kann und spätestens bis zum 1. Juli des betreffenden Jahres dem Direktorium angezeigt werden muß.
3. Durch Ausschließung.
   Dieselbe kann aus wichtigen Gründen vom Gesamtausschuß ausgesprochen werden; ist ein Mitglied mit Erfüllung seiner Beitragspflicht seit länger als 6 Monaten in Verzug, so beschließt das Direktorium endgültig über seinen Ausschluß.
4. Durch Verlust der Geschäftsfähigkeit.
5. Durch gerichtliche Aberkennung der bürgerlichen Ehrenrechte.
6. Durch Eröffnung des Konkurses über das Vermögen des Mitgliedes.

§ 6.

Der Beitrag beträgt für die im § 3 Abs. 1 Ziffer 1 bezeichneten Mitglieder mindestens Mark 3,- per Jahr. Das Direktorium kann aber in diesen Fällen geringere Beiträge be-

stimmen und hat für die übrigen im § 3 aufgezählten Fälle die Höhe der Beiträge nach seinem Ermessen festzustellen. Ehrenmitglieder sind von einer Beitragspflicht befreit.
Mitglieder, welche dem Bunde im Lauf eines Kalenderjahres beitreten, haben bei ihrem Beitritt den vollen Jahresbeitrag für das laufende Kalenderjahr zu entrichten.

III. Direktorium.

§ 7.

Vorstand des Hansa-Bundes ist das Direktorium. Dasselbe besteht aus mindestens 20 Mitgliedern und wird von dem Gesamtausschuß gewählt.
Die Wahl des Direktoriums erfolgt für die Dauer von 6 Jahren. Alle zwei Jahre scheidet ein Drittel der Mitglieder aus. Die Wiederwahl ist zulässig. Zur Feststellung des Turnus des Ausscheidens entscheidet bei dem erstgewählten Direktorium das Los. Das erste Direktorium wird von dem konstituierenden Präsidium ernannt und amtiert bis zum Ende des Jahres 1910.
Das Direktorium wählt aus seiner Mitte drei Präsidenten, die gemeinschaftlich und gleichberechtigt die Geschäfte des Bundes leiten, sowie drei Vizepräsidenten. Das Direktorium bestellt die Geschäftsführer und die erforderlichen Beamten.

§ 8.

Das Direktorium vertritt den Hansa-Bund nach außen und innen rechtsgültig.
Das Direktorium wird vertreten durch die drei Präsidenten, bei Behinderung eines derselben tritt an dessen Stelle einer der Vizepräsidenten. Die Funktionen der Präsidenten und Vizepräsidenten werden durch die Geschäftsordnung des Direktoriums geregelt. Im Direktorium, im Gesamtausschuß und in der Mitgliederversammlung führt einer der Präsidenten nach Maßgabe der Geschäftsordnung den Vorsitz.

IV. Gesamtausschuß.

§ 9.

Der Gesamtausschuß besteht aus mindestens 100 Mitgliedern des Hansa-Bundes.
Der erste Gesamtausschuß wird von dem konstituierenden Präsidium bestellt. Hierbei ist den Interessen tunlichst aller Kreise von Gewerbe, Handel und Industrie Rechnung zu tragen.

§ 10.

Die Bestellung der Mitglieder des Gesamtausschusses erfolgt ohne zeitliche Begrenzung; ihr Amt endigt:
1. durch Niederlegung desselben,
2. durch Beendigung der Mitgliedschaft beim Hansa-Bund.

§ 11.

Dem Gesamtausschuß steht nach Maßgabe des § 9 Abs. 2 Satz 2 das Recht der Kooptation neuer Mitglieder zu. Bei Ersatzwahlen ist tunlichst dafür Sorge zu tragen, daß das neue Mitglied derselben Erwerbsgruppe angehört wie sein Vorgänger.

§ 12.

Der Gesamtausschuß hat die Aufgabe:
1. die Wahl des Direktoriums vorzunehmen;
2. die vom Direktorium zu erstattende Jahresrechnung zu prüfen und Entlastung zu erteilen;

3. auf Einberufung des Direktoriums über Angelegenheiten, welche in den Kreis der satzungsmäßigen Aufgaben des Hansa-Bundes fallen, Beschlüsse zu fassen.

Die Einberufung des Gesamtausschusses muß erfolgen, wenn dies von 5 Mitgliedern des Direktoriums oder von einem Drittel der Mitglieder des Gesamtausschusses verlangt wird.

§ 13.

Der Gesamtausschuß ist beschlußfähig, wenn alle Mitglieder ordnungsgemäß, d. h. spätestens am 10. Tage vor der Sitzung unter Mitteilung der Tagesordnung zu derselben eingeladen sind.

Die Beschlußfassung erfolgt nach einfacher Stimmenmehrheit der Abstimmenden; bei Stimmengleichheit entscheidet die Stimme des Präsidenten.

§ 14.

Über Gegenstände, die nicht auf der Tagesordnung stehen, können Beschlüsse nicht gefaßt werden.

Anträge von Mitgliedern des Direktoriums oder des Gesamtausschusses sind auf die Tagesordnung zu setzen, wenn ihr Gegenstand zur Zuständigkeit des Gesamtausschusses gehört und der Antrag mit schriftlicher Begründung und der Unterschrift entweder von drei Mitgliedern des Direktoriums oder zehn Mitgliedern des Gesamtausschusses dem Präsidium spätestens bis zum 4. Tage vor der Sitzung zugegangen ist.

§ 15.

Solange das konstituierende Präsidium die Wahl des ersten Gesamtausschusses nicht endgültig vollzogen hat, werden die Geschäfte des letzteren von dem konstituierenden Präsidium geführt.

V. Mitgliederversammlung.

§ 16.

Eine Mitgliederversammlung ist einzuberufen, wenn dies nach Ansicht des Direktoriums im gemeinsamen Interesse von Gewerbe, Handel und Industrie erforderlich ist.

§ 17.

Das Direktorium stellt die Tagesordnung für die Mitgliederversammlung fest und beruft dieselbe durch Bekanntmachung im „Deutschen Reichsanzeiger“. Die Einrükkung der Bekanntmachung in andere Zeitungen ist dem Ermessen des Präsidiums überlassen. Die Bekanntmachung von Ort, Zeit und Tagesordnung der Mitgliederversammlung soll regelmäßig mindestens eine Woche vor der Beschlußfassung veröffentlicht werden.

Fragen, welche vertragliche Beziehungen zwischen Prinzipalen und Angestellten betreffen, können nicht auf die Tagesordnung der Mitgliederversammlung gestellt werden.

§ 18.

Über die Beschlüsse der Mitgliederversammlung ist ein Protokoll aufzunehmen und von dem Vorsitzenden der Versammlung und einem zweiten Mitgliede des Direktoriums zu unterzeichnen.

VI. Lokale Organisation.

§ 19.

Die Mitglieder des Bundes können in kleineren oder größeren Bezirken zu Ortsgruppen zusammentreten. Die Bildung derselben sowie deren Satzungen bedürfen der Genehmigung des Direktoriums; die Regelung der finanziellen Beziehungen zwischen der Ortsgruppe und dem Bundesganzen bleibt der Vereinbarung in jedem einzelnen Falle vorbehalten.

§ 20.

In der Leitung der Ortsgruppen sollen tunlichst alle Kreise von Gewerbe, Handel und Industrie vertreten sein. Gleiches gilt für zu errichtende Landes- und Provinzialgruppen.

§ 21.

Das Direktorium ist berechtigt, an einzelnen Plätzen Vertrauensmänner zu bestellen, welche für diese Orte die Interessen des Bundes wahrzunehmen haben.

VII. Änderung der Satzungen und Auflösung des Vereins.

§ 22.

Satzungsänderungen kann der Gesamtausschuß mit einer Mehrheit von zwei Dritteln der erschienenen Mitglieder vornehmen.

Änderungen, welche die Bestimmungen über den Zweck des Bundes betreffen, bedürfen außerdem der Genehmigung der Mitgliederversammlung, sofern nicht sämtliche Mitglieder des Gesamtausschusses der Änderung zustimmen.

Änderungen, welche sich nach einstimmiger Ansicht des Direktoriums lediglich auf die Fassung und Form der Satzung beziehen, kann das Direktorium selbständig vornehmen.

§ 23.

Über einen Antrag auf Auflösung des Hansa-Bundes beschließt die Mitgliederversammlung mit einer Mehrheit von drei Vierteln der an der Abstimmung teilnehmenden Mitglieder.

Über die Verwendung des Vermögens des aufgelösten Bundes beschließt der Gesamtausschuß.

6. Richtlinien des Hansa-Bundes*

Präsidium und Direktorium des Hansa-Bundes haben in ihrer gemeinsamen Sitzung vom 4. Oktober 1909 nachfolgende Richtlinien für die nächste Tätigkeit des Bundes einstimmig beschlossen:

I. Der Hansa-Bund ist davon durchdrungen, daß der moderne Staat nur gedeihen kann, wenn der *Grundsatz der Gleichberechtigung aller Erwerbsstände* den leitenden Gedanken und die unverrückbare Grundlage auch seiner *Wirtschaftspolitik* bildet.

* Quelle: Wirtschaftspolitisches Handbuch des Hansa-Bundes, Berlin 1911, S. 72–74. Exemplare der Richtlinien befinden sich unter anderem im Archiv Rötger, HK München, Akte XVD 23; Stadtarchiv Frankfurt/Main, HK Frankfurt/Main, Akte 1011. Auf einen Abdruck der Richtlinien des Hansa-Bundes v. 11. 6. 1912, die leicht zugänglich sind (z. B. Riesser, Bürger heraus!, S. 233 ff.) muß aus Raumgründen verzichtet werden.

Der Hansa-Bund wird daher dahin wirken:
1. daß Deutschlands Gewerbe, Handel und Industrie die ihnen auf Grund ihrer wirtschaftlichen Bedeutung zukommende *Gleichberechtigung* sowohl in der Gesetzgebung, wie in der Verwaltung und Leitung des Staates eingeräumt werde;
2. daß den berechtigten Interessen dieser Stände nicht nur bei dem Erlaß von Gesetzen, Verordnungen und Verfügungen, sondern auch bei deren *Ausführung* Rechnung getragen werde;
3. daß der für eine gesunde wirtschaftliche Entwicklung der Nation wie für unser Verhältnis mit dem Ausland gleichermaßen unheilvolle Einfluß jener einseitig agrar-demagogischen Richtung gebrochen werde, deren ganzes bisheriges Wirken von entgegengesetzten Grundanschauungen getragen war.

II. Bei der Durchführung dieser Grundsätze wird sich der Hansa-Bund von folgenden allgemeinen Gedanken leiten lassen:
1. daß er, bei einem etwaigen Gegensatze, die *nationalen* Interessen allen einseitigen gewerblichen Interessen ohne weiteres und bedingungslos voranzustellen hat;
2. daß er ausschließlich die *gemeinsamen* Interessen von Gewerbe, Handel und Industrie zu vertreten, zu fördern und vor Schädigungen und Angriffen zu schützen hat;
3. daß seine Reihen jedem, *ohne Unterschied der politischen oder religiösen Überzeugung*, offenstehen, welcher seine Ziele zu den seinigen macht, und daß ihm daher jede Austragung politischer oder konfessioneller Gegensätze oder Interessen fernliegt;
4. daß er somit selbst *keine politische Partei* ist, da die ihm innerlich zugehörigen Mitglieder *aller* politischen Parteien in ihm Platz finden, wohl aber eine *wirtschaftliche Vereinigung mit den durch ihr wirtschaftliches Programm bedingten, unter I festgestellten politischen Zielen.*
   Er wird daher, ohne Rücksicht auf politische Gegensätze, Fühlung mit *allen* Parteien unterhalten, welche sich zu seinen Grundgedanken und Zielen bekennen und wird auch bei den Wahlen die politischen Parteien bei Aufstellung und Durchsetzung solcher Kandidaten unterstützen, welche die Gewähr dafür bieten, daß sie in ihrer parlamentarischen Tätigkeit von den Grundgedanken des Bundes nicht abweichen werden.

III. Im einzelnen wird der Hansa-Bund eintreten:
1. Im *Staatsleben:*
   a) *gegen* die Gewährung von *Sondervorteilen* oder Vorrechten an einzelne Erwerbsstände, soweit sie nicht etwa mit Rücksicht auf das *Gesamtwohl* geboten und gerechtfertigt erscheinen;
   b) für freie Bewegung und Tätigkeit von Gewerbe, Handel und Industrie, insbesondere dafür, daß diese für das Gesamtwohl grundsätzlich unerläßliche und nur mit Rücksicht auf das Gesamtwohl einzuschränkende freie Bewegung nicht durch unnötige Verordnungen und Eingriffe von Staats- und Verwaltungsbehörden gestört und gelähmt wird;
   c) für die praktische Durchführung und allgemeine Verwirklichung des auch für die Stellung des erwerbstätigen Bürgertums im Staate entscheidenden Grundsatzes, daß alle Staatsstellen ausschließlich mit Rücksicht auf die persönliche Tüchtigkeit und Qualifikation der Bewerber aller Richtungen vergeben werden dürfen;
   d) für *Vereinfachung des Verwaltungs-Apparats und Schreibwerks* in der Reichs-, Staats- und Kommunalverwaltung, für eine praktischere Ausbildung unserer Gerichts- und Verwaltungsbeamten und eine zweckmäßigere Ausgestaltung des Unterrichts an unseren Volksschulen, höheren Lehranstalten und Universitäten; ferner für umfassendere Beteiligung der kaufmännisch, gewerblich und technisch gebildeten Kreise an der Staatsverwaltung und Rechtsprechung, sowie endlich für eine größere Berücksichtigung der aus diesen Kreisen an die Gesetzgebung und Verwaltung gestellten berechtigten Forderungen, insbesondere auf dem Gebiete

der Handelspolitik, der Zoll-, Steuer- und Wassergesetzgebung und der Genehmigung gewerblicher Anlagen;

e) für eine auch für die gewerblichen Interessen erforderliche größere *Selbständigkeit und Unabhängigkeit der kommunalen Selbstverwaltung.*

2. *In der Finanzpolitik:*
für eine gerechte Verteilung der Staatslasten unter *sämtliche* Erwerbsstände und unter die Einzelnen *nach Maßgabe ihres Besitzes und ihrer Leistungsfähigkeit,* somit für Aufhebung der unter Verletzung dieses Grundsatzes, insbesondere auch gelegentlich der sogenannten Reichsfinanzreform, erlassenen Finanzgesetze und für die Einführung sachgemäß auszugestaltender Besitzsteuern.

3. *In der Verkehrspolitik:*
für eine durchgreifende Verbesserung und Erweiterung der bestehenden *Verkehrswege* zu Wasser und zu Lande; für eine den berechtigten gewerblichen Interessen entsprechende Ermäßigung der Eisenbahn-Tarife und der Post- und Telegraphen-Gebühren im Inland und im Verkehr mit dem Ausland.

4. *In der Handels- und Gewerbe-Politik:*
a) für den Abschluß von auf einer gerechten Abwägung der landwirtschaftlichen und der gewerblichen Interessen beruhenden *Handelsverträgen.*
Der Hansa-Bund wird dahin wirken, daß vor dem Abschluß von solchen Verträgen, welche die gewerblichen Interessen berühren, und vor der Beschlußfassung über sonstige wichtige verkehrspolitische Maßnahmen eine rechtzeitige und ausgiebige Befragung der in ihm vereinigten beteiligten Erwerbsgruppen erfolgt;
b) für die Unterlassung aller Maßregeln, welche die Entwicklung einer dem Interesse der Gesamtwirtschaft Rechnung tragenden Exportpolitik unterbinden, die für die Ernährung und Beschäftigung unserer stark zunehmenden Bevölkerung erforderlich ist;
c) für alle positiven Maßnahmen, welche bestimmt und geeignet sind, den *gewerblichen Mittelstand sowie das Kleingewerbe, den Detailhandel und das Handwerk* in ihrer Leistungs- und Konkurrenzfähigkeit zu erhalten und zu heben, insbesondere durch Unterstützung aller Bestrebungen, welche auf bessere und gründlichere Ausbildung der heranwachsenden Generation und auf Erleichterung des Bezuges billigerer Betriebsmittel gerichtet sind.

5. *In der Sozialpolitik:*
für eine, auf die gemeinsamen berechtigten Interessen der Arbeitgeber und Arbeitnehmer unter Vermeidung bürokratischer Ausgestaltung Rücksicht nehmende soziale Gesetzgebung, deren Fortschreiten, Inhalt und Kostenlast sowohl der Konkurrenzmöglichkeit der deutschen gewerblichen Tätigkeit auf dem Weltmarkt, wie der inneren wirtschaftlichen Lage Rechnung trägt und mit dieser Maßnahme namentlich auf Sicherstellung der Zukunft aller Arbeitnehmer und auf Erhaltung ihrer Arbeitsfreudigkeit Bedacht nimmt.
Der Hansa-Bund wird sich jedoch in Gemäßheit seiner allgemeinen Grundsätze (s. oben II 2) auch in sozialpolitischen Fragen, unter Wahrung strikter Neutralität, jeder Tätigkeit da enthalten, wo sich *entgegengesetzte* Interessen und Forderungen der in ihm vertretenen Erwerbsgruppen und deren Angehörigen gegenüberstehen.
Dies gilt insbesondere von entgegengesetzten sozialpolitischen Forderungen und Interessen des Großhandels und der Großindustrie einerseits und des Mittel- und Kleingewerbes oder Handwerks andererseits, und von denen der Arbeitgeber auf der einen und der Arbeitnehmer auf der anderen Seite. Der Hansa-Bund vertritt nur die *gemeinsamen* Interessen von Gewerbe, Handel und Industrie, die Vertretung von sozialpolitischen Sonderforderungen einzelner Erwerbsgruppen, insbesondere der Unternehmer und Angestellten, muß er ihren Sonderverbänden überlassen.
Dagegen hält es der Hansa-Bund auf allen Gebieten, also auch auf dem sozialpolitischen, zugleich im allgemeinen und öffentlichen Interesse, für seine Aufgabe, auf die *Milderung und tunlichste Ausgleichung der verschiedenen wirtschaftlichen*

Richtungen und Interessen sowohl bei den Beratungen seiner Verwaltung und den Versammlungen seiner Mitglieder wie in jeder sonst möglichen Weise hinzuwirken.

IV. Der Hansa-Bund hält es endlich für seine Pflicht:

1. *über die Bedeutung von Gewerbe, Handel und Industrie* und der sonstigen Erwerbsstände, insbesondere auch des *gewerblichen Mittelstands und Handwerks,* im Staate, über ihre Stellung in der Gesamtwirtschaft, über ihre Ziele und ihre bisherigen Leistungen, sowie über Inhalt und Charakter der für sie wichtigen Gesetzgebung in allen Schichten der Bevölkerung *volle Aufklärung zu verbreiten;*
2. das erwerbstätige Bürgertum und damit das Bürgertum überhaupt von der unabweisbaren Pflicht *tätiger Mitwirkung an den Aufgaben der Staats- und Selbstverwaltung, persönlicher Beteiligung an der parlamentarischen Tätigkeit sowie aktiver Teilnahme an den Wahlen* zu überzeugen. Er wird zu diesem Zwecke auch staatliche und sonstige Maßnahmen veranlassen oder fördern, welche ausreichende Kenntnisse der Grundlagen der Volkswirtschaft und des Staatslebens bei der heranwachsenden Generation verbreiten sollen;
3. für die Erhaltung und Belebung der staatlichen und persönlichen *Verbindung der im Auslande lebenden Deutschen mit dem Vaterlande* einzutreten, insbesondere für eine angemessene Änderung des Konsulatsgesetzes vom 8. November 1867 und des Gesetzes vom 1. Juni 1870 über den Erwerb und Verlust der Staatsangehörigkeit.

V. Der Hansa-Bund wird, soweit seine Zuständigkeit gegenüber den Sondervereinen reicht, zugunsten der im Inlande wohnenden Deutschen in seiner Berliner Zentralstelle und zugunsten der im Ausland wohnenden in seiner Hamburger Auslandsabteilung eine *Auskunftsstelle* für die in ihm vereinigten Einzelmitglieder und Körperschaften in gewerblichen Fragen errichten.
Er wird *endlich seine oben beschriebene Tätigkeit durch diejenigen zu seiner Zuständigkeit gehörigen Aufgaben erweitern, welche ihm von den einzelnen gewerblichen Gruppen und Vertretungen noch unterbreitet werden.*

7. Programm der Mittelstands-Politik des Hansa-Bundes*

1. Für das Handwerk

a) Ständige und durchgreifende Maßregeln gegen das *Borgunwesen,* Förderung von *Einziehungsämtern* und von *Kredit-Anstalten;*

b) *Reichsgesetzliche,* jedenfalls aber *gesetzliche* Regelung des *Submissionswesens* nach Maßgabe des vom Hansa-Bund bereits veröffentlichten Gesetzentwurfes;

c) Verbesserung der *Buchführung* auf dem Wege der Weiterführung der bereits an vielen Ortsgruppen des Hansa-Bundes bestehenden *Buchführungskurse* und Verbreitung von gemeinverständlichen Darstellungen der für das Handwerk geeigneten Art der Buchführung (Hansa-Buchführung);

d) Verbesserung der Stellung der *Handwerkskammern,* insbesondere auf dem Wege der Erweiterung des aktiven und passiven Wahlrechts der beitragspflichtigen Handwerker, ferner der Hinzuziehung von Handwerksvertretern bei der Feststellung des Wahlergebnisses und des Wegfalls des in einzelnen Bundesstaaten vorgeschriebenen staatlichen Kommissars als Aufsichtsbehörde;

e) Schaffung *besonderer Abteilungen* für das Handwerk in den Ministerien der einzelnen Bundesstaaten und besonderer *Handwerks-Ausschüsse* bei den Zweigstellen des Hansa-Bundes neben dem bereits an der Zentrale in Berlin eingerichteten Zentral-Ausschuß für die gemeinsamen Interessen des im Hansa-Bunde vereinigten Handwerks;

f) *Einschränkung der Konkurrenz* von Staats- und Kommunalbehörden und der von diesen angestellten Beamten und Arbeiter sowie der Zuchthaus- und Gefängnisarbeit;

g) Herbeiführung von Vorschriften, welche die Verwendung der Mittel der bereits bestehenden oder in den einzelnen Bundesstaaten zu begründenden *staatlichen Zentralgenossenschaftskassen, Landesbanken* usw. für das Handwerk in gleichem Umfang wie dies für die Landwirtschaft geschehen ist, sicherstellen, jedoch unter den besonderen Verhältnissen des Handwerks entsprechenden Voraussetzungen;

h) Verbilligung der *elektrischen Kraft* für das Handwerk;

i) Bereitstellung *öffentlicher Mittel zur billigen Überlassung von Maschinen* und Apparaten an Handwerker gegen langfristige Amortisation in den Fällen, in welchen die private oder genossenschaftliche Hilfe nicht ausreicht.

k) Förderung der *Werk-* und *Absatzgenossenschaften* der Handwerker, namentlich bei öffentlichen Lieferungen;

l) Förderung der *Meisterlehre* und Ergänzung derselben durch Errichtung von *Lehrwerkstätten* und gewerblichen Fortbildungsschulen in allen größeren Gemeinden;

m) Förderung von *Wanderausstellungen* für die wichtigsten Werkzeuge, Maschinen und Kleinmotoren, sowie von gewerblichen *Musterbetrieben* und Schaffung von *Zentralauskunftsstellen* für das Handwerk in technischen, gewerblichen und wirtschaftlichen Fragen;

n) Förderung der Einrichtung von *Wandermeisterkursen* und von *Ausstellungen* von Lehrlingsarbeiten, Anwendung des Systems der *Wanderlehrer* auf das Handwerk und Förderung der Errichtung von *Lehrlingsheimen.*

2. Für das Kleingewerbe

a) Ständige und durchgreifende Maßregeln gegen das *Borgunwesen,* Förderung der Errichtung von *Einziehungsämtern* und von *Kredit-Anstalten;*

b) Energisches Eintreten für die Durchführung des Grundsatzes, daß die *Konsumvereine* in allen Bundesstaaten in genau der gleichen Weise wie Handel und Gewerbe überhaupt, unter Wegfall aller Besteuerungsvergünstigungen, besteuert werden, daß sie ferner allen für den Detailhandel geltenden Vorschriften gewerbepolizeilichen Inhalts unterworfen werden dürfen, und daß die Gründung und Ausdehnung von *Beamtenkonsumvereinen* von den Beamten nur da vorgenommen werden, wo der Kleinhandel die Bedürfnisse nicht zu befriedigen vermag, sowie daß eine behördliche Unterstützung der Beamtenkonsumvereine durch billige oder mietfreie Überlassung von Räumlichkeiten oder durch Gestattung einer Tätigkeit von Beamten während der Dienststunden für die Beamtenkonsumvereine zu unterbleiben hat. Das letztere gilt besonders auch für die Baugenossenschaften der Beamten;

c) Bekämpfung unberechtigteer *Konkurrenz der Staatsbetriebe;*

d) Förderung der Errichtung von *Einigungsämtern* zur Vermeidung oder Beseitigung von Verstößen gegen das Gesetz betreffend den unlauteren Wettbewerb und behufs einer für das ganze Reich maßgebenden einheitlichen Regelung der in diesem Gesetz enthaltenen Bestimmungen über das *Ausverkaufswesen;*

e) Bekämpfung des *Sonderrabattwesens* (unter Ausschluß der von Mitgliedern der gemeinnützigen Rabatt-Sparvereine gewährten Rabatte) und der verschiedenen Formen des *Kreditbetruges,* sowie Eintreten für eine Beschränkung der *Wanderlager;*

f) Sachgemäße, den Bedürfnissen des Verkehrs entsprechende Ausgestaltung des *Postscheckverkehrs,* insbesondere durch Vermehrung der Postscheckämter und eine mäßige Verzinsung der Guthaben.

3. Für die Angestellten

a) Förderung von Maßregeln, welche auf Aufrechterhaltung der *Gesundheit* und *Arbeitskraft* der Angestellten und auf deren *sachgemäße Fortbildung* gerichtet sind, wie

Gewährung von Urlaub, Regelung der Arbeitszeit, Erweiterung der Sonntagsruhe, angemessene Neuregelung der sogenannten Konkurrenzklausel, Verbesserung des Lehrlingswesens und der Fortbildungsschulen, alles dieses innerhalb der Grenzen, welche durch die von den Arbeitgebern und Arbeitnehmern gleichermaßen zu beachtende Rücksicht auf die *Rentabilität* der Unternehmungen gezogen sind;

b) Besetzung der Beamtenstellen der *Privatangestellten-Versicherung* mit kaufmännisch und technisch ausgebildeten Kräften;

c) Erleichterung der Ablegung der *Einjährigen-Prüfung* für gut ausgebildete kaufmännische und technische Angestellte;

d) Errichtung eines *Angestellten-Ausschusses* an der Zentrale des Hansa-Bundes;

e) Fortsetzung einer auf die Erhaltung der Arbeitsfreudigkeit der Angestellten und die Sicherung ihrer Zukunft gerichteten *sozialen Gesetzgebung* innerhalb des unter III der Richtlinien bezeichneten Rahmens.

* Quelle: Jakob Riesser, Bürger heraus!, Berlin 1912[3], S. 246–250. Dieses Programm wurde in der gemeinsamen Sitzung des Präsidiums und Direktoriums des Hansa-Bundes vom 11. 6. 1912 beschlossen.

8. Ludwig Delbrück an Gustav Krupp von Bohlen und Halbach*

Berlin, den 24 Juni 1909
Mauerstraße 61/62

Hochverehrter Herr von Bohlen!

Ich komme soeben aus einer Sitzung des konstituierenden Präsidiums des Hansabundes. Der Verlauf war m. E. kein günstiger: die verschiedenen Ansichten platzten sehr aufeinander, und während ich angenommen hatte, daß Herr GehRat Riesser die Führung und damit auch das Odium mehr oder weniger auf sich nehmen würde, wurde die Industrie, im besonderen auch Landrat Rötger und damit die Firma Krupp, in den Vordergrund geschoben. Ich gebe zu, daß dies der Sache sehr förderlich ist und daß speziell die Banken sich nur freuen können, wenn sie in Gefolgschaft der Industrie und nicht an der Tête marschieren; aber ich habe Herrn Rötger, der dem Handwerk und der Kleinindustrie gegenüber einen recht schweren Stand schon heute hatte, gesagt, daß, so richtig die Kundgebung im Zirkus Schumann gewesen sein mag und so angebracht auch vielleicht die Gründung des Hansabundes ist, es mir überaus gefährlich schiene, wenn er und dadurch unzweifelhaft auch die Firma Krupp an die Spitze dieses Vereins gedrängt würden, der in erster Linie ein politischer Agitations-, Wahl- und Kampfverein ist. M. E. würde sich die Firma Krupp dadurch Feinde zuziehen und gerade in den Reihen der Konservativen, die bei Bewilligung der Bestellungen die maßgebendste Rolle spielen. Ich riete ihm daher dringend, die ihm heute in der Versammlung angetragene Präsidentschaft nicht anzunehmen, solange er bei der Firma Krupp sei. Sein sofortiger Austritt aber, von dem er sprach, könne m. E., abgesehen von allem anderen, schon aus dem Grunde nicht in Frage kommen, weil dann noch mehr in Erscheinung treten würde, daß die Firma Krupp durch ihn politische Agitation treibe. Ich glaubte, daß man bei möglichster Zurückhaltung der Firma Krupp und der ihr angehörigen durch indirekten Einfluß den gewollten Zweck ebensogut, vielleicht besser erreichen könne.

* Quelle: Krupp-Archiv, Akte F. A. H. IV C 19. – Ludwig Delbrück, seit 1903 AR-Mitglied der Fried. Krupp AG (Die wohl auf W. Zorn zurückgehende Angabe in NDB, Bd. 3, S. 576: „1913 einziges nicht familienangehör. Aufsichtsratsmitgl. der Fried. Krupp AG“ ist falsch). – Gustav Hartmann, 1903–1909 AR-Vorsitzer der Fried. Krupp AG.

Herr Rötger schien für meine Ausführungen ein williges und dankbares Ohr zu haben, und er sagte, daß er sich vor Annahme der Präsidentschaft die Genehmigung der Firma vorbehalten werde, während ich ihm zu sofortiger Ablehnung riet.

Es unterliegt für mich keinem Zweifel – ich habe das in den letzten Tagen im Herrenhaus wiederholt aussprechen hören – daß die Konstituierung des Hansabundes scharfe Gegenmaßregeln seitens des Bundes der Landwirte und der mit diesem verbündeten Konservativen herbeiführen wird, daß aber die Firma Krupp unter allen Umständen vermeiden müßte, in einen derartigen politischen Kampf hineingezogen zu werden. Ich glaube, ich brauche dies nicht näher auszuführen, und ich halte die Frage für so überaus wichtig, daß ich Ihnen sofort Mitteilung davon machen zu müssen glaube.

Die Verhandlungen wegen des Hansabundes werden sicherlich morgen, vielleicht übermorgen, fortdauern. Ich bin im Begriff, nach Frankfurt a. M., Carlton-Hotel, zu reisen, bin wahrscheinlich Sonntag wieder in Berlin und hoffe, Sie am Montag in der Immediat-Kommission zu sehen.

Ich sende Abschrift dieser Zeilen an Herrn GehRat Hartmann in Dresden und ... [Schlußformel]

Ich werde auch in meiner Meinung dadurch nicht irre, daß S. M. – wie ich glaube – dem Bunde geneigt gegenübersteht. Das ändert nichts daran, daß die Gegenpartei den Angriff sehr empfinden wird.

9. Jakob Riesser an Carl Duisberg*

a)

Berlin W. 10, den 9. November 1910

Verehrter Herr Geheimrat!

... Die Herren aus Essen[1], also Kirdorf, Hugenberg (Krupp) Carl Funcke, Dr. Hirsch, denen sich noch andere, wie der Direktor des Phoenix, ferner Geheimrat Kleine,

* Quelle: Bayer-Archiv, Akte Personalia J. Riesser. – Zu Duisberg vgl. Anlage 3. Die Briefe (Abschriften) tragen den Vermerk „Vertraulich" und „Streng vertraulich, nicht zu den Akten".

[1] Kirdorf (s. Anlage 1) war Vorsitzender, Funcke Stellvertretender Vorsitzender, Springorum, Beukenberg, Hugenberg und Hirsch waren Vorstandsmitglieder und Kleine war Stellv. Vorstandsmitglied der Niederrheinisch-Westfälischen Bezirksgruppe des HB.

Hugenberg, Alfred, Dr., Geh. Finanzrat a. D., Generaldirektor der Fried. Krupp AG (ab Oktober 1909), Vors. des Vereins für die bergbaulichen Interessen im Oberbergamtsbezirk Dortmund, ab 1911 Mitglied des CVDI-Direktoriums.

Funcke, Carl, Vors. der HK Essen und der Vereinigung der Handelskammern des niederrhein.-westf. Industriebezirks, Mitglied des HB-Gesamtausschusses; VdAR bzw. MdAR von 20 Gewerkschaften und Aktiengesellschaften, u. a. der Deutschen Bank. Einkommensmillionär.

Hirsch, Wilhelm, Syndikus der HK Essen, MdA 1902–18, NLP.

Beukenberg, Wilhelm, Baurat, Generaldirektor der Phönix AG für Bergbau und Hüttenbetrieb. Mitglied der HK Dortmund, Vorstandsmitglied der nord-westl. Gruppe des Vereins Deutscher Eisen- und Stahlindustrieller. MdAR u. a. des A. Schaaffhausenschen Bankvereins, Mitglied des HB-Gesamtausschusses.

Kleine, Eduard, Bergrat, Stadtrat in Dortmund, VdAR der Westf.-Anhalt. Sprengstoff AG, MdAR u. a. der GBAG und des Barmer Bankvereins Hinsberg, Fischer u. Co., Mitglied des HB-Gesamtausschusses.

Springorum, Hilger, Geh. Baurat Schrey (Danzig) auf Einladung anschließen – es werden *etwa* 12 sein – wünschten das „Präsidium des H-B“ über verschiedene Fragen „freundschaftlich“ zu interpellieren. Ich sagte nun dem heute hier anwesenden Herrn Dr. Hirsch, daß ich mir meinerseits vorbehalten müsse, zwei ganz objektive und eine Stellung zwischen beiden Teilen einnehmende Herren, Sie und Herrn Roland-Lücke[2] (früher Deutsche Bank) zuzuziehen. Das wurde von Herrn Dr. Hirsch in Vertretung des Herrn Geheimrat Kirdorf für unmöglich erklärt, da es den „vertraulichen“ Charakter aufhebe.

Als ich dann einwandte, daß dieser Charakter schon deshalb kaum vorhanden sei, weil die Herren „das Präsidium“, also außer mir selbst, auch Herrn Landrat Roetger und Herrn Obermeister Richt (freikonservativ), zu sprechen wünschten, blieb Dr. Hirsch bei seinem Standpunkt, so daß ich mich zu entscheiden hatte, ob ich daran die Konferenz scheitern lassen oder nachgeben sollte. Im ersteren Falle hätte man natürlich alles Odium für das Scheitern dieses „freundschaftlichen“ Besuches mir aufgeladen. Ich glaube mich daher Ihrer Zustimmung sicher, wenn ich nachgab, aber lediglich noch die Anwesenheit des Herrn Roetger concedierte, weil, wenn man „das Präsidium“ sprechen wolle, ich unbedingt auch die 3 Vicepräsidenten, angesichts der Wichtigkeit der ev. zu verhandelnden Fragen, einladen würde. Das wurde dann schließlich, da man offenbar die 3 Vicepräsidenten nicht wollte[3], zugestanden, so daß, da Herr Roetger im anderen Lager steht, ich schließlich allein bin. Das gestattet mir aber auch, definitive Erklärungen, wenn man solche von mir etwa fordern sollte, dem Gesamt-Präsidium vorzubehalten.

Ich hoffe, Sie mit Vorstehendem einverstanden, bitte, den ganzen Vorgang streng vertraulich zu behandeln und danke Ihnen nochmals auf's wärmste für Ihre so überaus warmherzige Bereitwilligkeit.

Mit herzlichem Gruß Ihr Sie aufrichtig hochschätzender

gez. Rießer

Ich werde Ihnen über den Ausgang berichten.

Soll ich mich direkt an den anderen chemischen Dreibund in der Wahlfonds-Sache wenden?

b)

Berlin W. 10, den 11. November 1910

Sehr verehrter Herr Kollege!

Die heutige Unterredung ist ganz gut abgelaufen, da bereits vor einer Woche gerade die Fragen, auf die es den Herren nach dem Verlauf der heutigen Besprechung am Meisten ankam, schon im Präsidium auf meinen Antrag geklärt waren. Das ist die Stellung zur Zollpolitik und zur Sozialdemokratie. Ich hatte mich damals ermächtigen

---

Springorum, Friedrich, Kommerzienrat, Generaldirektor des Eisen- und Stahlwerks Hoesch, Ausschußmitglied des CVDI, Vors. des Vereins Deutscher Eisenhüttenleute und Vorstandsmitglied des Vereins Deutscher Eisen- und Stahlindustrieller, Mitglied des HB-Gesamtausschusses.

Betr. Hilger und Schrey vgl. Anlage 1.

[2] Vgl. Anlage 3.

[3] Die 3 Vizepräsidenten, Crasemann, Hirth und Dr. Steche (vgl. Anlage 1 und 2) – die beiden letzteren waren führende Vertreter des BdI –, waren in zollpolitischen Fragen, um die es in der angestrebten Besprechung ging (s. Brief v. 11. 11. 1910) Gegner der Schwerindustrie. Betr. der biographischen Angaben vgl. Mitteilungen der HK Bochum für 1910, H. 3, S. 48 f.; HB-Gesamtausschuß, Mitgliederverzeichnis; Kaelble, Interessenpolitik, S. 250 ff.; Martin, Jahrbücher der Millionäre in Westfalen u. im Rheinland.

lassen, in einer meiner ersten Reden (vielleicht in Bremen am 15.) zu sagen, daß die Grundlagen unserer heutigen Zollpolitik nach den *heutigen* einheimischen und internationalen Verhältnissen – die Frage wird aber erst in 4–5 Jahren akut – nicht geändert werden können und was die Sozialdemokratie betrifft, zu einer Wiederholung dessen, was in unseren „Mitteilungen" vom 1. September gesagt war. Gleichzeitig werde ich darauf hinweisen, daß wir, da die Mitglieder der verschiedensten bürgerl. politischen Parteien bei uns sind, die ihre Stichwahl-Parolen von ihren Parteien empfangen, natürlich unsererseits keine Stichwahl-Parolen ausgeben können, daß wir aber selbstverständlich keine Förderung der Sozialdemokratie eintreten lassen können, die wir ebenso bekämpfen, wie dies seitens der bürgerl. polit. Parteien geschieht.

Es wäre mir lieb, zu wissen, ob Sie damit einverstanden sind.

Die von Herrn Geheimrat Hugenberg namentlich gewünschte Einstellung des Kampfes gegen die agrar. demagogische Richtung (den Bund der Landwirte) habe ich selbstverständlich, schon auf Grund unserer Richtlinien, ablehnen müssen. Der Wunsch, den Herr Geh. Rat Kirdorf teilte, wurde gestellt, weil die Herren die Industrie ins Lager der Konservativen führen wollen, und, da diese sich *inzwischen* mit dem Bunde der Landwirte solidarisch erklärt haben, diesen nicht mehr bekämpft wissen wollen.

Ich begrüße Sie
in herzlicher und freundschaftlicher
Hochschätzung Ihr

gez. Riesser

10. Personelle Verflechtung Hansa-Bund–CVBB (Dez. 1909)*

	Mitgl. insges.	HB-Mitgl. insges.	davon HB-Präsidium	davon HB-Direktorium	davon HB-Ges.-A.	davon HB-konst. Präs.
CVBB-Vorstand	9[1]	7	1	3	6	5
CVBB-Ausschuß	37	(15)[2]	–	–	5	9
CVBB-Mitglieder insges. k. A.		k. A.	1	4[3]	24	20

* Verzeichnis der Mitglieder des HB-Gesamtausschusses von 1909; Bank-Archiv, Jg. 7, 1907/08, S. 111 f. Verbandsnachrichten (Liste der Vorstands- und Ausschußmitglieder des CVBB; die bis Dezember 1909 erfolgten Änderungen in der Zusammensetzung der Gremien wurden berücksichtigt), vgl. Bank-Archiv, Jg. 8, 1908/09, S. 92, Jg. 9, 1909/10, S. 94.

[1] Vorstandsmitglieder waren: 1. J. Riesser, 2. A. Salomonsohn, 3. W. Müller, 4. B. Arons, 5. M. Warburg, 6. A. v. Pflaum, 7. Lebrecht, 8. O. Burchardt (Schatzmeister), 9. F. Sonneberg; 1. war Präsident des HB; 1.–3. waren Mitglieder des HB-Direktoriums; 1.–6. waren Mitglieder des HB-Gesamtausschusses.

[2] Wahrscheinlich waren mehr als die Hälfte Mitglieder des HB; mangels Unterlagen (Mitgliederlisten usw.) kann die Mitgliedschaft im HB lediglich für 15 dem CVBB-Ausschuß Angehörige festgestellt werden.

[3] Das 4. Direktoriumsmitglied war C. Helfferich; für die Direktoriumsmitglieder vgl. Anlage 3; für die Mitglieder des konstituierenden Präsidiums Anlage 1.

11. Personelle Verflechtung Hansa-Bund – Deutscher Handelstag (1911)*

Mitglieder insgesamt		HB-Mitglieder insgesamt	davon HB-Präsidialmitglieder	HB-Direktoriumsmitglieder	HB-Ges.-A.-mitglieder	Vorst. Mitgl. HB-Zweig.-V.
Vorstand DHT	6[1]	5	–	2	3	(1)[2]
Ausschuß DHT	53	(31)	–	4	18	(8)

* Quellen: Der Deutsche Handelstag 1861–1911, hg. v. DHT, Bd. 1, Berlin 1911, S. 467 f. Verzeichnis der Mitglieder des HB-Gesamtausschusses von 1909; Mitt. H-B, 1909/10; H-B, Jg. 1, 1911, jeweils Rubrik „Aus den Ortsgruppen".

[1] Vorstandsmitglieder waren: 1. J. Kaempf (Präsident), 2. H. Robinow (Warenhandel, Hamburg, 1895–1907 Mitgl. der Hamburger Bürgerschaft, NLP), 1. Stellv.; 3. H. Vogel, 2. Stellv.; ferner 4. F. v. Mendelsohn (Bankgeschäft, seit 1902 Vizepräs. der HK Berlin); 5. O. v. Pfister (Spedition, Binnenschiffahrt, München, seit 1906 Vors. der HK München); 6. H. Vogelsang (Kalk- und Zementindustrie, Recklinghausen, seit 1905 stellv. Vors. der HK Münster); 1. und 3. waren Mitglieder des HB-Direktoriums, 1., 3. und 4. gehörten dem HB-Gesamtausschuß an, vgl. Verzeichnis ... 1909; für Robinow – HB-Mitglied – vgl. HK Hamburg, Akte V 145, Nr. 1, Bd. 1; für v. Pfister – HB-Mitglied – vgl. Archiv Rötger. Nachträgliche Anträge betr. Zuwahl zum HB-Gesamtausschuß, b) Großhandel.

[2] Zahlen in Klammern bedeuten Mindestangaben; mangels Unterlagen (Mitgliederverzeichnisse und dergl.) können Belege für die zum Teil sehr wahrscheinliche Mitgliedschaft weiterer DHT-Mitglieder nicht erbracht werden.

12. Personelle Verflechtung Hansa-Bund – CVDI (1909/10)*

	Mitgl. insges.	HB-Mitgl. insges.	davon HB-Präs. Mitgl.	HB-Direkt. Mitgl.	HB-Ges.-A. Mitgl.	Vorst. Mitgl. Zweig-V.	Funkt. in HB-Grem. insges.
CVDI-Direkt.	12	8[4]	1[6]	6[7]	6[7]	3	16
CVDI-Ausschuß	154[1]	(51)[5]	–	9[8]	34	(21)	(64)
CVDI-Delegiertenversammlung	265[2]	(57)	–	3[9]	29	(15)	(47)
Vors. Korporat. Mitgl.	195[3]	(49)	–	5	37	?	(42)

* Quellen: VMB, Hefte 116–120; Verzeichnis der Mitglieder des Direktoriums und des Gesamtausschusses des HB, Berlin 1909; für die genannten Personen vgl. oben Anlagen 1–3.

[1] VMB, H. 118, S. 174–179 (Stand Okt. 1909).

[2] Ebd., S. 161–173 (Stand April 1910; inkl. der „entschuldigten" Mitglieder, aber ohne Direktoriumsmitglieder des CVDI).

[3] VMB, H. 120, S. 195.

[4] Roetger, v. Rieppel, Kirdorf, Hilger, Semlinger, Vogel, Schlumberger, v. Vopelius.

[5] Zahlen in Klammern sind Mindestangaben; bei vielen Mitgliedern ließ sich mangels Mitgliederlisten bzw. Listen über die Zusammensetzung der Zweigvereinsverbände eine wahrscheinliche Mitgliedschaft bzw. Tätigkeit im HB nicht feststellen; d. h. in Wirklichkeit war die personelle Verflechtung stärker als aus der Tabelle ersichtlich. [6] Roetger.

[7] Roetger, v. Rieppel, Hilger, Kirdorf, Semlinger, Vogel.

[8] dies. wie Anm. 7, ferner Röchling, Schrey, Müller.

[9] Budde, Röchling, Schrey.

13. Personelle Verflechtung Hansa-Bund – CVDI (1914)*

		davon					
	Mitgl. insges.	HB-Mitgl. insges.	HB-Präs. Mitgl.	HB-Direkt. Mitgl.	HB-Ges.-A. Mitgl.	Vorst. Mitgl. Zweig-V.	Funkt. in HB-Grem. insges.
CVDI-Direkt.	18	5[4]	–	1	2	(1)[5]	(4)
CVDI-Ausschuß	159[1]	(27)	–	2	19	(10)	(31)
CVDI-Delegiertenversammlung	164[2]	(21)	–	1	10	(5)	(13)
Vors. Korporat. Mitgl.	211[3]	(29)	–	1	21[6]		

* Quellen: VMB, Hefte 125–129; Verzeichnis der Mitglieder des Direktoriums und des Gesamtausschusses des HB, Berlin 1914.

[1] Die letzte Liste der CVDI-Ausschußmitglieder vor 1914 wurde in VMB, H. 125, Berlin 1912, S. 172–178 veröffentlicht. Die Änderungen (vgl. VMB, H. 126, S. 3; H. 127, S. 7; H. 128, S. 5 f.) bis 1914 wurden berücksichtigt.

[2] Vgl. VMB, H. 128, Okt. 1913, S. 106–115, Delegiertenzahl ohne Direktoriumsmitglieder, inkl. der „entschuldigten" Mitglieder.

[3] Vgl. VMB, H. 129 (Umschlag des Heftes).

[4] HB-Mitglieder waren: Th. Schlumberger, Vogel, Schrey, Ehrhardt, Flohr.

[5] Zahlen in Klammern sind Mindestangaben; bei vielen Mitgliedern ließ sich mangels Mitgliederlisten bzw. Listen über die Zusammensetzung der Zweigvereinsvorstände eine wahrscheinliche Mitgliedschaft bzw. Tätigkeit im HB nicht feststellen; d. h. in Wirklichkeit war die personelle Verflechtung stärker als aus der Tabelle ersichtlich.

[6] Die 20 Vorsitzenden von 21 korporativen Mitgliedern des CVDI waren:

a) Vereine zur Wahrung allgemeiner industrieller Interessen (Einteilung nach CVDI)

1. Neubarth, Forster Fabrikantenverein, Forst i. L.
2. L. Beck, Mittelrheinischer Fabrikantenverein, Mainz.
3. E. Sieg, Verein zur Wahrung der wirtschaftlichen Interessen der deutschen Elektrotechnik, Berlin.
4. A. Servaes, Verein zur Wahrung der gemeinsamen wirtschaftlichen Interessen in Rheinland und Westfalen, Düsseldorf.

b) Handels- und Gewerbekammern

5. Delius, HK Aachen.
6. J. H. Bruns, Gewerbekammer Bremen.

c) Berufsgenossenschaften

–

d) Vereinigungen der Bergbau-Industrie

7. Grunenberg, Verein für die bergbaulichen Interessen Niederschlesiens, Waldenburg; Niederschlesisches Kohlensyndikat, Waldenburg.
8. Siemens, Deutscher Braunkohlen-Industrie-Verein, Halle a. S.

e) Vereinigungen der Eisenindustrie

9. Servaes, Nordwestliche Gruppe des Vereins Deutscher Eisen- und Stahlindustrieller, Düsseldorf.
10. O. Niedt, Oberschlesische Stahlwerksgesellschaft, Berlin.

f) Vereinigungen der Maschinenindustrie

11. J. Gastell, Norddeutsche Wagenbau-Vereinigung, Berlin.

g) Vereinigungen der Metallindustrie

12. H. Kleyer, Verein Deutscher Motorfahrzeugindustrieller, Berlin.

h) Vereinigungen der Industrie der Steine und Erden

13. Ph. Rosenthal, Vereinigung Deutscher Porzellanfabriken zur Hebung der Porzellan-Industrie, Berlin.
14. Wiegand, Verein Deutscher Fabriken feuerfester Produkte, Köln.
15. Müller, Verein Deutscher Portland-Zement-Fabrikanten, Kalkberge (Mark).

i) Vereinigungen der Textilindustrie

16. A. Kahle, Industrieverein Werdau, Werdau i. S.
17. A. Schroers, Verein der Deutschen Textil-Veredelungs-Industrie, Düsseldorf.
18. H. Lupprian, Verein Deutscher Jute-Industrieller, Braunschweig.

j) Vereinigungen der Papierindustrie

—

k) Vereinigungen der Nahrungs- und Genußmittelindustrie

19. W. Bornheim, Vereinigung Deutscher Margarine-Fabrikanten zur Wahrung der gemeinsamen Interessen, Köln.

l) Vereinigungen der chemischen Industrie

20. L. Mann, Verband Deutscher Lackfabrikanten, Berlin.

m) Verschiedene Industrien

21. A. Schiedmayer, Verein Deutscher Pianoforte-Fabrikanten, Leipzig.

(Servaes zweimal aufgeführt!).

14. Personelle Verflechtung Hansa-Bund – BdI (Nov. 1912)*

	Mitgl. insges.	davon HB-Mitgl. insges.	HB-Präs. Mitgl.	HB-Direkt. Mitgl.	HB-Ges.-A. Mitgl.	Vorst. Mitgl. HB-Zweig-V.	Funkt. in HB-Grem. insges.
BdI-Präs.	7[1]	7	1	2[3]	6	4	13
BdI-Vorst.	16	11	–	5	8	2	15
BdI-Gr. A.	112	(39)[4]	–	1	27	(10)	(38)
Vors. Korporat. Mitgl.	167[2]	(35)	1	1	29	(13)	(44)

* Quellen: Liste der Mitglieder des HB-Gesamtausschusses von 1909; betr. der Zuwahlen zum HB-Direktorium und zum Gesamtausschuß bis 1912, vgl. H-B, Jg. 1, Nr. 2, 14. 1. 1911, S. 13; ebd., Nr. 9, 4. 3. 1911, S. 70; ebd., Jg. 2, Nr. 21, 1. 6. 1912, S. 277; Veröffentlichungen des BdI, H. 3, Nov. 1912, Berlin 1912, S. 37–48; vgl. Kap. III, 3, Anm. 8–15,

[1] Vgl. Kap. III, 3, Anm. 8.

[2] Inklusive der Vorsitzenden der Unterabteilungen.

[3] Pferdekämper wurde erst 1913 ins HB-Direktorium gewählt.

[4] Die Zahlen in Klammern geben Annäherungswerte wieder; in Wirklichkeit dürfte die personelle Verflechtung noch stärker gewesen sein. Da Mitgliederlisten fehlen und die Zusammensetzung der Ortsgruppenvorstände nur in beschränktem Umfange in der HB-Zeitschrift veröffentlicht wurde, muß der Überblick unvollständig bleiben.

15. Personelle Verflechtung Hansa-Bund – Liberale Parteien (1912/13)*

	Gf. A. NLP	ZV NLP	Gf. A. FVp	ZA FVp (ohne Stellv.)	ZA FVp (inkl. Stellv.)
Mitgl. insges.[1]	15	245	18	109	169
Davon HB-Mitgl.	5	(36)	15(!)[2]	55(!)[3]	(61)[3]
HB-Präs. Mitgl.	–	1[4]	–	–	–
HB-Direkt. Mitgl.	–	4[5]	1[6]	3[7]	5[8]
HB-Ges.-A.-Mitgl.	–	7[9]	1[6]	6[10]	7[11]
Vorst. Mitgl. HB-Zweig-V.	–	7[12]	1[13]	8[14]	10[15]

* Quellen: K.-P. Reiß, Von Bassermann zu Stresemann. Die Sitzungen des nationalliberalen Zentralvorstandes 1912–1917, Düsseldorf 1967, S. 66–80 (Mitgliederverzeichnis des ZV und des Gf. A. der NLP von 1913); Der 2. Parteitag der Fortschrittlichen Volkspartei zu Mannheim. 5.–7. 10. 1912, hg. v. Gf. A. der FVp, Berlin 1912, S. 142–145 („Verzeichnis der von den Landes- und Provinzialverbänden gewählten Delegierten zum Zentralausschuß").

[1] Zum ZA gehörten ferner die MdR der FVp und die Mitglieder des Gf. A., die nicht schon als MdR dem ZA angehörten, vgl. § 2, Organisationsstatut der FVp, in: Die Fortschrittliche Volkspartei im neuen Reichstag, Berlin 1912, S. 5.

[2] Für die 12 MdR im Gf. A. vgl. H-B, Jg. 2, Nr. 3, 27. 1. 1912, S. 30 f. „Gewählte Mitglieder des Hansa-Bundes". Mommsen war Mitglied des konstituierenden Präsidiums, vgl. Anlage 1; betr. Gyßling, Blell, Cassel, Naumann vgl. H-B, Jg. 1, Nr. 42, 21. 10. 1911, S. 363; Jg. 2, Nr. 4, 3. 2. 1912, S. 47; Jg. 4, Nr. 6, Sept. 1913, S. 79; ebd., Nr. 12, März 1914, S. 169; vgl. ferner Nachlaß Naumann, Nr. 309, Naumann an Genest (1913 Vorsitzender der Ortsgruppe Groß-Berlin des HB), 20. 11. 1913.

[3] Aufgrund der Angaben in der Rubrik „Aus den Ortsgruppen" der HB-Zeitschrift.

[4] Riesser, vgl. Reiß, S. 75.

[5] Riesser, Schäfer, Koelsch, Stresemann, ebd., S. 72, 75 f., 78; vgl. Anlage 1 und 3.

[6] Kaempf, vgl. FVp im neuen RT, S. 9, vgl. Anlage 1.

[7] Craemer, Kaempf, Bartschat, Der 2. Parteitag der FVp, S. 145.

[8] Dieselben, ferner Häberlein und Sturm, ebd., S. 144, vgl. Anlage 3.

[9] Dr. B. Grund, L. Hoffmann, Koelsch, W. Meyer, P. v. Schwabach, G. Stresemann, Ph. Wieland, vgl. Reiß, S. 70 ff.; vgl. Liste HB-Gesamtausschuß v. 1909, vgl. Anm. 12.

[10] Vgl. Anm. 7, dieselben, ferner Fabrikant Max Bahr, Landsberg a. W., Geheimrat Aronsohn, MdA, Bromberg, Karl Funck, MdA, Ffm., Vors. des ZA d. FVp.

[11] Dieselben, ferner Kommerzienrat Dr. Sobernheim, Berlin.

[12] Dr. Josef Neven Du Mont, H-B, Jg. 4, Nr. 2, Mai 1913, S. 26 (Vorstandsmitgl. Ortsgruppe Köln); Kom. Rat Ignaz Schön, Buchdruckereibesitzer, MdL 1907–1916, vgl. HK München, Akte HB I, Vorstandsmitgl. Landesgruppe S.-Bayern); Leberecht Hoffmann, Generaldirektor, MdL (Lippe), Vizepräs. des LT, Schatzmeister der HB-Landesgruppe Lippe, vgl. H-B, Jg. 4, Nr. 2, Mai 1913, S. 28; Dr. Georg Zöphel, RA, MdL 1907–09 und ab 1911 Vorstandsmitgl. HB-Ortsgruppe Leipzig, vgl. H-B, Jg. 1, Nr. 22, 3. 6. 1911, S. 182; betr. Dr. Bernhard Grund, Leopold Koelsch, Philipp Wieland vgl. Liste HB-Gesamtausschuß v. 1909.

[13] Justizrat Robert Gyßling, MdR, 1907–12, Vorstandsmitglied des HB-Provinzialvorstandes Ostpreußen, vgl. H-B, Jg. 2, Nr. 40, 12. 10. 1912, S. 509.

[14] Craemer, Bartschat, vgl. Anlage 3; Aronsohn, Vors. Ortsgr. Bromberg; Bahr, Vors. Ortsgruppe Landsberg a. W.; Funck, Vorst.Mitgl. Ortsgruppe Ffm., vgl. Liste HB-Gesamtausschuß v. 1909; Emil Rohr, Buchdruckereibesitzer, Vorst.Mitgl. Ortsgr. Kaiserslautern, vgl. H-B, Jg. 2, Nr. 28, 20. 7. 1912, S. 376; Hugo Graf, Fabrikbesitzer, Vors. Bezirksgruppe Leipzig-Süd, ebd., Jg. 1, Nr. 13, 1. 4. 1911, S. 11; Otto Meyer, HK-Syndikus (Berlin), vgl. Steinmann-Bucher, Über den Ausbau des CVDI, S. 87.

[15] Vgl. Anm. 14; ferner Haeberlein und Sturm, vgl. Anlage 3.

16. Reichstagskandidaten mit Hansa-Bund-Unterstützung

			NLP	FVp	RP	DtKP	Z	SPD	andere Part. u. Unabhäng.
Kandidaten insgesamt		?[a]			6[a]	–	1[a]	–	2[a]
davon	HB-Mitglieder	230[a]	229		1[b]	–	–	–	–
	HB-Direktorium	6[c]	3	2	1	–	–	–	–
	HB-Gesamtausschuß	15[d]	7	7	1	–	–	–	–
	Konstituierendes Präsidium	4[e]	1	3	–	–	–	–	–
	Vorstandsmitglieder Zweigvereine	15[f]	5	10		–	–	–	–
Von den HB-Kandidaten gewählt		88[g]	41	42	2	–	1	–	--
davon	HB-Mitglieder	56[g]	17	39	–	–	–	–	–
	HB-„Freunde“	32[a]	24	3	2	–	1	–	2

[a] H-B, Jg. 1, Nr. 49, 9. 12. 1911, S. 423 „Eine große Zahl von Mitgliedern des Hansa-Bundes, und zwar jetzt 230 [am 23. 11. 1911 hatte Riesser noch von 220 Mitgliedern gesprochen, die vom HB unterstützt würden, vgl. Riesser, Bürger heraus!, S. 150, Flugblatt 29, „Der Tag bricht an!“, S. 5] sind von den politischen Parteien aufgestellt worden, . . . eine weitere Zahl steht auf dem Boden der Richtlinien des Hansa-Bundes“. Letztere werden in der Tabelle als HB-„Freunde“ geführt. Da 32 oder 34 Freunde des Hansa-Bundes (Riesser, Bürger heraus!, S. 221, spricht von 32 gewählten „Freunden“, die auf dem Boden seiner Richtlinien stehen) gewählt wurden (H-B, Jg. 2, Nr. 3, 27. 1. 1912, S. 31), müßten insgesamt mindestens 230 + 32 Kandidaten unterstützt worden sein. Nimmt man jedoch für die Kandidaten, die lediglich „auf dem Bo-

den der Richtlinien des Hansa-Bundes" standen, die gleiche Erfolgsquote an wie für die Mitglieder (24 %, 55 v. 230), so müßten insges. 230 + 133 = 363 Kandidaten unterstützt worden sein. Da neben den liberalen Kandidaten nachweislich nur 6 Reichsparteiler, der Z-Kandidat Müller (Riesser, Bürger heraus!, S. 230), Posadowsky-Wehner (Unabhäng.) und Hestermann (DBB) Wahlunterstützung des HB erhielten, hätten – bei zutreffender Prämisse – demnach 355 der 447 liberalen Kandidaten Wahlhilfen erhalten haben müssen. Da jedoch nicht anzunehmen ist, daß der HB die 97 Zählkandidaturen der FVp und der NLP (vgl. Bertram, S. 149) und die liberalen Doppelkandidaturen unterstützte, dürften insgesamt nicht mehr als 300 der 447 liberalen Kandidaten Unterstützung erhalten haben. Das hieße jedoch, daß die Mitglieder im Durchschnitt in weniger sicheren Wahlkreisen aufgestellt worden waren, als die „Freunde" des HB. M. E. ein deutlicher Hinweis auf die Grenzen des HB-Einflusses betr. die Nominierung der liberalen Kandidaten.

[b] Rahardt, s. Anlage Nr. 3.

[c] Koelsch, Marquart, Roland-Lücke, alle NLP; Kaempf (MdR), Haeberlein (MdL), beide FVp; Rahardt (MdA), RP; vgl. Anlage Nr. 3.

[d] Die genannten 6 Direktoriumsmitglieder, ferner von der NLP Gruson, Kickelhayn, Meyer (Celle), Stoeve; von der FVp: Crüger (MdA), Manz (MdR), Rettig, Toepffer, Weißmann, vgl. Mitgliederverzeichnis des Ges.-A. des HB v. 1909, HK Duisburg, Akte HB.

[e] Von der FVp: Crüger (MdA), Mommsen (MdR), Kaempf (MdR); NLP: Williger, vgl. Anlage Nr. 1.

[f] Von der FVp: Bartschat, Heimsoth (Ortsgr. Schwerin), Hübsch (Ortsgr. München), Gyßling (Landes-Vorst. W.-Preußen), Münch (Haupt-Ausschuß Ortsgr. Nürnberg), Manz (Ortsgr. Bamberg), Haeberlein, Sturm, Dr. Thubenthal (Ortsgr. Wilmersdorf), Toepffer. Von der NLP: Dr. Grund (Ortsgr. Breslau), Gruson (Ortsgr. Magdeburg), Koelsch, Daur (Neumarkt, O-Pfalz), Stresemann, für die genannten Direktoriumsmitgl. vgl. Anlage Nr. 3, ferner Mitgliederverzeichnis des HB-Ges.-A. v. 1909; Anlage Protokoll der 1. Sitzung der Zweigvereinsvorsitzenden des HB v. 1909, Archiv HK Duisburg, Akte HB; Protokoll der 2. Sitzung der Zweigvereinsvorsitzenden v. 14. 6. 1910, GBAG-Archiv, Akte HB; für einzelne vgl. auch H-B, Jg. 1, 1911, S. 412, 420 f., 429, 441.

[g] Vgl. Riesser, Bürger heraus!, S. 221.

17. Finanzen der Fortschrittlichen Volkspartei*

	lfd. Einnahmen	Ausgaben	Bestand[1]
1910	24 000	57 000	57 000 (Effekten)
1911	54 000	59 000	+ 6 600 (bar)
1912	62 000 (V)[2]	61 600	27 500 (Effekten)
1915	40 000 (V)	39 690	+ 27 451 (bar)

* Vgl. DZA Potsdam, FVp 37, Bl. 210, Protokoll der Sitzung des ZA, 20. 11. 1910; FVp 36, Bl. 91, Protokoll der Sitzung des Gf. A., 17. 9. 1911; ebd., Bl. 132 und 255. Für die von diesen Angaben abweichenden Zahlen finden sich in den Akten keine Unterlagen; Nipperdey, Organisation, S. 153.

[1] Für die übrigen Jahre keine Angaben.

[2] V = Voranschlag.

18. Finanzen der Nationalliberalen Partei*

	Einmalige Beiträge	Laufende Beiträge	RT	Abg.-Haus	insgesamt
1909 Organisations-fonds	91 005,37	46 127,65	3 135,—	10 830,—	151 098,02
1910 Ostfonds	36 857,90	69 424,64	3 225,—	9 210,—	118 717,54
1911 Reichstagswahl	208 416,88	62 058,20	2 830,—	8 980,—	282 285,08
1912 Reichstagswahl	32 457,64	50 093,07	1 145,—	10 325,—	94 020,71

* Vgl. DZA Potsdam, Nl. Bassermann, Nr. 7, Bl. 4 ff. Beitragsverlustliste des Jahres 1912 mit einer Begründung und gleichzeitigen Aufstellung der eingezahlten Jahresbeiträge der Jahre 1905–1912, Bl. 6. Ferner existierten noch eine Reihe Fonds (Dr. Friedberg, Riesser, Hamburg, Hansabund), deren Bestände in den obigen Summen nicht enthalten sind. Vgl. ferner Nl. Bassermann, Nr. 5, Bl. 26. Vergleichende Übersicht über Beitragsleistungen und Wahlbeihilfen in den einzelnen Landesteilen, ebd., Nr. 1, Bl. 124 f., Kalkhoff an Bassermann, dort heißt es u. a.: „Die eigenartigen Zustände bei unseren Parteigeschäftsstellen im Lande machen es unmöglich, einen vollständigen Überblick zu bekommen", ebd., Bl. 125; vgl. ferner Nipperdey, Organisation, S. 153.

19. Parlamentarische Vertretung des Hansa-Bundes im Reichstag 1909 und (in Klammern) 1912

	DtKP	RP	NLP	Lks. Lib.	SPD	Z	Andere Part. u. Unabhäng.
MdR insges.[1]	62 (45)	24 (13)	55 (44)	48 (42)	43 (110)	105 (91)	60 (53)
davon HB-Mitglieder	– (–)	– (1)	6[2] (17[5])	15[2] (38[5])	– (–)	1[3] (1)	1 (3)
geh. HB-Funktion	– (–)	– (–)	– (6[6])	4[4] (3)	– (–)	– (–)	– (–)

[1] Angaben von 1907 und 1912, Reichstagshandbuch, 12. Legislaturperiode, Berlin 1907, S. 418 und 13. Legislaturperiode, Berlin 1912, S. 421.

[2] Die Anzahl der HB-Mitglieder war wahrscheinlich höher, was sich mangels Unterlagen jedoch nicht nachweisen läßt.

[3] Müller (Fulda).

[4] Mommsen, Kaempf, Manz, Gyßling.

[5] Vgl. HB, Jg. 2, Nr. 3, 27. 1. 1912, S. 30 f. „Gewählte Mitglieder des Hansa-Bundes"; in dieser Liste ist Kerschensteiner, FVp, falsch eingeordnet; es fehlt Frh. v. Richthofen. Direktoriumsmitglieder waren: Koelsch, Marquart, Roland-Lücke, Geschäftsführer des HB war Frh. H. v. Richthofen (für alle 4 vgl. Anlagen 2 u. 3); Mitglieder des HB-Gesamtausschusses waren RA Wilhelm Meyer und Generaldirektor Willi Stöve.

II. Abkürzungsverzeichnis

A.	Ausschuß
AA	Auswärtiges Amt, Berlin
A-mitgl.	Ausschußmitglied
ANRV	Altnationaler Reichsverband
AR-Vors.	Aufsichtsratsvorsitzender
ASS	Archiv für Sozialwissenschaften und Sozialpolitik
BA	Bundesarchiv Koblenz
BBB	Bayerischer Bauernbund
Bd.	Band
BdI	Bund der Industriellen
BdL	Bund der Landwirte
Bl.	Blatt
BT	Berliner Tageblatt
CVBB	Centralverband des Deutschen Bank- und Bankiergewerbes
CVDI	Centralverband Deutscher Industrieller
CVDI-A.	Ausschuß des Centralverbandes Deutscher Industrieller
DAGZ	Die Deutsche Arbeitgeber-Zeitung
DBB	Deutscher Bauernbund
DDP	Deutsche Demokratische Partei
DHT	Deutscher Handelstag
DHV	Deutschnationaler Handlungsgehilfen-Verband
Dir.	Direktorium
DIZ	Deutsche Industrie-Zeitung
DLR	Deutscher Landwirtschaftsrat
DMV	Deutsche Mittelstandsvereinigung
DNVP	Deutsch-nationale Volkspartei
DtKP	Deutsch-Konservative Partei
DTZ	Deutsche Tageszeitung
DVC	Deutsche Volkswirtschaftliche Korrespondenz
DVP	Deutsche Volkspartei
DWZ	Deutsche Wirtschafts-Zeitung
DZA	Deutsches Zentralarchiv Potsdam
Fa.	Firma
Ffm.	Frankfurt/Main
FVp	Fortschrittliche Volkspartei
FZ	Frankfurter Zeitung
GBAG	Gelsenkirchener Bergwerks-AG
Gen.dir.	Generaldirektor
Gew.	Gewerbe
Gf.	Geschäftsführer
Gf.A.	geschäftsführender Ausschuß
GO	Geschäftsordnung
H.	Heft
Ha.	Handel
HAPAG	Hamburg-Amerikanische Packetfahrt-Aktiengesellschaft
HB	Hansa-Bund für Gewerbe, Handel und Industrie

H-B	Hansa-Bund. Offizielles Organ des Hansa-Bundes für Gewerbe, Handel und Industrie
HB-Ges.-A.	Gesamtausschuß des Hansa-Bundes für Gewerbe, Handel und Industrie
HK	Handelskammer
HVV	Handelsvertragsverein
HZ	Historische Zeitschrift
Jg.	Jahrgang
Krupp. Archiv	Historisches Archiv Krupp
KVZ	Kölnische Volkszeitung
KZ	Kölnische Zeitung
LP	Legislaturperiode
LV	Landesverband
MdA	Mitglied des preußischen Abgeordnetenhauses
MdAR	Mitglied des Aufsichtsrates
MdH	Mitglied des Herrenhauses
MdL	Mitglied des Landtages
MdR	Mitglied des Reichstages
Mitgl.	Mitglied
Mitt. H-B	Mitteilungen vom Hansa-Bund für Gewerbe, Handel und Industrie
Mitt. d. HVV	Mitteilungen des Handelsvertragsvereins
MS	Maschinenschrift
Nat.-Ztg.	National-Zeitung
NAZ	Norddeutsche Allgemeine Zeitung
N. F.	Neue Folge
NIP	Nettoinlandsprodukt
Nl.	Nachlaß
NLP	Nationalliberale Partei
NPL	Neue Politische Literatur
Prot.	Protokoll
Prot. Direkt. CVDI	Protokolle des Direktoriums des CVDI
PVS	Politische Vierteljahresschrift
RA	Rechtsanwalt
RAM	Reichsarbeitsministerium
RDMV	Reichsdeutscher Mittelstandsverband
RK	Reichskanzlei
RP	Reichspartei
RT	Reichstag, Reichstagsprotokolle
RVO	Reichsversicherungsordnung
Sch. Jb.	Schmollers Jahrbuch
Stenogr. Ber.	Stenographische Berichte
Stenogr. Ber. Preuß. Abg.-H.	Stenographische Berichte der Verhandlungen des Preußischen Hauses der Abgeordneten
Swdt. Wi-Ztg.	Südwestdeutsche Wirtschaftszeitung

V.	Verein
Vbd.	Verband
VdAR	Vorsitzender des Aufsichtsrates
VdEStI	Verein deutscher Eisen- und Stahlindustrieller
VzK	Vierteljahreshefte zur Konjunkturforschung
Vgg.	Vereinigung
VMB	Verhandlungen, Mitteilungen und Berichte des Centralverbandes Deutscher Industrieller
VMI	Verband Mitteldeutscher Industrieller
VSI	Verband Sächsischer Industrieller
VSWG	Vierteljahrschrift für Sozial- und Wirtschaftsgeschichte
VWI	Verband Württembergischer Industrieller
VZ	Vossische Zeitung
VfZ	Vierteljahrshefte für Zeitgeschichte
Wi. Vgg.	Wirtschaftliche Vereinigung
Z	Zentrum
ZA	Zentralausschuß
ZfP	Zeitschrift für Politik
Zs.	Zeitschrift
ZV	Zentralvorstand

III. Anmerkungen

Vorbemerkung

[1] Zitiert nach H-B, Jg. 1, Nr. 34, 26. 8. 1911, S. 300 „Presseübersicht".

[2] Behandelt wird der Hansa-Bund in folgenden Arbeiten: D. Fricke (Hg.), Die Bürgerlichen Parteien in Deutschland, 1830–1945, Bd. 2, Berlin 1968, S. 201 ff. H. Kaelble, Industrielle Interessenpolitik in der Wilhelminischen Gesellschaft. Centralverband Deutscher Industrieller 1895–1914, Berlin 1967. D. Stegmann, Die Erben Bismarcks. Parteien und Verbände in der Spätphase des Wilhelminischen Deutschlands. Sammlungspolitik 1897–1918, Köln 1970. K.-H. Horn, Der Hansa-Bund. Ein Beitrag zur Auseinandersetzung um die wirtschaftspolitischen Interessen in Deutschland am Anfang dieses Jahrhunderts, unveröffentlichte Diplomarbeit zur Erlangung des Grades eines Dipl. Handelslehrers, Berlin 1961; R. Tag, Polarisierung der Interessenverbände: Liberale und konservative Sammlungsbewegung in Deutschland 1909–1913, Staatsexamensarbeit, Berlin 1974.

I

[1] Vgl. M. Erdmann, Die verfassungspolitische Funktion der Wirtschaftsverbände in Deutschland 1815–1871, Berlin 1968, S. 40 ff.; H. Kaelble, Industrielle Interessenverbände vor 1914, in: W. Rüegg u. O. Neuloh (Hg.), Zur soziologischen Theorie und Analyse des 19. Jahrhunderts, Göttingen 1970, S. 180–192; H. E. Krueger, Historische und kritische Untersuchungen über die freien Interessenvertretungen von Industrie, Handel und Gewerbe in Deutschland, in: Sch. Jb., Bd. 32, 1908, S. 1581–1614; Bd. 33, 1909, S. 617–68; Th. Nipperdey, Interessenverbände und Parteien in Deutschland vor dem Ersten Weltkrieg, in: PVS, Jg. 1, 1961/62, S. 262–80; H.-J. Puhle, Parlament, Parteien und Interessenverbände 1890–1914, in: M. Stürmer (Hg.), Das kaiserliche Deutschland, Düsseldorf 1970, S. 340–377; G. Schulz, Über Entstehung und Formen von Interessengruppen in Deutschland seit Beginn der Industrialisierung, in: PVS, Jg. 1, 1961/62, S. 124–54; J. Wein, Die Verbandsbildung im Einzelhandel, Berlin 1968.

[2] H.-U. Wehler, Das Deutsche Kaiserreich 1871–1918, Göttingen 1973, S. 14 weist auf die „grundlegende Bedeutung der formativen Anfangsperioden in der Geschichte der Individuen und Gruppen" hin.

[3] Vgl. z. B. Stegmann, S. 176.

[4] M. Weber, Der Nationalstaat und die Volkswirtschaftspolitik, in: ders., Gesammelte poltische Schriften, Tübingen 1958[2], S. 18. Diese These besagt lediglich, daß in all den Fällen, in denen eine Klasse ökonomische Macht erlangte, bei ihr die Vorstellung der Anwartschaft auf die politische Leitung entstand; sie schließt nicht aus, daß auch andere Faktoren die Vorstellung einer Anwartschaft auf die politische Leitung entstehen lassen.

[5] G. A. Ritter (Hg.), Historisches Lesebuch 2, 1871–1914, Ffm. 1967, S. 11.

[6] Nach C. Offe sind „gesellschaftliche Bedürfnisse und Interessen" dann organisationsfähig, wenn sie „in ausreichendem Umfang diejenigen motivationalen und materiellen Ressourcen mobilisieren können, die zur Etablierung eines Verbandes ... erforderlich sind ... Organisierbar sind nur solche Interessen, die sich als Spezialbedürfnisse einer sozialen Gruppe interpretieren lassen."

Am leichtesten zu organisieren seien die „primären Lebensbedürfnisse ... großer und relativ homogener Statusgruppen", während diejenigen Lebensbedürfnisse, d. h. die „Kategorie allgemeiner Bedürfnisse", „die nicht klar abgrenzbaren Status- oder Funktionsgruppen" zuzuordnen seien, „schwerer bzw. überhaupt nicht unmittelbar zu organisieren" seien.

Vgl. C. Offe, Politische Herrschaft und Klassenstrukturen. Zur Analyse spätkapitalistischer Gesellschaftssysteme, in: G. Kress u. D. Senghaas (Hg.), Politikwissenschaft. Eine Einführung in ihre Probleme, Ffm 1969, S. 155–189, hier S. 167 f.

Kritisch ist hier zunächst anzumerken, daß die Bindung der primären Interessen an klar abgrenzbare Statusgruppen zu eng ist. Die Trennung von „primären" und „allgemeinen Lebensbedürfnissen" erscheint relativ willkürlich.

[7] Als zweite der Voraussetzungen, „unter denen sich ein gesellschaftliches Interesse überhaupt verbandsförmig repräsentieren läßt", nennt Offe die „Konfliktfähigkeit". Diese „beruht auf der Fähigkeit einer Organisation bzw. der ihr entsprechenden Funktionsgruppe, kollektiv die Leistung zu verweigern bzw. eine systemrelevante Leistungsverweigerung glaubhaft anzudrohen", ebd., S. 167, 169. Da es zwar Gruppen gibt, die organisations- aber nicht konfliktfähig sind, kommt dieser zweiten Voraussetzung nicht die gleiche Bedeutung für die Entstehung einer Interessengruppe zu wie der erstgenannten.

[8] Weber, S. 8.

[9] Vgl. z. B. H.-U. Wehler, Theorieprobleme der modernen deutschen Wirtschaftsgeschichte (1800–1945), in: G. A. Ritter (Hg.), Entstehung und Wandel der modernen Gesellschaft, Festschrift für H. Rosenberg zum 65. Geburtstag, Berlin 1970, S. 66–107, hier S. 87.

[10] Ebd. Zur gesamten Periode vgl. H. Böhme, Deutschlands Weg zur Großmacht 1848–1881, Köln 1966, S. 57 ff., 193 ff., 201 ff., 213 ff., 284 ff.

[11] W. W. Rostow, Stadien wirtschaftlichen Wachstums. Eine Alternative zur marxistischen Entwicklungstheorie, Göttingen 1960, S. 22 ff., 54 ff. Zur Kritik an Rostows Stadientheorie vgl. u. a. W. Fischer, Stadien wirtschaftlichen Wachstums, in: ders., Wirtschaft und Gesellschaft im Zeitalter der Industrialisierung, Göttingen 1972, S. 28–39; S. Kuznets, Notes on the Take-off, in: W. W. Rostow (Hg.), The Economics of Take-Off into Sustained Growth, London 1963, S. 22–41; A. Paulsen, Zur theoretischen Bestimmbarkeit der Rostowschen „Stadien", in: Festschrift F. Lütge, Stuttgart 1966, S. 306–324; H.-U. Wehler, Bismarck und der Imperialismus, Köln 1969, S. 40.

[12] Wehler, Theorieprobleme, S. 87; ders., Bismarck, S. 53 ff.; vgl. ferner H. Mottek, Einleitende Bemerkungen – Zum Verlauf und zu einigen Hauptproblemen der Industriellen Revolution in Deutschland, in: ders. (Hg.), Studien zur Geschichte der Industriellen Revolution in Deutschland, Berlin 1960, S. 11–63, hier S. 63. Nach W. G. Hoffmann, The Take-Off in Germany, in: Rostow, Economics, S. 95–118, umfaßt der „Take-Off" die Jahre 1830/35–1855/60.

[13] W. G. Hoffmann u. a., Das Wachstum der deutschen Wirtschaft seit der Mitte des 19. Jahrhunderts, Berlin 1965, S. 104 (Tab. 36), S. 142 ff., insbes. S. 143 (Tab. 61); A. Gerschenkron, Economic Backwardness in Historical Perspective, N. Y. 1965², S. 62; Wehler, Bismarck, S. 54, 68.

[14] Ebd., S. 17.

[15] A. Spiethoff, Die wirtschaftlichen Wechsellagen, Tübingen 1955, S. 114 ff.; Hoffmann, Wachstum, S. 13, 338 ff., 352 ff.

[16] R. Wagenführ, Die Industriewirtschaft. Entwicklungstendenzen der deutschen und internationalen Industrieproduktion, 1860–1932, Vzk, Sonderheft 31, Berlin 1933, S. 13.

[17] Rostow, Stadien, S. 73; Mottek, S. 32 ff., 38 ff. Der Eisenbahnbau verschlingt um die Mitte des vorigen Jahrhunderts ein Fünftel aller Nettoinvestitionen. Der Höhepunkt wird mit 25,5 Prozent in den Jahren 1875/79 erreicht. Vgl. Hoffmann, Wachstum, S. 143 (Tab. 61). In den Jahren 1850–1860 wurde das Eisenbahnnetz verdoppelt,

Wehler, Bismarck, S. 55. Schumpeter nennt den Eisenbahnbau das „wichtigste Einzelelement“ dieser Periode, ders., Konjunkturzyklen, 2 Bde, Göttingen 1965, Bd. 1, S. 363.

[18] Wehler, Bismarck, S. 54.

[19] Mottek, S. 39 f.; Wehler, Bismarck, S. 55 f.; ders., Kaiserreich, S. 26; Rostow, Stadien, S. 74, 78.

[20] Wehler, Bismarck, S. 17.

[21] Ders., Theorieprobleme, S. 88. Auf den Einfluß der Interessenverbände und die nationalwirtschaftlichen Protektionsmaßnahmen wird in Kap. I, 2 näher eingegangen.

[22] H. Rosenberg, Große Depression und Bismarckzeit, Berlin 1967; Mottek, S. 63 charakterisiert die Jahre 1873–1895 als die „Zeit des allmählichen Übergangs vom Kapitalismus der freien Konkurrenz zum monopolistischen Kapitalismus“; zur gesamten Periode vgl. Böhme, S. 341–604; bei Rostow, Stadien, folgt dem Stadium des „Takeoff“ das des „drive to maturity“, das ca. 40 Jahre dauert. Deutschland erreicht nach Rostow die Reife 1910, ebd., 5. Kap. „Die Entwicklung zur Reife“, S. 78 ff.; Zur Kritik an dieser Datierung vgl. Wehler, Bismarck, S. 40.

[23] Spiethoff, Wechsellagen, S. 123 ff., weist für die Jahre 1874–79, 1883–87, 1891–94 Stockungsperioden nach.

[24] Rosenberg, Depression, S. 28.

[25] Ebd., vgl. ferner Wagenführ, S. 13 f.

[26] Rostow, Stadien, S. 78; vgl. Mottek, S. 62; Wehler, Bismarck, S. 51.

[27] Rosenberg, Depression, S. 29; Wehler, Bismarck, S. 75 f.

[28] Wehler, Bismarck, S. 76; „Angesichts des wachsenden Erzeugungsvolumens handelte es sich um eine typische Mengenkonjunktur mit Preisverfall.“

[29] Ebd., S. 65; Wehler, Kaiserreich, S. 43, 45.

[30] Hoffmann, Wachstum, S. 143.

[31] K. Rieker, Die Konzentrationsentwicklung in der gewerblichen Wirtschaft. Eine Auswertung der deutschen Betriebszählungen von 1875 bis 1950, in: Tradition, Bd. 5, 1960, S. 116–131, hier S. 129 (Anlage 10); Wehler, Bismarck, S. 95 ff., bes. S. 97; Böhme, S. 341 ff.

Bei Industrie und Handwerk lag die Zuwachsrate zwischen 1875 und 1895 bei 1,9 Prozent, Bei Handel und Verkehr bei 40,7 Prozent; Rieker, S. 129.

[32] Vgl. den nächsten Abschnitt.

[33] Zum folgenden vgl. K. E. Born, Der soziale und wirtschaftliche Strukturwandel Deutschlands am Ende des 19. Jahrhunderts, in: VSWG, Bd. 50, 1963, S. 361–376. Zur Agrarkrise ferner, Böhme, S. 398 ff.; Rosenberg, Depression, S. 38 ff.; Wehler, Bismarck, S. 64, 69.

[34] Born, S. 363.

[35] Hoffmann, Wachstum, S. 35 (Tab. 7).

[36] Berechnet nach Hoffmann, Wachstum, S. 454 f., 424 f. Berücksichtigt wurden bei der Wertschöpfung des Verkehrs lediglich die Binnen- und Seeschiffahrt und die bei Hoffmann unter der Rubrik „sonstiger Verkehr“ (Kutscher, Taxifahrer, Spediteure u. dgl.) aufgeführten Werte, d. h. die Werte der Bereiche des Verkehrsgewerbes, aus denen der Hansa-Bund seine Mitglieder rekrutierte. Diese erste und zweite Phase der Industrialisierung fallen mit der zweiten „langen Welle der Konjunktur“ des russischen Ökonomen N. D. Kondratieff (ders., Die langen Wellen der Konjunktur, in: ASS, Bd. 56, 1926, S. 573–609) zusammen. Zur Bedeutung und zur Kritik derselben vgl. Wehler, Bismarck, S. 41; Zur Literatur ebd., S. 511.

[37] Zum Begriff vgl. insbes. R. Hilferding, Arbeitsgemeinschaft der Klassen? in: Der Kampf, Bd. 8, 1915, S. 322; dazu H. A. Winkler, Einleitende Bemerkungen zu Hilferdings Theorie des Organisierten Kapitalismus, in: ders. (Hg.), Organisierter Kapitalismus, Göttingen 1974, S. 9–18; vgl. ferner J. Kocka, Organisierter Kapitalismus

oder Staatsmonopolistischer Kapitalismus? Begriffliche Vorbemerkungen, ebd., S. 19–35; ders., Unternehmensverwaltung und Angestelltenschaft am Beispiel Siemens 1847–1914, Stuttgart 1969, S. 315 ff.; H.-U. Wehler, Der Aufstieg des Organisierten Kapitalismus und Interventionsstaates in Deutschland, in: Winkler, Kapitalismus, S. 36–57; ders., Theorieprobleme, S. 88; in diesem Abschnitt werden lediglich die Veränderungen im sozio-ökonomischen Bereich dargestellt; die Rückwirkungen auf die Staatssphäre werden im folgenden Abschnitt behandelt.

[38] Die Frage der Datierung ist umstritten. Während Wehler, Aufstieg, S. 36 ff. den Beginn des Organisierten Kapitalismus mit der Trendperiode von 1873 bis zur Mitte der 90er Jahre gleichsetzt (vgl. demgegenüber ders., Theorieprobleme, S. 88), schlägt J. Kocka unter Verkoppelung des Begriffs mit der Periodisierung konjunktureller Trendperioden vor, den Übergang zum Organisierten Kapitalismus von der Mitte der neunziger Jahre bis zum Ersten Weltkrieg anzusetzen. Kocka, Kapitalismus, S. 33. Diesem Vorschlag folgt der Verfasser. Zu Kockas Einteilung vgl. auch Winkler, Kapitalismus, S. 215 f.

[39] Zur Literatur vgl. Anm. 38; ferner Kocka, Unternehmensverwaltung, S. 315 ff.; Spiethoff, S. 130 ff.

[40] Rosenberg, S. 40; Wehler, Bismarck, S. 67.

[41] Hoffmann, Wachstum, S. 454 f.; zur Berechnung vgl. Anm. 36.

[42] H. Nußbaum, Unternehmer gegen Monopole. Über Struktur und Aktionen antimonopolistischer bürgerlicher Gruppen zu Beginn des 20. Jh., Berlin 1966, S. 20.

[43] Berechnet nach Hoffmann, vgl. Anm. 41.

[44] D. Petzina, Materialien zum sozialen und wirtschaftlichen Wandel in Deutschland seit dem Ende des 19. Jahrhunderts, in: VfZ, Bd. 17, 1969, S. 308–338, 320 u. 319.

[45] Rieker, S. 129. Die Zuwachsrate der gewerblichen Betriebe insgesamt betrug 10,9 Prozent, ebd.

[46] Berechnet nach J. Riesser, Die deutschen Großbanken und ihre Konzentration im Zusammenhang mit der Entwicklung der Gesamtwirtschaft in Deutschland, Jena 1910[3], S. 666–692 (Beilage VII).

[47] Vgl. Vierteljahreshefte zur Statistik des Deutschen Reiches, hg. v. Kaiserlichen Statistischen Amt, Ergänzungsheft zu 1909, II. Die Geschäftsergebnisse der Deutschen Aktiengesellschaften im Jahre 1907/08, Berlin 1909, S. 18–20. Bei diesen Angaben sind 1. das dividendenberechtigte Aktienkapital, 2. die Reserven berücksichtigt.

Ohne Berücksichtigung der Interessengemeinschaften stellt Sombart für 1910/11 fest, daß allein die sechs Großbanken, Deutsche, Darmstädter, Dresdner Bank, Disconto-Gesellschaft, Berliner Handelsgesellschaft und A. Schaaffhausenscher Bankverein über ein Grundkapital (incl. Reserven) von 1,322 Mdr. Mk. verfügten, d. h. 38 Prozent des Kapitals aller Aktienbanken von 5,042 Mrd. Mk. W. Sombart, Die deutsche Volkswirtschaft im 19. Jahrhundert und im Anfang des 20. Jahrhunderts, Berlin 1927[7], S. 180.

[48] Sombart, S. 179. „Spitzenreiter“ waren 1910 die Deutsche Bank mit 5816 und die Dresdner Bank mit 4008 Beschäftigten. Auf die 13 941 Bankgeschäfte entfielen demgegenüber im Durchschnitt nur fünf Beschäftigte, vgl. Sombart, S. 178.

[49] Vierteljahreshefte zur Statistik des Deutschen Reiches, Ergänzungsheft zu 1909, S. 18–20.

[50] Es handelt sich hierbei außer den sechs in Anm. 47 genannten Banken um die Nationalbank für Deutschland und die Commerz und Disconto Bank, vgl. Sombart, S. 488. Wehler, Bismarck, S. 96.

O. Jeidels, Das Verhältnis der deutschen Großbanken zur Industrie, mit besonderer Berücksichtigung der Eisenindustrie, Leipzig 1905, S. 268, 254 ff., 259, 264.

[51] Ebd.; Kocka, Kapitalismus, S. 20; ders., Unternehmensverwaltung, S. 316; vgl. ferner Anlagen 1–4 dieser Arbeit.

[52] Nußbaum, S. 28 (Tab. 9). Statistik des Deutschen Reiches, N. F. Bd. 119: Gewerbe und Handel im Deutschen Reich nach der gewerblichen Betriebszählung vom 14. 6. 1915.

[53] Nußbaum, S. 29 (Tab. 11).

[54] Ebd., S. 31.

[55] Ebd., S. 32.

[56] Über die verschiedenen Formen der Kartelle vgl. z. B. R. Liefmann, Kartelle, Konzerne und Trusts, Stuttgart 1927[7], S. 41 ff.; E. Maschke, Grundzüge der deutschen Kartellgeschichte, Dortmund 1964; Wehler, Bismarck, S. 98.

[57] Nußbaum, S. 54.

[58] Maschke, S. 29.

[59] Ebd.; auf die übrigen Branchen entfielen: Chemie: 46, Textil: 31, Steine, Erden: 27, Nahrung u. Genuß: 17, Glas: 10, Leder und Kautschuk: 6, Papier: 6, Holz: 5, Tonwaren: 4, Elektro: 2, Sonstige: 7 Kartelle.

[60] Selbst der 1904 gegründete Stahlwerksverband mußte der unterschiedlichen Kartellfähigkeit seiner Erzeugnisse durch die Zweiteilung seiner Organisationsform Rechnung tragen. Während die A-Produkte (niedere Produktionsstufe: Halbzeug, wie z. B. rohe Blöcke, Breiteisen usw.) syndiziert wurden, wurden die B-Erzeugnisse (z. B. Stabeisen, Röhren, Walzdraht usw.) „lediglich" kontingentiert; Preise wurden für diese Erzeugnisse jedoch nicht festgelegt; vgl. W. Leiße, Wandlungen in der Organisation der Eisenindustrie und des Eisenhandels, München 1912, S. 55.

[61] Nußbaum, S. 54 ff.

[62] Wehler, Bismarck, S. 97 f.

[63] F. Kleinwächter, Die Kartelle, Innsbruck 1883, S. 143 gebrauchte diese Charakterisierung als erster; vgl. ferner L. Kastl (Hg.), Kartelle in der Wirklichkeit, Festschrift für M. Metzner, Köln 1963, S. 99 ff. (Rede Kirdorfs vor dem Verein für Sozialpolitik in Mannheim, 1905); Wehler, Bismarck, S. 97.

[64] Wagenführ, S. 6. Die Zahlen basieren auf Schätzungen. Kartellvereinbarungen mündlicher Art wurden nicht registriert.

Die häufigen Zusammenbrüche der Kartelle und Syndikate der Eisen- und Stahlindustrie bis 1892 weisen darauf hin, daß ihr Einfluß auf die Produktion zu dieser Zeit noch relativ gering war. „Die innere Konkurrenz war noch zu groß, die Außenseiter zu zahlreich." R. Sonnemann, Die Auswirkungen des Schutzzolls auf die Monopolisierung der deutschen Eisen- und Stahlindustrie 1879–1892, Berlin 1960, S. 62 f., zit. nach Nußbaum, S. 36. Die Zeit der monopolistischen Syndikate begann erst Anfang der neunziger Jahre.

[65] Vgl. z. B. K. Weidenfeld, Das Rheinisch-Westfälische Kohlensyndikat, Bonn 1912, S. 114. Zur Preisentwicklung kartellierter Produkte ferner Wagenführ, S. 25; Leiße, S. 180.

[66] Nußbaum, passim; mit Einsetzen der Monopolisierung im Kohlenbergbau und mit dem sich verstärkenden Dumping der Eisenkartelle auf Außenmärkten, das die Konkurrenzfähigkeit der dorthin exportierenden Fertigindustrie herabsetzte, wurden weitere Gruppen von Fertigindustriellen in die Opposition zu den Schwerindustriellen getrieben; ebd., S. 149; W. Borgius, Der Handeslvertragsverein, Berlin 1903, S. 88.

[67] Wehler, Kaiserreich, S. 30.

[68] Ebd., S. 30 f.

[69] Vgl. M. Messerschmidt, Die Armee in Staat und Gesellschaft, in: M. Stürmer (Hg.), Das kaiserliche Deutschland, Düsseldorf 1970, S. 95.

[70] F. Zunkel, Industriebürgertum in Westdeutschland, in: H. U. Wehler (Hg.), Moderne deutsche Sozialgeschichte, Köln 1966, S. 309–341. „Beherrscht von adeligen Mili-

tärs, Beamten und Gutsbesitzern war die Hofgesellschaft Repräsentantin altpreußischen Geistes und feudaler Lebensführung", ebd., S. 314.

[71] „Der süddeutsche Liberalismus kommt gegen die Junker nicht auf. Sie sind zu zahlreich, zu mächtig und haben das Königtum und die Armee auf ihrer Seite."
Ch. Fürst zu Hohenlohe-Schillingsfürst, Denkwürdigkeiten, hg. v. K. A. v. Müller, Stuttgart 1931, S. 474.

[72] Vgl. z. B. E. Kehr, Das soziale System der Reaktion in Preußen unter dem Ministerium Puttkammer, in: ders., Der Primat der Innenpolitik, hg. v. H.-U. Wehler, Berlin 1965, S. 64–86.

[73] Wehler, Kaiserreich, S. 74. Friedrich Meinecke: „Und durch die homogene Zusammensetzung der höheren Verwaltungsbeamtenschaft in Preußen und durch die sozialen Bande, die sie und insbesondere die Landräte mit dem konservativen Grundadel verknüpfen, ist der konservative Einfluß im preußischen Beamtenstaate nun einmal notorisch sehr mächtig", Die Reform des preußischen Wahlrechts, in: ders., Politische Schriften und Reden, hg. v. G. Kotowski, Darmstadt 1958, S. 159.

[74] Für die Zahlenangaben vgl. N. v. Preradovich, Die Führungsschichten in Österreich und Preußen, 1804–1914, Wiesbaden 1966², S. 120 ff.; vgl. ferner Wehler, Bismarck, S. 103; ders., Kaiserreich, S. 72 ff.; Böhme, S. 582 ff.; J. Röhl, Beamtenpolitik im Wilhelminischen Deutschland, in: Das kaiserliche Deutschland, S. 287–311; Stegmann, S. 131 ff.

[75] v. Preradovich, S. 95 ff. 1890 waren von 42 Botschaftern und Gesandten des Deutschen Reiches lediglich 5 nicht adelig; 1909 gehörten von 45 lediglich drei nicht dem Adel an. Von den 42 Adeligen gehörten 26 dem Hoch- bzw. Altadel an.

[76] Ebd., S. 140 ff.

[77] H.-U. Wehler, Symbol des halbabsolutistischen Herrschaftssystems: Der Fall Zabern von 1913/14 als eine Verfassungskrise des Wilhelminischen Kaiserreichs, in: ders., Krisenherde des Kaiserreichs, Göttingen 1970, S. 65–83, hier S. 78 f.

[78] Böhme, S. 581; Zunkel, S. 315 ff., 321, 331 ff.; W. Zapf, Wandlungen der deutschen Elite. Ein Zirkulationsmodell der deutschen Führungsgruppen 1916–1961, München 1966², S. 41 ff.; Born, S. 375; R. Dahrendorf, Gesellschaft und Demokratie in Deutschland, München 1967, S. 63 f.

[79] D. Grosser, Vom monarchischen Konstitutionalismus zur parlamentarischen Demokratie, Den Haag 1970, S. 14; O. Hintze, Das Monarchische Prinzip und die konstitutionelle Verfassung, in: ders., Gesammelte Aufsätze, Göttingen 1962², S. 377.

[80] H.-J. Puhle, Agrarische Interessenpolitik und preußischer Konservatismus im wilhelminischen Reich (1893–1914), Hannover 1966, S. 217.

[81] Rosenberg, Große Depression, passim.

[82] Zit. nach Wehler, Bismarck, S. 93; vgl. ferner Böhme, S. 398 ff.; Rosenberg, Große Depression, S. 169 ff.; Stegmann, S. 59 ff.

[83] Vgl. Stegmann, S. 59 ff.; Böhme, S. 579 ff.; Kaelble, Industrielle Interessenpolitik in der Wilhelminischen Gesellschaft. Centralverband Deutscher Industrieller 1895–1914, Berlin 1967, S. 123 ff.; Wehler, Bismarck, S. 497 ff.; E. Kehr, Der Primat der Innenpolitik, Berlin 1965, S. 261 ff.; ders., Schlachtflottenbau und Parteipolitik 1894–1901, Berlin 1930; F. Fischer, Krieg der Illusionen, Düsseldorf 1969, S. 43 ff.

[84] Vgl. Stegmann, S. 128, dessen Definition die liberalen Bewegungen nicht einschließt, der jedoch den Hansa-Bund (HB) als eine „antifeudale Sammlungsfront" bezeichnet, ebd., S. 182, 221.

[85] Vgl. außer der unter Anm. 83 genannten Literatur Ritter, Lesebuch, S. 20; Wehler, Kaiserreich, S. 100 ff.

[86] Vgl. Stegmann, S. 59 ff.

[87] Ebd., S. 63 ff.; Wehler, Kaiserreich, S. 102; ferner Anm. 83.

[88] Stegmann, S. 97 ff.

[89] H. Horn, Der Kampf um den Bau des Mittellandkanals. Eine politologische Untersuchung über die Rolle eines wirtschaftlichen Interessenverbandes im Preußen Wilhelms II., Köln 1964, S. 119; vgl. ferner ebd., S. 25 ff.; Puhle, Agrarische Interessenpolitik, S. 213 ff.; Stegmann, S. 140 ff.

[90] H. A. Winkler, Mittelstand, Demokratie und Nationalsozialismus. Die politische Entwicklung von Handwerk und Kleinhandel in der Weimarer Republik, Köln 1972, S. 57.

[91] Ebd., S. 61.

[92] Ebd., S. 47, 50 f.; Rosenberg, Depression, S. 62 ff.

[93] Winkler, Mittelstand, S. 51.

[94] Ebd.

[95] Als „Refeudalisierung" wird hier vor allem Einrichtung und Privilegierung von Innungen und Handwerkskammern bezeichnet, denn die „Übertragung öffentlicher Kompetenzen auf – ihrer Interessenstruktur nach – private Körperschaften bedeutete tendenziell eine Rückwendung zu den Herrschaftsständen der Feudalzeit", ebd., S. 59.

[96] Ebd., S. 60.

[97] V. R. Berghahn, Das Kaiserreich in der Sackgasse, in: NPL, Bd. 16, 1971, S. 494–506, hier S. 499; ders., Der Tirpitz-Plan. Genesis und Verfall einer innenpolitischen Krisenstrategie unter Wilhelm II. Düsseldorf 1971, S. 151 f., Anm. 162.

[98] Ebd., Berghahn kritisiert hier, daß Stegmann das Aufgehen der „kleinen" Sammlung in der „Großen" nicht herausarbeitete, „die bis 1906 die Basis der von Bülow geleiteten Politik blieb"; vgl. ferner Wehler, Kaiserreich, S. 102 f.

[99] Berghahn, S. 499; Wehler, Kaiserreich, S. 102.

[100] Ebd.; Zum Kardorff-Kompromiß s. unten S. 25 f.

[101] Vgl. z. B. J. C. G. Röhl, Deutschland ohne Bismarck. Die Regierungskrise im Zweiten Kaiserreich 1890–1900, Tübingen 1969, S. 50 ff., 110 ff., 217 ff.; Stegmann, S. 114, 116, 119 ff.; H. Pogge v. Strandmann, Staatsstreichpläne, Alldeutsche und Bethmann-Hollweg, in: ders. u. I. Geiß (Hg.), Die Erforderlichkeit des Unmöglichen, Ffm. 1965.

[102] Ebd.

[103] Vgl. Wehler, Kaiserreich, S. 96 ff.: Bismarck machte sich den „uralten, sozialpsychologischen Gegensatz von ‚in-group' und ‚out-group' zunutze und stilisierte innere Konflikte derart um, daß er eine Mehrheit von ‚reichstreuen' Elementen gegen eine Minderheit von ‚Reichsfeinden' führen konnte, die zwar als ‚ernsthafte Gefahr' erscheinen mußten, das Gesamtsystem aber doch nicht wirklich in Frage zu stellen vermochten. Vorwiegend durch Feindschaft gegen gemeinsame Gegner, daher unter negativem Vorzeichen, wurden diese Koalitionen der Reichsfreunde zusammengehalten." Neben Welfen, Großdeutschen, Elsaß-Lothringern, Dänen und Polen wurden der „politische Katholizismus, der parlamentarische Liberalismus, die Sozialdemokratie, die freisinnigen Juden als die eigentlichen ‚Reichsfeinde' aufgebaut"; ebd. S. 96 f.; zuerst: W. Sauer, Das Problem des deutschen Nationalstaates, in: Wehler, Sozialgeschichte, S. 407–436.

[104] Vgl. z. B. Kaelble, S. 128 ff., der auf die Kartell- und Zollfrage, auf die Börsengesetznovelle von 1904, die Gewerbeordnungsnovelle von 1907 verweist; vgl. ferner H. Horn, S. 31 ff.; 39 ff., 46 ff., 90 ff., 104 ff., 123 ff. (Mittellandkanal); zu verweisen ist in diesem Zusammenhang auch auf die relative Selbständigkeit der Regierung, vgl. z. B. in der Frage des Staatsstreichs Stegmann, S. 120 et passim, in der Zollfrage s. u. S. 266, im Flottenbau, vgl. Puhle, S. 241 ff. In diesen und weiteren Fragen gab es z. T. recht erhebliche Differenzen zwischen Regierung und BdL.

[105] Ritter, Lesebuch, S. 12 f.

[106] Vgl. Wehler, Kaiserreich, S. 30 f.

[107] Rosenberg, Depression, S. 63.

[108] Ebd., S. 67, vgl. ferner S. 70, 74, 76.

[109] Ritter, Lesebuch, S. 12; Wehler, Kaiserreich, S. 60 ff. Stegmann, passim.

[110] Ebd., S. 75 ff.; Horn, passim; s. unten die Ausführungen über den HVV.

[111] L. Gall, Entwicklungsstufen der bürgerlich-liberalen Bewegung in Deutschland, unveröffentl. Vortragsmanuskript, S. 10 f.

[112] S. unten die Ausführungen über den HVV und den Hansa-Bund.

[113] Zu den verschiedenen Konzeptionen vgl. G. Schmidt, Innenpolitische Blockbildungen in Deutschland am Vorabend des Ersten Weltkrieges, in: aus politik und zeitgeschichte, Heft 20/72, 13. 5. 1972, S. 3–32, hier S. 20–29, 8 ff.

[114] Zum Rechtsblock vgl. die obigen Ausführungen über die verschiedenen Sammlungsbewegungen.

[115] Schmidt, S. 8 ff., 23 ff.

[116] Ebd., S. 20.

[117] Ebd., S. 27 f. Als Exponenten der Linksblock-Konzeption galten auf Parteiebene vor allem F. Naumann, C. Haußmann von den Linksliberalen, die nationalliberalen MdR's Junck und v. Richthofen und Heine, Kolb, L. Frank in der SPD, ebd., S. 27. Vgl. auch Eschenburg, S. 268 ff.; F. Naumann, Niedergang des Liberalismus, in: ders., Werke, Bd. 4, Köln 1966, S. 225; ferner Bd. 5, S. 269; Bd. 4, S. 274, 313.

[118] Vgl. Schmidt, S. 20.

[119] Ebd., S. 25.

[120] Ebd.

[121] Ritter, Lesebuch, S. 17.

[122] Vgl. Wehler, Kaiserreich, S. 122 ff.

[123] Vgl. Stegmann, S. 60 ff., Puhle, Agrarische Interessenpolitik, S. 32.

[124] Vgl. Stegmann, S. 70 ff.

[125] Vgl. Kaelble, Interessenpolitik, S. 174 ff. Die Zentralstelle wurde 1897 vom Chemischen Verein begründet; Gründungsmitglieder waren ferner der „Verein zur Wahrung der wirtschaftlichen Interessen der Eisen- und Stahlindustrie von Elsaß-Lothringen und Luxemburg", die Handelskammern Frankfurt, Nürnberg und Leipzig und der Börsenverein der deutschen Buchhändler. Die Zentralstelle, die sich auf Zollfragen beschränkte, bekämpfte ebenso wie der Handelsvertragsverein (s. u.) und der BdI den Wirtschaftlichen Ausschuß, da sie befürchtete, „daß die agrarischen Interessenten" in ihm „den stärksten Einfluß bekämen", ebd., S. 176.

[126] Vgl. Nußbaum, S. 161, Anm. 30. Zum BdI vgl. ferner unten Kap. III, 4; zum antiagrarischen Charakter des BdI vgl. W. Wendlandt (Generalsekretär und einer der Initiatoren des Bundes), Die zehnjährige Tätigkeit des Bundes der Industriellen, in: Jahresbericht des Bundes 1904/05, Berlin 1906; W. Kuhlemann, Die Berufsvereine, Bd. 3, Jena 1908, S. 29; Horn, S. 5; Nußbaum, S. 160 f.

[127] Nußbaum, S. 165 (BdI).

[128] H. T. Böttinger, Mitglied der Zentralstelle, Ausschußmitglied des CVDI, Mitglied des preußischen Abgeordnetenhauses 1891–1908, danach des Herrenhauses, Nat. lib. Partei; zit. nach Kaelble, S. 175.

[129] Der BdI, zunächst als „Gesamtvertretung der deutsche Industrie" geplant, wurde nach der Jahrhundertwende zum führenden industriellen Spitzenverband der verarbeitenden Industrie, während im Centralverband die Grundstoffindustrien dominierten (zum CVDI vgl. unten Kap. III, 2). 1899/1900 jedoch hatte der BdI erst 1390 Einzelmitglieder. Die Gesamtzahl der indirekten Mitglieder wird für 1903 mit 13 000 angegeben. Charakteristisch ist, daß von den 1903/04 angegebenen 2027 Einzelmitgliedern allein 1360 in Sachsen ansässig waren, vgl. Nußbaum, S. 163.

[130] Vgl. Stegmann, S. 73 ff.

[131] Hamburgischer Correspondent, Nr. 124, 15. 3. 1898 (A.-A.). Der Wahlaufruf des „Liberalen Cartells“, zit. nach Stegmann, S. 76 f.; ebd., Anm. 106 Angaben über die Unterzeichner dieses Aufrufes.

[132] Wiegand (Norddeutscher Lloyd), Woermann, Hamburger Reeder, Vors. der HK Hamburg; Mitgl. der konstituierenden Vers. des Wirtschaftlichen Ausschusses zur Vorbereitung handelspolitischer Maßnahmen; betr. Ballin vgl. Anhang, Anlage 1.

[133] P. Stubmann, A. Ballin, 1926, S. 210 ff. zit. nach Stegmann, S. 77.

[134] Ebd., S. 80.

[135] W. Borgius, Der Handelsvertragsverein. Ein Rückblick auf die ersten drei Jahre seiner Tätigkeit, Berlin 1903, S. 10. Der Handelsvertragsverein (HVV) ist nicht wie F. Hauenstein, Der Weg zum deutschen Spitzenverband, Darmstadt 1956, S. 61 behauptet mit der „Zentralstelle für Vorbereitung von Handelsverträgen“ identisch.

[136] Mitgliederzahl des HVV 31. 5. 1901 5814, Mitte Mai 1902 16 979 Einzelmitglieder, Ende 1910 7000 Einzelmitglieder, 158 korporative Mitglieder, darunter 56 Handelskammern, 56 Industrieverbände, u. a. der Verband Sächsischer Industrieller und der Bayerische Industriellenverband, 16 kommerzielle Fachvereine, 13 kaufmännische und Gewerbevereine, 6 Handwerkerinnungen, vgl. Mitteilungen des HVV, Nr. 23, 5. 12. 1910, S. 2 ff.; Borgius, Handelsvertragsverein, S. 70; Elm, S. 197; Nußbaum, S. 153.

[137] Vgl. Jahrbuch des Handelsvertragsvereins für das Jahr 1901, Berlin 1902, S. VI –VIII, Liste der Ausschußmitglieder; BA Nl. Gothein, Nr. 12; „Aus meinem politischen Leben“, Bl. 106/7; RT, Bd. 186, 239. Sitzung, 16. 1. 1903, Sp. 7338 c; ebd., Sp. 7353 A (Frh. v. Heyl zu Herrnsheim, „agrarischer Nationalliberaler“); ebd., Bd. 182, 104. Sitzung, 4. 12. 1901, Sp. 2933 c (Dr. Paasche, NLP); Nußbaum, S. 151 f.; Stegmann, S. 79 f.

[138] Elm, S. 198; Banken, Großhandel und Verkehr waren u. a. vertreten durch Georg von Siemens, Deutsche Bank, zugleich Vorsitzender des HVV; Fr. Achelis, Tabak-Import-Export, Vors. der HK Bremen; E. Arnhold, Kohlengroßhandel, Reederei, Schiffsbau, Berlin; L. Goldberger, Zentralstelle für Vorbereitung von Handeslverträgen; J. Kaempf, Präsident der Ältesten der Berliner Kaufmannschaft; W. Müller, Dresdner Bank; G. Plate, Norddeutscher Lloyd, Präsident der Bremer Baumwollbörse; L. Roland-Lücke, Deutsche Bank; Sartori, Schiffsmakler, Vors. der HK Kiel; A. Woermann, Reeder, Vors. der HK Hamburg; ferner die Vorsitzenden der HK’s Altona, Flensburg, Königsberg, Memel, Stettin, sämtlich Großhändler, Reeder oder Bankiers. Die starke Vertretung der Großbanken wurde von den Konservativen und dem BdL in der Agitation gegen den HVV besonders hervorgehoben, vgl. RT, Bd. 186, 239. Sitzung, 16. 1. 1903, Sp. 7338 c; Frh. v. Heyl zu Herrnsheim spricht z. B. von den „goldenen Ketten, welche dem Handelsvertragsverein von der haute finance angehängt wurden“; vgl. ferner ebd., Sp. 7353 A. Die „haute finance“ habe dem Handelsvertragsverein“ sehr bedeutende Summen zur Verfügung gestellt . . . zum Zwecke der Agitation gegen den Zolltarif“.

Da die meisten der oben Genannten später Mitglieder des HB-Direktoriums wurden, vgl. Anlage 1 und 3 mit weiteren Angaben; Jahrbuch des HVV 1901, S. VI–VIII.

[139] Die Chemieindustrie war u. a. vertreten mit: C. A. Martius, AG für Anilinfarbenfabrikation, Berlin; H. Boettinger, Direktor der Farbenfabriken vorm. Fried. Bayer u. Co., Ausschußmitglied des Centralverbandes, Mitgl. d. Preußischen Abgeordnetenhauses 1891–1908, NLP; L. Gaus, Casella und Co; H. Brunck, Direktor der BASF, Ludwigshafen; L. Merck, Fa. E. Merck, Darmstadt, Vors. der Ortsgruppe Darmstadt des HVV.

Die Firmen Bayer, BASF und Casella traten 1902 demonstrativ aus dem Centralverband aus, dem sie als Einzelmitglieder noch angehört hatten. Brunck begründete dies damit, daß der Centralverband Zollerhöhungen für Rohstoffe der Farbenindustrie beantragt hatte, vgl. Nußbaum, S. 152. Die Elektroindustrie vertraten u. a.: E. Rathenau, AEG (vgl. Anlage 1) u. Jordan, Deutsche Elektrizitäts AG, vorm. Lahmeyer; die Maschinenbauindustrie u. a.: E. v. Borsig, Fa. A. Borsig, Tegel; P. Heckmann, Vors. des Gesamtverbandes Deutscher Metallindustrieller.

[140] W. Borgius, 20 Jahre Handelsvertragsverein. Ein Rückblick, Berlin 1920, S. 8.

[141] Ders., Handelsvertragsverein, S. 38; Elm, S. 198.

[142] Vertreter der Freisinnigen Parteien stellten stets den Vorsitzenden. Nachfolger von G. von Siemens (Freisinnige Vereinigung), der am 23. 10. 1901 starb, wurden die Freisinnigen William Herz (1901–1904), Präsident der Berliner Kaufmannschaft und 1909 der HK Berlin; ab 1904 Stadtrat Heinrich K. S. Flinsch, Vors. der Vereinigung der Schriftgießerei-Besitzer Deutschlands; 1911 war es Julius Maas; stellv. Vors. war seit 1901 ferner Georg Gothein (Freisinnige Vereinigung), der sich selbst als „eigentlichen Geschäftsführer“ bezeichnet und 1911 in den Mitteilungen des HVV „Inspirator“ des HVV genannt wird. Für seine Tätigkeit im HVV war der „Grundsatz des Cobden-Clubs ‚free trade, peace and good will among nations‘ ... maßgebend“. BA, Nl. Gothein, Nr. 12 „Aus meiner politischen Arbeit“, Bl. 106/7. Mitteilungen des HVV, Nr. 11/12, 5. 6. 1911, S. 5; RT, Bd. 186, 239. Sitzung, 16. 1. 1903, Sp. 7340 B (Gothein). Elm, S. 197; Nußbaum, S. 153.

[143] Vgl. Stenogr. Ber. Preuß. Abg.-H., 25. 2. 1902, 35. Sitzung, Sp. 2379 (Frh. v. Zedlitz u. Neukirch). Elm, S. 199. Nationalliberale Gründungsmitglieder waren u. a.: J. Riesser, L. Roland-Lücke, H. v. Boettinger, R. Crasemann (vgl. Anlagen 1–3), ferner Hilbck, Bergwerksdirektor Dortmund, MdR 1898–1903; O. Junghann, Gen.-Direktor der Königs- und Laurahütte, MdA 1904–1908; Fr. Hammacher, Bergwerks- und Hüttenbesitzer, MdR 1871–1873, 1877–1879, 1881–1898; vgl. Stegmann, S. 79; für die Funktionen der Genannten H. Jaeger, Unternehmer in der deutschen Politik (1890–1918), Bonn 1967, S. 319, 330.

Freikonservatives Mitglied war u. a. W. Müller, vgl. Anlage 1.

[144] Vgl. Nußbaum, S. 152, 158.

[145] Ebd., S. 153.

[146] Zirkular des HVV vom Frühjahr 1902, zit. nach Stegmann, S. 85; Borgius: „Die Macht und Gefährlichkeit der Agrarier wird erhöht durch ihre Verbindung mit den industriellen Hochschutzzöllnern, welche namentlich auf Halbfabrikate Zölle verlangen, die den agrarischen Übertreibungen in nichts nachstehen“; ders., Handelsvertragsverein, S. 51 f., ferner S. 126; Hansa-Bund (Hg.), Handbuch wirtschaftlicher Vereine und Verbände des Deutschen Reiches, Berlin 1913, S. 59 f.

[147] Vgl. Elm, S. 198.

[148] Ebd.

[149] Vgl. zum Verlauf der Auseinandersetzungen um den Zolltarif Jb. des HVV für 1901, S. 15–135.

[150] Ebd.; Stegmann, S. 88; Nußbaum, S. 153 f.

[151] Vgl. Stegmann, S. 84 f.

[152] Vgl. Elm, S. 199; Nußbaum, S. 154. Zu dieser Gruppe gehörten u. a. MdR G. Gothein, die Nürnberger Leichtindustriellen und zahlreiche Vertreter der Handelszentren Berlin, Bremen, Hamburg und Frankfurt.

[153] Dieser Gruppe gehörten insbesondere die Chemieindustriellen, Vertreter der Elektroindustrie (E. Rathenau) und von den Vertretern des tertiären Sektors u. a. A. Ballin, L. Goldberger und W. Müller an. Vgl. Stegmann, S. 88; Nußbaum, S. 154. RT, Bd. 182, 223. Sitzung, 26. 11. 1902, Sp. 6631 A (G. Gothein).

[154] Der Kardorff-Kompromiß setzte die Getreidezölle herab und teilte den Gerstenzoll (Malzgerste 4 Mk. und Futtergerste 1,30 Mk. Minimalzollsatz).

[155] Vgl. Stegmann, S. 89.

[156] Ebd. S. 94 f.

[157] Elm, S. 199.

[158] Ebd.; vgl. ferner Handbuch wirtschaftlicher Vereine, S. 59 f.

[159] Elm, S. 199.

[160] Borgius, 20 Jahre HVV, S. 8 f.

[161] Betr. der Verflechtung von BdL und NLP vgl. Stenogr. Ber. Preuß. Abg.-H. 19. LP, 1902, Bd. 2, Sp. 2379 (Frh. v. Zedlitz u. Neukirch); Puhle, Agrarische Interessenpolitik, S. 169–171.

[162] Vgl. Stegmann, S. 88.

[163] Ebd.

[164] Nach dem Aufstand der Hereros und Hottentotten in Deutsch-Südwestafrika (1904) hatte die Reichsleitung im Herbst 1906 für den weiteren Unterhalt der verstärkten „Schutztruppe" zusätzlich 29 Mill. Mark gefordert. Das Zentrum stimmte zusammen mit der SPD gegen den kolonialen Nachtragsetat, da Dernburg, der Staatssekretär im Reichskolonialamt die vom Zentrum geforderten personellen Konsequenzen wegen verschiedener Mißstände in der Kolonialverwaltung abgelehnt hatte. Bülow löste den Reichstag (13. 12. 1906) auf und gab als Wahlparole den Kampf gegen Zentrum und SPD aus.

[165] 62 Deutschkonservative, 24 Freikonservative, 55 Nationalliberale und die 27 Abgeordneten der Freisinnigen Volkspartei, die 14 der Freisinnigen Vereinigung und die 7 Abgeordneten der Deutschen Volkspartei bildeten jetzt als Bülow-Block die parlamentarische Stütze der Regierung.

Die Initiative zur Mehrheitsbildung ging von der Regierung, d. h. von Bülow und nicht von den Parteien aus; vgl. Grosser, S. 7.

[166] Das neue Vereinsgesetz schuf endlich ein einheitliches Vereins- und Versammlungsrecht im ganzen Reich. Es war liberaler als die bisher geltenden Vereinsgesetze in den meisten Bundesstaaten, vor allem in Preußen und Sachsen.

[167] Zur Reichsfinanzreform s. unten S. 29 ff.

[168] Vgl. Grosser, S. 7 f.; Eschenburg, S. 98 ff.; H.-G. Hartmann, Die Innenpolitik des Fürsten Bülow (1906–1909), Diss. phil. Kiel 1950.

[169] BA, Nl. Gothein, Nr. 22, Bl. 131; FZ, Nr. 163, 14. 6. 1909 „Frankfurt, 14. Juni", VZ, Nr. 271, MA, 13. 6. 1909, S. 2 „Der Hansabund".

[170] HK München XV D 23, Bd. 1, Hansabund 1909–37, Exposé o. Titel von Prof. Huber, Stuttgart 1904.

[171] Ebd.

[172] BA, NL Gothein, Nr. 22, Bl. 131, Brief von Dr. Ludwig Herz (1912 Reichstagskandidat der FVp im Wahlkreis Hannover 17) an G. Gothein.

[173] Vgl. Der Hansa-Bund im Rheinland, Flugblatt Nr. 7 des HB: er habe bereits „in einem Schreiben an den Geschäftsführer einer nur befreundeten Vereinigung", gemeint ist der CVBB, am 13. 12. 1904 die Gründung eines Verbandes des gesamten erwerbstätigen Bürgertums als eine „unabweisbare innere Notwendigkeit" bezeichnet.

[174] VMB, H. 91, Okt. 1901, S. 2 zit. nach Kaelble, Interessenpolitik, S. 127. Zur politischen Arbeitgeberbewegung vgl. insbes. A. Tille, Die Arbeitgeberpartei und die politische Vertretung der deutschen Industrie, Südwestdeutsche Flugschriften, H. 5, Saarbrücken 1908; ders., Die politische Arbeitgeberbewegung, Südwestdeutsche Flugschriften, H. 8, Saarbrücken 1909; ders., Die Berufsstandspolitik des Gewerbe- und Handelsstandes, 4 Bde, Berlin 1910 ff.; VMB, H. 116, Okt. 1909, S. 18 ff. (Bueck, Tille u. a.).

[175] Kaelble, Interessenpolitik, S. 127.

[176] Vgl. M. C. Gérard, Politisches Erwachen, Mannheim 1909[3], S. 34; Südwestdeutsche Wirtschaftszeitung, Nr. 50, 16. 12. 1910, S. 333 ff.; Nr. 12, 24. 3. 1911, S. 95 ff. „Industrie und Hansabund"; ebd., Nr. 2, 27. 1. 1911, S. 13 „Gewerbedemagogie"; ebd., Nr. 29, 16. 7. 1909, S. 306 ff. „Die Losung des Hansabundes."

[177] Das gilt zumindest für die Saarbrücker Richtung, vgl. A. Tille, Arbeitgeberbewegung, S. 19.

[178] Der führende Vertreter der politischen Arbeitgeberbewegung war in Saarbrücken A. Tille (Syndikus der HK Saarbrücken, Gf. des Arbeitgeberverbandes der Saarindustrie, der Südwestlichen Gruppe des Vereins Deutscher Eisen- und Stahlindustrieller und des Vereins zur Wahrung der gemeinsamen Wirtschaftlichen Interessen der Saarindustrie, 1901–03 stellv. Gf., danach Ausschußmitglied des CVDI); in Hamburg/Altona J. A. Menck (Inh. einer Maschinenbauanstalt, 1904–08 MdA, NLP, zuletzt als Freikonservativer, Vors. der HK Altona, Mitglied des CVDI-Ausschusses); in Hannover Dr. Rocke (Syndikus der HK Hannover, Gf. des Hannoverschen Arbeitgeberverbandes und des Fabrikantenvereins Hannover-Linden, Ausschußmitglied des CVDI).

Mittelpunkt dieser Bestrebungen war in Nürnberg und München der Verband Bayerischer Metallindustrieller, insbes. dessen Gf. Carl König. Vgl. die in Anm. 174 angegebene Literatur; ferner Stegmann, S. 151 ff.

[179] Südwestdeutsche Flugschriften, H. 10, Gründungsreden der Ortsgruppe Saarbrücken des Hansa-Bundes, Saarbrücken 1909, S. 7.

[180] Vgl. C. König, Die deutschen Arbeitgeber und ihre politische Vertretung, Nürnberg 1908; VMB, 116, S. 22.

[181] Ebd., S. 24 (Bueck); Südwestdeutsche Wirtschaftszeitung, Nr. 25, 18. 6. 1909, S. 261 „Zur Geschichte der politischen Arbeitgeberbewegung".

[182] VMB, H. 116, S. 24, Bueck: Menck wolle den Arbeitgeberbund „nur mit der Sozialpolitik beschäftigen, weil er von der Aufassung ausgeht, daß auf diesem Gebiete die Ansichten aller Arbeitgeber übereinstimmen. Das ist ein außerordentlicher Irrtum."

[183] Südwestdeutsche Wirtschaftszeitung, Nr. 25, 18. 6. 1909, S. 256 f., Bericht über die Vorstandssitzung der wirtschaftlichen Vereine an der Saar; Stegmann, S. 157.

[184] VMB, H. 116, S. 41.

[185] Ebd., S. 25.

[186] Vgl. Südwestdeutsche Wirtschaftszeitung, Nr. 25, 18. 6. 1909, Bericht, S. 256 f. DAGZ, Nr. 15, 12. 4. 1908 „Zur Frage der politischen Organisation der Arbeitgeber"; VMB, Nr. 116, S. 19; Tille, Arbeitgeberbewegung, S. 21.

[187] VMB, H. 116, S. 32.

[188] Vgl. Stegmann, S. 164.

[189] G. Stresemann, Industriepolitik, Berlin 1908, S. 163, vgl. ferner S. 190 ff.; VMB, Nr. 116, S. 20 (Bueck).

[190] Zur Frage, inwieweit die Ziele der politischen Arbeitgeberbewegung Eingang in das „Programm" des „Kartells der schaffenden Stände" fanden, vgl. Kap. VI.

[191] H. Teschemacher, Reichsfinanzreform und innere Reichspolitik 1906–13. Ein geschichtliches Vorspiel zu den Ideen von 1914, Berlin 1915, S. 5. Zum folgenden vgl. insbesondere die Studie von P.-Chr. Witt, Die Finanzpolitik des Deutschen Reiches von 1903 bis 1913. Eine Studie zur Innenpolitik des Wilhelminischen Deutschland, Lübeck 1970.

[192] Teschemacher nennt das Bündel von Einzelvorschlägen „eine ideenarme Zusammenhanglosigkeit".

[193] Vgl. DZA Potsdam, RK, Nr. 211, Bl. 63, Centralausschuß Berliner kaufmännischer, gewerblicher und industrieller Vereine an Reichskanzlei, 16. 3. 1909; Bl. 64, Resolution betr. Unterstützung der Regierungsvorlage, VMB, H. 115, 1909, S. 6, Röt-

ger (vgl. Anlage 1): „Die Frage der Reichsfinanzreform ist in unserer Delegiertenversammlung vom 7. Nov. v. J. in der Weise behandelt worden, daß wir uns einmütig in den wesentlichen Punkten auf den Boden der Vorlage der verbündeten Regierungen stellen konnten." Der CVDI hoffe, „daß die Regierung sich von diesem ihrem Standpunkt nicht abbringen läßt".

O. Ballerstedt, Die Industrie und die Reichsfinanzreform, Bankarchiv, Nr. 17, 1. 6. 1909, S. 269: „Die relativ beste und leichteste Lösung wäre doch wohl, wenn in der Hauptsache ungefähr nach den Regierungsvorschlägen das Gros der Mittel aus Bier, Tabak, Branntwein und Erbschaftssteuern erzielt würde, wobei nach Tunlichkeit vorzusorgen wäre, daß die betreffenden Steuererhöhungen voll auf den Konsumenten abgewälzt werden können, nicht die Hersteller belasten"; vgl. ferner Rhein.-Westfälisches Wirtschaftsarchiv, Bestand HK Mülheim, Akte Versch. Steuern, Abt. 2, Nr. 19, Fasz. 7; HK Ffm, Akte 1013.

[194] Teschemacher, S. 21 f.

[195] Ebd., S. 54, 90; Witt, S. 243.

[196] Ebd., S. 256 ff.

[197] DTZ, Nr. 274, 15. 6. 1909 „Der neue Gesetzentwurf über die Erbanfallsteuer"; vgl. Witt, S. 256 f.

[198] Vgl. Witt, S. 251 ff.

[199] Witt, S. 269. Dieser Antrag Gamp „kombinierte die Veredelung der Matrikularbeiträge mit Vorschriften für die Erhebung der für die Matrikularbeiträge notwendigen Summen durch den Besitz treffende Steuern", Witt, S. 269, Anm. 423; Eschenburg, S. 213. Frh. v. Gamp-Massauen gehörte als Abgeordneter der Reichspartei dem Reichstag von 1884–1918 an; er war ein Verwandter von Carl Duisberg, vgl. Anlage 1.

[200] Teschemacher, S. 49.

[201] Vgl. Witt, S. 272; VZ, Nr. 142, 25. 3. 1909 „Die Sprengung des Blocks".

[202] Bezeichnung für einen 1887 eingeführten Steuervorzug für eine bestimmte kontingentierte Produktionsmenge von Branntwein, die den einzelnen Bundesstaaten gesetzlich zugesichert war. Dieser Steuervorzug kam indirekt zahlreichen konservativen Abgeordneten, die Brennereibesitzer waren, zugute. Vgl. H.-G. Zmarzlik, Bethmann Hollweg als Reichskanzler 1909–1914, Düsseldorf 1957, S. 56.

[203] Ebd., S. 273; vgl. Teschemacher, S. 49, 90.

[204] Ebd., S. 41 ff., vgl. DZA Potsdam, RK, Nr. 211, Bl. 95 f., Aufruf an den Reichstag.

[205] Vertreten waren u. a. die Deutsche Mittelstandsvereinigung, der Centralverein für Handel und Gewerbe, der Innungsausschuß der Vereinigten Innungen Berlins, der Zentralausschuß der Vereinigten Innungsverbände Deutschlands, die Mittelstandsvereinigung im Königreich Sachsen. Vgl. VZ, Nr. 171, 14. 4. 1909, 6. Beilage „Allgemeiner Deutscher Mittelstandstag". Nähere Angaben zu diesen Verbänden enthält Kap. III, 5.

[206] VZ, Nr. 171, 14. 4. 1909; vgl. ferner Deutsche Schlosser-Zeitung, Nr. 16, 17. 4. 1909 „Der Allgemeine Deutsche Mittelstandstag". Im Aufruf zu dieser Versammlung hieß es u. a.: „Mit wachsender Unzufriedenheit muß der städtische Mittelstand zusehen, wie seine wirtschaftlichen Lebensinteressen hinter nutzlosen parteipolitischen Erwägungen und hinter den Forderungen jener Gesellschaftsschicht zurücktreten müssen, die über starke Organisationen verfügen", ebd., Nr. 15, 10. 4. 1909; vgl. DZA Potsdam, PK, Nr. 211, Bl. 177, Deutsche Mittelstandsvereinigung, Einladung zur Versammlung v. 13. 4. 09, ferner Bl. 179; Bl. 191, Sydow an Bülow, 8. 4. 1909.

[207] Vgl. Deutsche Schlosser-Zeitung, Nr. 16, 17. 4. 1909; Stenogr. Ber. Preuß. Abg.-H., 21. LP, 1911, Bd. 3, Sp. 3099 (Rahardt).

[208] Bülow an Moltke, 2. 4. 1909, zit. nach Witt, S. 277.

[209] Ebd.; vgl. DZA Potsdam, RK, Nr. 211, Bl. 98 f., Bericht von Prof. v. Halle;

Bl. 126, v. Loebell an Bülow, 3. 4. 1909; ferner ebd., Akte 212, Bl. 44, 60 f., 72, 177. Von seiten der Industrie gehörten diesen Deputationen u. a. der Vors. und der Generalsekretär des BdI, H. Wirth u. Fr. W. Wendlandt, der Vors. des Verbandes Thüringischer Industrieller, E. Pferdekämper, der Vors. des Verbandes Sächsischer Industrieller, L. B. Lehmann, der Syndikus des Verbandes süddeutscher Industrieller, Dr. Mieck, und der Generalsekretär des Verbandes ostdeutscher Industrieller, Dr. John, an.

210 VZ, Nr. 145, 27. 3. 1909 „Die Sprengung des Blocks".

211 Die Kotierungssteuer sollte von jedem Wertpapier – auch ausländischem –, das an einer Börse Deutschlands gehandelt wurde, eine Abgabe in der durchschnittlichen Höhe von 1 bis 4 vom Tausend des durchschnittlichen Kursbetrages erheben. Die Steuer sollte von den in Frage kommenden Aktiengesellschaften eingezogen werden. Papiere der Kommunen, Reichs- und Staatsanleihen sollten frei bleiben. Der Antrag war von Frh. von Richthofen-Damsdorf – Rittergutsbesitzer und Zuckerfabrikant, Mitglied der DtKP, MdR 1898–1910 – eingebracht worden.

212 FZ, 28. 5. 1909 „Die Reichsfinanzreform", BT, Nr. 272, 1. 6. 1909 „Kotierungssteuer und Landwirtschaft"; ebd., Nr. 254, 3. 6. 1909 „Die Kotierungssteuer"; National-Zeitung, Nr. 254, 3. 6. 1909 „Die Lex Richthofen"; KZ, Nr. 576, 4. 6. 1909 „Die Richthofensche Kotierungssteuer". Nach Eschenburg, S. 241, nannte sie selbst der konservative „Reichsbote" eine „Sondersteuer auf die Industrie"; Zu den Bedenken der Regierung, ebd.

213 Vgl. VZ, Nr. 239, 25. 5. 1909; FZ, Nr. 155, 6. 6. 1909 „Die Reichsfinanzreform".

214 VZ, Nr. 244, 27. 5. 1909 „Ein Bündnis von Industrie und Kaufmannschaft"; VZ, Nr. 242, 26. 5. 1909 „Öffentliche Kundgebung von Handel, Industrie und Bankwesen zur Reichsfinanzreform".

215 VZ, Nr. 253, 3. 6. 1909 „Protestversammlung von Handelskammern gegen die neuen Börsensteuerpläne". Vertreten waren u. a. die Handelskammern Berlin, Hamburg, Bremen, Frankfurt a. M., Köln, München, Mannheim, Danzig, Dresden, Magdeburg. Von den 18 Berliner Vertretern tauchen später 13 (!) in führenden HB-Gremien auf.

216 VZ, Nr. 257, 5. 6. 1909 Ausschuß des Deutschen Handelstages, vgl. VZ, Nr. 266, 10. 6. 1909, S. 4 (Verein für die Interessen der Fondsbörse zu Berlin); ebd., Nr. 239, 25. 5. 1909 (Ältestenkollegium der Berliner Kaufmannschaft); Der Tag, Nr. 407, 5. 6. 1909; VZ, Nr. 257, 5. 6. 1909 (Ausschuß des DHT); VZ, Nr. 270, 12. 6. 1909 (Sonderausschuß für Hypothekenbankwesen des CVBB); FZ, 3. 6. 1909.

217 Vgl. Anm. 173.

218 VMB, Nr. 116, Okt. 1909, S. 11; vgl. ferner Anm. 225.

219 Ebd., S. 9 f.; Stegmann, S. 190.

220 VMB, Nr. 116, S. 8.

221 Für eine ausführlichere Diskussion der Motive der verschiedenen Gruppierungen innerhalb des CVDI, dem Hansa-Bund beizutreten oder ihn von Anfang an zu bekämpfen, vgl. Kap. III, 2.

222 Ebd.

223 Vgl. Rhein.-Westfälisches Wirtschaftsarchiv, Bestand HK Mülheim, Akte Verschiedene Steuern, Abt. 2, Fasz. 7, Rundschreiben des CVDI Nr. 6, 26. 5. 1909.

224 Vgl. VZ, Nr. 251, 2. 6. 1909 „Kundgebung zur Reichsfinanzreform".

225 Die Berliner Politischen Nachrichten, eins der Sprachrohre des CVDI (Kaelble, S. 17, 19) deuteten dessen Vorgehen als ein „Warnsignal" an die Landwirtschaft und wiesen darauf hin, daß der „Antrag Richthofen" betr. der Einführung der Kotierungssteuer „einen Keil zwischen Industrie und Landwirtschaft zu treiben und damit die Ge-

schäfte des gemeinsamen Gegners, des Freihandels, zu machen" drohe; zit. nach VZ, 28. 5. 1909 „Industrie und Landwirtschaft".

[226] Vgl. Krupp-Archiv, Akte HB, Rötger an Generaldirektor B. Grau, 14. 6. 1909.

[227] Vgl. Bankarchiv, Jg. 10, 1910/11, S. 259 f.; H-B, Jg. 1, Nr. 22, 3. 6. 1911, S. 184 „Max Wittner".

[228] Vgl. VZ, Nr. 251, 2. 6. 1909 „Kundgebung zur Reichsfinanzreform". FZ, 3. 6. 1909 „Die Reichsfinanzreform". Der Tag, Nr. 407, 5. 6. 1909 „Die Protestbewegung in Handel und Industrie".

[229] Vgl. Kap. II, 2.

[230] Da die zunächst als Tagungsort vorgesehene Philharmonie zu klein war, mußte man die Versammlung in den Zirkus Schumann verlegen. Vgl. Schultheß, Europäischer Geschichtskalender, N. F., Jg. 25, 1909, S. 198; Stenogr. Bericht über die Versammlung vom 12. 6. 1909 im Zirkus Schumann zu Berlin betr. Reichsfinanzreform und Gründung des Hansa-Bundes, Berlin 1909.

[231] Ebd., S. 3 ff.

[233] F. Hauenstein, Der Weg zum deutschen Spitzenverband, Darmstadt 1956, S. 64 f. Die Zahlenangaben Hauensteins betr. der vertretenen Verbände sind falsch.

[233] Vgl. Stenogr. Ber. über die Versammlung vom 12. 6. 1909, S. 3 ff. Von den korporativen Mitgliedern des CVDI waren u. a. vertreten: Bayerischer Industriellenverband, Bergischer Fabrikanten-Verein, Verband ostdeutscher Industrieller.

[234] Ebd.; vertreten waren u. a.: Die Verbände Sächsischer, Südwestdeutscher und Thüringischer Industrieller, der Allgemeine Verband Deutscher Mineralwasser-Fabrikanten, der Verein Deutscher Handelsmüller, der Verband Deutscher Teigwarenfabrikanten, der Deutsche Tabakverein, der Verband der Deutschen Zigaretten-Industrie.

[235] Vgl. Kap. III, 4. Das Werben um den neuen Mittelstand, Anm. 196.

[236] VZ, Nr. 271, 13. 6. 1909 „Der Hansabund".

[237] KZ, 13. 6. 1909; vgl. ferner Berliner Börsen-Zeitung, Nr. 271, 13. 6. 1909; NZ, Nr. 272, 14. 6. 1909 „Die neue Hansa". „Die Zeit der Tatenlosigkeit ist vorüber", ebd.; FZ, Nr. 163, 14. 6. 1909 „Frankfurt, 14. Juni"!

[238] VZ, Nr. 271, 13. 6. 1909 „Der Hansabund"; vgl. ferner Generalanzeiger der Stadt Frankfurt a. M., Nr. 136, 14. 6. 1909 „In 12. Stunde", in: HK Ffm., Akte 1013; Nat.-Ztg., Nr. 282, 19. 6. 1909 „Vom Hansabund".

[239] Vgl. Kap. III, 4. Das Werben um den neuen Mittelstand.

[240] Kirdorf erntete auf Grund seines Eintretens für eine Vermögenssteuer anstelle der von dem Gros der Versammlungsteilnehmer gewünschten Erbanfallsteuer Schlußrufe, Stenogr. Ber. über die Versammlung vom 12. 6. 1909, S. 32.

[241] Das konstituierende Präsidium richtete ferner am 25. 6. 1909 ein Telegramm an Bülow, in dem es gegen die Beschlüsse der Reichstagsmehrheit vom 24. 6. 1909 protestierte, Archiv Rötger, Anlage zum Prot. der Sitzung des konst. Präsidiums vom 25. 6. 1909.

[242] Stenogr. Ber. über die Versammlung vom 12. 6. 1909, S. 58 f.

[243] Resolution der Gründungsversammlung, ebd., S. 39.

[244] Ebd., S. 40.

[245] Telegramm an Bülow vom 25. 6. 1909.

[246] Stadtarchiv Ffm., Akte 1013 mit mehreren Dutzend Zeitungsausschnitten zur Reichsfinanzreform und zur Gründung des HB.

[247] Vgl. Anm. 213.

[248] Bürger heraus! Ausgewählte Reden des Präsidenten des Hansa-Bundes, Dr. Riesser, Berlin 1912[3], S. 8 (Schlußrede Riessers auf der Gründungsversammlung).

[249] Stenogr. Ber. über die Versammlung vom 12. 6. 1909, S. 59.

II.

[1] Vgl. K. v. Beyme, Interessengruppen in der Demokratie, München 1969, S. 38.

[2] Für die folgenden Zitate siehe DWZ, Nr. 14, 15. 7. 1909, Sp. 625 ff.; Nr. 15, 1. 8. 1909, Sp. 673 ff.; vom HB als Flugblatt Nr. 1 „Das Wesen des Hansa-Bundes" herausgebracht.

[3] GBAG-Archiv, Brief Rötgers an Kirdorf, 20. 8. 1909. Hervorhebung und grammatikalischer Fehler im Original.

[4] Insgesamt wurden 23 der insgesamt 43 Direktoriumsmitglieder eingeladen. Von den 23 Eingeladenen nahmen lediglich 11 an der Sitzung vom 28. 8. 1909 teil und zwar Duisberg, Hirth, Kirdorf, Possehl, Ravené, Richt, Röchling, Rötger, Schmidt, Schrey, Dr. Steche. Entschuldigt hatten sich: Artmann, Ballin, Goldberger, Hilger, Nusch, Paschke, Plate, Pschorr, von Rieppel, Semlinger, Vogel, Wagner. Betr. näherer Angaben zu den Genannten vgl. Anlage 2 und Kap. II, 3.

[5] GBAG-Archiv, Brief Rötgers an Kirdorf, 20. 8. 1909; vgl. ferner Registratur über eine am 28. 8. 1909 ... zu Berlin ... über das Programm des Hansabundes abgehaltene Besprechung, ebd., Bl. 14.

[6] Ebd., Bl. 6, 7.

[7] Ebd., Bl. 4.

[8] Ebd.; vgl. ferner Bl. 5: „Von Herrn Schrey (1909 CVDI-Ausschußmitglied) wurde die Frage, ob das generelle Programm zu erweitern oder zu deklarieren sei, verneint".

[9] Kritik wurde insbesondere von dem BdI-Vorstandsmitglied an der „Zweckmäßigkeit derartiger Sonderbesprechungen" geübt (ebd., Bl. 2), die inhaltlichen Ausführungen Rötgers unterstützte er „im wesentlichen", trat aber für „eine nähere Erklärung auch des generellen Programms" des HB ein, ebd., Bl. 5; vgl. ferner Bl. 9 ff.

[10] Das Ergebnis der Besprechung wurde in der „Anlage zu der Registratur vom 30. 8. 1909 betreffend positives Programm des Hansabundes" zusammengefaßt.

[11] Archiv Rötger, Registratur über die Sitzung des Direktoriums des HB am 4. 10. 1909; vgl. ferner Registratur über die am 3. 10. stattgehabte Vorbesprechung zur Vorbereitung der ersten Direktoriumssitzung des HB, ebd.

[12] Vgl. Anlage 6; Riesser, Bürger heraus!, S. 233 ff. (Richtlinien von 1912), Anlage 7 (Programm der Mittelstandspolitik des HB).

[13] Vgl. z. B. H-B, Jg. 2, Nr. 9, S. 117 f. „Sitzung des Direktoriums des Hansa-Bundes" (betr. Wehrvorlagen); ebd., Nr. 45, 16. 11. 1912, S. 575; ebd., Jg. 1, Nr. 28, 17. 7. 1911, S. 245 „Entschließung des Direktoriums des Hansa-Bundes".

[14] Vgl. Bürger heraus!

[15] HK Duisburg, Akte HB, Schreiben Riessers vom 4. 10. 1909 an „sämtliche Lokal-Organisationen" des HB; ferner DWZ, Nr. 21, 1. 11. 1909, M. Apt, „Die Richtlinien des Hansa-Bundes", S. 961.

[16] Ebd.

[17] Vgl. Anlage 6 und Riesser, Bürger heraus!, S. 233 ff.

[18] Ebd., S. 233 Richtlinien 1909, Punkt I, 3.

[19] Landrat Rötger hatte bereits die schärfsten Angriffe auf den BdL aus dem Entwurf für die Resolution der Gründungsversammlung eliminieren können. Vgl. die verschiedenen „streng vertraulichen" Resolutionsentwürfe im Krupp- und GBAG-Archiv; vgl. ferner Stegmann, S. 190. In dem in Anm. 11 erwähnten Protokoll der 1. Direktoriumssitzung werden keine vorangegangenen informellen Gespräche über die Richtlinien erwähnt. Dort heißt es lediglich „Der Vorsitzende brachte den von ihm verfaßten Entwurf zur Verlesung".

[20] Vgl. auch Puhle, Interessenpolitik, S. 161. Für ein ähnliches Vorgehen mittelständischer Kreise vgl. Winkler, Mittelstand, S. 24.

[21] Vgl. z. B. H-B Nr. 4, 3. 2. 1912, S. 48 ff. „Riesser in Hamburg“; Bürger heraus!, passim.

[22] Ebd., ferner DWZ, Nr. 21, 1. 11. 1909, M. Apt „Die Richtlinien des Hansa-Bundes“, S. 961.

[23] Zum BdL vgl. Puhle, S. 98 ff.; für den konservativen Mittelstand, Winkler, Mittelstand, S. 49 ff.

[24] Puhle, Interessenpolitik, S. 161.

[25] Z. B. Apt, Richtlinien, S. 964 spricht von einem „gemeinsamen Standesinteresse von Gewerbe, Handel und Industrie gegenüber gemeinsamen Feinden ... Denn gerade die Steuerpolitik der Agrarier hat gezeigt, daß von ihr Freihändler, Schutzzöllner, Großindustrielle und Handwerk, Großhandel und Detaillisten in gleicher Weise bedroht werden, und daß es daher gilt, einen gemeinsamen Feind abzuwehren“. Vgl. ferner Flugblatt Nr. 1; H-B, Jg. 1, Nr. 17, 29. 4. 1911, S. 141 f. „Interessenvertretung und Hansa-Bund“. Ebd., Probenummer, Dez. 1910, J. Riesser, „Was wir wollen“.

[26] H-B, Jg. 1, Nr. 24, 17. 6. 1911, S. 207 ff. „Der Verlauf des Hansatages“, Riesser: „Der Sieg ... ist nur zu erringen mit jenen Waffen, welche bisher vielfach nur unsere Gegner zu handhaben wußten, d. h. mit unbedingter Solidarität (Beifall), mit eiserner Disziplin und mit jener dem geringsten Arbeiter oft mehr als den Vertretern des Bürgertums eigenen Opferwilligkeit, zu der ich unser Bürgertum nochmals in dieser ernsten Stunde aufrufe“, ebd., S. 207 f.; Mitt. H-B, Jg. 2, 11. 1. 1910 (Riesser).

[27] H-B, Jg. 1, Nr. 24, 17. 6. 1911, S. 209 (Kaempf) ebd., Nr. 17, 4. 5. 1912, S. 229 f. „Aufgaben“; ebd., Nr. 5, 4. 2. 1911, S. 42 f. „Bayerische Industriepolitik und Hansa-Bund“; Bürger heraus!, passim.

[28] Flugblatt Nr. 1; Flugblatt Nr. 29 „Der Tag bricht an“ (Rede Riessers in Hannover am 23. 11. 1911); Bürger heraus!, S. 133; Fränkischer Kurier, Nr. 584, 15. 11. 1909 „Was will der Hansa-Bund“ (Riesser-Rede).

[29] Flugblatt Nr. 1; H-B, Jg. 1, Nr. 24, 17. 6. 1911 „Der Verlauf des Hansatages“, „Wir sind Gegner aller Sonderinteressen, auch wenn sie aus unseren eigenen Reihen geltend gemacht werden“, ebd. S. 208; Ebd., Nr. 44, 4. 11. 1911, S. 377 „Dem Mittelstandskongreß zum Gruß!“; Bürger heraus!, passim.

[30] L. O. Brandt, Der Hansa-Bund, seine Ziele und Gegner, in: Grenzboten, Bd. 68, 1909, S. 360; vgl. Puhle, Interessenpolitik, S. 161.

[31] Der Tag, Nr. 89, 1910 „Die Politik des Hansa-Bundes“, i. A. der Geschäftsführung des HB, v. Alfred Knobloch, Direktor des HB, in: HK Hamburg, Akte V 145, Nr. 3; Flugblatt Nr. 7; Der Hansa-Bund im Rheinland (Rede Riessers in Köln, 7. 11. 1909); H-B, Jg. 1, Nr. 17, 29. 4. 1911, S. 142 „Interessenvertretung und Hansa-Bund“; Bürger heraus!, S. 18, 56, 74 et passim. „Wir verlangen, daß nicht durch das (als lästige Erbschaft des früheren Polizeistaats uns überkommene) unnötige Reglementieren und durch zwecklose Eingriffe von Staats- und Verwaltungsbehörden die für Industrie, Gewerbe und Handel unerläßliche freie Bewegung und der zu ihren wesentlichsten Lebensbedingungen zu rechnende freie Verkehr unnötigerweise gehemmt, gestört und unterbunden wird“, ebd., S. 18.

[32] Flugblatt Nr. 7; Bürger heraus! S. 18 f. „Wir verwahren uns gegen jeden Versuch, das moderne Deutschland nach *feudal-aristokratischen* Grundsätzen zu verwalten oder seine Wirtschaftspolitik nach dem Muster jenes längst überwundenen und deshalb auch nicht mehr künstlich zu neuem Leben zu erweckenden gebundenen und geschlossenen Polizei- und Agrarstaates früherer Jahrhunderte zu leiten“.

[33] A. Knobloch (Anm. 31), „Dazu kommt, daß die Gedanken des Staatssozialismus nicht nur durch die Einschränkung der Privatbetriebe, sondern auch durch die Steigerung des Beamtenheeres den erwerbstätigen Bürgern schwer zur Last fallen.“

[34] Flugblatt Nr. 1.

[35] Richtlinien des HB v. 1909, Punkt III, 1; Riesser, Bürger heraus!, S. 237, auch für die vorangegangenen Zitate.
[36] Ebd., S. 238, III, 3, e.
[37] H-B, Jg. 1, Nr. 24, 17. 6. 1911, S. 207 ff. „Der Verlauf des Hansatages".
[38] Richtlinien des HB v. 1912, I, 3 a; Riesser, Bürger heraus!, S. 234.
[39] Ebd.; die von Riesser vorgeschlagene Aufnahme dieser Forderungen in die Richtlinien von 1909 muß aber auch von den beiden Vertretern des BdI abgelehnt worden sein, da es im Protokoll heißt, die „Mehrzahl der Anwesenden" habe „lebhafte Bedenken geltend gemacht". Anwesend waren die 6 Präsidiumsmitglieder (vgl. Anlage 2) und RA Bernstein, einer der Geschäftsführer des CVBB, vgl. Registratur über die am 3. 10. stattgehabte Vorbesprechung der 1. Direktoriumssitzung des HB.
[40] Anlage 6, Punkt III, 1 b.
[41] Ebd., Punkt III, 2; Richtlinien des HB v. 1912; Riesser, Bürger heraus!, S. 238.
[42] Ebd., Punkt III, 3 (1909 u. 1912).
[43] Dies wurde in den Richtlinien von 1912 auch offen erklärt, ebd., Punkt III, 3; Riesser, Bürger heraus!, S. 240.
[44] Naumann, Die Hilfe, 13. 7. 1911, zit. nach Südwestdeutsche Wirtschaftszeitung, Nr. 30, 28. 7. 1911.
[45] Anlage 6 u. Richtlinien des HB v. 1912, Punkt III, 4 a; Riesser, Bürger heraus!, S. 240.
[46] Winkler, Mittelstand, S. 24.
[47] FZ, Nr. 162, 13. 6. 1912, zit. nach Südwestdeutsche Wirtschaftszeitung, Nr. 25, 21. 6. 1912, S. 336 „Die Klagen der Frankfurter Zeitung über die neuen Richtlinien des Hansabundes".
[48] Riesser, Bürger heraus!, S. 241.
[49] FZ, Nr. 162, 13. 6. 1912.
[50] Anlage 6 u. Riesser, Bürger heraus!, S. 241; vgl. ferner Volkswirtschaftliches Handbuch, hg. v. der Geschäftsführung des HB, Berlin 1911, S. 74 f. „Gewerbe, Handel und Industrie im deutschen Wirtschaftsleben".
[51] Vgl. Puhle, Interessenpolitik, S. 78.
[52] Riesser, Bürger heraus!, S. 241.
[53] Vgl. unten, Abschnitt über Einzelmitglieder, ferner Kap. III, 4.
[54] Riesser, Bürger heraus!, S. 243.
[55] Vgl. Kap. II, 3.
[56] Vgl. Anlagen 6 (Punkt III, 4 c) u. 7.
[57] Vgl. hierzu auch Winkler, Mittelstand, S. 55. Für nähere Einzelheiten vgl. Kap. III, 5.
[58] Anlage 6, Punkt III, 4 c u. Anlage 7.
[59] Ebd.
[60] Vgl. O. Stillich, Die politischen Parteien in Deutschland, Bd. II. Der Liberalismus, Leipzig 1911, S. 186 f.; Winkler, Mittelstand, S. 219.
[61] Vgl. Anlage 7, Punkt 3 a.
[62] In welcher Weise davon in der Praxis Gebrauch gemacht wurde, vgl. Kap. III, 4.
[63] H-B, Jg. 1, Nr. 24, 17. 6. 1911, S. 208. „Der Verlauf des Hansatages" (Kaempf); vgl. ferner Riesser, Reden, S. 56. Die führenden Vertreter von Handel, Gewerbe und Industrie seien „politisch bedeutungslos und machtlos". Sie seien „politisch abhängig von der Macht der Großgrundbesitzer" und des BdL, ebd.
[64] Bürger heraus!, S. 33, „Gegenüber dieser gewaltigen *wirtschaftlichen* Bedeutung, welche sich Deutschlands Industrie, Gewerbe, Handwerk und Handel zu erringen gewußt haben, ist die *politische* Bedeutung, die Stellung von Handel, Gewerbe und Industrie in unserem staatlichen Leben eine geradezu minimale, *eine geradezu klägliche!"*

[65] Ebd.

[66] Ebd., S. 34; vgl. ferner Riesser, Hansa-Bund, S. 5.

[67] Bürger heraus!, S. 107, vgl. ferner H-B, Jg. 1, Nr. 39, 30. 9. 1911, S. 338 f. „Aus den Ortsgruppen“, Das „deutsche erwerbstätige Bürgertum (müsse) einsehen . . ., daß zu der *wirtschaftlichen die politische Macht* gesellt werden muß“.

[68] Bürger heraus!, S. 56, ferner S. 10.

[69] Mitt. H-B, Jg. 2, Nr. 3, 19. 1. 1910 „Die Lübecker Tagung des Hansa-Bundes“ (Riesser); vgl. ferner Flugblatt Nr. 29 „Der Tag bricht an“ (Riesser-Rede in Hannover am 23. 11. 1911).

[70] Bürger heraus!, S. 42, 99; vgl. ferner Mitt. H-B, Jg. 2, 11. 1. 1910, Die „Aufrüttelungs- und Einigungsarbeit“ sei die „wesentlichste Aufgabe“ des HB . . .

[71] Riesser, Bürger heraus!, S. 245; Anlage 6, Punkt IV, 2.

[72] H-B, Jg. 2, Nr. 48, 7. 12. 1912, S. 621 f. „Aus den Ortsgruppen“ (Stresemann); ebd., Jg. 1, Nr. 49, 9. 12. 1911, S. 427 „Die Wege des Hansa-Bundes“ (Kleefeld); NZ, Nr. 284, 3. 12. 1911 „Hansabund und Studentenschaft“.

[73] H-B, Jg. 1, Nr. 40, 7. 10. 1911, S. 349 „Aus den Ortsgruppen“.

[74] Mitt. H-B, Jg. 2, Nr. 2, 11. 1. 1910 (Riesser).

[75] Eine Tätigkeit des HB, die die Vertreter der Schwerindustrie, da sie sie nicht verhindern konnten, scharf kontrolliert wissen wollten, vgl. Steinmann-Bucher, S. 25.

[76] Riesser, Reden, S. 59 (Rede in Mannheim am 9. 1. 1910).

[77] Riesser, Bürger heraus!, S. 235.

[78] FZ, Nr. 162, 13. 6. 1912.

[79] Berliner Politische Nachrichten, zit. nach Südwestdeutsche Wirtschaftszeitung, Nr. 26, 28. 6. 1912 „Die angebliche Schwenkung des Hansabundes“. Für diese Ansicht spricht zumindest, daß von einem verschärften Kampf gegen die SPD nach 1912 keine Rede sein kann.

[80] DZA, Rk 442, Bl. 277 ff., Niederschrift über die am 10. 12. 1912 abgehaltene Sitzung des Vorstandes und über die Generalversammlung des VdEStI, Bl. 281. Kritisiert wurden die Richtlinien auch von linksliberaler Seite. So stellte z. B. das BT - Nr. 506, 5. 10. 1909 „Richtlinien des Hansa-Bundes“ – u. a. fest: Die „allgemeinen Gedanken“, wie der Kampf gegen den BdL zu führen sei, „schweifen z. T. so weit ins Allgemeine, daß ihre Richtung völlig verschwimmt und kaum mehr etwas übrig bleibt, was dem Hansa-Bund eigentümlich wäre!“ „Mehr Einfachheit und größere Klarheit im Ausdruck wäre ganz besonders auch den Sätzen über die Sozialpolitik zu wünschen gewesen.“ Das BT stellte ferner fest, daß der „Wille zum Sieg“ vor „lauter Verallgemeinerungen und Rücksichtnahme nicht mehr zum Ausdruck“ komme, ebd.

[81] Vgl. Kap. III, 1 u. 4.

[82] E. Lederer, Die wirtschaftlichen Organisationen und die Reichstagswahlen, Tübingen 1912, S. 54 f.

[83] Auch der Vertreter der Schwerindustrie, Steinmann-Bucher, glaubte, daß in der Aufklärungsarbeit „der wesentliche Inhalt der Tätigkeit des Hansabundes“ liegen werde, was er allerdings auf Grund des antiagrarischen Charakters der Richtlinien für „bedenklich“ hielt. Die Aufklärungsarbeit des HB könne für den CVDI nur dann von Nutzen sein, wenn sie „im einzelnen scharf kontrolliert die Einseitigkeit dieser Aufklärungsarbeit korrigiert“ und wenn deren „Lücken ausgefüllt“ würden, ders., S. 25 f.

[84] Lederer, Die wirtschaftlichen Organisationen, S. 54.

[85] Steinmann-Bucher, S. 20; vgl. ferner Südwestdeutsche Wirtschaftszeitung, Nr. 46, 12. 11. 1909, S. 437 f. „Ortsgruppe Saarbrücken des Hansabundes“.

[86] Ebd., Nr. 32, 11. 8. 1911, S. 380 „Riessers Desavouierung durch das Direktorium des Hansabundes“. Von einer Desavouierung Riessers konnte jedoch keine Rede sein, da R. die Richtlinien von 1912 ebenso wie die von 1909 selbst entworfen hatte.

[87] Vgl. v. Beyme, S. 50.

[88] Es wurde jedoch auch die Möglichkeit korporativer Mitgliedschaft zugelassen.

[89] Flugblatt Nr. 1, Der „Beitritt aller Erwerbsgruppen zum Hansa-Bund" sei deshalb „notwendig", weil nur in diesem Falle „eine jede Gruppe darüber wachen" könne, daß der Bund nicht die „Sonderinteressen einer einzelnen Erwerbsgruppe in die Hand nehme und daß nicht etwa im Bunde nur *eine* Richtung, *ein* Standpunkt oder *eine* Erwerbsgruppe allein den Ausschlag gebe" (Riesser).

[90] Steinmann-Bucher weist darauf hin, daß zahlreiche Mitglieder des CVDI demgegenüber glaubten, „dabei sein zu müssen", weil sie fürchteten, isoliert zu werden, wenn die CVDI-Mitglieder dem HB fernblieben, die anderen Industrie- und Handelsverbände sich ihm aber anschließen würden, ders., S. 11. Für die verschiedenen Beitrittsmotive von CVDI-Mitgliedern vgl. Kap. III, 2.

[91] Vgl. Mitt. H-B Jg. 1, Nr. 14, 9. 11. 1909 „Eine große Kundgebung des Hansa-Bundes"; ebd., Jg. 2, Nr. 10, 2. 3. 1910 „Erste Tagung des Gesamtausschusses des Hansa-Bundes"; H-B, Jg. 1, Nr. 21, 27. 5. 1911, S. 175 f. „Unwahrheiten über den Hansa-Bund"; ebd., Nr. 18, 6. 5. 1911, S. 153 „Aus den Ortsgruppen"; für 1912 vgl. ebd., Jg. 2, Nr. 9, 9. 3. 1912, S. 117 „Sitzung des Direktoriums des Hansa-Bundes"; ebd., Nr. 23, 15. 6. 1912, S. 302 „Die Tagungen zum dreijährigen Gedächtnis der Gründung des Hansa-Bundes"; für 1913 vgl. Handbuch wirtschaftlicher Vereine und Verbände des deutschen Reichs, hg. v. HB, Berlin 1913, S. 3.

[92] Mitt. H-B, Jg. 2, Nr. 28, 14. 5. 1910. Die Angaben von 1909 und 1910 sind sehr kritisch zu betrachten; trifft die Mitteilung zu, daß 1910 der Mitgliederzuwachs des HB 47 000 betrug (H-B, Jg. 1, Nr. 17, 29. 4. 1911, S. 145), dann hätte er 1911 mehr als 250 000 Mitglieder haben müssen, es sei denn über 20 000 andere Mitglieder hätten ihn 1910 wieder verlassen, was jedoch vom H-B bestritten wurde, ebd. Wie von der Zentrale zugegeben wurde, war es anfangs häufig zu Doppelzählungen gekommen, vgl. HK Duisburg, Akte HB, Rundschreiben der Zentrale v. 19. 10. 1909 an die Zweigorganisationen des HB.

[93] Stenographischer Bericht über die Gründungsversammlung einer Ortsgruppe Dresden des Hansabundes am 1. 9. 1909, Dresden 1909, S. 20.

[94] Ebd., S. 19, vgl. ferner HK Ffm, Akte 1011, Prot. der Gründungsversammlung der Ortsgruppe Ffm, 17. 7. 1909, H. Flinsch, Vors. des Handelsvertragsvereins: „Die Offiziere allein machen es nicht! Die Soldaten machen es."

[95] Zit. nach Stresemann, Stenographischer Bericht . . . Ortsgruppe Dresden, S. 20.

[96] Vgl. Kap. III, 4, „Das Werben um den neuen Mittelstand".

[97] Archiv Roetger, A. von Rieppel (Vgl. Anlage 3) an Roetger, 2. 11. 1909: Wenn der HB die Angestellten „ausschließt, so werden sie das als feindselige Stellung der Industrie ansehen und damit ein agitatorisches Vorgehen begründen". Dr. Woltmann, Syndikus der HK Duisburg und Vertrauter der Schwerindustrie, schickte den Aufruf betr. Beitritt zum HB an zahlreiche Verbände aller Wirtschaftszweige, jedoch an keinen einzigen Angestelltenverband; m. E. ein deutliches Beispiel für den Widerstand gegen die Aufnahme der Angestellten in den genannten Kreisen.

[98] Vgl. Anlage 5 (Satzung des HB). Das war von Riesser von Anfang an angestrebt worden; vgl. HK Ffm., Akte 1011, Riesser, 15. 6. 1909, an die Mitglieder des konstituierenden Präsidiums; dort wird bereits die Frage aufgeworfen, ob nicht „auch Freunde von Handel und Industrie, welche gewillt und in der Lage sind, für deren Interessen in ihren Kreisen einzutreten, als Mitglieder aufgenommen werden sollen". Diese Bestrebungen wurden z. B. von der Ortsgruppe Frankfurt/Main unterstützt, vgl. Protokoll über die Sitzung der Ortsgruppe des HB in Frankfurt/Main, 24. 7. 1909, ebd.

[99] Archiv Roetger, Prot. der Kommissionssitzung des konstituierenden Präsidiums, 24. 6. 1909. Wer diesen Antrag stellte, ist aus dem Protokoll nicht ersichtlich.

[100] Warum eine Ausweitung der Mitgliedschaft auf „Angestellte" schlechthin Sozialdemokraten den Zugang zum HB geöffnet hätte, bleibt unklar – es sei denn, der Begriff „Angestellte" wurde noch im Sinne von „Arbeitnehmer" schlechthin gebraucht. Zu diesen Fragen geben die Protokolle keine Auskunft.

[101] Ebd., Protokoll der Präsidialsitzung des HB, 22. 7. 1909; Registratur über die weitere Beratung zur Vorbereitung der Direktoriumssitzung des HB vom 4. 10. 1909.

[102] Ebd. An welche „nationalen Arbeitervereine" dabei gedacht war, geht aus dem Protokoll nicht hervor. Noch 1904 waren die nationalen Arbeitervereine mit den Sozialisten gleichgesetzt worden; vgl. Kaelble, Interessenpolitik, S. 193. Ende 1912 arbeitete der CVDI offen mit den nationalen Arbeiter- und Werkvereinen zusammen. Am 12. 12. 1912 nimmt erstmals mit C. Heuer, dem Geschäftsführer des Bundes vaterländischer Arbeitervereine, Berlin, ein Vertreter dieser Gruppen als Gast an einer Delegiertenverssammlung des CVDI teil; vgl. VMB, Nr. 126, Jan. 1913, S. 134. Kurz zuvor hatte es im Vorstand des VdEStI noch lange Auseinandersetzungen darüber gegeben, ob nationale Arbeitervereine unterstützt werden sollten, vgl. Kaelble, S. 194.

[103] Vgl. Archiv HK Duisburg, Akte HB. Wer in dieser Frage gegen wen stand, geht aus dem Protokoll nicht hervor. Vermutlich plädierte Riesser für eine Zurückstellung des Antrages auf Grund von Widerständen aus dem Lager des CVDI, vgl. Anm. 102.

[104] Vgl. hierzu Kap. II, 2 HB-Organe.

[105] Die liberale Presse betonte die Bedeutung der Angestellten bei den Wahlen und die Notwendigkeit einer Zusammenarbeit derselben mit den Selbständigen, um dem erwerbstätigen Bürgertum den Weg zur Eroberung der politischen Macht zu ebnen; sie gab daneben Vertretern der Angestellten häufig Gelegenheit zu positiven Beiträgen über den HB und berichtete über Beitritte von Angestellten. Vgl. FZ, Nr. 323, 27. 11. 1909 „Handlungsgehilfen und Hansa-Bund"; FZ, Nr. 346, 14. 12. 1909; Mannheimer Central-Anzeiger, Nr. 531, 13. 11. 1909; Berliner Börsen Courier, Nr. 380, 16. 8. 1909 „Der Anschluß der Handlungsgehilfen an den Hansa-Bund".

[106] Flugblatt Nr. 6 „Angestellte und Hansa-Bund", in: HK Hamburg, Akte V, 145, Nr. 3.

[107] HK Ffm, Akte 1011, Bl. 173, Prot. der Gründungsversammlung der HB-Ortsgruppe Ffm, 17. 7. 1909; vgl. HK Duisburg, Akte HB, Brief von E. Merwitz (C. Heckmann AG, Kupfer- und Messingwerke) an HK Duisburg, in dem er darauf hinweist, daß auf seine „Veranlassung hin die Direktoren und fast sämtliche Beamte meiner Firma dem Hansa-Bund beitreten werden". Vgl. ferner Frankfurter Volksblatt, Nr. 141, 24. 6. 1909, in: HK Ffm, Akte 1013, Bl. 105. Der Vorsitzende der Ortsgruppe Ffm, Bankier F. Thorwart, Vizepräsident der HK Ffm, lehnte dieses Zirkulieren von Beitrittslisten unter den Angestellten ab, da er zu Recht befürchtete, daß „in diesem ... Falle durch einzelne Firmen ein Druck ausgeübt werden könne", HK Ffm, Akte 1011, Bl. 573, Prot. über die Sitzung des Vorstandes und des Ausschusses der Ortsgruppe Ffm des HB, 11. 4. 1912. Vgl. ferner Prot. der 2. Sitzung der Zweigvereinsvorsitzenden, ebd., Blitz-Schmalkalden „betonte, daß auf die Angestellten nie und nimmer ein Druck ausgeübt werden dürfe von seiten ihrer Chefs". Riesser „stimmte nachdrücklich diesen Ausführungen zu und erklärte, es aufs strengste verurteilen zu müssen, wenn ein Versuch gemacht werden solle, Handlungsgehilfen zum Eintritt in den Hansa-Bund auch nur moralisch zu zwingen".

[108] Bayer-Archiv, Akte HB, Neueste Nachrichten, Nr. 169, 20. 7. 1909. An die Bayer-Angestellten erging folgende Aufforderung der leitenden Angestellten Dr. C. Hess und F. R. Wesskott vom 19. 6. 1909: „An unsere Herren Beamten, Unsere Firma als solche, sowie alle Herren der Direktion und Prokura sind persönlich dem Hansa-

Bund beigetreten. Da die Unterstützung der Bestrebungen des neuen Bundes auch im eigensten Interesse sämtlicher Angestellten liegt ... würden wir es begrüßen, wenn unsere Beamten möglichst zahlreich Mitglieder des Hansa-Bundes werden würden." Vgl. ferner Auszug aus den Protokollen der Betriebsführerkonferenzen in Leverkusen vom 9. 7. 1909 und 19. 7. 1909, ebd.

[109] BA Koblenz, Akte Zsg 103/1413, Volkswille, Nr. 149, 30. 6. 1909; Bayerarchiv, Akte HB; Deutsche Tageszeitung, 19. 8. 1911; Der Proletarier, Nr. 43, 28. 10. 1911; Westfälischer Merkur, Nr. 401, 12. 8. 1911. Vgl. ferner H-B, Jg. 1, Nr. 33, 19. 8. 1911, S. 293 „Presseübersicht", wo dieser Vorwurf zurückgewiesen wird.

[110] HK Ffm, Akte 1011, Bl. 174, Prot. der HB-Gründungsversammlung v. 17. 7. 1909; vgl. ferner Bl. 574, Prot. über die Sitzung des Vorstandes und Ausschusses der Ortsgruppe Ffm, 11. 4. 1912; Deutsche Tageszeitung, Nr. 347, 29. 7. 1909 „Der Hansabund im Rheinland".

[111] Vgl. HK Ffm, Akte 1013, Mannheimer General-Anzeiger Nr. 531, vom 13. 11. 1909.

[112] Vgl. FZ, Nr. 164, 16. 6. 1910 „Delegiertenversammlung des Hansa-Bundes".

[113] Swdt. WiZtg., Nr. 48, 2. 12. 1910, S. 311 f. „Die drei Aufrufe des Hansabundes".

[114] Ebd., Nr. 28, 14. 7. 1911, S. 291.

[115] Vgl. Jahrbuch des HB, Jg. 1, 1912, S. 161.

785 000, abzüglich der in den Angestelltenverbänden organisierten selbständigen Kaufleute und der landwirtschaftlichen Angestellten.

[116] 1907 1,5 Mill., vgl. W. Fischer, Die Angestellten, ihre Bewegung und ihre Ideologien, Phil. Diss. Heidelberg 1931.

[117] Vgl. Statistisches Jahrbuch 1909, S. 10/11. In Wirklichkeit lag die Zahl der Selbständigen etwas niedriger, da in der Statistik die leitenden Angestellten unter der Rubrik „Selbständige und leitende Beamte" aufgeführt wurden.

[118] H-B, Jg. 1, Nr. 37, 16. 9. 1911, S. 323 „Die Meßversammlung des Hansa-Bundes in Leipzig".

[119] Vgl. Puhle, Interessenpolitik, S. 39.

[120] Vgl. Anm. 140.

[121] D. h. der Hansa-Bund machte als erster großer Interessenverband von den Bestimmungen des Reichsvereinsgesetzes von 1908 Gebrauch, das – dem erheblichen Anteil der Frauen am wirtschaftlichen und sozialen Leben Rechnung tragend – den Frauen die Mitgliedschaft in Vereinen und die Teilnahme an Versammlungen erlaubte. Nach den bis dahin gültigen vereinsrechtlichen Vorschriften waren die Frauen von Vereinen und Versammlungen ausgeschlossen. Das neue Vereinsgesetz schuf ferner ein einheitliches Vereins- und Versammlungsrecht im ganzen Reich. An Stelle der bis dahin sehr dehnbaren Befugnisse – zumindestens in Preußen und Sachsen – der Polizei zur Auflösung von Vereinen und Versammlungen bildeten nun die genauer umrissenen Tatbestandsmerkmale des allgemeinen Strafrechts die Grenze der Vereins- und Versammlungsfreiheit.

Vgl. K. E. Born, Von der Reichsgründung bis zum ersten Weltkrieg, in: B. Gebhardt (Hg.), Handbuch der deutschen Geschichte, Bd. 3, Stuttgart 1970[9], S. 301; vgl. ferner H. G. Hartmann, Die Innenpolitik des Fürsten Bülow 1906–1909, Diss. MS, Kiel 1950.

[122] Archiv Roetger, Protokoll der Kommissionssitzung des konstituierenden Präsidiums, 24. 6. 1909.

Die Gründe für diese Haltung werden nicht genannt. Da jedoch Anträge vorlagen – die Antragsteller wurden nicht genannt –, die Mitgliedschaft auf „reichstagswahlberechtigte" und „Personen männlichen Geschlechts" zu beschränken, stellte der Verzicht auf die Werbung weiblicher Mitglieder eine Konzession der liberaleren Mitglieder dar, um in dieser Frage eine gemeinsame Haltung zu erreichen.

[123] Vgl. H-B, Jg. 2, Nr. 27, 13. 7. 1912, S. 362 f. „Aus den Ortsgruppen". In einzelnen Ortsgruppen arbeiteten Frauen von Anfang an in den Gremien mit. Vgl. Mitt. H-B, Jg. 2, Nr. 15, 18. 3. 1910 „Der Hansa-Bund und die Frauen".

[124] Vgl. H-B, Jg. 1, Nr. 9, 4. 3. 1911, S. 69 „Die Hansa-Bund-Tagungen vom 23.–27. Februar 1911".

[125] Ebd., Nr. 7, 18. 2. 1911, S. 56; Nr. 17, 29. 4. 1911, S. 143; Nr. 23, 12. 6. 1911, S. 192; Jg. 2, Nr. 47, 30. 11. 1912, S. 607; vgl. ferner HK Bremen, Akte HB, Bd. I; HK Lübeck, Akte HB.

[126] H-B, Jg. 2, Nr. 27, 13. 7. 1912, S. 353 f. „Erster Delegiertentag des Provinzialverbandes Rheinland und Westfalen in Düsseldorf".

[127] Ebd., Jg. 3, Nr. 9, 1. 3. 1913, S. 109; Jg. 4, Nr. 2, Mai 1913, S. 28, 12.500; Jg. 5, Nr. 2, Mai 1914, S. 34, 11 500 Mitglieder.

[128] Vgl. Winkler, Mittelstand, S. 48 f.

[129] Vgl. H-B, Jg. 1, Nr. 12, 25. 3. 1911, S. 104 (Württemberg), S. 102 (Nassau); Nr. 6, 11. 2. 1911, S. 47 (Baden); Nr. 23, 12. 6. 1911, S. 192 (Süd-Bayern), jeweils Rubrik „Aus den Ortsgruppen". Mitgliederangaben für Ende 1910 vgl. ferner Nr. 52, 30. 12. 1911, S. 452 (Nordbayern Ende 1911); Statistik des Deutschen Reiches, Bd. 218, Berlin 1909, S. 58; Bd. 219, S. 180 ff., 231, 340 ff., 468, 475, 500 ff.

[130] Vgl. Anm. 124 ff.

[131] Vgl. Anlage 5 (Satzung des HB), Riesser: Da als „Freunde" des HB „sowohl physische als auch juristische Personen auftreten können, ... stehe dem Beitritt von Vereinigungen und Korporationen auch nach der jetzigen Fassung der Satzungen nichts im Wege", GBAG-Archiv, Protokoll der 2. Sitzung der Zweigvereinsvorsitzenden des HB, 14. 6. 1910, zu Berlin; vgl. ferner Archiv Roetger, Protokoll der Präsidialsitzung des HB, 22. 7. 1909.

[132] Flugblatt Nr. 1.

[133] Ebd., drei Tage nach der Gründungsversammlung hatte Riesser über das Büro des CVBB bereits „sämtliche industriellen, kaufmännischen und gewerblichen Vereinigungen des Deutschen Reiches" in einem Rundschreiben aufgefordert, bei den Mitgliedern ihres Gremiums für einen möglichst ausnahmslosen Beitritt zum HB zu werben, und zwar unter der „Zusicherung, daß in den auszuarbeitenden Satzungen den genannten Verbänden und Vereinen nach Maßgabe ihrer Beteiligung am Hansa-Bunde eine entsprechende Stellung in der Geschäftsleitung des Bundes (Gesamtausschuß) eingeräumt werden wird".

[134] GBAG-Archiv, Protokoll der 2. Sitzung der Zweigvereinsvorsitzenden des HB, 14. 6. 1910 zu Berlin.

[135] Vgl. HK Ffm, Akte 1011, Bl. 264, Schreiben der HB-Zentrale Berlin an HK Ffm., 20. 4. 1910; vgl. ferner Bl. 266, ebd. Eine genaue Aufstellung über die Korporative Mitgliedschaft der DHT-Mitglieder im HB befindet sich in Mielke, Hansa-Bund, Diss. phil. (MS.), Berlin 1972, Anlage 6.

[136] Ebd., nicht mitgerechnet wurden die Gewerbe- und Kleinhandelskammern, die HK Luxemburg und die unter (b) genannten Vereine.

[137] Ebd., vgl. die dort angegebenen Belegstellen.

[138] Einige HKs erwarben erst einige Jahre nach der Gründung des HB die korporative Mitgliedschaft, andere, so z. B. die HKs Bochum und Saarbrücken traten 1911 zusammen mit anderen Mitgliedern des CVDI aus dem HB aus; vgl. Kap. III, 2.

[139] Denn alleine in Preußen gab es 1907 3291 Zwangsinnungen mit 226 178 Mitgliedern. Die Anzahl der freien Innungen konnte leider nicht festgestellt werden. Ins-

gesamt waren 1907 ca. 490 000 Handwerker in Innungen organisiert; berechnet nach Winkler, Mittelstand, S. 225, Anm. 124; etwas abweichende Zahlen bei Molt, S. 218.

[140] Vgl. Swdt.Wi-Ztg., Nr. 27, 7. 7. 1911, S. 276 „Der Austritt der körperschaftlichen Handwerksmitglieder aus dem Hansa-Bunde".

[141] Ebd., Nr. 37, 15. 9. 1911, S. 412 ff. „Für und wider den Hansa-Bund", hier S. 414.

[142] Ebd., Nr. 27, S. 276.

[143] Vgl. Mitt. H-B, Jg. 1, Nr. 13, 5. 11. 1909 „Der Bund der Landwirte gegen den Mittelstand".

Das kleine Journal, Nr. 29, 12. 7. 1909 „Der Hansa-Bund": „Die großen Fleischerinnungen in Charlottenburg und Schöneberg haben einstimmig beschlossen, dem Hansa-Bund beizutreten. Auch in vielen anderen Orten bringt das Fleischergewerbe, das durch die agrarische Wirtschaftspolitik vor allem in Mitleidenschaft gezogen ist, der Bundesbewegung das größte Interesse entgegen".

[144] Zum Verhältnis der verschiedenen Branchen des Handwerks zur Industrie vgl. Winkler, Mittelstand, S. 27.

[145] Vgl. Kap. III, 5.

[146] Vgl. H-B, Jg. 2, Nr. 23, 15. 6. 1912, S. 304 „Geschäftsbericht".

[147] Ebd.

[148] Ebd., Jg. 4, Nr. 4, Juli 1913, S. 48 „Geschäftsbericht".

[149] Ebd., Jg. 5, Nr. 4, Juli 1914, S. 57 ff. „Tagung des Gesamtausschusses in Cöln . . .", hier S. 60.

[150] Vgl. Swdt. Wi-Ztg., Nr. 28, 14. 7. 1911, S. 291 f. „Die Industrie innerhalb und außerhalb des Hansa-Bundes".

Darunter befanden sich so einflußreiche Verbände wie der Verein zur Wahrung der gemeinsamen wirtschaftlichen Interessen in Rheinland und Westfalen (Langnamverein), einer der drei Gründungsvereine des CVDI, Gf. war 1909 W. Beumer, MdR (NLP), 1901–1907, MdA 1893–1918. Vors. war 1909 A. Servaes, A.-Mitgl. des CVDI, Mitgl. des Ges.-A. des HB; Beumer und Servaes führten als Gf. bzw. Vors. auch die Nordwestl. Gruppe des VdEStI, gegr. 1874. Der VdEStI war der größte und einflußreichste Verband im CVDI, seine nordwestl. Gruppe die stärkste innerhalb der VdEStI; Verein zur Wahrung der gemeinsamen wirtschaftlichen Interessen der Saar-Industrie, gegr. 1882 durch Frh. v. Stumm-Halberg, 1909 Vors. Edmund Weisdorff, Gen.dir. der Burgbacher Hütte, Mitgl. des CVDI – A., Ges.-A. des HB; Gf. des V. A. Tille; Stahlwerksverband, Vors. L. Röchling, vgl. Anlage 3; Rheinisch-westfälisches Kohlensyndikat, neben Stahlwerksverband und VdEStI das finanziell potenteste CVDI-Mitgl.; AR-Vors. E. Kirdorf (vgl. Anlage 1), Direktor des Syndikats Bergrat Graßmann, Mitgl. des HB-A.; Verein für die bergbaulichen Interessen im Oberbergamtsbezirk Dortmund, Vors. 1890–1902, H. Jencke, Gen.dir. der Fried. Krupp AG, Vors. CVDI, 1901–1904. Vors. (1912) A. Hugenberg, ab 1909 Gen.dir. Fried. Krupp AG; Verein Süddeutscher Baumwollindustrieller, gegr. 1870, Gründungsverein des CVDI, Vors. (1909–1914) H. Semlinger, vgl. Anlage 3., 1. Vors. Th. v. Haßler, 1893–1901 Vors. des CVDI; ferner gehörten die HKs Aachen, Bochum, Essen, Mönchen-Gladbach, Mülheim (Ruhr), Stolberg, die Bergische HK zu Lennep, die Gewerbekammern zu Bremen, Hamburg und Lübeck und zahlreiche andere CVDI-Verbände dem HB als korporative Mitglieder an. Vgl. ferner Handbuch wirtschaftlicher Vereine, S. 53, 153, 155, 160, 263, 298 betr. weitere korporative Mitglieder, ferner Kaelble, passim. Betr. Beitritt der genannten Verbände vgl. Mitt. H-B, u. a. Jg. 1, die Nummern 5, 28. 9. 1909; 7, 8. 10. 1909; 23, 21. 12. 1909; Jg. 2, die Nummern 2, 11. 1. 1910; 7, 8. 2. 1910; 8, 16. 2. 1910; 15, 18. 3. 1910; 17, 29. 3. 1910; 18, 1. 4. 1910; 26, 8. 5. 1910; 34, 30. 6. 1910.

[151] Zu den bedeutendsten Vereinen des BdI, die dem HB beitraten, gehörten der Verband Württembergischer Industrieller, gegr. 1907, Vors. A. Hirth, vgl. Anlage 1, stellv. Vors. D. Heilner, ebd., 900 Mitgl.; Verein zur Wahrung gemeinsamer Wirtschaftsinteressen der Elektrotechnik, gegr. 1902, Vors. E. Sieg, Dir. der Fa. G. Hagen, Köln-Kalk, 120 Mitgl., Mitgl. des CVDI; Verein deutscher Motorfahrzeug-Industrieller, gegr. 1901, Vors. Kom. Rat. H. Kleyer, Vors. ferner des Vereins Deutscher Fahrradfabrikanten, gegr. 1889, 47 Mitgl.; Allgemeiner Verband Deutscher Mineralwasserfabrikanten, gegr. 1898, 1913 über 14 400 Mitgl., Vors. W. Lohmann, Berlin; Vereinigung Deutscher Zuckerwaren- und Schokoladenfabrikanten e. V., gegr. 1901, 1913 290 Mitgl., Vors. Fabrikant H. Wildhagen, Kitzingen a. M.

Vgl. Handbuch wirtschaftlicher Vereine, S. 33 ff., 44, 205, 208 ff., 418; vgl. ferner Mitt. H-B, Jg. 2, Nr. 26, 8. 5. 1910, H-B, Jg. 1, Nr. 39, 30. 9. 1911, S. 339 „Ausdehnung des Hansa-Bundes"; Nr. 50/51, 20. 12. 1911, S. 432 f. „Die Ausbreitung des Hansa-Bundes"; ebd., Jg. 2, Nr. 31, 10. 8. 1912, S. 401, Nr. 35, 7. 9. 1912, S. 449, Nr. 41, 19. 10. 1912, S. 521, Nr. 49, 14. 12. 1912, bei den 4 letzteren Angaben jeweils Titel „Die Ausdehnung des Hansa-Bundes".

[152] Dies wird z. B. von Bertram behauptet, ders., S. 103; ferner von Jaeger, S. 156; vgl. demgegenüber VMB, H. 124, Dez. 1911, S. 15 (Beumer); Handbuch wirtschaftlicher Vereine, S. 33–39.

[153] Dieser Verein wurde 1877 gegr.; 1913 über 400 Mitgl.; Vors. 1909 Prof. Lepsius, Chem. Fabrik Griesheim, ab 1909 H. Boettinger, s. o., 1913 Mitgl. des DHT u. der „Interessengemeinschaft"; ferner sind als korporative Mitglieder des HB zu erwähnen: Papierindustrie-Verein, gegr. 1877, Vors. M. Krause, Berlin, 820 Mitgl. (1913); Vors. ferner der Vereinigung für die Zollfragen der Papier verarbeitenden Industrie und des Papierhandels, gegr. 1902, 182 Mitgl. (1913); Verband der Deutschen Waffenindustrie, gegr. 1907, Vors. Fabrikbesitzer F. Anschütz, Mehlis, 65 Mitgl. (1913), Mitgl. des HVV; Verband deutscher Spiritus- und Spirituosen-Interessenten, gegr. 1905, 750 Einzel-, 40 korporative Mitgl., Vors. E. Schürmann, Beuthen.

Vgl. Handbuch Wirtschaftlicher Vereine, S. 205, 229, 335 f., 420, 433. Vgl. ferner Mitt. H-B, Jg. 2, Nr. 38, 28. 7. 1910 „Die Ausdehnung des Hansa-Bundes" Bayer-Archiv, Akte Personalia v. Böttinger; Archiv Dr. H. Roetger, Prot. der 22. Hauptversammlung des Vereins zur Wahrung der Interessen der chemischen Industrie Deutschlands e. V., S. 15.

[154] Vgl. Handbuch wirtschaftlicher Vereine, S. 510.

[155] Mitgl. waren u. a. der Verein Hamburger Reeder, gegr. 1883, 50 Mitgl., Vors. A. Ballin, vgl. Anlage 1. Gf. P. Stubmann, Reichstagskandidat 1912, NLP; Deutscher Nautischer Verein, gegr. 1868; 33 angeschlossene Verbände mit Schiffahrtsinteressen, ferner u. a. 15 HKs und andere Korporationen, Zweck: „Förderung aller Interessen des deutschen Seewesens"; Vors. A. Schultze, Oldenburg, s. Anlage 3; Verband Deutscher Exporteure, gegr. 1908, Vors. H. Hecht, vgl. Anlage 1. Gf. E. Schwencke, HK-Syndikus; 7 korporative Mitgl., regionale Exportverbände, wie z. B. die Vereine Hamburger und Bremer Exporteure, der Verein Rheinisch-westfälischer Exportfirmen, die Vereinigung Bayrischer Exportfirmen, die ebenfalls dem Hansa-Bund korporativ beitraten; Bremer Baumwollbörse, gegr. 1877, Vors. (1909) Geo Plate, vgl. Anlage 1. 717 Mitgl. (1913), Zweck: „Förderung der Interessen aller am deutschen Baumwollhandel und an der deutschen Baumwollindustrie Beteiligten"; Verband Deutscher Großhändler der Nahrungsmittel- und verwandten Branchen e. V., gegr. 1907, Vors. H. Weigert, Berlin, 2. Vors. O. Orlopp, Dir.-Mitgl. HB, vgl. Anlage 3. 1000 Mitgl.; Vereinigung der Großhändler der Rheinisch-westfälischen Eisenwaren- und Werkzeug-Branche, gegr. 1906, Vors. M. Schmidt, (Fa. P. Schmidt, Elberfeld) 30 Mitgl.; Zentralverband der Weinhändler Norddeutschlands, gegr. 1906, Vors. (1913) P. Eggebrecht,

Berlin, 18 korporative Mitgl., ca. 700 Einzelmitgl., Mitgl. ferner des HVV; Export-Verband Deutscher Qualitätsfabrikanten, gegr. 1912, Vors. C. Mannemann, Remscheid, Mitgl. ca. 100, Mitgl. ferner des HVV. Vgl. u. a. Handbuch wirtschaftlicher Vereine, S. 7 f., 54, 65 f., 68, 81, 87, 111, 163, 301, 368, 446, 545. Vgl. ferner Mitt. H-B, Jg. 1, Nr. 9, 18. 10. 1909 „Ausbreitung des Hansa-Bundes"; Ebd., Jg. 2, Nr. 7, 8. 2. 1910, Nr. 45, 13. 9. 1910 „Ausbreitung des Hansa-Bundes". H-B, Dez. 1910, Probenummer, S. 2 f. „Ausbreitung des Hansa-Bundes"; ebd., Jg. 2, Nr. 27, 13. 7. 1912, S. 353 „Die Ausdehnung des Hansa-Bundes"; HK Bremen, Akte HB, Bd. I, HB-Landesgruppe Bremen, Jahresbericht für 1916 (Entwurf).

[156] Vgl. Handbuch wirtschaftlicher Vereine, S. 87. Der Verband hatte 1913 3200 Mitgl. Er gehörte ebenfalls dem HVV an, ebd.; Vors. war O. Tietz, Mitgl. des HB-Gesamtausschusses.

[157] So z. B. der Verband vereinigter Baumaterialienhändler Deutschlands, gegr. 1903, Vors. (1913) F. Kiefer, Karlsruhe, 1000 Mitglieder; angeschlossen 40 Unterorganisationen von Landes-, Bezirks- und Ortsvereinen; Verein der Rohproduktenhändler Deutschlands, Berlin, gegr. 1902, Vors. (1913) J. Salomon, Hannover, ca. 250 Mitgl., ferner korporatives Mitgl. der Centralstelle für Vorbereitung von Handelsverträgen; Bund der Viehhändler Deutschlands e. V., Berlin, gegr. 1900, Vors. H. Daniel, Dierdorf, 125 korporative Mitgl. mit ca. 8000 Einzelmitgl.; Reichsverband der Hutdetaillisten Deutschlands e. V., Berlin, gegr. 1908, Vors. (1913) H. Bortfeldt, ca. 850 Mitgl.; vgl. Handbuch wirtschaftlicher Vereine, S. 326, 483, 490, 494. Vgl. Anm. 150 ff.

[158] Belege in den dort angegebenen Rubriken „Ausdehnung des Hansa-Bundes", ferner Handbuch wirtschaftlicher Vereine, passim.

[159] Mitt. H-B, Jg. 1, Nr. 16, 16. 11. 1909 „Ausbreitung des Hansa-Bundes". Der Vorsitzende, Geh. Reg. Rat Noack, war 1914 Mitglied des Hansa-Bund-Gesamtausschusses, vgl. Liste der Mitglieder dess. v. 1914; vgl. Handbuch wirtschaftlicher Vereine, S. 89: 1913 148 000 Mitgl., 1527 angeschlossene Verbände.

[160] Vgl. Mitt. H-B, Jg. 1, Nr. 10, 9. 11. 1909 „Ausbreitung des Hansa-Bundes"; Nr. 3, 21. 9. 1909, Nr. 1, 10. 9. 1909 „Mittelstand und Hansa-Bund"; betr. Mitgliederzahl vgl. Handbuch wirtschaftlicher Verbände, S. 91, 93 f.

[161] Vgl. Mitt. H-B, Jg. 1, Nr. 10, 22. 10. 1909 „Ausbreitung des Hansa-Bundes" (Verein der Handlungskommis von 1858); Jg. 2, Nr. 1, 4. 1. 1910 „Handlungsgehilfen und Hansa-Bund" (Verband Deutscher Handlungsgehilfen zu Leipzig); ferner HK Ffm., Akte 1011.

[162] Mitt. H-B., Jg. 2, Nr. 38, 28. 7. 1910 „Ausdehnung des Hansa-Bundes"; Nr. 45, 13. 9. 1910 „Die Ausbreitung des Hansa-Bundes"; Nr. 4, 19. 1. 1910 „Ausbreitung des Hansa-Bundes".

[163] H-B, Jg. 4, Nr. 4, Juli 1913, S. 47 ff., Geschäftsbericht f. 1912, hier S. 48.

[164] Mitt. H-B, Jg. 2, Nr. 49, 22. 10. 1910 „Ausbreitung des Hansa-Bundes".

[165] Handbuch wirtschaftlicher Vereine, S. 3.

[166] Vgl. Puhle, Interessenpolitik, S. 38; ders., Parlament, S. 371.

[167] 250 000 HB-Mitglieder zu 5,5 Mill. Selbständigen und Angestellten in Handel, Gewerbe und Industrie.

243 000 BdL-Mitglieder (d. h. 283 000 – 49 000 Handwerker) zu 2,5 Mill. Selbständigen in der Landwirtschaft. In diesen Zahlen sind die mithelfenden Familienangehörigen in beiden Fällen nicht berücksichtigt, da davon auszugehen ist, daß das Gros dieser Erwerbsgruppe Frauen war, die beim Bund der Landwirte nicht Mitglied sein konnten und auch beim Hansa-Bund weitgehend ausgeschlossen blieben.

[168] Vgl. BA, Nl. Stresemann, 3053, H. 124685 f. Stresemann an Generaldirektor Eich (vgl. Anlage 3), 24. 11. 1913.

[169] Handwerk und Industrie wurden in der Statistik unter dem Begriff „produzierendes Gewerbe“ zusammengefaßt und nicht getrennt aufgeführt.

[170] Berechnet nach Reichsarbeitsblatt, S. 55.

[171] Vgl. v. Beyme, S. 55.

[172] Vgl. z. B. Kap. III, 2.

[173] Vgl. Anlage 5 (Satzung des HB v. 1909), ferner die Satzung des Hansa-Bundes von 1911, Berlin 1911, in: HK Frankfurt a. M., Akte 1013. Herangezogen wurden ferner die Satzungen für den Landesverband Nordbayern von Dez. 1910, des Bayerischen Landesverbandes von 1911, die Satzungen des Hansa-Bundes, Gruppe Mittelfranken von 1909, alle im Stadtarchiv Nürnberg, Registratur V d 15 Nr. 4510 und Vereine Nr. 394, Hansa-Bund; ferner die Satzung des Hamburger Zweigvereins des Hansa-Bundes von 1909, in: HK Hamburg, Akte V 145, Nr. 7, Bd. I.; ferner Satzung der Landesgruppe Bremen des Hansa-Bundes, Bremen 1909, in: HK Bremen Akte V – C 10, Bd. I.

[174] Diese These wurde bisher lediglich in der Parteiforschung bestätigt, ist aber auch für die Verbandsforschung und ganz allgemein für die Organisationsforschung von Interesse, vgl. z. B. R. Mayntz, Soziologie der Organisation, Hamburg 1967, S. 70.

[175] Stenogr. Berichte über die Versammlung vom 12. 6. 1909, S. 14 f., 59.

[176] Ebd., S. 59.

[177] In einigen Orts-, Bezirks- und Landesgruppen des Hansa-Bundes war der Einfluß der Mitglieder zumindest formal gesichert, vgl. die unter Anm. 173 genannten Satzungen Mittelfrankens und Nordbayerns; andere wie die Bremens und Hamburgs folgten weitgehend der Satzung der Hansa-Bund-Zentrale, ebd.

[178] Vgl. Anlage 5 (Satzung des HB v. 1909), § 23.

[179] Ebd., §§ 16–18. Die einer Mitglieder- bzw. Delegiertenversammlung zustehenden Rechte erhielt der Gesamtausschuß (s. u.), auf dessen Zusammensetzung die Ortsgruppen nur einen minimalen Einfluß besaßen. 1910 waren von 522 Mitgliedern desselben „49 eigentliche Vertreter von Ortsgruppen“, Swdt. Wi-Ztg., Nr. 28, 14. 7. 1911, S. 290 „Die Verfassung des Hansa-Bundes“.

[180] Anlage 5, § 16.

[181] § 16 der Satzung des Hansa-Bundes von 1911, in: HK Ffm., Akte 1013.

[182] § 17 der Satzung des Hansa-Bundes von 1909.

[183] Mitt. H-B, Jg. 2, Nr. 33, 21. 6. 1910 „Die Festtagung des Hansa-Bundes“.

[184] Vgl. H-B, Jg. 1, Nr. 24, 17. 6. 1911, S. 205–211 „Der Erste Allgemeine Deutsche Hansatag“; ebd., Jg. 2, Nr. 45, 16. 11. 1912, S. 575 f., Nr. 46, 23. 11. 1912, S. 585 ff., Nr. 47, 30. 11. 1912, S. 597 ff. „Zweiter Allgemeiner Deutscher Hansatag“. Riesser war bemüht, attraktive Redner für diese Hansatage zu gewinnen, damit – wie er Duisberg schrieb – „wir unter keinen Umständen ein leeres oder halb gefülltes Haus haben“. Bayer-Archiv, Personalia Riesser, ferner Duisberg an Riesser, 7. 10. 1912: „Die größten Bedenken habe ich wegen Dr. Naumann, der für die Industrie das rote Tuch bedeutet ... Ich begreife ja auch hier, daß es Ihnen vor allem darauf ankommt, das Haus füllende Volksredner zu gewinnen, und diese sind sehr dünn gesät.“

[185] In einzelnen Ortsgruppen wurden Delegierte gewählt, in anderen wurde lediglich zur Teilnahme aufgefordert. Die großen Ortsgruppen bzw. Provinzial- oder Landesverbände organisierten Sonderzüge nach Berlin, wo die Hansatage stattfanden; vgl. H-B, Jg. 1, Nr. 22, 3. 6. 1911, S. 182 ff. „Aus den Ortsgruppen“; Nr. 23, 12. 6. 1911, S. 190 ff.

[186] Sie lassen sich in dieser Hinsicht mit den Generalversammlungen des BdL vergleichen, vgl. Puhle, Interessenpolitik, S. 44.

[187] Krupp-Archiv, Akte IV C 15, Brief Rötgers an den AR der Fried. Krupp AG, 27. 6. 1909.

[188] Bürger heraus!, S. 23, 86.

[189] Vgl. Anlage 5 (Satzung des HB v. 1909), § 12 Abs. 3, ferner §§ 7, 22.

[190] Gegen das Verfahren der Kooptation wurde öffentlich lediglich einmal auf einer Gesamtausschuß-Tagung Stellung bezogen und zwar von dem Kaufmann Orlopp aus Königsberg; „Es sei nicht richtig, daß der Gesamtausschuß sich immer nur durch Kooptation ergänze. Er sollte vielmehr aus Wahlen der Zweigorganisationen des Hansa-Bundes in den verschiedenen Bezirken und Landesteilen hervorgehen; dadurch werde das Interesse der Mitglieder für den Hansa-Bund, das der Ortsgruppen für die Zentrale außerordentlich erhöht. Es werde dadurch ein viel besseres Zusammenarbeiten zwischen der Zentrale und den Mitgliedern draußen im Reich herbeigeführt." Die von Orlopp geforderte „Statutenänderung in diesem Sinne" unterblieb. H-B, Jg. 2, Nr. 23, 15. 6. 1912, S. 305 „Änderung der Statuten".

[191] Auf Antrag des Westpreußischen Provinzialverbandes erhielten die Provinzial- bzw. Landesverbände das Recht, bis zu zwei Vertreter in den Gesamtausschuß zu entsenden; vgl. Satzung des Hansa-Bundes, Berlin 1911, § 9 u. a. in: HK Ffm., Akte HB, 1013; vgl. H-B, Jg. 2, Nr. 23, 15. 6. 1912, S. 306.

[192] Die Größe des Gesamtausschusses schwankte zwischen 420 (ebd., S. 305) und 522 Mitgl. (1. 10. 1910), vgl. Swdt. Wi-Ztg., Nr. 28, 14. 7. 1911, S. 290.

[193] Diese Tagungen verliefen entsprechend folg. Schema: 1. Begrüßungsansprache und Huldigungstelegramm an den Kaiser, 2. Erstattung des Jahresberichts durch den Geschäftsführer, 3. Knapper Bericht der Revisionskommission, 4. Zuwahlen zum Direktorium und zum Gesamtausschuß, und zwar auf Grund von Vorschlägen, die vom Direktorium vorgelegt und stets akzeptiert wurden, 5. Sachreferate, 6. Schlußwort des Präsidenten oder eines Stellvertreters.

Vgl. H-B, Jg. 2, Nr. 23, 15. 6. 1912, S. 301–311; vgl. ferner Mitt. H-B, Jg. 2, Nr. 10, 2. 3. 1910 „Erste Tagung des Gesamtausschusses des Hansa-Bundes"; H-B, Jg. 1, Nr. 9, 4. 3. 1911, S. 70–72 „Der Gesamtausschuß". Ebd., Jg. 4, Nr. 4, Juli 1913 „Die Jubiläumstagung des Gesamtausschusses des Hansa-Bundes"; ebd., Jg. 5, Nr. 4, Juli 1914, S. 57–65 „Tagung des Gesamtausschusses in Cöln anläßlich des 5jährigen Bestehens des Hansa-Bundes".

[194] Mitt. H-B, Jg. 2, Nr. 10, 2. 3. 1910, vgl. ferner H-B, Jg. 2, Nr. 23, 15. 6. 1912, S. 302, Riesser: er hoffe, „daß auch diese Tagung wie alle früheren getragen sein wird von dem Geiste voller Einmütigkeit und vollen Vertrauens".

[195] Ebd., S. 305 f., 310.

[196] Vgl. Swdt Wi-Ztg., Nr. 28, 14. 7. 1911, S. 290.

[197] H-B, Jg. 1, Nr. 2, 14. 1. 1911 „Neuwahlen des Präsidiums und des Direktoriums des Hansa-Bundes". Der Artikel meldet zunächst die Wiederwahl von Präsidium und Direktorium (Dez. 1911) und widerspricht sich dann, indem noch für das 1. Quartal von 1911 Neuwahlen des Direktoriums angekündigt werden. Vorausgesetzt, im Dez. 1911 sei – wie im Artikel gemeldet – das Direktorium wiedergewählt worden, dann hätten Neuwahlen erst für 1/3 der Mitgl. im Dez. 1913 stattzufinden brauchen (vgl. § 7 der Satzung).

[198] Vgl. Anm. 193. Im CVDI gab es dagegen korporative Mitglieder, die Mühe hatten, zu den Generalversammlungen „außer den Vorsitzenden noch einen Aktionär heranzuziehen". RA Meyer, Hannover, über die Generalversammlungen der Norddeutschen Gruppe des Vereins Deutscher Eisen- und Stahlindustrieller, VMB, H. 116, S. 65. Bueck bestätigte das gleiche für die Nordwestdeutsche Gruppe des gleichen Vereins; in dieser war es „immer ein Ereignis, wenn bei der sogenannten Generalversammlung auch noch ein anderes Mitglied erschien, als der Vorsitzende", ebd., S. 71.

[199] Vgl. GBAG-Archiv, Akte HB, Anwesenheitsliste der ersten Versammlung des Gesamt-Ausschusses am 1. 3. 1910 zu Berlin.

[200] Über 70 % der Angestelltenvertreter waren auf dieser Tagung anwesend.
[201] Vgl. Anlage 5 (Satzung des HB v. 1909), § 7.
[202] Diese Geschäftsordnung befindet sich im GBAG-Archiv, Akte HB.
[203] Ebd., § 11.
[204] Ebd., §§ 12 u. 13.
[205] Ebd., § 15.
[206] Vgl. Präambel der Richtlinien von 1909, Anlage 6.
[207] Das gilt auch für die Satzungen von 1911.
[208] Vgl. hierzu z. B. den Briefwechsel zwischen Riesser und Rötger nach dem Ausscheiden der Schwerindustrie aus dem Hansa-Bund; abgedruckt z. B. in Swdt. Wi-Ztg., Nr. 26, 30. 6. 1911, S. 247–250, insbes. die Schreiben Rötgers an Riesser vom 16. u. 22. 6. 1911.
[209] Nach § 7 der GO des Direktoriums mußte eine Einberufung auch dann erfolgen, wenn dies von 3 Mitgl. des Direktoriums verlangt wurde. Von diesem Recht wurde kaum Gebrauch gemacht.
[210] § 6 der GO des Direktoriums legte z. B. fest, daß „die vom Direktorium gemäß § 12 Absatz 1 Ziffer 2 der Bundessatzung zu legende Jahresrechnung" durch das Präsidium vorzubereiten und von der Finanzkommission zu prüfen und gegenzuzeichnen sei.
[211] Vgl. Anlage 6 (Richtlinien des HB v. 1909).
[212] Vgl. Swdt. Wi-Ztg., Nr. 26, 30. 6. 1911, S. 248, Schreiben Rötgers an Riesser, 16. 6. 1911; vgl. ferner Mitt. H-B, Jg. 2, Nr. 52, 24. 11. 1910.
[213] Stenogr. Ber. über die Versammlung vom 12. 6. 1909, S. 59.
[214] Berechnet nach R. Martin, Jahrbücher des Vermögens und Einkommens der Millionäre im Königreich Preußen und in den übrigen Bundesstaaten, 20 Bde, Berlin 1912/13. Nicht zugänglich waren dem Verf. die Bände 5 (Thüringische Staaten), 6 (Oldenburg, Braunschweig, Anhalt, beide Mecklenburg, beide Lippe und Waldeck) und der Bd. betr. Baden. Da lediglich 2 der 54 Mitglieder des konstituierenden Präsidiums aus diesen Bundesstaaten kamen, dürften die oben gemachten Angaben ziemlich exakt sein, vorausgesetzt natürlich, daß die Angaben Martins zutreffen.
[215] Die Vertreter des Finanzkapitals stellten die Hälfte dieses Vermögens, zusammen mit dem Groß- und Exporthandel und der Schiffahrt insges. zwei Drittel. Zwei Drittel des Vermögens entfiel auf sämtliche Berliner Mitglieder des konstituierenden Präsidiums.
[216] Die Banken waren u. a. durch R. v. Koch, Deutsche Bank; W. Müller, Dresdner Bank; K. Mommsen, Mitteldeutsche Kreditbank; S. Schwitzer, A. Schaaffhausener Bankverein; A. Stroell, Bayerische Hypotheken- u. Wechselbank; R. Wittig, Nationalbank für Deutschland vertreten. Betr. nähere Angaben dieser Mitglieder vgl. Anlage 1 (Mitglieder des Konst. Präs. des HB), auch für die folgenden Anmerkungen.

Die Schwerindustrie vertraten M. Rötger, Fried. Krupp AG; E. Kirdorf, GBAG; E. Hilger, Königs- und Laurahütte; R. Müser, Harpener Bergbau AG, vgl. Anlage 1; die Elektroindustrie E. Rathenau, AEG; F. A. Spiecker, Siemens und Halske und die Schiffahrt A. Ballin, HAPAG.
[217] Vgl. L. Delbrück, Delbrück Leo u. Co; C. Fürstenberg, Berliner Handelsgesellschaft, F. v. Mendelssohn, Mendelssohn u. Co.; A. Salomonsohn und Schinckel, Discontogesellschaft; P. v. Schwabach, S. Bleichröder; M. Warburg, MM. Warbuurg, für die Banken; Ed. Arnhold, E. Possehl, L. Ravené und Geo Plate, der nachträglich von Riesser ins konstituierende Präsidium berufen wurde, (vgl. HK Bremen, Akte Hansa-Bund, Bd. I.) für Großhandel und Schiffahrt und K. v. Borsig und H. Stinnes für Maschinenbau bzw. Bergbau. Stinnes vertrat auch Großhandels- und Reedereiinteressen. Zu den einzelnen Personen vgl. Anlage 1.

[218] Berechnet nach Handbuch der deutschen Aktiengesellschaften. Jahrbuch der deutschen Börsen, Jg. 1907/08, 1909/10, Berlin/Leipzig 1908–1910.

[219] Berechnet nach R. Martin, Jahrbuch der Millionäre in den Hansestädten, Berlin 1912.

[220] Vgl. Anlage 10.

[221] Für den CVDI vgl. Angaben Anlage 1 betr. Kirdorf, Hilger, v. Rieppel, Semlinger u. Vogel, die alle Mitgl. des CVDI-Direktoriums waren, ferner Schrey – Ausschußmitglied dess. – ; für den BdI vgl. Artmann, Heilner, Hirth, Hoffmann, Steche, ebd.

[222] Vgl. auch für die folgenden Angaben Anlage 1.

[223] Von den 5 Mitgl., die vom Hans-Bund als Mittelstandsvertreter bezeichnet wurden, verdiente zumindest E. Feldberg auf Grund seiner ökonomischen Position diese Bezeichnung nicht. Für ihn und die 4 anderen Vertreter vgl. Anlage 1.

[224] Berechnet nach Hoffmann, Wachstum, S. 383. Dieses Kriterium und nicht die Aufschlüsselung nach Kapital- oder Beschäftigtenzahlen wurde gewählt, um anhand der Ergebnisse überprüfen zu können, ob der Hansa-Bund bei der Zusammensetzung seiner Gremien seine eigene Forderung, die Wirtschaftszweige gemäß ihres Beitrags zum Sozialprodukt zu berücksichtigen, erfüllte.

[225] Heilner, Pferdekämpfer, Wirth (Textilindustrie), Artmann (Nahrungsmittelindustrie) vgl. Anlage 1.

[226] Am stärksten überrepräsentiert war das Verkehrswesen, oder genauer gesagt, die See- und Binnenschiffahrt, auf die lediglich 9,5 % der Wertschöpfung des Verkehrswesens entfielen; d. h. bei 5,8 % des gesamten Verkehrswesens am NIP entfielen auf die See- und Binnenschiffahrt 0,55 % des NIP; im konstituierenden Präsidium des Hansa-Bundes stellten sie jedoch ca. 6 % der Mitglieder.

[227] Die Aufschlüsselung zum einen nach Branchen (Expansion), zum anderen nach Firmen (Gewinn) – und nicht in beiden Fällen nach Firmen – erfolgte auf Grund der schlechten Materiallage. Die Mehrzahl der im konstituierenden Präsidium des Hansa-Bundes vertretenen Industriezweige gehörten zu den Branchen mit weit über dem Durchschnitt (3,7 % für die Zeit von 1870–1913) aller industriellen Gruppen liegenden Zuwachsraten: Metallerzeugung 6,3; chemische Industrie 6,2; Elektrizität 9,7 %; die Konsumgüterindustrie mit unterdurchschnittlicher Wachstumsrate, wie die Nahrungs- und Genußmittel- (2,7 %) und die Textilindustrie (2,7 %) waren, wie oben angezeigt, zunächst weniger stark vertreten; betr. der Angaben vgl. Hoffmann, Wachstum, S. 63. Zur Entwicklung der Produktion von Handel und Banken, ebd., S. 430 f., 343 f.

Die Gewinnspanne der im konstituierenden Präsidium vertretenen Firmen wurde anhand des Handbuchs der deutschen Aktiengesellschaften, Jahrbuch der deutschen Börsen, Jahrgänge 1907/08; 1909/10, Berlin 1908 ff. berechnet. Daten ließen sich von 30 der 54 Mitgl. des konstituierenden Präsidiums feststellen. Von 3 Mitgliedern, die jeweils 2 AR vorsaßen, wurden jeweils 2 Firmen berücksichtigt. Eingeschränkt wird das Ergebnis zum einen dadurch, daß nicht für alle Mitglieder Angaben gefunden werden konnten, und zum anderen auf Grund des unterschiedlichen Zeitraums, für den ein 3-Jahres-Durchschnitt der Dividenden errechnet wurde, und zwar weil Bd. I des Handbuchs der AGs nicht herangezogen werden konnte. Unter Berücksichtigung dieser Einschränkungen ist festzustellen, daß 28 der 33 Firmen im Durchschnitt der Jahre 1904–06, bzw. 1906–1908 8 oder mehr % Dividende, vier zwischen 5–7,9 % und lediglich eine AG weniger als 5 % Dividende ausschüttete.

[228] Frieder Nascholds Theorie der Statuspolitik (vgl. ders., Kassenärzte und Krankenversicherungsreform, Freiburg i. Br. 1967), die besagt, daß bestimmte Schichten aus Angst vor Positionsverlusten Statusfurcht entwickeln und sich infolgedessen gegenüber

anderen Gruppen stärker polarisieren, vermag die Gründung des HB, die durch Wirtschaftszweige erfolgte, deren objektive ökonomische Situation nicht ernstlich bedroht war, nicht ausreichend zu erklären.

[229] Für diese und die folgenden Angaben vgl. Anlage 1. Der Hinweis bei Stegmann, S. 185 Anm. 51, daß Kaempf und Mommsen die einzigen Parlamentarier waren, die den Gründungsaufruf unterzeichneten – die Unterzeichner stellten das spätere Versammlungspräsidium vom 12. 6. dar – trifft also nicht zu. Falsch ist ebenfalls die von den Hansa-Bund-Gegnern übernommene Behauptung, Richt, einer der Hansa-Bund-Präsidenten, sei freisinnig gewesen, ebd., S. 179, 182; vgl. demgegenüber Anlage 9, Brief Riessers an Duisberg vom 9. 11. 1910.

[230] Handbuch der deutschen Aktiengesellschaften, Jg. 1909/10.

[231] Delbrück, Goldberger, Lepsius, vgl. Anlage 1.

[232] Ballin, Delbrück, Rathenau und Schinckel, vgl. Anlage 1. Martin, Jahrbuch der Millionäre in den Hansestädten, S. 91. Vgl. Stegmann, S. 242, Anm. 210.

[233] Vgl. Archiv Rötger; ferner Krupp und GBAG-Archiv, Akten betr. HB.

[234] Die Wahl des Präsidiums mußte bis zum 1. Oktober, d. h. bis zum Ausscheiden Rötgers aus dem Vorstand der Fried. Krupp AG aufgeschoben werden. Mit Unterstützung G. Krupps von Bohlen und Halbach führten Delbrück (vgl. Anlage 1) und G. Hartmann (AR-Vorsitzender 1903–1909) einen Beschluß des AR herbei, in dem Rötger ersucht wurde, „bis zum 1. Oktober des Jahres, dem Tage seines Austrittes aus dem Direktorium der Fa. Krupp, nicht in das Präsidium des Hansa-Bundes einzutreten“ (Krupp-Archiv, Akte IV C 15, Gustav Hartmann an Generalkonsul C. Menshausen, 2. 7. 1909; vgl. auch G. Hartmann an Krupp von Bohlen und Halbach, 1. 7. 1909, ebd.) und zwar in erster Linie, weil sich bei einer Präsidentschaft Rötgers die Firma die Freundschaft der Konservativen zuziehen würde, „die bei Bewilligung der Bestellungen die maßgebendste Rolle spielen“ (vgl. Anlage 8).

Der Versuch G. Hartmanns, den Geh. Kommerzienrat Hermann Vogel (vgl. Anlage 3) zu bewegen, „im Interesse der Großindustrie“ bis Ende September in das Präsidium des Hansa-Bundes einzutreten, scheiterte einerseits an der Erkrankung Vogels, andererseits daran, daß Rötger nicht daran interessiert war, daß ein anderer Vertreter der Industrie für ihn in das Präsidium des Hansa-Bundes eintrat (vgl. G. Hartmann an Krupp von Bohlen und Halbach, 7. 7. 1909). Es wurde daher beschlossen, daß Riesser bis zum 1. Oktober 1909 „als Vorstand des Hansa-Bundes im Sinne des § 3 des Reichsvereinsgesetzes zu gelten habe und mit der Geschäftsführung des Bundes beauftragt sowie zu dessen Vertretung nach außen ermächtigt sei“ (Archiv Rötger, Prot. der Sitzung des konstituierenden Präsidiums des Hansa-Bundes, 25. 6. 1909). In dieser Eigenschaft war Riesser befugt, „Beamte und Hilfsbeamte anzustellen“, „die für Agitation und Organisation in dieser Zeit nach seinem Ermessen erforderlichen Maßregeln zu treffen“, mit anderen Verbänden, wie z. B. mit der Deutschen Mittelstandsvereinigung und dem Deutschen Bauernbund Verhandlungen zu führen, u. a. m.; Kompetenzen, die es ihm ermöglichten, die eigene Position im Bunde zu stärken und sie in die gewünschte Richtung zu lenken. Vgl. Archiv Rötger, Prot. der Präsidialsitzung des Hansa-Bundes, 22. 7. 1909.

[235] Vgl. Archiv Rötger, Prot. der Sitzung des konstituierenden Präsidiums, 24. 6. 1909; Registratur über die am 3. 10. 1909 stattgehabte Vorbesprechung zur Vorbereitung der 1. Direktoriumssitzung; Registratur über die Sitzung des Direktoriums des Hansa-Bundes am 4. 10. 1909.

[236] Die Auseinandersetzung zwischen Rötger und Riesser z. B. betr. der Frage der Vizepräsidenten werden im folgenden Abschnitt behandelt.

[237] Dies überrascht nicht, da zwischen BdI und den im Hansa-Bund tonangebenden Bankvertretern und dem Großhandel kaum programmatische Differenzen bestanden.

[238] So die These Stegmanns, S. 180 u. Kaelbles, Interessenpolitik, S. 204.

[239] VMB, H. 114, S. 14 (Rötger). Der „Interessengemeinschaft der deutschen Industrie" gehörten 1909 der CVDI, die Zentralstelle für Vorbereitung von Handelsverträgen und der Verein zur Wahrung der Interessen der chemischen Industrie Deutschlands an. Bis 1908 hatte ihr auch der BdI angehört, vgl. Kaelble, S. 170 ff.; ferner Handbuch wirtschaftlicher Vereine, S. 230.

[240] Betr. näherer Einzelheiten vgl. die beiden Abschnitte über Direktorium und den Gesamtausschuß des Hansa-Bundes. Die Angaben Rötgers in VMB, H. 124, S. 14 widersprechen seinen Ausführungen in der Sitzung des Direktoriums vom 23. 6. 1909, vgl. Kaelble, S. 182.

[241] Vgl. die Abschnitte über Direktorium und Gesamtausschuß des Hansa-Bundes.

[242] U. a. nahmen, obwohl Nichtmitglieder, an den Sitzungen des konstituierenden Präsidiums teil: R. Crasemann, Helfferich (vgl. Anlage 3), Geh. Kommerzienrat Herz, Präsident der Berliner Handelskammer, Fabrikdirektor Dr. Oppenheim, AG für Anilin-Fabrikation, Berlin; H. A. Bueck, Geschäftsführendes Direktionsmitglied des CVDI, Prof. Dr. Krämer, Vorstandsmitglied des Vereins zur Wahrung der Interessen der chemischen Industrie Deutschlands; vgl. Prot. der Sitzung des konstituierenden Präsidiums vom 24. 6., 21. und 22. 7. 1909, Archiv Rötger. Inwieweit die Diskussionsbeiträge dieser Teilnehmer die Entscheidungen des konstituierenden Präsidiums beeinflußten, läßt sich den Protokollen allerdings nicht entnehmen.

[243] Krupp-Archiv, Brief Rötgers v. 27. 6. 1909 an den AR der Fried. Krupp AG.

[244] Ebd., Entwurf zur „Geschäftsführung für das Präsidium des Hansa-Bundes". § 11 dieses Entwurfs lautete: „Auf Antrag eines seiner Mitglieder soll es dem Präsidium freistehen, die Vizepräsidenten zu seinen Sitzungen zuzuziehen. Doch soll dies in jedem einzelnen Falle nur auf Beschluß des Präsidiums geschehen können. Den Vizepräsidenten steht in den Sitzungen des Präsidiums eine beratende [!] Stimme zu, ihre Teilnahme an der Abstimmung ist unzulässig."

[245] Ebd., Entwurf Riessers zur „GO des Direktoriums des Hansa-Bundes", § 2 Abs. 2.

[246] In die Kommission wurden folgende 11 Mitglieder gewählt: a) Banken: Riesser und W. Müller; b) Großhandel und Verkehr: Goldberger, Hecht, Jacob; c) Industrie: Rötger und Hilger, beide CVDI für die Schwerindustrie; Heilner, Steche, Wirth, alle BdI, für die Fertigindustrie, vgl. Archiv Rötger, Prot. der Sitzung des konstituierenden Präsidiums des Hansa-Bundes, 24. 6. 1909. Betr. der einzelnen Mitglieder vgl. Anlage 1.

[247] Sie entschied sich für ein dreiköpfiges, vom Direktorium zu wählendes Präsidium, das „gemeinschaftlich und gleichberechtigt die Geschäfte leiten" sollte und beschloß für jeden Präsidenten aus der Mitte des Direktoriums je einen Stellvertreter zu wählen, vgl. Archiv Rötger, Prot. der Kommissionssitzung des konstituierenden Präsidiums des Hansa-Bundes, 24. 6. 1909.

[248] Ebd., Prot. der Sitzung des konstituierenden Präsidiums des Hansa-Bundes, 25. 6. 1909.

[249] Ebd.

[250] Ebd., Prot. der Sitzung der Kommission des konstituierenden Präsidiums des Hansa-Bundes, 21. 7. 1909.

[251] Ebd.

[252] Der Vorschlag, die Wahl per Akklamation vorzunehmen, kam von Prof. Duisberg, ebd., vgl. Registratur über die Sitzung des Direktoriums des Hansa-Bundes, 4. 10. 1909.

[253] Vgl. Stegmann, S. 180.

[254] Kaelble, Interessenpolitik, S. 204, der Hansa-Bund habe „weitgehend unter dem Einfluß des Bundes der Industriellen" gestanden. Ebd., S. 182 eine Fehleinschätzung

auf Grund der Positionsanalyse: „Die CVDI-Leitung konnte jedoch diese Pläne (betr. Vizepräsidenten und Besetzung der übrigen Gremien nicht durchsetzen: Gerade im höchsten Gremium des Hansa-Bundes, im Präsidium, erhielt nicht sie, sondern ausgerechnet der Bund der Industriellen den größeren Einfluß, *denn* (Hervorhebung durch S. M.) von den sechs Mitgliedern dieses Gremiums stellte der CVDI nur eines, der Bund der Industriellen dagegen zwei". Hier wird von der unzulässigen Prämisse ausgegangen, daß jedes Mandat in demselben Gremium gleichen Einfluß mit sich bringe. Die Frage nach dem tatsächlichen Ausmaß an Einfluß kann nicht nur an der Zahl der Mandate gemessen werden, sondern muß anhand der qualitativen Daten- und Materialanalyse untersucht werden.

[255] In seiner Funktion als „provisorischer Vorstand" (vgl. Anmerkung 34) hatte Riesser Dr. Kleefeld als Vizegeschäftsführer angestellt, vgl. Archiv Rötger, Prot. der Präsidialsitzung des Hansa-Bundes, 22. 7. 1909; Stegmann gibt fälschlicherweise als Einstellungstermin 1912 an. Wesentlicher Einfluß auf die Vorbereitungen zur Gründungsversammlung und während der Aufbauphase des Hansa-Bundes kam dem Geschäftsführer des CVBB, (Vors. war Riesser!) Max Wittner und dem Syndikus des CVBB RA Bernstein, der seit dem 12. 6. 1909 zur Geschäftsleitung des Hansa-Bundes gehörte, zu, vgl. Archiv Rötger, Registratur über die weitere Beratung zur Vorbereitung der Direktoriumssitzung des Hansa-Bundes, 4. 10. 1909. Riessers Vertrauter, RA Bernstein, nahm an allen Sitzungen des konstituierenden Präsidiums und seiner Unterkommissionen teil; vgl. auch Briefwechsel der Hansa-Bund-Zentrale mit Rötger, ebd.; vgl. ferner Bank-Archiv, Jg. 10, 1910/11, „RA Max Wittner", S. 259 f.

[256] Kaelble stellt demgegenüber auf Grund von Äußerungen Rötgers fest, daß der „Unterschied zwischen Präsidenten und Vizepräsidenten verschwamm", da diese „laufenden Einfluß auf die Geschäftsführung" nahmen, ders. Interessenpolitik, S. 183. Für diese Feststellung vom 13. 8. 1909 – die Wahl des Präsidiums erfolgte am 4. 10. 1909! – finden sich in den Protokollen des konstituierenden Präsidiums keine Belege. Das gleiche gilt für die Feststellung über die beiden gleichstarken Gruppen im „Präsidium". Ein „Bündnis" zwischen Rötger, Richt und Crasemann war wohl nur in sozialpolitischen Fragen und gegenüber der SPD möglich. Betr. der Differenzen zwischen Rötger und den Vertretern des Handwerks vgl. Kaelble, Interessenpolitik, S. 183; Anlage 8, Brief L. Delbrück an Gustav Krupp v. Bohlen und Halbach. Gegen ein Bündnis in handelspolitischen Fragen sprach z. B., daß Crasemann einer der Unterzeichner des Aufrufs des „Liberalen Cartells" war, das die Erhöhung der Schutzzölle und das Zusammengehen von CVDI und DLR kritisierte. Crasemann war ferner aktiv an der Gründung des HVV beteiligt; vgl. Stegmann, S. 76, 77, 79.

[257] Brief Rötgers an Riesser, 22. 6. 1912: „Die langwierigen Kompromißverhandlungen, von denen ich in meinem Schreiben v. 16. d. M. sprach, haben naturgemäß (!) im wesentlichen zwischen Ihnen und mir unter vier Augen stattgefunden und sind deshalb den anderen Herren des Präsidiums und den Herren der Geschäftsführung zum Teil unbekannt geblieben ..."; dieser und der erwähnte Brief v. 16. 6. 1912 sind abgedruckt in H-B, Jg. 1, Nr. 25, 24. 6. 1911, S. 223, 222; vgl. ferner Rundschreiben des CVDI an seine sämtlichen Mitglieder, 24. 6. 1911, abgedruckt in: Swdt. Wi-Ztg., Nr. 26, 30. 6. 1911 „Der Auseinanderbruch des Hansa-Bundes", S. 246–250; vgl. auch Briefe Riessers an Duisberg, 9. 11. und 11. 11. 1910, Anlage 9. Auch diese Briefe machen die ständigen Versuche der CVDI-Vertreter deutlich, die BdI-Vertreter im Hansa-Bund-Präsidium auszuschalten.

[258] Bayer-Archiv, Personalia Riesser, Brief Duisbergs an Riesser, 20. 4. 1912. Es ist zu vermuten, daß Duisberg als Direktoriumsmitglied und Vertrauter Riessers den Einfluß der Vizepräsidenten richtig einzuschätzen vermochte.

[259] Vgl. Kap. III, 3. HB – BdI.

260 Vgl. Kap. III, 2. HB – CVDI.

261 Vgl. Kap. III, 3. HB – BdI.

262 Von der Hälfte der Sitze – vorgesehen war zunächst ein zwölfköpfiges Direktorium – beanspruchte die Interessengemeinschaft fünf Sechstel, und zwar 3 für den CVDI, 1 für die Zentralstelle für Vorbereitung von Handelsverträgen, 1 für den Verein zur Wahrung der Interessen der chemischen Industrie Deutschlands, vgl. VMB, H. 124, S. 14. Wer im CVDI-Direktorium diese Forderung erhob, geht aus der genannten Quelle nicht hervor; vgl. hierzu auch Kaelble, Interessenpolitik, S. 182. Geo Plate berichtete sogar darüber, daß in der Sitzung des konstituierenden Präsidiums vom 25. 6. 1909 Landrat Rötger mit „großem Aplomb" darauf hingewiesen habe, „daß etwa 70 % der erwerbenden Bevölkerung Deutschlands auf die Industrie entfalle, auf den Handelsstand dagegen nur etwa 5 %. Er drückte sich so aus, daß, wenn auch vielleicht unbeabsichtigt, dennoch der Eindruck war, daß er auch eine entsprechende Beteiligung der Industrie in der Vertretung des Geschäftsausschusses beanspruche. Das führte zu einer Reihe von Mißverständnissen, da verschiedene Redner, ... seine Äußerungen gerade in diesem Punkte ziemlich lebhaft angriffen". Rötger „modifizierte daraufhin seine Worte, so daß es über diesen Punkt zu keinen weiteren Differenzen" kam, HK Bremen, Akte HB, Bd. I, Brief G. Plates an HK Bremen, 25. 6. 1909.

263 Ebd.

264 Krupp-Archiv, Akte IV C 15, Bl. 88–93.

265 Riesser an Rötger, 6. 7. 1909, zit. nach VMB, H. 124, S. 15.

266 Ebd.

267 Vgl. Archiv Rötger, Prot. der Sitzung der Kommission des konstituierenden Präsidiums vom 21. 7. 1909.

268 GBAG-Archiv, Brief Rötgers an Kirdorf, 17. 7. 1909.

269 Das geht zwar nicht aus dem Protokoll der Kommission des konstituierenden Präsidiums vom 21. 7. 1909, Archiv Rötger, hervor. Da jedoch laut Prot. der Präsidialsitzung vom 22. 7. 1909 (ebd. und GBAG-Archiv, Akte HB), die Vorschlagsliste der Kommission vom konstituierenden Präsidium unverändert übernommen wurde, muß die Korrektur in der Kommissionssitzung vom 21. 7. 1909 erfolgt sein. Da der CVDI auf dieser Sitzung von 8 Anwesenden 3 stellte, muß Riesser mit den übrigen Mitgliedern der Kommission gestimmt haben, da ansonsten keine Mehrheiten möglich gewesen wären.

270 Vgl. Anlage 3. Der in der Anlage zum Protokoll des konstituierenden Präsidiums vom 22. 7. (GBAG-Archiv) als Direktionsmitglied aufgeführte Tischlerobermeister Wagner, Dessau, wird in der publizierten Liste nicht mehr erwähnt, so daß sich die Zahl der Direktionsmitglieder zunächst (1909) auf 42 belief. Der in der Anlage zum Protokoll vom 22. 7. erwähnte Reeder Krogmann, Vorsitzender der Seeberufsgenossenschaft, Hamburg, wird in der veröffentlichten Liste ebenso wie der Textilindustrielle, E. Nusch, BdI-Vorstandsmitglied (Direktoriumsmitglied erst ab 1913, vgl. Anlage 3) nicht aufgeführt; anstelle von Prof. Budde, Generaldirektor von Siemens & Halske, Vorsitzender des Vereins deutscher Elektrotechniker, Berlin, Prof. Goerges, TH Dresden. In einem Schreiben der Hansa-Bund-Zentrale vom 11. 8. 1909 an die Direktoriumsmitglieder (Archiv Rötger) heißt es dazu: „Zu dem Sitzungsprotokoll vom 22. 7. d. J. gestatten wir uns die Bemerkung, daß der als Vorsitzender des Verbandes Deutscher Elektrotechniker in das Direktorium gewählte Herr Prof. Budde diese Wahl mit der Begründung abgelehnt hat, daß der Vorsitz im genannten Verbande auf Herrn Prof. Goerges zu Dresden übergegangen sei." Riesser habe daher nach Rücksprache mit den übrigen Präsidialmitgliedern „den Beschluß des konstituierenden Präsidiums dahin auszulegen geglaubt, daß der tatsächliche Vorsitzende des Verbandes Deutscher Elektrotechniker, Herr Prof. Goerges als gewählt zu gelten habe".

[271] Vgl. die Kapitel III, 2 und III, 3.

[272] Vgl. Anlage 3. Der selbständige Mittelstand war durch die Handwerker: Gestrich, Knabenschuh, Paschke, Richt, Schmidt und den Einzelhändler Schmersahl vertreten; die Angestellten durch Fürstenberg (Deutscher Bankbeamtenverein), G. Hiller (Verband Deutscher Handlungsgehilfen zu Leipzig), H. J. Thissen (Verein für Handlungskommis von 1858); H. Wahl wurde zwar vom Hansa-Bund als Mittelstandsvertreter geführt, als Millionär und Mitinhaber eines Warenhauses – vgl. R. Martin, Jahrbuch der Millionäre in der Rheinprovinz, Berlin 1913, S. 96 – ist er jedoch als Mittelstandsvertreter falsch klassifiziert.

[273] Vgl. Kap. II, 3b aa.

[274] Schwer-: 4, Maschinen-: 3, Chemie-: 2, Elektroindustrie: 1; Konsumgüterindustrie: Nahrungs- und Genußmittel-: 3, Textilindustrie: 5.

[275] Vgl. VMB, H. 124, S. 14.

[276] Ob diese Veränderung auf Rötgers Forderung zurückzuführen war, konnte jedoch nicht festgestellt werden.

[277] Vgl. Anlage 3.

[278] Inklusive von 3 Mitgliedern, die zwar dem konstituierenden Präsidium nicht angehörten, aber an seinen Verhandlungen teilnahmen.

[279] Archiv Rötger, Prot. der Sitzung der Kommission des konstituierenden Präsidiums des HB, 21. 7. 1909.

[280] Krupp-Archiv, Akte IV C 15. In der 1. Sitzung des konstituierenden Präsidiums (24. 6. 1909) lehnte Rötger das in „Aussicht genommene Zahlenverhältnis für die Vertretung der einzelnen Erwerbsstände“ ab, da es „der Bedeutung der Industrie und namentlich dem im Zentralverbande Deutscher Industrieller vertretenen industriellen Kreise, nicht hinlänglich Rechnung trage“, (vgl. Archiv Rötger, Prot. der Sitzung vom 24. 6. 1909) und versuchte – laut Protokoll – durchzusetzen, daß den vom CVDI vertretenen industriellen Kreisen „mit Rücksicht auf ihre gesamtwirtschaftliche Bedeutung“ die Mehrheit der Sitze im Ges.-A. zugestanden wurde, wobei er sich auf eine von Riesser am 12. 6. 1909 erhaltene Zusage berief (vgl. auch Hilger). Riesser bestritt dies. Geh. Finanzrat Müller, der an der Unterredung teilgenommen hatte, hielt es für möglich, daß Riesser geäußert habe, daß der Industrie als solcher die Mehrheit zugestanden werden könne. Nach dem Beschluß der Kommission, daß – entgegen § 13 – „eine Majorisierung wichtiger Interessengruppen im Gesamtausschuß ausgeschlossen“ sein solle, verlor die Zusicherung dieses Gremiums für den CVDI an Bedeutung, ebd., Prot. der Kommissionssitzung des konst. Präsidiums des Hansa-Bundes, 24. 6. 1909; vgl. ferner Riessers Schreiben an die Mitglieder des konst. Präsidiums vom 9. 10. 1909, ebd.

[281] Vgl. GBAG-Archiv, Anlage zur Präsidialsitzung des Hansa-Bundes vom 22. 7. 1909. Riesser für den Handel i. w. S., Rötger für den CVDI, Heilner und Steche für den BdI und Richt für das Handwerk hatten Vorschlagslisten ausgearbeitet, die zusammengefaßt zu einer Liste dem konstituierenden Präsidium vorgelegt wurden, vgl. Prot. der Sitzung der Kommission des konst. Präsidiums vom 21. 7. 1909; der Wunsch einiger korporativer Mitglieder des CVDI, an der Zusammenstellung der Liste teilzunehmen, wurde von Rötger abgelehnt; vgl. GBAG-Archiv, Brief Rötgers an Kirdorf, 7. 7. 1909: Die in CVDI-Kreisen geäußerte Ansicht, „bei der Aufstellung der Listen für Direktorium und Ausschuß des Hansa-Bundes müssen unsere großen Verbände mitwirken, ... kann ich nicht anerkennen“.

[282] Archiv Rötger, Prot. der Kommissionssitzung vom 21. 7. 1909.

[283] Ebd., Prot. der Präsidialsitzung des Hansa-Bundes vom 22. 7. 1909. Von den besonders zu „berücksichtigenden Landesteilen“ wurden Ost- und Westpreußen, Pommern, Mecklenburg, Oldenburg und Schleswig-Holstein genannt.

[284] Von den 458 Gesamtausschußmitgliedern stellten Oldenburg und Lippe je 1, Posen und beide Mecklenburg zusammen je 2, Pommern, Schleswig-Holstein und Braunschweig je 3, Westpreußen 4, Ostpreußen 8; d. h. diese 10 Provinzen bzw. Bundesstaaten stellten lediglich ein Fünftel der Gesamtausschußmitglieder Berlins (mit Vororten); Preußen stellte insgesamt 266, davon entfielen auf Berlin 124, auf die Rheinprovinz 40, Hessen-Nassau 19, Brandenburg 17, Westfalen 14, Provinz Sachsen 13, Schlesien 10, Hannover 9, Ostpreußen 8, Westpreußen 4, Pommern 3, Posen 2; das Königreich Sachsen stellte 39, Württemberg 32, Bayern 27, Hamburg 18, Bremen 15, Elsaß-Lothringen 14, Baden 11, Hessen 10, die Thüringischen Staaten 9 und die übrigen Kleinstaaten 11 Ausschußmitglieder.

[285] Vgl. GBAG-Archiv, Anlage zum Prot. der Präsidialsitzung des Hansa-Bundes vom 22. 7. 1909 und HK Duisburg, Akte HB, Liste der Mitglieder des HB-Gesamtausschusses von 1909.

[286] Ebd.; ferner Archiv Rötger, Nachträgliche Anträge betr. Zuwahl zum Gesamtausschuß d) Gewerbe.

[287] Ebd., Registratur über die weitere Beratung zur Vorbereitung der Direktoriumssitzung des Hansa-Bundes, 4. 10. 1909.

[288] Ebd., nachträgliche Anträge.

[289] Ebd., von beiden kamen 9 Nachwahlvorschläge.

[290] Ebd., nachträgliche Anträge betreffend Zuwahl zum Gesamtausschuß c) Kleinhandel. J. Aufseesser, Nürnberg, war Vorsitzender des Detaillisten-Vereins der Mode-, Textil-, Bekleidungsbranche.

[291] Ebd., Rubrik „Antragsteller" betr. Nachwahl.

[292] Vgl. die personellen Verflechtungen zwischen Einzelhandel, Großhandel und Industrie: z. B. der Handelskammersyndikus und Geschäftsführer des Fabrikantenvereins für Hannover-Linden und die benachbarten Kreise, Ausschußmitglied des CVDI, Dr. Rocke, war stellvertretender Vorsitzender des Deutschen Zentralverbandes für Handel und Gewerbe – dem überwiegend Einzelhändler angehörten – und Geschäftsführer des Verbandes von Kaufleuten der Provinz Hannover und der angrenzenden Länder; vgl. Handbuch wirtschaftlicher Vereine, S. 73, 76. Der Handelskammersekretär Dr. Horn, Lübeck, war Geschäftsführer des Lübeckischen Detaillisten-Vereins. Interessant erscheint ferner, daß dem Hansa-Bund zahlreiche kaufmännische Vereine korporativ beitraten bzw. daß ihre Vorsitzenden in den Gesamtausschuß gewählt wurden, die erst 1908 oder 1909 gegründet worden waren und daher finanziell besonders unterstützungsbedürfnig waren: Gesamtausschußmitglider wurden 1909 z. B. Carl Klüssendorf, Vors. des Verbandes Mecklenburgischer Handelsvereine, gegr. 1909, Heinrich Boysen, Vors. des Zentralausschusses handelsgewerblicher Vereine Hamburgs, gegr. 1909, Kommerzienrat Carl Schmahl, Vors. der Interessengemeinschaft großer Detaillistenverbände, Mainz, gegr. 1908, Wilhelm Kalbfuß, Vors. des Verbandes der Detaillisten-Vereine im Großherzogtum Hessen, Darmstadt, gegr. 1908; vgl. Handbuch wirtschaftlicher Vereine, S. 77, 79, 83.

[293] Vgl. GBAG-Archiv, Anlage zum Prot. der Präsidialsitzung des HB vom 22. 7. 1909, ferner Archiv Rötger, Nachträgliche Anträge betr. Zuwahl zum Gesamtausschuß e) Angestellte. Gewähl wurden u. a. die von Hirth und Dr. Tille vorgeschlagenen Angestelltenvertreter C. Wörn und der Bürochef der Handelskammer Saarbrücken, Dr. H. Wagner. Vgl. Liste der Mitglieder des Hansa-Bund-Gesamtausschusses.

Betr. des Eintritts weiterer Angestelltenvertreter in den Hansa-Bund-Gesamtausschuß vgl. Kap. III, 4. Das Werben um den neuen Mittelstand.

[294] Dieser Verband war sowohl korporatives Mitglied des BdI als auch des CVDI.

[295] Archiv Rötger, HB-Zentrale, gez. Bernstein, an Landrat a. d. Rötger, 8. 11. 1909.

[296] Vgl. die Kapitel III, 2 und III, 3.

[297] Abgelehnt wurden einige Einzelhandelskaufleute der Textilbranche und einige Fleischermeister, da beide Gruppen bereits relativ stark im Gesamtausschuß vertreten waren.

[298] Vgl. Archiv Rötger, HB-Zentrale an Rötger, 8. 11. 1909. Vgl. ferner A. Tille, Die Verfassung des Hansa-Bundes als Karikatur einer Verfassung, in: Swdt. Wi-Ztg., Nr. 28, 14. 7. 1911, S. 289 f. Abgelehnt wurde u. a. Stresemann (vorgeschlagen vom Deutsch-Canadischen Wirtschaftsverein, dessen Vorsitzender er war). Auf Rötgers Exemplar der Liste „Nachträgliche Anträge betr. Zuwahl zum Gesamtausschuß b) Großhandel“ ist Stresemanns Name als einziger durchgestrichen. Es ist daher zu vermuten, daß Stresemanns Aufnahme besonders am Widerstand Rötgers scheiterte; Stresemann hätte ansonsten in seiner Funktion als Vorsitzender des Deutsch-Canadischen Wirtschaftsvereins in den Ausschuß aufgenommen werden können. Abgelehnt wurden ferner Dr. Th. Waage, Gf. des Vereins Deutscher Großhändler in Dünger- und Futtermitteln; Dr. Rocke, vgl. Anm. 292, Dr. Müffelmann, Generalsekretär des Centralausschusses der Vereinigten Innungs-Verbände Deutschlands.

[299] Archiv Rötger, vgl. Nachträgliche Anträge a) Industrie und Liste der Mitglieder des HB-Ges.-A. von 1909.

[300] Vgl. z. B. die Satzungen der Ortsgruppe Nürnberg und des Zweigverbandes Mittelfranken von 1909, im Stadtarchiv Nürnberg, Akte V d 15 Ne. 4510.

[301] Vgl. Puhle, Interessenpolitik, S. 41; Kaelble, Interessenpolitik, S. 38 f.

[302] Puhle, Interessenpolitik, S. 41.

[303] D. h. beim Hansa-Bund in erster Linie beim Präsidium, z. T. aber auch beim Direktorium.

[304] Für den CVDI vgl. Kaelble, Interessenpolitik, S. 38 ff.; für den BdL vgl. Puhle, Interessenpolitik, S. 40 f.

[305] Ebd.

[306] Es wurde lediglich darauf geachtet, daß alle Landesverbände und die größeren Ortsgruppen repräsentiert waren, ein Anspruch darauf bestand jedoch nicht.

[307] Wobei die in Berlin ansässigen Verbände in der Regel bevorzugt wurden.

[308] Für den CVDI vgl. Kaelble, Interessenpolitik, S. 209 ff. (Anlage 3); für den BdL Puhle, Interessenpolitik, S. 68 ff., 39, 44.

[309] Dieser Aufruf erschien in der Zeit vom 18.–21. 6. in der Frankfurter Zeitung, im Intelligenz-Blatt, im Frankfurter General-Anzeiger, im Lokal-Anzeiger, in der Kleinen Presse, im Oberreifenberger- und im Niederreifenberger-Anzeiger, im Badener- und im Taunus-Anzeiger, vgl. HK Ffm., Akte 1013, Bl. 76–97. Beitrittserklärungen wurden im Sekretariat der HK entgegengenommen, ferner in Banken und sonstigen Firmen, die sich durch Aushang eines entsprechenden Plakats hierzu bereit erklärten. Die HK Ffm. forderte am 18 6. 1909 vom CVBB entsprechende Plakate an, die sie zu verteilen anbot; vgl. HK Ffm., Akte 1011.

[310] Ebd.

[311] Mitglieder dieses Komitees waren u. a. der Präsident der HK, der Vorsitzende des Handelsvertragsvereins, insgesamt 13 (von 24) Vertreter des Handels, der Banken und der Börse. Das Handwerk war lediglich mit 3 Mitgliedern vertreten; vgl. HK Ffm., Akte 1011, Schreiben der HK Ffm. an HK Karlsruhe, 29. 6. 1909, ferner HK Ffm., 22. 7. 1909, Einladung zu einer Komitee-Sitzung, ebd.

[312] Ebd., Prot. der HB-Gründungsversammlung in Ffm., 17. 7. 1909.

[313] Vgl. HK Ffm., Akte 1011. An der Gründungsversammlung in Berlin (12. 6.) hatten aus Frankfurt a. M. besonders zahlreich die Vertreter der Banken und Börsen teilgenommen, die auch in der Handelskammer den Ton angaben. J. Andreae, der Präsident ders. (vgl. Anlage 1) und sein Stellvertreter, Friedrich Thorwart, waren

Bankvertreter. Letzterer war Mitglied des Börsenausschusses, Berlin, MdAR u. a. der Dresdener Bank, der Württembergischen Landesbank, Stuttgart, der Westdeutschen Bodenkredit-Anstalt, Köln, der Bank für industrielle Unternehmungen, Ffm. Vgl. Geschichte der HK Frankfurt a. M., hg. von der HK Ffm., 1909. Andreae und Thorwart wurden die ersten Vorsitzenden der Frankfurter Ortsgruppe des HB.

[314] HK Duisburg, Akte HB, Hirsch an Syndikus Woltmann (HK Duisburg), 7. 7. 1909.

[314] Ebd., HB-Zentrale an HK Duisburg, 29. 10. 1909, und dieselbe an HB-Zentrale, 1. 11. 1909 u. 23. 11. 1909.

[316] Ebd., z. B. Fa. J. Gerson u. Co. an HK Duisburg, 3. 9. 1909.

[317] Ebd., Syndikus Dr. Woltmann an Reg. Rat Dr. Fahrenhorst, 16. 11. 1909.

[318] Ebd., Hirsch an Dr. Woltmann, 26. 8. 1909.

[319] Ebd., Hirsch an Dr. Woltmann, 18. 9. 1909. Er hatte „nur die Kammern des Industriebezirks im Auge, da andernfalls die Geschichte sich zu sehr kompliziert". Am 7. 7. 1909 hatte Woltmann in einem Brief an Hirsch einen ähnlichen Plan entwickelt, ebd., Woltmann an Dr. Fahrenhorst, 16. 11. 1909. Nur wenn es gelänge, unter der Regie der Schwerindustrie eine Ortsgruppe für das gesamte Revier zu bilden, dann könne „aus dem Hansa-Bund etwas werden", ebd.

[320] Ebd., Hirsch an Woltmann, 18. 12. 1909. „Um nichts zu versäumen, möchte ich schon jetzt an die Herren Kollegen die Bitte richten, jeder für seinen Kammerbezirk eine Zusammenstellung von 18 Vertretern von Industrie, Gewerbe und Handel vorzunehmen, die demnächst in den gemeinsamen Vorstand von 90 Personen zu delegieren sein werden ... m. E. müßten sich die 90 Personen als vorbereitendes Komitee konstituieren und dann ihrerseits die große Versammlung auf den 13. Februar einberufen." Vgl. Hirsch an HK Duisburg, 21. 12. 1909, ders. an die HK-Syndici des Reviers, 31. 12. 1909.

[321] Vgl. Mitteilungen der HK zu Bochum, Jg. 1910, S. 47 ff. „Niederrheinisch-Westfälische Bezirksgruppe des Hansa-Bundes". Mitglieder der Schwerindustrie im Vorstand: Kirdorf, Generaldirektor der GBAG; Carl Funke, Vors. der HK Essen und der Vereinigung der Handelskammern des niederrheinisch-westfälischen Industriebezirks; Geh. Finanzrat Dr. Hugenberg, stellv. Vors. der HK Essen; Generaldirektor Fr. Baare, 2. stellv. Vors. der HK Bochum; Generaldirektor Bergrat P. Randebrock, Gelsenkirchen; Generaldirektor Springorum, Ausschußmitglied des CVDI, Vors. des Vereins Deutscher Eisenhüttenleute und Vorst. Mitgl. des VdEStI.; Bergwerksdirektor Wilhelm Liebrich, stellv. Vors. der HK Mülheim-Ruhr; Gerhard Küchen, stellv. Vors. der HK Mülheim-Ruhr, Teilhaber der Firma Matthias Stinnes und der Mülheimer Handelsgesellschaft. Von den Industrievertretern gehörten lediglich Carl Metzmacher, Mühlenbesitzer und Stadtrat, Mitglied der HK Dortmund und Julius Weber, Chemieindustrie, nicht der Schwerindustrie an. Letztere stellten ebenfalls fast alle Stellvertreter: u. a. Hugo Stinnes; Bergrat und Stadrat Kleine, Vors. der HK Dortmund; Hüttendirektor Fr. Klönne, Duisburg; Bergrat Generaldirektor Heinrich Lindner, Herne; von seiten des „Handels" (7) gehörten u. a. Gustav Stinnes, 2 Bankdirektoren, 2 Kaufleute, 1 Getreidehändler und Kom. Rat. Paßmann, stellv. Vors. der HK Duisburg-Ruhrort dem Vorstand an; ferner 3 Handwerker und 4 Angestellte, und als Stellvertreter die Syndici der HK des Ruhrgebiets, vgl. auch Stegmann, S. 194 mit z. T. unrichtigen Angaben betr. Baare (s. o.), Keibel, Syndikus der HK Mülheim-Ruhr, Woltmann, Syndikus der HK Duisburg.

Die obige Aufstellung zeigt recht deutlich, daß die Handelskammern im Revier fest in der Hand der Schwerindustrie lagen. Mitgl. des gf. Vorstandes waren: 1. Vors. Kirdorf, Stellv. Funke, 2. Vors. Metzmacher, Stellv. Paßmann (s. o.), 3. Vors. Sattlermeister Wöller, Stellv. Prokurist May; Schatzmeister Bankdirektor Jötten, Schriftführer Syndikus Hirsch.

[322] Vgl. HK Ffm., Akte 1011, HB-Zentrale an das Ortskomitee Ffm., 22. 7. 1909 „Stand der lokalen Organisation am 19. 7. 1909"; vgl. HK Hamburg, Akten betr. HB; HK Bremen, Akte HB, Bd. I.

[323] HK Bremen, Akte HB, Bd. I. Rundschreiben Riessers an HK-Syndici 1. 7. 1909.

[324] Eine genaue Aufstellung über die korporative Mitgliedschaft der HK im HB befindet sich in: S. Mielke, Hansa-Bund, Diss. phil. (MS.) Berlin 1972, Anlage 6, vgl. ferner H-B, Jg. 1–4, Rubrik „Aus den Ortsgruppen".

[325] Vgl. Anm. 322, 324, HK München, Akte HB, Bd. I; für den BdI vgl. Kap. HB – BdI.

[326] Vgl. HK Ffm., Akte 1011; HK Bremen, Akte HB, Bd. I. HK Hamburg, Akte V 145, Nr. 2, Gewerbekammer, an HK Hamburg 21. 6. 1909, meldet 19 Innungen bzw. sonstige Handwerksvereine, die bereit waren, einen Aufruf zwecks Beitritts zum HB zu unterzeichnen.

[327] HK Duisburg, Akte HB, HK Duisburg, 7. 7. 1909, Rundschreiben an Vereine und Innungen. Dort auch Verzeichnis der Adressaten; betr. der Unterzeichner des Aufrufs vgl. u. a. Duisburg-Ruhrorter Zeitung Nr. 378, 14. 8. 1909, ebd.

[328] HK Bremen, Akte HB, Bd. I, Syndikus Dr. Apelt an Geo Plate, 27. 7. 1909; ders. an Plate, 20. 7. 1909.

[329] HK Ffm., Akte 1011, HB-Zentrale an Ortskomitee Ffm, 22. 7. 1909.

[330] Jahrbuch des HB, Jg. 2, 1913; Jg. 1, 1912, S. 240–263; H-B, Jg. 1, 7. 1. 1911, S. 2 „Stand der Hansa-Bund-Organisation"; ebd., Jg. 2, 1912, Nr. 9, S. 117; Die bürgerlichen Parteien, Bd. 2, S. 203.

[331] H-B, Jg. 1, Nr. 1, 7. 1. 1911, S. 2 „Stand der Hansa-Bund-Organisation". Ein genauer Überblick über den Stand der Organisation Ende 1911 befindet sich im Jahrbuch des HB von 1912, S. 240–263. Dort auch ein Überblick über die Verteilung der Vertrauensleute auf die einzelnen Provinzen und Bundesstaaten.

[332] H-B, Jg. 1, Nr. 1, 7. 1. 1911, S. 2. Die 1. Zahl in Klammern gibt die Anzahl der Ortsgruppen, die 2. die der Vertrauensleute an.

[333] Vgl. Puhle. S. 38 f.

[334] Vgl. Mielke, Hansa-Bund, Diss. phil. (MS.) Berlin 1972, Anlage IX.

[335] H-B, Jg. 1, Nr. 23, 12. 6. 1911, S. 192 „Aus den Ortsgruppen". Von den 3591 Mitgliedern (Stand Dez. 1910) des Landesverbandes Südbayern entfielen auf die Ortsgruppe München 2218. Über die korporativen Mitglieder waren dem Landesverband noch 4806 Mitglieder indirekt angeschlossen. Der Landesverband Nordbayern hatte demgegenüber Anfang 1911 ca. 7000 Mitgl., ebd., Nr. 14, 8. 4. 1911, S. 192 „Aus den Ortsgruppen".

[336] Vgl. HK Bremen, Akte HB, Bd. 1, Schreiben Riessers an Generalkonsul St. C. Michaelsen (pers. haft. Gesellschafter der Kommanditgesellschaft E. E. Weyhausen, Bankgeschäft, Mitgl. des Ausschusses des CVBB), 18. 6. 1909. „Es muß schon im Hinblick auf etwaige künftige Wahlen darauf gesehen werden, daß in jedem kleinen Ort Vertrauensmänner vorhanden sind . . .", HK Duisburg, Akte HB, Prot. der Sitzung der Zweigvereinsvorsitzenden des HB am 11. 12. 1909 zu Berlin.

[337] Der zu Riessers 60. Geburtstag eingerichtete Riesser-Fonds diente neben der Vorbereitung von Wahlen der „Ausbreitung und Festigung" der HB-Organisation, H-B, Jg. 4, Nr. 8, November 1913, S. 102 „Mitteilungen".

Zum Aufbau der Organisation wurde ein besonderer Organisationsfonds eingerichtet, ebd.

[338] Mitt. H-B, Jg. 2, Nr. 33, 21. 6. 1910 „Die Festtagung des Hansa-Bundes".

[339] H-B, Jg. 1, Nr. 44, 4. 11. 1911, S. 381 „Aus den Ortsgruppen" (Stresemann).

[340] BA, Akte Zsg 103/1413, H-B 1909–1912, Provinzialabt. Hannover, Rundschreiben v. 24. 5. 1910 und vom 28. 2. 1912, ebd.

[341] HB-Flugblatt: Erfolge und Entwicklung des Hansa-Bundes im Jahre 1913; abgedruckt in: H-B, Jg. 4, Nr. 12, März 1914, S. 161 f. Vgl. ferner ebd., Jg. 2, Nr. 43, 2. 11. 1912, S. 551 „Tagung des Badischen Landesverbandes des Hansa-Bundes". Kleefeld, Gf. des HB, stellt den Zusammenhang zwischen Organisation und Erfolg eines Verbandes dort differenzierter dar: „Keine Leistung, besonders aber im wirtschaftspolitischen Leben, sei möglich ohne eine bis in Einzelheiten durchgebildete Organisation. Linienführung und Kleinarbeit, das seien die Elemente des Erfolges und der Macht, und gerade, was die Organisation und die Aufklärung beträfe, müsse im Hansa-Bund noch viel mehr geleistet werden". Ebd., Jg. 3, Nr. 2, 18. 1. 1913, S. 25 „Der Hansa-Bund in Thüringen". Kleefeld: „Wer die Entwicklung unseres öffentlichen Lebens in den letzten Jahrzehnten verfolgte, müsse anerkennen, daß die Kraft und Energie der Organisation als solcher, in Verbindung mit einer zielsicheren Leitung, allein zum Erfolg führe".

[342] Vgl. v. Beyme, S. 48 f.

[343] Ebd., S. 49 f. v. Beyme weist ferner darauf hin, daß die geschickte Zusammenarbeit mit gleichgesinnten Verbänden und eine gute Bündnispolitik Mängel an straffer Organisation kompensieren können.

[344] Ebd., Kleefeld bemängelte, daß in dieser Richtung bisher nicht genügend gearbeitet worden sei, vgl. Anm. 241.

[345] Vgl. FZ, Nr. 209, 30. 7. 1909 „Der Hansa-Bund". Von der Zentrale wurden u. a. die Ortsgruppen in Sonneberg, Bingen, Verbert und Nordhausen initiiert; Mannheimer General-Anzeiger, Nr. 278, 19. 7. 1909 „Der Hansa-Bund in Mannheim". Aufforderung Riessers an den Arbeitgeber-Rat in Mannheim, den Prozeß der Gründung einer Ortsgruppe mit der Bildung eines Komitees in Gang zu setzen; Swdt. Wi-Ztg., Nr. 28, 9. 7. 1909 „Niederschrift über den geschäftlichen Teil der ordentlichen Generalversammlung der wirtschaftlichen Vereine und des Arbeitgeberverbandes der Saarindustrie am 19. 6. 1909"; HK Bremen, Akte HB, Bd. I, Brief Riessers an Generalkonsul Stephan Cornelius Michaelsen, 18. 6. 1909.

HK Duisburg, Schreiben der HB-Zentrale an HK Duisburg, 29. 10. 1909, Prot. der Sitzung der Zweigvereinsvorsitzenden des HB am 11. 12. 1909 zu Berlin. Klempnermeister Bartschat vertritt dort die Ansicht, die HB-Zentrale müsse „überall da die Organisation und Agitation in die Hand nehmen . . . wo Zweigvereine noch nicht bestehen oder das nicht leisten könnten, was sie leisten müßten". Vgl. ferner GBAG-Archiv, Prot. der II. Sitzung der Zweigvereinsvorsitzenden des HB am 14. 6. 1910 zu Berlin; VMB, H. 116, S. 38 f. Menck, Vors. der HK Altona: „Auch der Hansa-Bund will von der Zentralstelle aus alles regeln. Der Hansa-Bund will nicht den Ortsgruppen gestatten, daß sie sich regen und bewegen, wie sie möchten, sondern er will als der Herr dahinter stehen und sagen: das und das sollt ihr tun. Meine Herren, auf diese Art und Weise kann man nie etwas erreichen. Politische Bewegungen müssen von unten heraufkommen, sie müssen in der großen Masse ihren Boden finden. Wer politische Bewegungen mit Zentralorganisationen leiten und regieren will, wird stets ein Fiasko erleiden, und meine Überzeugung ist, daß deshalb der Hansa-Bund ein Fiasko machen wird." Vgl. dagegen A. Tille, Syndikus der HK Saarbrücken, ebd., S. 44, der ein Eingreifen der HB-Zentrale verneint.

[346] H-B, Jg. 1, Nr. 16, 22. 4. 1911, S. 134 „Aus den Ortsgruppen".

[347] Ebd., Nr. 44, 4. 11. 1911, S. 381 „Aus den Ortsgruppen".

[348] Ebd., Jg. 2, Nr. 41, 19. 10. 1912, S. 532 „Aus den Ortsgruppen und angeschlossenen Verbänden".

[349] Vgl. ebd., Jg. 3, Nr. 4, 25. 1. 1913, S. 38 „Sitzung des Provinzialausschusses

Hannover", ebd., Nr. 4, 18. 1. 1913, S. 25 „Der Hansa-Bund in Thüringen". Auf der 1. Sitzung der Zweigvereinsvorsitzenden am 11. 12. 1909 in Berlin, vgl. Prot. ders. in HK Duisburg, Akte HB, war demgegenüber beschlossen worden, es den einzelnen Ortsgruppen zu überlassen, ob Landes- oder Provinzialverbände gebildet werden sollten.

[350] H-B, Jg. 2, Nr. 44, 9. 11. 1912, S. 570 „Aus den Ortsgruppen . . ."

[351] Dieser Anspruch der Zentrale wurde aus den §§ 19 und 20 der Satzung des HB von 1912 hergeleitet.

[352] H-B, Jg. 2, Nr. 5, 9. 2. 1912, S. 63 f. „Wirtschaftspolitische Ausblicke".

[353] Das galt z. B. für die Ortsgruppe Ffm., vgl. HK Ffm., Akte 1011, oder für den Landesverband Bayern, vgl. Stadtarchiv Nürnberg, Registratur V d 15 Nr. 4510; die Ortsgruppe Ffm. setzte z. B. durch, daß sie nicht den üblichen Satz von zwei Drittel der Einnahmen an die Zentrale abführen mußte, sondern einen geringeren, und legte ebenso wie der Landesverband Hamburg einen eigenen Wahlfonds an.

[354] 1912 wurden 10 (von 24) Mitglieder in ihrer Eigenschaft als Orts-, Landes- oder Provinzialgruppenvorsitzende ins Direktorium gewählt; vgl. H-B, Jg. 2, Nr. 21, 1. 6. 1912, S. 277 „Erweiterung des Direktoriums des Hansa-Bundes"; ebd., Nr. 23, 15. 6. 1912, S. 305 „Bericht der Revisionskommission und Zuwahlen".

[355] Ebd. Ein solcher Vorschlag war verschiedentlich schon 1909 gemacht worden, z. B. von Possehl (vgl. Anlage 1) in der Sitzung des konstituierenden Präsidiums vom 22. 7. 1909. Er wurde jedoch von Riesser zurückgewiesen, mit der Begründung, man sei „doch gezwungen ... gleich zu arbeiten" und müsse dafür „eine fertige Organisation haben". HK Bremen, Akte HB, Bd. I, Brief Geo Plates an den Präses der HK, 24. 7. 1909.

[356] Der Vorschlag kam von dem Stadtverordneten Paris aus Altona, H-B, 1912, S. 305.

[367] Die Satzung von 1911 befindet sich u. a. in HK Ffm., Akte 1013.

[358] Nach der 2. Sitzung der Zweigvereinsvorsitzenden vom 14. 6. 1910 wurden dieselben erneut instruiert, „auf die Anfragen der Zentrale, speziell auf Bitten derselben um Materialüberlassung, so rasch als irgend möglich zu antworten". Zur Denkschrift betr. die Neuregelung des Submissionswesens hatten von 543 Ortsgruppen sich lediglich 40 in materieller Hinsicht geäußert, vgl. Prot. der 2. Sitzung der Zweigvereinsvorsitzenden.

[359] Vgl. H-B, Jg. 1, Nr. 41, 14. 10. 1911, S. 354 „Teuerung und Hansa-Bund"; ebd., Nr. 42, 21. 10. 1911, S. 362 „Hansa-Bund und Teuerung".

[360] GBAG-Archiv, Akte HB, Prot. der 2. Sitzung.

[361] Dies gilt besonders für Vorschläge zum Thema Agitation und Werbung.

[362] GBAG-Archiv, Akte HB, Prot. der 2. Sitzung der Zweigvereinsvorsitzenden v. 14. 6. 1910, S. 2 (Riesser).

[363] Ebd., Anlage I, „Mitteilung und Instruktion für sämtliche Zweigvereine", Nr. 10. Für das folg. vgl. Instruktionen Nr. 8, 9 und Prot., S. 3, GBAG-Archiv.

[364] Puhle, Interessenpolitik, S. 44. „Das postulierte Mitspracherecht der regionalen Funktionäre" des BdL „war faktisch kaum vorhanden", ebd., S. 43 f.

[365] GBAG-Archiv, Prot. der 2. Sitzung der Zweigvereinsvorsitzenden des HB.

[366] Ebd., Anlage II, Anwesenheitsliste, vertreten waren lediglich 109 von über 500 Ortsgruppen; von den 152 Vors. bzw. Vertretern ders. waren 39 Fabrikanten, 9 Fabrikdirektoren, 27 Kaufleute, 10 Bankvertreter, 7 Handwerker, 9 Angestellte. Vertreten waren ferner 19 Sindici, davon 16 Handelskammersyndici, schließlich 7 Geschäftsführer des HB.

Die Anwesenheitsliste der 1. Sitzung der Zweigvereinsvorsitzenden vom 11. 12. 1909 ergibt folgendes Bild: vertreten waren 145 von ca. 400 Ortsgruppen; von den anwesenden 165 Vorsitzenden bzw. deren Vertretern waren 43 Fabrikanten, 15 Fabrikdirektoren, 27 Kaufleute, 16 Bankiers bzw. Bankdirektoren, 1 Oberingenieur; bei 12 Vorsitzenden ist lediglich der Titel eines Kommerzienrats verzeichnet. Hier handelt es sich mit großer Wahrscheinlichkeit um Fabrikanten und Großhändler, vgl. HK Duisburg, Akte HB, Prot. der 1. Sitzung der Zweigvereinsvorsitzenden des HB, 11. 12. 1909, Anlage II, Anwesenheitsliste.

[367] Bürger heraus!, S. 23.

[368] Vgl. W. Zapf, Wandlungen der deutschen Elite. Ein Zirkulationsmodell deutscher Führungsgruppen 1919–1961, München 1966², S. 49.

[369] Berechnet nach Martin, Jahrbuch; vergleiche ferner Liste der Mitglieder des HB-Gesamtausschusses von 1909 und 1914, ferner Anlagen 1–3.

[370] Puhle, Interessenpolitik, S. 39, 63.

[371] Ebd., S. 63 ff. Lediglich unter den Orts- und Bezirksgruppenvorsitzenden fand sich eine größere Zahl mittlerer Besitzer, die allerdings „bei weitem nicht ihrem Anteil an der Gesamtmitgliedschaft des Bundes" entsprach, ebd., S. 68.

[372] Vgl. Kaelble, Interessenpolitik, S. 38 ff. Für eine Stimme in der Delegiertenversammlung mußten 100 Mark bezahlt werden. „Dadurch entstanden große Diskrepanzen der Stimmenzahlen in der Delegiertenversammlung". Während der mitgliederreiche, aber finanzschwache Gesamtverband Deutscher Metallindustrieller in der Delegiertenversammlung lediglich über 4 Stimmen verfügte, besaßen Krupp 10, Kirdorf 38, der VdEStI 67 Stimmen, d. h. die Kontrolle lag bei der zahlenmäßig kleinen Gruppe der finanzkräftigen Mitglieder der Schwerindustrie (ebd., S. 39). Diese kontrollierte auch das Direktorium (ebd., S. 47, 209 f.). Der Ausschuß war das Gremium, das die Mitglieder des CVDI noch am besten repräsentierte, ebd., S. 42 ff.

[373] Archiv Rötger, Prot. der Kommissionssitzung d. konstituierenden Präsidiums v. 24. 6. 1909. Rundschreiben Riessers vom 9. 10. 1909 an die Mitglieder des konstituierenden Präsidiums, ebd.

[374] Die Deutsche Teerprodukten-Vereinigung war korporatives Mitglied des CVDI; vgl. VMB, H. 116, S. 190 (Umschlag); Kaelble, Interessenpolitik, S. 101.

[375] GBAG-Archiv, Dr. jur. Haßlacher, Vors. der Deutschen Teerproduktenvereinigung an E. Kirdorf, 3. 7. 1909. In diesem Brief heißt es u. a.: „Ich würde, wenn dies so Ihr Wunsch ist, Herrn Meydenbauer nachdrücklichst vorstellen, wie wir nur in der Voraussetzung und Erwartung ihn freizulassen gedächten, daß wir auf die stetige Beibehaltung engster Fühlung mit unserer westfälischen Industrie in seiner späteren Tätigkeit rechnen könnten." Diese Ausführungen zeigen deutlich das Bestreben der rheinisch-westfälischen Industrie, über einen ihnen genehmen Geschäftsführer Einfluß auf die Politik des HB auszuüben.

[376] Ebd., Brief Riessers an E. Kirdorf, 29. 10. 1909, Streng Vertraulich! In diesem Brief heißt es u. a.: Vosberg habe sich „verpflichtet, die Geschäfte des Hansa-Bundes innerhalb der vom Direktorium in der Sitzung vom 4. 10. des Jahres beschlossenen oder weiterer von ihm künftig zu beschließenden Richtlinien, sowie in Gemäßheit der allgemeinen und speziellen Instruktionen des Präsidiums zu führen, das er über den Gang der Geschäfte ständig auf dem laufenden zu erhalten und über alle von ihm beabsichtigten Schritte, welche für die Politik des Bundes von grundsätzlicher Bedeutung sein können, vorher zu unterrichten hat". Diese Abmachungen lassen deutlich erkennen, daß Riesser bestrebt war, dem Geschäftsführer keinen übermäßig großen Spielraum für eine eigenständige Politik zu gewähren. Vgl. ferner Archiv Rötger, Prot. der Direktoriumssitzung des Hansa-Bundes vom 9. 11. 1909.

[377] 1914 wurde z. B. Stresemann die Geschäftsführung des Deutsch-Amerikanischen Wirtschaftsverbandes mit einem Gehalt von 15 000 Mark angeboten, vgl. BA, Nl. Stresemann, 3052, Stresemann an Kom. Rat Uebelen, 16. 9. 1914. Die gesamte Geschäftsführung des BdI erhielt 1913 32 000 Mark, ebd., 3053, H. 124 448 ff. Schreiben

des Verbandes Württembergischer Industrieller (VWI) an den BdI, 9. 6. 1913. Das Gehalt von HB-Geschäftsführern lag jedoch weit unter den Gehältern der Direktoren führender Industrieunternehmen. Die 5 Direktoren von Siemens & Halske erhielten 1913/14 ein konstantes Fixum von 20 000 Mark, das jedoch nur 23,3 % ihrer Gesamtbezüge ausmachte, der „Rest“ waren Tantiemen, vgl. Kocka, Unternehmensverwaltung, S. 495 f.

[378] Archiv Rötger, Prot. der Direktoriumssitzung des HB, 9. 11. 1909. Der eigentliche Grund dürfte in dem von Seiten der freikonservativen Partei ausgeübten Druck auf den ihr angehörenden Politiker zu suchen sein. Ballin hielt Naumann für den „passende(n) Mann“. In Hamburg würde man ihn „acceptieren, aber Berlin und besonders die Industriegewaltigen!“ Naumann sei für Kirdorf ein „rotes Tuch“. Ferner BA, Nl. Harden, Nr. 4, Brief Ballins an Harden, 2. 7. 1909. Harden überlegte gar, ob man nicht den „Botschafter v. Mumm für den Hansa-Bund bekommen könnte, wenn die Industrie auf Naumann nicht eingeht? ... In dieser Position, so wenig würdig sie *heute* für einen kaiserlichen Botschafter ausschaut, könnte er in kurzer Zeit sich eine gewaltige Position schaffen“, ebd., Bl. 79; vgl. auch Stegmann, S. 179.

[379] Vgl. Schultheß' Europäischer Geschichtskalender, Jg. 1909, S. 407 (27. 12. 1909).

[380] Vgl. Tag (rot), Nr. 89, 1910 „Die Politik des Hansa-Bundes“ (A. Knobloch).

[381] Archiv Rötger, vgl. Registratur über die weitere Beratung zur Vorbereitung der Direktoriumssitzung des Hansa-Bundes vom 4. 10. 1909. Aus diesem Protokoll, dem Briefwechsel der Hansa-Bund-Zentrale und den Anwesenheitslisten der Sitzungen des konstituierenden Präsidiums geht eindeutig hervor, daß Bernstein im Rahmen der Geschäftsführung des Hansa-Bundes führend tätig war.

[382] Ebd., Präsidialsitzung des Hansa-Bundes, 22. 7. 1909.

[383] Archiv HK Lübeck, Akte HB, Rundschreiben der HB-Zentrale Nr. 26, 13. 3. 1912; Bayer-Archiv, Akte HB, Kleefeld an Duisberg, 22. 3. 1912. Zur Nachfolge heißt es dort u. a., es lägen „verschiedene Bewerbungen“ vor. Es sei „zu der Frage häufig behauptet worden, daß Stresemann Geschäftsführer des Hansa-Bundes werden sollte“. Duisberg schrieb in einem Brief vom 21. 3. 1912 an Kleefeld, er sei gespannt, wer Knoblochs Nachfolger werden wird, „hoffentlich keiner, der allzu weit links steht“. Ebd. Betr. Stresemanns Kandidatur für diesen Posten, vgl. K. Reiß (Hg.), Von Bassermann zu Stresemann. Die Sitzungen des nationalliberalen Zentralvorstandes 1912 bis 1917, Düsseldorf 1967, S. 93.

[384] Vgl. Anlage, 4. Der Vater von H. v. Richthofen war unter Bülow Staatssekretär im AA gewesen, vgl. Nachlaß H. v. Richthofen, Nr. 3, Bl. 114. H. v. Richthofen war bis 1911 Legationssekretär der deutschen Botschaft in Mexiko. Zur Einstellung H. v. Richthofens als HB-Geschäftsführer vgl. u. a. Archiv HK Lübeck, Akte HB, Rundschreiben der HB-Zentrale, Berlin, im Mai 1912; H-B, Jg. 2, Nr. 20, 25. 5. 1912, S. 265; ebd., Nr. 22, 8. 6. 1912, S. 289 „Einführung“.

[385] Zum folg. vgl. H-B, Jg. 2, Nr. 11, 23. 3. 1912, S. 150 f. „Aus der Innenverwaltung des Hansa-Bundes“.

[386] Diese Abteilung verfolgte die Tätigkeit in Gesetzgebung und Verwaltung, war zuständig für die Erarbeitung von Gesetzentwürfen, für die Beantwortung von Briefen allgemeinen Inhalts und der Beschwerden usw.; vgl. Archiv HK Lübeck, Akte HB, Notiz der Zentrale „Zur geflissentlichen Beachtung“ ohne Datum (1912).

[387] Sie war zuständig für die Gründung von Ortsgruppen, für die Vermittlung von Rednern, die Vorbereitung von Versammlungen, für Berichte über die Organisation und Agitation in den Zweigorganisationen usw., ebd.

[388] Vgl. Kap. V. Einfluß des Hansa-Bundes auf die Reichstagswahlen v. 1912.

[389] Die kaufmännische Abteilung war u. a. für die Abrechnung mit den Ortsgrup-

pen, den korporativen Mitgliedern, für Neuaufnahmen und für die Bestellung der Wochenschrift, von Plakaten, HB-Postkarten usw. zuständig.

[390] H-B, Jg. 2, Nr. 11, 23. 3. 1912, S. 150 f. „Aus der Innenverwaltung des Hansa-Bundes".

[391] Vgl. Stadtarchiv Nürnberg, Registratur V d 15, Nr. 4510, Erster Bayerischer Hansa-Tag.

[392] H-B, Jg. 2, Nr. 20, 25. 5. 1912, S. 265.

[393] Ebd.; Vgl. ferner Anlage 3.

[394] Vgl. folgenden Abschnitt „Agitationsmittel".

[395] Vgl. Puhle, Interessenpolitik, S. 46.

[396] Vgl. H-B, Jg. 1–5, jeweils Rubrik „Aus den Ortsgruppen", z. B. Jg. 1, 1911, S. 163, 339, 349; Jg. 2, 1912, S. 94, 157.

[397] Ebd., Jg. 1, 1911, S. 290, 349, 373 ff.; Jg. 4, 1913, S. 90; vgl. ferner die HB-Akten in den HK-Archiven von Hamburg, Bremen, Lübeck und Ffm. (Akte 1011).

[398] Mitt. H-B, Jg. 2, Nr. 1, 4. 1. 1910 „Erweiterung der Auskunftsstellen des Hansa-Bundes". Mitteilung, daß Auskünfte über „alle Fragen des Zollrechts und der Zolltechnik sowie der indirekten Steuern" erteilt würden, daß ferner eine „besondere Abteilung für Auskünfte in Angelegenheit der direkten Staats- und Kommunalabgaben" gebildet worden sei.

[399] Vgl. u. a. H-B, Jg. 2, 1911, jeweils Rubrik „Aus den Ortsgruppen", S. 166 ff., 192, 354, 411 ff.

[400] Ebd., Nr. 46, 18. 11. 1911, S. 405 „Hansa-Buchführung"; ebd., Nr. 40, 7. 10. 1911, S. 349 „Aus den Ortsgruppen".

[401] GBAG-Archiv, Akte HB, Prot. der 2. Sitzung der Zweigvereinsvorsitzenden vom 14. 6. 1910 (Reg. Rat Mehlis, Charlottenburg).

[402] Vgl. Puhle, Interessenpolitik, S. 50–55.

[403] Vgl. H.-J. Puhle, Parlament, Parteien und Interessenverbände 1890–1914, in: Das kaiserliche Deutschland, S. 340–377, 346 f.

[404] Vgl. FZ, Nr. 56, 25. 2. 1911 „Die Tagungen des Hansa-Bundes". Vgl. bes. die dort zitierten Ausführungen des Chefredakteurs Vollrath, des langjährigen Vorsitzenden des „Vereins Berliner Presse". Die Akte HK Ffm., 1013 enthält weit über hundert wohlwollende Beiträge der FZ, KZ, VZ, des Berliner Tageblatts, der Nationalzeitung und zahlreicher anderer liberaler Zeitungen.

[405] GBAG-Archiv, Prot. der 2. Sitzung der Zweigvereinsvorsitzenden des HB, 14. 6. 1910, S. 4, Riesser: „Eine täglich erscheinende Zeitung herauszugeben", sei für „den Hansa-Bund, wenigstens derzeit, bedenklich und untunlich, da, wenn der Hansa-Bund eine Zeitung herausgäbe, die übrigen Zeitungen, auf die der Hansa-Bund angewiesen sei, sich ihm leicht unfreundlich gegenüberstellen würden". Aus diesem und aus finanziellen Gründen wurde zunächst auf die Herausgabe einer eigenen Zeitung verzichtet; vgl. Archiv Rötger, Registratur über die Sitzung der Werbekommission des Hansa-Bundes, 10. 11. 1909. Dagegen wurde es als wünschenswert bezeichnet, „daß der Hansa-Bund seine Presse-Tätigkeit auf der bisherigen technischen Grundlage immer mehr ausbaue und vervollkommne", ebd.

[406] Vgl. Jahrbuch des HB von 1913, S. 66 f.; H-B, Jg. 2, Nr. 23, 15. 6. 1912, S. 304, Geschäftsbericht für 1911; für den Geschäftsbericht von 1912 vgl. H-B, Jg. 4, Nr. 4, Juli 1913, S. 47 ff.; vgl. ferner H-B, Jg. 1, Nr. 18, 6. 5. 1911, S. 151 „Gegnerische Hetze" H-B, Jg. 4, Nr. 1, April 1913, S. 1 „Zum Geleit". Die Auflage der H-B-Zeitschrift betrug bis Mitte 1911 lediglich 25 000 Exemplare und erreichte bis Ende 1912 eine Auflagenhöhe von ca. 50 000. Die Umstellung auf ein monatliches Erscheinen erfolgte vermutlich aus Kostengründen. (Kostenlose Abgabe seit 1913.) Vgl. Die Hilfe, Nr. 24, 19. 6. 1910, S. 376 „Der Hansa-Bund".

407 Stadtarchiv Nürnberg, Registratur V d 15 Nr. 4510.
408 Vgl. HK Ffm., Akte 1011.
409 Vgl. H-B, Jg. 3, Nr. 9, 1. 3. 1913, S. 108 ff. „Aus den Ortsgruppen ...“, hier S. 109.
410 Vgl. H-B, Jg. 1, Nr. 37, 16. 9. 1911, S. 322 f. „Aus den Ortsgruppen“.
411 Ebd., Nr. 41, 14. 10. 1911, S. 354 f. „Aus den Ortsgruppen“.
412 Ebd., S. 354.
413 Vgl. HK Bremen, Akte HB, Bd. I, vgl. Bestellschein für H-B-Zeitschrift, H-B, Jg. 2, Nr. 11, 23. 3. 1912, S. 156 f. „Aus den Ortsgruppen“; ebd., Nr. 13, 6. 4. 1912, S. 181 f. „Aus den Ortsgruppen“.
414 Vgl. GBAG-Archiv, Prot. der 2. Sitzung der Zweigvereinsvorsitzenden des HB, 14. 6. 1910, S. 4, vgl. dort Anlage I, Instruktion 11; allein die Ortsgruppe Leipzig legte in ca. „70 besseren Lokalen der Stadt eigene Zeitungshalter“ mit den „Nachrichten für das Königreich Sachsen“ und dem H-B-Zentralorgan aus, vgl. H-B, Jg. 3, Nr. 8, 1. 3. 1913, S. 109.
415 Ebd., Nr. 6, 8. 2. 1913, S. 70 ff. „Aus den Ortsgruppen ...“, hier S. 71; ebd., Jg. 1, Nr. 10, 11. 3. 1911, S. 78 ff. „Aus den Ortsgruppen“.
416 Geschäftsbericht des Hansa-Bundes für 1911, in: HK Bremen, Akte HB, Bd I.
417 Ebd.
418 Ebd., vgl. ferner Die Hilfe, Nr. 24, 19. 6. 1910, S. 376 „Der Hansa-Bund“. Im 1. Jahr wurden 2,5 Mill. Exemplare verteilt. Vgl. ferner Mitt. H-B, Jg. 2, Nr. 2, 11. 1. 1910 „Die Mannheimer Tagung des Hansa-Bundes“; Riesser-Reden; HK Lübeck, Akte HB, Schreiben des Vors. der Landesgruppe Lübeck an die Ausschußmitglieder v. 15. 12. 1911.
419 Riesser-Reden, S. 64.
420 HK Ffm., Akte 1011, Bl. 224 f., Schreiben der HB-Zentrale an HB-Ortsgruppe Ffm., 11. 9. 1909.
421 Vgl. HK Ffm., Akte 1013.
422 Vgl. Kap. V.
423 Dem CVDI stand „lediglich“ die „Deutsche Industriezeitung“, Redakteur war Steinmann-Bucher, als eigenes Organ zur Verfügung. Enge Beziehungen bestanden jedoch zur „Post“ (Auflage 6000), zu den Berliner Neuesten Nachrichten, Berliner Politischen Nachrichten Victor Schweinburgs und zur Neuen Reichskorrespondenz, die alle finanziell vom CVDI unterstützt wurden, vgl. Kaelble, Interessenpolitik, S. 15 ff.; Stegmann, S. 166 ff. Verglichen mit dem Umfang der Agitationsmittel der SPD war sowohl der des BdL wie der des HB eher gering, vgl. z. B. J. Bertram, Die Wahlen zum Deutschen Reichstag vom Jahre 1912, Düsseldorf 1964, S. 179, 187, 191 f.
424 Puhle, Interessenpolitik, S. 56.
425 Ebd., S. 58. 1910 gab es Bestrebungen der Banken, Ballins u. a., eine Zeitung aufzukaufen, vermutlich die „Post“, die 1910 an ein neues Konsortium überging. Kontakte gab es zwischen Ballin, Fürstenberg von der Berliner Handelsgesellschaft und Dr. Salomonsohn von der Disconto-Gesellschaft (vgl. Anlage 1). Ballin: Im Interesse der Sache nach außen und nach innen „wäre es viel richtiger ..., wenn das Unternehmen nicht in die Kontrolle der Banken gleiten würde, sondern wenn Großindustrielle und andere potente Kreise die Sache aufnehmen. Denken Sie nur, welch ungeheure Chance das für die Männer vom Hansa-Bund wäre“. BA, NL. Harden, Nr. 5, Ballin an Harden, 6. 4. 1910; ebd., Nr. 44, L. M. Goldberger (vgl. Anlage 1) an Harden, o. D. Woran dieses Unternehmen scheiterte, ließ sich nicht feststellen.
426 Puhle, Interessenpolitik, S. 56.
427 Allein die Berliner liberalen Tageszeitungen, die den Hansa-Bund unterstützten, erreichten eine Auflage von mehr als 700 000 Exemplaren: Berliner Morgenpost

(400 000), Berliner Tageblatt (230 000), Vossische Zeitung (43 000), ferner Berliner Börsen Courier u. a.; Angaben jeweils für 1914. Vgl. H. Heenemann, Die Auflagenhöhe der Deutschen Zeitungen, Diss. Leipzig 1929, S. 74 ff. Unterstützung fand der HB ferner z. B. bei der FZ, KZ, Nationalzeitung und zahlreichen anderen Zeitungen, vgl. HK Ffm., Akte 1013.

[428] Die Ortsgruppe Ffm. z. B. zahlte 1910 lediglich ein Drittel und 1911 die Hälfte der Beiträge an die Zentrale. Vgl. HK Ffm., Akte 1011, Prot. der Sitzung des Vorstandes und des Ausschusses der Ortsgruppe Ffm., vom 19. 9. 1910 und vom 28. 6. 1911.

[429] Eine feste Norm, nach der die Höhe der Beiträge der potenteren Mitglieder hätte bemessen werden können, wurde nicht festgelegt. Als Richtgröße wurde 10 % der Gewerbesteuer genannt, vgl. HK Duisburg, Akte HB, Prot. der 1. Sitzung der Zweigvereinsvorsitzenden v. 11. 12. 1909. Einen Monat nach Gründung des Hansa-Bundes waren in Bremen von 270 Mitgliedern bereits 14 500 Mark an „Sonderbeiträgen" gezahlt worden, vgl. HK Bremen, Akte HB, Bd. I, Schreiben des Vize-Präsidenten der HK Bremen an die HB-Zentrale, 20. 7. 1909. Der Vermögensbestand der Landesgruppe Bremen betrug Ende 1916 ca. 34 000, die Einnahmen ca. 21 500 Mark. Dabei ist zu berücksichtigen, daß seit 1913 die Einnahmen rückläufig waren, vgl. auch Beitragslisten der HB-Landesgruppe Bremen, ebd. In Ffm. zahlten 5872 Mitglieder im 1. Geschäftsjahr bis zum 9. 4. 30 715 Mark. Nach dem Jahresbericht der Ortsgruppe Ffm. hatte sich dieses Ergebnis in den letzten Wochen „noch erheblich verbessert", ebd.; in der Ortsgruppe Leipzig zahlten ca. 3000 Mitglieder 1911 14 325 Mark, 1912 ca. 17 000 Mark, im Landesverband Sachsen zahlten 1912 12 500 Mitglieder 42 000 Mark Beiträge, vgl. H-B, Jg. 3, Nr. 8, 1. 3. 1913, S. 108, ebd., Jg. 4, Nr. 2, Mai 1913, S. 28; im Landesverband Südbayern zahlten 1910 3591 Mitglieder 18 069 Mark, H-B, Jg. 1, Nr. 23 12. 6. 1911, S. 192. In Nordbayern zahlten 1911 5732 Mitglieder (minus die der Ortsgruppe Bamberg, Schweinfurt, Würzburg) 17 293 Mark, vgl. Fränkischer Kurier, Nr. 620, 4. 12. 1911 „Landesverband Nordbayern des Hansa-Bundes". Diese Angaben und die von ca. einem Dutzend Ortsgruppen aus allen Teilen des Deutschen Reiches lassen in den ersten 3 Jahren auf einen Durchschnittsbeitrag von 4 Mark pro Mitgl. schließen. An Beiträgen der direkten Mitglieder kamen damit 800 000–1 Mill. Mark zusammen. Hinzu kommen die Beiträge der korporativen Mitgl. und der angeschlossenen Firmen und Banken, vgl. folg. Anm.

[430] Vgl. Swdt. Wi-Ztg., Nr. 42, 15. 10. 1909, S. 398, Bericht über die Vorstandssitzung der wirtschaftlichen Vereine und des Arbeitgeberverbandes der Saarindustrie am 7. 10. 1909. Jede Saarhütte zahlte ferner 1000 Mark, den übrigen Firmen des Saargebiets wurde empfohlen, 10 Pfg. pro Arbeiter zu bezahlen, ebd.; vgl. Stenogr. Berichte RT, Bd. 262, 12. LP 83. Sitzung, 22. 11. 1910, Sp. 3401. Vgl. Rundschreiben des Verbandes Deutscher Waren- und Kaufhäuser, ebd., Sp. 3403. Die Fa. Krupp zahlte 1909 für die ersten 3 Jahre 12 000 Mark, vgl. GBAG-Archiv, Brief Rötgers an Kirdorf, 17. 7. 1909. In dem Brief hieß es u. a.: „Größere einmalige Beiträge waren von seiner (Riessers) Seite nicht angeregt, sondern ihm von den Banken neben kleineren laufenden Beiträgen entgegengebracht worden." Die Farbenfabriken zahlten bis 1915 5000, danach 3000 Mark, vgl. Bayer-Archiv, Personalia Riesser, Schreiben Duisbergs und Dr. Niemes an HB-Zentrale, 9. 6. 1915. Dutzende anderer Firmen zahlten ebenfalls Beiträge über 1000 Mark, vgl. ferner HK Duisburg, Prot. der 1. Sitzung der Zweigvereinsvorsitzenden; Frankfurter Nachrichten, Nr. 270, 29. 9. 1909 „Vom Hansa-Bund". Die Handelskammern zahlten zwischen 100 und 500 Mark, vgl. die angegebenen Handelskammerakten.

[431] Vgl. Stegmann, S. 184.

[432] DZA Potsdam, RK Nr. 1422/4, Bl. 4 ff.

[433] Puhle, Parlament, S. 354; ders., Interessenpolitik, S. 46 f.

[434] Vgl. Kaelble, Interessenpolitik, S. 12 f.; BA, NL. Stresemann, 3053, H 124 448 ff., Schreiben des VWI an den BdI, 9. 6. 1913. Steinmann-Bucher, S. 28, gibt für 1904 den Etat des BdL mit 600 000 Mark, den des HVV mit 300–400 Tausend und den der Berliner HK mit 500 000 an.

III.

[1] Flugblatt Nr. 1.

[2] Ebd., vgl. ferner Riesser, Bürger heraus! S. 245.

[3] Flugblatt Nr. 1.

[4] Damit soll nicht die These aufgestellt werden, der DHT sei lediglich die Vertretung des Großhandels gewesen. Nach einer Statistik des DHT von 1902 vertrat er zumindest seit der Jahrhundertwende mehr Industrielle als Handeltreibende (vgl. Der Deutsche Handelstag 1861–1911, hg. vom DHT, Bd. 1, Berlin 1911, S. 125 f. Nach dieser Statistik waren 1902 1716 Industrielle und 1354 Handeltreibende Handelskammermitglieder. Vgl. ferner H. E. Krueger, Historische und kritische Untersuchung über die freien Interessenvertretungen von Industrie, Handel und Gewerbe in Deutschland, in: Jahrbuch für Gesetzgebung, Verwaltung und Volkswirtschaft, Jg. 33, 1909, S. 654). Die Zusammensetzung des Vorstandes und eine Durchsicht der vom DHT behandelten Themen (vgl. Der Deutsche Handelstag, Bd. 2, Berlin 1913; den weitaus größten Anteil der Beratungen nahmen Fragen der Verkehrs-, Außenhandels- und insbesondere der Zollpolitik in Anspruch) zeigt jedoch, daß Großhandel, Banken und Verkehr, das heißt der Handel i. w. S. im DHT den Ton angaben. Wie Kaelble zu Recht hervorhebt, hatte der führende Verband der Industrie, der CVDI, seit 1901 seinen Einfluß im DHT „endgültig verloren" (Kaelble, Interessenpolitik S. 180). Vom Direktorium des CVDI gehörte lediglich Hermann Vogel (vgl. Anlage 3) dem Vorstand des DHT an. Von den Führungsgremien des BdI war 1911 kein Mitglied im Ausschuß bzw. Vorstand des DHT vertreten. In Regierungskreisen sah man im DHT in erster Linie die Spitzenvertretung des deutschen Handels, vgl. Deutscher Handelstag, Bd. 2, S. 83.

[5] Zum Einfluß der Banken und ihrer Spitzenorganisation in der Gründungsphase vgl. Kap. II, 8 u. 6. In den ersten Monaten wurde die Korrespondenz vom Büro des CVBB erledigt, in dessen Räumen auch die Sitzungen des konstituierenden Präsidiums stattfanden, vgl. Archiv Roetger, Protokoll der Sitzungen des konstituierenden Präsidiums; HK Bremen, Akte HB, Bd. 1, Schreiben Geo Plates an die HK Bremen, 14. 7. 1909; vgl. ferner HK Ffm, Akte 1011, Blatt 190; FZ, 4. 1. 1910 „Der Hansabund und die Konservativen". In den Depositenkassen und Filialen „sämtlicher Berliner Banken" waren seit der Gründung des HB Plakate ausgehängt, in denen aufgefordert wurde, dem HB beizutreten. Der Berliner Deutsch-Konservative Wahlverein forderte die Banken auf, diese Plakate zurückzuziehen oder auch Plakate, in denen zum Eintritt in den Berliner Deutsch-Konservativen Wahlverein aufgefordert werde, in den Banken auszuhängen. Der CVBB hatte ferner bereits am 14. 6. 1909 ein Schreiben an sämtliche Mitglieder verschickt, in dem sie ersucht wurden, „Beiträge für den Hansa-Bund bei ihren sämtlichen Geschäftsstellen, Filialen, Depositenkassen etc. entgegenzunehmen", HK Ffm, Akte 1011, Schreiben Riessers vom 15. 6. 1909 an die Mitglieder des konstituierenden Präsidiums.

[6] Vgl. Anlage 8.

[7] Vgl. Kapitel III, 2 u. 5; ferner Steinmann-Bucher, S. 17 f.; Winkler, Mittelstand, S. 52 f.

[8] Deutsche Volkswirtschaftliche Korrespondenz, Nr. 21, 14. 3. 1911, zit. nach

Swdt. Wi-Ztg., Nr. 12, 24. 3. 1911, S. 59 ff. „Industrie und Hansabund“; ebd., Nr. 26, 30. 6. 1911, S. 256, Nr. 31, 4. 8. 1911, S. 346–360 „Der Zerfall des Hansabundes“ (dort zahlreiche weitere Belege).

[9] Vgl. FZ, Nr. 163, 14. 6. 1909 „Frankfurt, 14. Juni!“. Hann. Courier, Nr. 28095, 15. 6. 1909 „Der Hansabund“. Nationalzeitung, Nr. 282, 19. 6. 1909 „Vom Hansabund“.

[10] Vgl. Anlage 10; Vors. der Provinzial- bzw. Landesverbände von Rheinland und Westfalen war Bankdirektor Paul The Losen, (vgl. Anlage 3; H-B, Jg. 2, Nr. 27, 13. 7. 1912, S. 353), von Hessen-Nassau Bankier Hohenemser (vgl. H-B, Jg. 2, Nr. 37, 21. 9. 1912, S. 473), von Hannover bzw. des späteren Zweigverbandes Nordwest-Deutschland Bankdirektor Dr. Endemann (vgl. H-B, Jg. 3, Nr. 4, 25. 1. 1913, S. 38), von Ostpreußen Bankdirektor Marx (ebd, S. 59), von Hessen, Bankier L. C. Pfeiffer, Hamburg, die Ortsgruppen Ffm., Hannover, München, Stettin, Stuttgart (ab 1913), Erfurt, Cassel, Darmstadt u. a. hatten von Anfang an bzw. vorübergehend Bankvertreter als Vorsitzende.

[11] H-B, Jg. 4, Nr. 4, Juli 1913, S. 47 ff. Geschäftsbericht, S. 48: „Neben unsern freundschaftlichen Beziehungen zum deutschen Handelstag, dem Bunde der Industriellen und seinen Verbänden, dem Zentralausschuß der vereinigten Innungsverbände Deutschlands, der Deutschen Mittelstandsvereinigung, den großen Verbänden der Angestellten können wir im Berichtsjahr eine erfreuliche Annäherung vor allem an die Kreise des städtischen Hausbesitzes konstatieren.“

[12] Vgl. Kap. V, 4 b.

[13] Vgl. Literatur Kap. I, Anm. 46; die Dresdner Bank und die Disconto-Gesellschaft waren stärker schwerindustriellen Kreisen, die Deutsche Bank, die Mitteldeutsche Creditbank mehr der Export- und Fertigwarenindustrie verbunden; vgl. auch Stegmann, S. 185 f. E. Achterberg, Berliner Hochfinanz, Ffm 1965, S. 129 ff., 197 ff.

[14] Flugblatt Nr. 1.

[15] Winkler, Mittelstand, S. 50; Puhle, Interessenpolitik, S. 98 ff., 131.

[16] Ebenso wie die Deutsche Bank, die vorrangig an Unternehmen des Handels- und Verkehrsgewerbes und an zahlreichen ausländischen Gesellschaften beteiligt war, waren auch die übrigen Großbanken und zahlreichen Privatbanken (z. B. S. Bleichröder, W. Schlutow, M. M. Warburg, die alle im HB vertreten waren) außerordentlich stark am Import- und Exporthandel interessiert. Folgende Zahlen verdeutlichen die Expansion dieses Geschäfts: Während es Ende der 90er Jahre lediglich 4 und 1903 6 Überseebanken gab, waren es Anfang 1906 bereits 13 mit 70 Niederlassungen (vgl. hierzu Riesser, Großbanken, S. 286, 345 f.).

Diese Beteiligungen, insbesondere an zahlreichen Eisenbahn- und Bergbaugesellschaften, Telegraphen- und Kabelwerken ließen das Interesse der Banken an handels- und zollpolitischen Fragen ständig wachsen. Neben den „Exportenthusiasten“, insbesondere aus den Reihen der Fertigindustrie und des Großhandels, waren es ohne Zweifel die im HB vertretenen Großbanken, die auf Grund wachsenden Kapitalüberschusses (ebd., S. 399, 78 ff.) „Exportkapitalismus“ betrieben und zwecks Absicherung bzw. Erweiterung der Absatzgebiete der deutschen Industrie für die Herstellung informeller Abhängigkeiten durch Handelsverträge und dgl. eintraten. Von Stresemann und dem nationalliberalen Gf. des HB v. Richthofen wurde nach 1912 demgegenüber häufiger auf den Kolonialerwerb als einer Möglichkeit zur Förderung des deutschen Außenhandels hingewiesen. Vgl. z. B. H-B, Jg. 3, Nr. 4, 25. 1. 1913, S. 48; ebd., Nr. 5, 1. 2. 1913, S. 58; BA, Nl. Richthofen, Nr. 5, Bl. 144, 147. Über die Auseinandersetzungen innerhalb des HB in handels- und zollpolitischen Fragen vgl. Mielke, Hansa-Bund, Diss. phil. (MS), Berlin 1972, S. 111 ff.

[17] Vgl. Mielke, Hansa-Bund, Diss. phil. (MS) Berlin 1972, Anlage 6; ferner Mitt. H-B, Jg. 1 u. 2, 1909/1910.

[18] Vgl. Mielke, Hansa-Bund, Diss. phil. (MS), Berlin 1972, Anlage 6.

[19] Vgl. Anlage 11.

[20] Vgl. Anlage 2 u. 3. Zum Verhältnis von freien Verbänden und öffentlich-rechtlichen Organisationen vgl. Winkler, Pluralismus, S. 8 ff., 12; Kaelble, Interessenverbände, S. 185 ff.; ders., Interessenpolitik, S. 177 ff. Auch bei der Gründung des HVV waren zahlreiche HK führend beteiligt, vgl. Kap. I; ferner Stegmann, S. 75 ff.; Elm, S. 199; A. Blaustein, Die Handelskammer Mannheim und ihre Vorläufer 1728–1928, Mannheim 1928, S. 234, 262.

[21] Vgl. KZ, Nr. 706, 3. 7. 1909 „Vom Hansabund"; ebd., Nr. 779, 22. 7. 1909 „Vom Hansabund"; in Köln gab es 3, in Aachen 2 Gegenstimmen.

[22] Vgl. Winkler, Pluralismus, S. 12. Der DHT dagegen als privatrechtlicher Dachverband nahm für sich „gelegentlich ein generelles politisches Mandat" in Anspruch, ebd.

[23] HK München, Akte XVD 23, Bd. I, Schreiben der HK an HB-Ortsverband München und Oberbayern, 21. 2. 1910; vgl. ferner Auszug aus dem Prot. über die geheime Sitzung der HK München vom 6. 7. 1909 (v. Pfister).

[24] Ebd., (Baumgärtner, v. Pfister) vgl. ferner Jahresbericht der HK für den Kreis Essen von 1909, T. I, S. 60 f.

[25] Prot. der HK Rottweil für das Jahr 1909, Sitzung des Kollegiums der HK Rottweil am 22. 7. 1909; Prot. der Mitgliederversammlung der HK Ravensburg, 30. 9. 1909.

[26] Ebd.

[27] Vgl. Stenogr. Ber. Preuß. Abg.-H, 21. LP, 37. Sitzung, 27. 2. 1911, Sp. 2903, 2910 (v. Arnim-Züsedom), Sp. 3653 ff. (Hammer); ebd., 10. Sitzung, 23. 1. 1911, Sp. 641; Fränkischer Kurier, Nr. 594, 20. 11. 1909 „Sitzung des Finanzausschusses der bayerischen Abgeordnetenkammer".

[28] Ebd.

[29] „Ostpreußische Zeitung" und „Liegnitzer Zeitung" zitiert nach: DTZ, Nr. 238, 25. 5. 1910 „Handelskammern und Hansabund"; vgl. H-B, Jg. 1, Nr. 10, 11. 3. 1911, S. 81 „Presseübersicht".

[30] Korrespondenz des Bundes der Landwirte zit. nach: Die Hilfe, Nr. 10. 9. 3. 1911, S. 145 „Der Verkehr mit Ministern".

[31] Das zeigen deutlich die Begründungen für den korporativen Beitritt der Handelskammern, vgl. Anm. 24, ferner Mitteilungen der HK Ludwigshafen a. Rh., Nr. 5, 27. 10. 1909 „Aus dem Protokoll der 5. Plenarversammlung vom 21. 10. 1909".

[32] Mitt. H-B, Nr. 1, 4. 1. 1910 „Der Geschäftsbericht der Handelskammer Hamburg und der Hansa-Bund"; ebd., Nr. 28, 14. 5. 1910 „Über die Ursachen ...".

[33] Vgl. Stenogr. Ber. Preuß. Abg.-H., 21. LP, 37. Sitzung, 27. 2. 1911, Sp. 2910. Durch Zuruf von konservativer Seite wurde sogar die Auflösung der Handelskammern verlangt, die weiterhin dem HB als korporative Mitglieder angehören wollten.

[34] Vgl. Kap. V. 4.

[35] Vgl. Winkler, Pluralismus, S. 12, 30 f.; Kaelble, Interessenverbände, S. 185.

[36] Vgl. VZ, Nr. 499, 23. 10. 1909 „Hansabund und Handelstag"; Amtliche Mitteilungen der HK Elberfeld vom November 1909, S. 99 „Hansabund und Handelsbeziehungen"; ebd., Februar 1910, S. 40. Vgl. ferner HK Bremen, Akte HB, Bd. I, Schreiben der HK Düsseldorf an HK Bremen, 31. 3. 1911 (Beschwerde gegen das Vorgehen des HB in der Frage der Kosten der Lehrlingsausbildung). Das Beschwerdeschreiben der HK Düsseldorf hatten bis zum 8. 5. 1911 neun Handwerkskammern unterzeichnet; vgl. HK Lübeck, Akte HB, Bd. I, HK Lübeck an HK Düsseldorf, 4. 4. 1911. HK Lübeck habe den HB bereits „gelegentlich seiner Stellungnahme zum deutsch-

schwedischen Handelsvertrag ... aufgefordert ..., sich nicht mit Angelegenheiten zu befassen, die als zur Zuständigkeit der deutschen Handelskammern betrachtet werden müssen". Vgl. ferner VZ, Nr. 499, 30. 10. 1909 „Hansa-Bund und Handelstag".

[37] Vgl. H-B, Jg. 1, Nr. 12, 25. 3. 1911, S. 101 f. „Hansa-Bund und Deutscher Handelstag"; in diesem Abkommen heißt es u. a.: „Der Hansa-Bund wird seine Hauptaufgabe darin erblicken, in großen Fragen die gemeinsamen Interessen und Wünsche von Handwerk, Handel und Industrie zur Geltung zu bringen, indem er Versammlungen veranstaltet, Flugblätter, Flugschriften, Aufklärungswerke usw. herausgibt, auf die gesetzgebenden Körperschaften Einfluß zu gewinnen sucht und insbesondere dafür sorgt, daß in die Parlamente Vertreter der genannten Berufszweige gelangen. Dagegen wird der Hansa-Bund, soweit Handel und Industrie in Betracht kommen, es dem Deutschen Handelstag und den Handelskammern sowie den Fachvereinen überlassen, die Interessen und Wünsche durch Umfragen zu ermitteln und vorliegende Gesetzentwürfe und dergleichen einer ins einzelne gehenden, in die Kompetenz der Handelskammern und Sonderverbände fallenden Prüfung zu unterziehen ... Bei der Auswahl der von ihm (HB) zu behandelnden großen Fragen wird er in erster Linie darauf Rücksicht nehmen, daß es der Zweck seiner Gründung war, agrarisches Übergewicht zu beseitigen und agrarische Übergriffe zu bekämpfen."

Entgegen Stegmanns Darstellung ist festzustellen, daß es zwischen HB und DHT von Anfang an Kontakte gab; sie wurden 1911 nur vertraglich fixiert.

[38] H-B, Jg. 1, Nr. 10. 11. 3. 1911, S. 78 „Deutscher Handelstag und Hansa-Bund"

[39] Vgl. HK Bremen, Akte HB, Bd. I; HK Lübeck, Akte HB; Die Bank. Monats hefte für Finanz- und Bankwesen, Jg. 1910, H. 7, S. 684 f. „Handelskammern und Hansabund".

[40] HK Hamburg, Akte V 145, Nr. 7, Bd. 2, Brief M. Warburgs an Crasemann, 18. 9. 1915.

[41] Fischer, S. 58 ff.

[42] Stegmann, S. 188 ff.

[43] Kaelble, Interessenpolitik, S. 163.

[44] Ebd., S. 181.

[45] VMB, H. 116, Okt. 1909, S. 9.

[46] Vgl. Stegmann, S. 191; Kaelble, Interessenpolitik, S. 66, 88.

[47] Ebd., S. 62 f. Vgl. Kap. II, 3 cd. „Gesamtausschuß", mit Hinweisen auf „agrarische" Industrielle, die eine Mitgliedschaft in den HB-Gremien ablehnten.

[48] Vgl. Kaelble, Interessenpolitik, S. 65 ff.

[49] Dies gilt insbesondere für A. Steinmann-Bucher, vgl. ders., S. 12 ff.; vgl. ferner Archiv Rötger, zur Veröffentlichung vorgesehener Artikel Rötgers, undatiert; hieraus geht hervor, daß Steinmann-Bucher, Redakteur der „Deutschen Industriezeitung" es „versäumt" hatte, das Rundschreiben vom 3. Juli, das zum Beitritt zum Hansa-Bund aufforderte, „in einer der nächsten Nummern der ‚Deutschen Industriezeitung' abzudrucken".

[50] Nach dem Austritt Rötgers blieben diese CVDI-Vertreter Mitglieder des HB, vgl. Anlage 13.

[51] Vgl. z. B. VMB, H. 116, Okt. 1909, S. 9; H-B, Jg. 1, Nr. 5, 4. 2. 1911, S. 42 f. „Bayerische Industrie-Politik und Hansa-Bund" (Rede des Syndikus des Bayerischen Industriellen-Verbandes, Dr. Kuhlo, in der HB-Ortsgruppe Augsburg). L.(ampertus) O. Brandt; Der Hansa-Bund, seine Ziele und Gegner, in: Die Grenzboten, Nr. 68, 1909, S. 348–362. Vgl. BA, R 13 I/139 Wirtschaftsgruppe Eisenschaffende Industrie, Stenogr. Ber. der Generalversammlung des VdEStI v. 23. 11. 1909, Bl. 38 f.; ferner Krupp-Archiv, Akte IV C 15, Brief Rötgers an AR der Fried. Krupp AG. „Man sagte sich, daß ein Fernbleiben gleichbedeutend sein mußte mit passivem Widerstand

gegen eine Aktion, die nicht zu verhindern war und die in weiten Kreisen der Industrie, auch der im CVDI zusammengeschlossenen Industrie, lebhaften Widerhall finden würde"; vgl. hierzu auch Anlage 12.

[52] Stegmann, S. 193.

[53] Vgl. zum folgenden Swdt. Flugschriften, H. 10, S. 7. Swdt. Wi-Ztg., Nr. 27, 2. 7. 1909, S. 281 „Der Bund der Arbeitgeber"; ebd., Nr. 29, 16. 7. 1909, Niederschrift über die Sitzung der Handelskammer Saarbrücken v. 15. 7. 1909, „Somit ist der Hansa-Bund doch der Ausdruck der politischen Bewegung des gewerblichen Unternehmertums, welches seit Frühling 1908 geschaffen worden ist, und verdient die Unterstützung aller Kreise des Gewerbe- und Handelsstandes". Diese Auffassung wurde auch von anderen Industriellen geteilt. Vgl. Mannheimer General-Anzeiger, Nr. 278, 19. 7. 1909 „Der Hansa-Bund in Mannheim". Der Industrielle Dr. Engelhorn wies auf den „kleinen Hansabund" hin, der in Mannheim in Gestalt des Arbeitgeber-Rates bereits seit Monaten bestehe.

[54] VMB, H. 116, Okt. 1909, S. 41. Auch Menck wies darauf hin, daß betr. der Organisation die Vorschläge der politischen Arbbeitgeberbewegung „vollständig vom Hansabund akzeptiert worden sind", ebd., S. 37.

[56] Vgl. die Jahrgänge 1910–1912 dieser Zeitschrift zur Kritik der Vertreter der politischen Arbeitgeberbewegung an der Hansa-Bund-Führung; vgl. auch VMB, H. 116, Okt. 1909, S. 37 ff. (Menck), 40 ff. (Tille).

[55] Swdt. Flugschriften, 4. 10. 1909, S. 7.

[57] HK Duisburg, Akte HB.

[58] W. Hirsch war Ausschußmitglied des CVDI, MdA 1902–18, NLP, und ein Schwiegersohn Buecks.

[59] HK Duisburg, Akte HB, Brief v. 1. 8. 1909.

[60] L. Delbrück (vgl. Anlage 1) war seit 1903 AR-Mitglied der Fried. Krupp AG.

[61] Krupp-Archiv, Bestand F. A. H. IV C 19, Anlage 8.

[62] VMB, H. 116, Okt. 1909, S. 8.

[63] Stenogr. Ber. der Generalversammlung des VdEStI, 23. 11. 1909, S. 29, in: BA, R 13/I/139, Bl. 38.

[64] Steinmann-Bucher, S. 11.

[65] VMB, H. 116, Okt. 1909, S. 11 (Rötger).

[66] Ebd.; vgl. ferner Stegmann, S. 190.

[67] Ebd.; vgl. ferner VMB, H. 116, Okt. 1909, S. 10.

[68] BA, R 13, I/139, Bl. 38.

[69] Bueck spricht in diesem Zusammenhang von einer „großen Anzahl seiner Mitglieder", ebd. Im veröffentlichten Geschäftsbericht fehlen diese Hinweise, vgl. BA, R 13, I/163, 13.

[70] Vgl. Kap. II, 1. HB-Programm u. Kap. IV, 2 c. HB – SPD.

[71] Vgl. Kap. II, 6; Riesser hatte Rötger am 12. 6. das Zugeständnis gemacht, daß „kein dem Centralverband Deutscher Industrieller unerwünschter Geschäftsführer angestellt werde und daß in Fragen, welche das Interessengebiet des Centralverbandes Deutscher Industrieller berühren, ein Vorgehen gegen den Willen des Verbandes ausgeschlossen sein werde." Archiv Rötger, Kommissionssitzung des konstituierenden Präsidiums des HB, 24. 6. 1909.

[72] Vgl. Kap. II, 1.

[73] Vgl. Kap. IV, 2 u. 4, Kap. V u. Kap. III, 1, 4, 5. Um Überschneidungen zu vermeiden, soll in diesem Abschnitt auf diese für die Politik des HB so wichtigen Fragen nicht eingegangen werden.

[74] Vgl. Lederer, Die wirtschaftlichen Organisationen, S. 330; Müffelmann, Verbände, S. 96 ff.

[75] Vgl. H-B, Jg. 1, Nr. 25, 24. 6. 1911, S. 221 ff., Briefwechsel zwischen Rötger und Riesser; ebd., Nr. 27, 8. 7. 1911, S. 237, Briefwechsel Riesser–Kirdorf. Während Rötger, die Handelskammer Bochum und Menck, der Vorsitzende des HB-Zweigvereins von Altona, als wesentlichsten Grund für ihren Austritt die Politik des HB gegenüber der SPD nannten, erfolgte der Austritt des Stahlwerksverbands insbesondere unter Hinweis auf die Freihandelstendenzen innerhalb des HB; außer dem Briefwechsel zwischen Rötger und Riesser vgl. FZ, Nr. 182, 3. 7. 1911 „Die Vorgänge im Hansa-Bund"; ebd., Nr. 194, 15. 7. 1911 „Hansa-Bund und Centralverband"; ebd., 20. 7. 1911 „Zu den Auseinandersetzungen im Hansa-Bund".

Außer Rötger verließen die Direktoriumsmitglieder Hilger, Semlinger, v. Rieppel, Kirdorf den HB; ferner das Gros der Vertreter der Schwerindustrie im HB-Gesamtausschuß aus dem Rheinland und Westfalen und dem Saarrevier und die von ihnen kontrollierten Verbände und Handelskammern (vgl. Stegmann, S. 240 ff.); ferner das Gros der Vertreter der politischen Arbeitgeberbewegung und einzelne Industrielle aus den verschiedensten Regionen des Deutschen Reiches.

Vgl. z. B. Swdt. Wi-Ztg., Nr. 27, 7. 7. 1911, S. 274 „Der Austritt der Saarindustrie aus dem Hansabunde"; ebd., „Ortsgruppe Saarbrücken des Hansabundes"; ebd. „Die Austrittserklärung des Geheimrats Emil Kirdorf aus dem Hansabunde".

[76] DZA Potsdam, RK Nr. 1422/4, Bl. 62; Riesser, Bürger heraus!, S. 116.

[77] Zu seiner Austrittserklärung stellte Rötger z. B. fest, der von Riesser „geforderte politische Kampf gegen rechts" widerspräche seiner „Stellung als Vorsitzender des Centralverbandes Deutscher Industrieller", Brief Rötgers an Riesser, 21. 6. 1911, abgedruckt in: H-B, Jg. 1, Nr. 25, 24. 6. 1911, S. 221.

[78] Ebd., Schreiben Riessers an Rötger, 22. 6. 1911.

[79] H-B, Jg. 1, Nr. 25, 24. 6. 1911, S. 225.

[80] Hier muß es natürlich CVDI heißen.

[81] Fischer, S. 60.

[82] Das gilt auch für Stegmann, der in dieser Frage jedoch differenzierter urteilt; vgl. ders., S. 240 ff.

[83] Swdt. Wi-Ztg., Nr. 27, 7. 7. 1911, S. 276 „Der Austritt der körperschaftlichen Handwerksmitglieder aus dem Hansabunde".

[84] Fischer, S. 60; Stegmann, S. 242.

[85] Chemieindustrielle u. a. Duisberg, v. Böttinger, ferner H. Leyendecker, Vors. des Vereins Deutscher Bleifarbenfabrikanten; Elektroindustrie: E. Sieg, Köln, Vors. des Vereins zur Wahrung der wirtschaftlichen Interessen der deutschen Elektrotechnik, Mitglied des CVDI-A.; Textilindustrie: A. Schroers, Vors. des Vereins der deutschen Textilveredelungs-Industrie, Düsseldorf, Delius, Vors. der HK Aachen; Nahrungsmittelindustrie: C. Stollwerck, Generalkonsul, Köln, W. Bornheim, Vors. der Vereinigung Deutscher Margarine-Fabrikanten zur Wahrung der gemeinsamen Interessen, Köln. Bis auf einen gehörten alle genannten Verbände dem CVDI als körperschaftliche Mitglieder an; ihre Vorsitzenden waren zumeist CVDI-Ausschußmitglieder, vgl. Anlage 13 und die dort angegebene Literatur; ferner Swdt. Wi-Ztg., Nr. 24, 12. 6. 1914, S. 205; ebd., Nr. 9, 28. 2. 1913, S. 51.

[86] Vgl. Bayer-Archiv, Personalia von Böttinger, Brief des Vors. A. Servaes und des Gf. Beumer an die Farbenfabriken v. 20. 7. 1911.

[87] Vgl. VMB, H. 124, Dez. 1911, S. 16.

[88] Vgl. Anlage 13 und die dort angegebene Literatur.

[89] Vgl. FZ, Nr. 185, 6. 7. 1911 „Hansa-Bund und Centralverband"; Handbuch wirtschaftlicher Verbände, S. 298; Zu den genannten Personen vgl. Anlage 2.

[90] So z. B. G. Pschorr (HB-Direktoriumsmitglied), A. Kuhlo, der Geschäftsführer

des Bayerischen Industriellenverbandes und H. Otto, Vorstandsmitglied des Vereins Süddeutscher Baumwollindustrieller, vgl. Liste des HB-Direktoriums von 1914.

[91] Stegmann, S. 242.

[92] Ebd., S. 241.

[93] Vgl. Listen des HB-Gesamtausschusses von 1909 und des HB-Direktoriums von 1914; ferner Anlage 13 und die dort angegebene Literatur.

[94] Vgl. Anm. 46; ferner H-B, Jg. 1, Nr. 28, 17. 7. 1911, S. 250 „Neue Kundgebungen für den Hansa-Bund". Die Ortsgruppe Mülhausen i. Elsaß, – Vors. war das CVDI-Direktoriumsmitglied Kommerzienrat Schlumberger, Vors. des elsaß-lothringischen Industriellensyndikats – verurteilte den Austritt Rötgers aus dem HB und beschloß, „allen Versuchen, die gegen die Agrardemagogie gerichtete einheitliche Phalanx von Gewerbe, Handel und Industrie zu stören, energisch entgegen (zu) treten".

[95] Vgl. H-B, Jg. 1, Nr. 29, 22. 7. 1911, S. 259.

[96] Vgl. FZ, Nr. 209, 30. 7. 1911 „Hansa-Bund und Centralverband".

[97] Vgl. H-B, Jg. 1, Nr. 46, 18. 11. 1911, S. 402 f. „Eine große Berliner Hansa-Bund-Versammlung" hier S. 403.

[98] Ebd., Nr. 30, 29. 7. 1911, S. 267 „Weitere Vertrauenskundgebungen für den Hansa-Bund".

[99] Der Austritt des Verbandes wurde folgendermaßen begründet: „Die Vorgänge der letzten Monate haben den Vorstand überzeugt, daß es für die östliche Industrie und den Zusammenhalt [!] im Verband Ostdeutscher Industrieller vorteilhafter ist, wenn der Verband als solcher fernerhin dem Centralverband nicht mehr angehört ... Aus denselben Gründen ist aber der Verband auch gegen den Eintritt des Verbandes Ostdeutscher Industrieller in den Hansabund, in den Bund der Industriellen oder einen ähnlichen Verband", Verband Ostdeutscher Industrieller, 12. Jahresbericht 1911, Danzig 1912, S. 23.

Der Vors. des Verbandes, Schrey (vgl. Anlage 1), blieb Direktoriumsmitglied des CVDI, trat aus dem HB-Direktorium aus, blieb aber Mitglied des HB und erklärte sich bereit, „in denjenigen Angelegenheiten, in denen seine Mitwirkung der Leitung des Hansabundes wünschenswert erscheine, und in denen er dem Verband Ostdeutscher Industrieller nützen zu können glaube, seine Mitarbeit zur Verfügung zu stellen", ebd. Vgl. ferner Swdt. Wi-Ztg., Nr. 46, 17. 11. 1911, S. 513 „Die Delegiertenversammlung des CVDI vom 7. 11. 1911 in Berlin".

[100] Für beide Verbände vgl. KZ, Nr. 764, 8. 7. 1911 „Aus der Industrie".

[101] Vgl. den folg. Abschnitt.

[102] Ebd.

[103] In dem von Duisberg und F. Bayer unterzeichneten Rundschreiben hieß es u. a.: Nach dem Austritt Rötgers aus dem HB sei es „Pflicht derjenigen, welche auf den Richtlinien des Hansa-Bundes stehen ... den Bestrebungen des Centralverbandes entgegenzutreten. Wir sind deshalb nicht gewillt, fernerhin Vereinigungen anzugehören, die Mitglieder des Centralverbandes sind und bleiben werden. Deshalb erlauben wir uns die Anfrage, ob der ... aus dem Centralverband austreten wird. Wenn letzteres nicht geschieht, bitten wir, den Namen unserer Firma in der Liste ihrer Mitglieder streichen zu wollen", zit. nach: Staatsbürger-Zeitung, Nr. 196, 22. 8. 1911 „Die Elberfelder Farbenfabriken und der Centralverband Deutscher Industrieller"; vgl. ferner Brief von Duisberg und Doermer an Staatsbürger-Zeitung, 26. 8. 1911; Bericht über die Vorstands- und Ausschußsitzung des Vereins der Deutschen Textilveredelungsindustrie vom 18. 8. 1911 in Düsseldorf (bestätigt Existenz des zit. Rundschreibens); Schreiben des gen. Vereins an die Farbenfabriken vom 1. 9. 1911, alle Unterlagen in: Bayer-Archiv, Akte HB.

[104] Vgl. Brief Duisbergs an Riesser, 19. 7. 1911. Ebd., Akte Personalia Riesser.

[105] Vgl. Bayer-Archiv, Personalia von Böttinger, Duisberg an Böttinger, 31. 7. 1911.
[106] Bayer-Archiv, Personalia von Böttinger, ders. an Duisberg, 28. 7. 1911.
[107] Ebd., Brief des Vors., A. Servaes, und des Geschäftsführers, Beumer, an die Farbenfabriken (20. 7. 1911): „Wir halten das vom Direktorium des Centralverbandes Deutscher Industrieller gebilligte Vorgehen des Herrn Landrat für einen schweren Fehler und haben diese Ansicht auch dadurch bestätigt, daß wir nicht aus dem Hansa-Bund ausgetreten sind." Der Verein halte es jedoch für seine „Pflicht in dieser um die deutsche Industrie hochverdienten Körperschaft zu verbleiben, schon um in Zukunft derartige Fehler zu vermeiden".
[108] Vgl. Anm. 103.
[109] Bayer-Archiv, Personalia Riesser, Brief Duisbergs an Riesser, 19. 7. 1911. Er hoffe, „daß der Störenfried geht", und am 22. 7. 1911: „Ich habe es öffentlich ausgesprochen, daß eine Änderung in der Leitung des Centralverbandes die notwendige Folge des Austritts Rötgers aus dem Hansa-Bund sein müsse".
[110] Ebd., Personalia von Böttinger, Brief Duisbergs an v. Böttinger, 31. 7. 1911: „Wir müssen versuchen, den Centralverband wieder in unsere Reihen zu ziehen".
[111] Vgl. Brief Eduard Springmanns (Fabrikbes., Vizepräs. des AR der Bergisch-Märkischen Bank, vgl. Martin, Jahrbuch der Millionäre in der Rheinprovinz, S. 33) an v. Böttinger, 18. 7. 1911, und an Duisberg, 26. 7. 1911, in dem er für eine „Umgestaltung" des CVDI plädiert und sich für die Wahl eines neuen Präsidiums ausspricht, das mit den „Bedürfnissen der Gesamtindustrie besser vertraut sei". Vgl. ferner Brief Duisbergs an Springmann, 22. 7. 1911, Bayer-Archiv, Personalia v. Böttinger.
[112] Bayer-Archiv, Akte HB, Brief Duisbergs an Riesser, 2. 8. 1911.
[113] Vgl. BA, R 13 I/52, Prot. der Delegiertenversammlung des CVDI vom 7. 11. 1911, Bl. 36; VMB, Nr. 124, Dez. 1911, S. 16 (Beumer), Direktor Meesmann (Gf. des Mittelrheinischen Fabrikantenvereins und der Süddeutschen Gruppe des Vereins Deutscher Eisen- und Stahlindustrieller, Mainz); vgl. ferner Swdt. Wi-Ztg., Nr. 46, 17. 11. 1911, S. 513 ff.
[114] Ebd., Nr. 32, 11. 8. 1911, S. 380; Kritik wurde bes. von seiten der Vertreter der Textilindustrie geübt; vgl. FZ, Nr. 197, 18. 7. 1911 „Zentralverband und Hansa-Bund".
[115] BA, R 13 I/52, Bl. 161, Brief vom 28. 5. 1912.
[116] BA, R 13 I/52, Bl. 23, Prot. der CVDI-Direktoriumssitzung am 6. 9. 1911 (Bueck); ein Teil der Schuld wurde der liberalen Presse gegeben, die „gegen den Centralverband arbeite", ebd.
[117] Ebd., Bl. 36, Prot. der CVDI-Delegiertenversammlung am 7. 11. 1911.
[118] Ebd., Bl. 24, Prot. der CVDI-Direktoriumssitzung am 6. 9. 1911.
[119] Ebd., Bl. 161, Brief des CVDI-Geschäftsführers Schweighoffer an Bueck, 21. 5. 1912; von den 5 neuen Direktoriumsmitgliedern gehörte Justus Flohr, Geh. Baurat, Direktor der Maschinenbau-AG „Vulkan", Stettin, seit 1909 dem Gesamtausschuß des HB an, Richard Brückner, Kommerzienrat, Papierfabrikbesitzer in Calbe a. d. Saale, Vors. des Vereins Deutscher Papierfabrikanten war 1909 HB-Gesamtausschußmitglied; in der Liste von 1914 ist er nicht mehr verzeichnet. Max Ehrhardt, Baurat, Mitglied des Großen Ausschusses des BdI, war Vors. des Verbandes Deutscher Tonindustrieller, der sowohl korporatives Mitglied des HB als auch des BdI war. Auch wenn eine Verbindung der beiden übrigen Neulinge im CVDI-Direktorium, Gustav Adt und Josef Werminghoff (vgl. Kaelble, Interessenpolitik, S. 211), zum HB bzw. zum BdI nicht nachgewiesen werden konnte, zeigte die Wahl von Flohr, Brückner und Ehrhardt eine relativ große Rücksichtnahme auf die beiden gen. Verbände; vgl. Liste der Mitglieder des HB-Gesamtausschusses von 1909, Verzeichnis der Mitglieder des Direktoriums und des Gesamtausschusses des HB ... v. 1914, Veröffentl. des BdI, H. 3, S. 40.

[120] Vgl. Kaelbles Bemerkungen zur Politik Rieppels, Rötgers, Kirdorfs; vgl. Kockas Rezension zu Kaelbles Buch in: Jahrbuch für die Geschichte Mittel- und Ost-Deutschlands, Jg. 19, 1971, S. 341 ff.

[121] Vgl. Kaelble, S. 230 ff. (Anlage 8).

[122] Vgl. Anlage 13.

[123] Vgl. Ebd., Anm. 6.

[124] Dietrich, Kuhlo, Rocke, vgl. H-B, Jg. 1, Nr. 47, 25. 11. 1911; ebd., Jg. 2, Nr. 13, 6. 4. 1912, S. 182; ebd., Jg. 3, Nr. 6, 18. 2. 1913, S. 70; ebd., Nr. 12, 22. 3. 1913, S. 154, jeweils Rubrik „Aus den Ortsgruppen".

[125] Stegmann, S. 398.

[126] Auf diesen Tatbestand wurde von dem einflußreichsten korporativen Mitglied des BdI, dem Verband Sächsischer Industrieller, bereits kurz nach der Gründung des HB hingewiesen. In einem Rundschreiben an seine 4500 Mitglieder hieß es u. a., daß er „die Ziele des neuen Bundes seit seiner Begründung innerhalb seines Wirkungskreises verfolgt habe und daß er in dem gemeinsamen Zusammenschluß der Industrie mit Privatbeamten und Mittelstand eine wirkungsvolle Unterstützung der auf Erlangung größeren politischen Einflusses gerichteten Bestrebungen der deutschen Industrie erblicke", zitiert nach FZ, Nr. 173, 24. 6. 1909 „Die Reichsfinanzreform".

[127] Vgl. Kap. I, 4, Anm. 224. Von den korporativen Mitgliedern des BdI waren u. a. vertreten: die Verbände Sächsischer, Süddeutscher, Württembergischer Industrieller, der Verein der Industriellen und Kaufleute in den Kreisen Rothenburg o. T. und Hoyerswerda, Niesky; Verein deutscher Handelsmüller, Deutscher Tabakverein, Verband Deutscher Mineralwasserfabrikanten, Verband Deutscher Lederwarenindustrieller.

[128] Führend an der Gründung von Orts- bzw. Landesgruppen des HB waren beteiligt in Leipzig: Dr. Steche, Vorstandsmitglied des BdI und Vorsitzender der Ortsgruppe Leipzig des Verbandes Sächsischer Industrieller; in Dresden: Stresemann, Geschäftsführer dess. Verbandes, Vorstandsmitglied des BdI zus. mit R. Mattersdorf, Ausschußmitglied des CVBB; in Weimar: Der Vors. (Nusch) und das Vorstandsmitglied Pferdekämper des Verbandes Thüringischer Industrieller; in der Provinz Hannover: der Verein Mündener Industrieller; in Württemberg: in Zusammenarbeit mit der HK Stuttgart und dem HVV der Verband Württembergischer Industrieller, vgl. insbes. HK Ffm., Akte 1011, Schreiben der HB-Zentrale an das HB-Ortskomitee, 22. 7. 1909.

[129] Artmann, Heilner, Hirth, Pferdekämper, Steche, Wirth waren Mitgl. des konstituierenden Präsidiums, betr. näherer Angaben vgl. Anlage 1, Kurzbiographien der Mitglieder des konstituierenden Präsidiums.

Hirth und Steche waren Vizepräsidenten, ebd., Anlage 2. Artmann, Heilner, Hirth, Nusch, Steche, Wirth waren Mitglieder des HB-Direktoriums, vgl. Anlage 3. Vgl. ferner Liste der Mitglieder des HB-Gesamtausschusses v. 1909 und Anlage 12; diese gibt die absolute Zahl der BdI-Vertreter im HB-Gesamtausschuß und den übrigen HB-Gremien nicht an. Da zahlreiche BdI-Vertreter mehreren Gremien des BdI bzw. des HB angehörten, können die Zahlenreihen weder in senkrechter noch in horizontaler Anordnung addiert werden.

[130] Roland-Lücke, seit Februar Mitglied des HB-Direktoriums, wurde im Oktober des gleichen Jahres zum Schatzmeister und Präsidialmitglied des BdI gewählt. Vgl. H-B, Jg. 1, Nr. 41, 14. 10. 1911, S. 358.

[131] Hirth war Vizepräsident des HB, Pferdekämper, Stresemann gehörten dem HB-Direktorium an (vgl. Anlagen 2 und 3), die übrigen Präsidiumsmitglieder des BdI, Kommerzienrat Heinrich Friedrichs in Fa. Pignol und Heiland AG (Seifenfabrik), Potsdam, Vors. des BdI; Direktor W. Schultze in Fa. Schaeffer u. Walcker AG (Bronzegießerei, Zentralheizungs- und Beleuchtungsanlagen), Berlin; Fabrikbesitzer, MdL

(NLP) Ernst Stephan Clauss in Fa. E. J. Clauss Nachf. (Baumwoll-Fein-Spinnerei und Zwirnerei), Immenhof-Plaue und ab 1912 Max Hoffmann, Vorstandsmitglied der Sarotti-Schokoladen- und Kakao-Industrie-AG, Berlin, Vorstandsmitglied des Verbandes Deutscher Schokoladenfabrikanten, waren Mitglieder des HB-Gesamtausschusses.

[132] N. v. Dreyse, N. Eich, D. Heilner, O. Hoffmann, E. Nusch waren Mitglieder des HB-Direktoriums, vgl. Anlage 3; Kommerzienrat Fritz Guggenheim, in Fa. Seidenhaus Michels u. Co., Krefeld und Berlin, Kommerzienrat Louis Bernhard Lehmann, in Fa. J. M. Lehmann (Maschinenfabrik), Dresden, Vors. des Verbandes Sächsischer Industrieller, waren seit 1909 Mitglieder des HB-Gesamtausschusses, vgl. Liste der Mitgl. des HB-Gesamtausschusses; RA Dr. Georg Zöpfel, MdL, Mitgl. des ZV der NLP, Vors. des Deutschen Industrieschutzverbandes, Dresden, war Vorstandsmitglied der HB-Ortsgruppe Leipzig, vgl. H-B, Jg. 1, Nr. 22, 3. 6. 1911, S. 182 „Aus den Ortsgruppen".

[133] Vgl. Listen der Mitglieder des HB-Gesamtausschusses von 1909 und 1914; die Mitglieder des Vorstandes und des Großen Ausschusses sind in den Veröffentlichungen des Bundes der Industriellen, H. 3, Nov. 1912, S. 37–44, verzeichnet.

[134] Dr. Steche war 1912 Vors. des Gf. A. des HB-Landesverbandes Sachsen (H-B, Jg. 2, 1912, Nr. 42, S. 547) und der Ortsgruppe Leipzig und Vorstandsmitglied des VSI. Stresemann war Gf des VSI und Präsidialmitglied des BdI, gehörte neben dem HB-Direktorium auch dem Vorstand der HB-Ortsgruppe Dresden an. Betr. Dr. Zöpfel vgl. Anm. 132. 1914 war Alfred Bösenberg, Vors. der Vereinigung Deutscher Lampenfabrikanten und -Grossisten, Dresden, Vors. der HB-Ortsgruppe Dresden; vgl. H-B, Jg. 5, Nr. 1, April 1914, S. 13. Vom 38köpfigen Gesamtvorstand des Verbandes Sächsischer Industrieller gehörten mindestens 19 dem HB, die meisten als Gesamtausschuß- bzw. Direktoriumsmitglieder, an, vgl. Nl. Stresemann 3053, H. 124363 f., Prot. über die Sitzung des Gesamtvorstandes des VSI, 23. 2. 1913 und Listen des HB-Gesamtausschusses von 1909 und 1914.

[135] E. Pferdekämper, Vors. und E. Nusch, Vorstandsmitglied des Verbandes Thüringischer Industrieller gehörten den Vorständen der HB-Ortsgruppen Greiz und Weida an; vgl. auch Anm. 133.

[136] Der VWI war korporatives Mitglied (vgl. H-B, Jg. 1, Nr. 39, 30. 9. 1911, S. 339 „Ausdehnung des Hansa-Bundes"). Hirth, Vors. des VWI, war seit 1911 Vors. der HB-Ortsgruppe Stuttgart (vgl. H-B, Jg. 1, Nr. 40. 7. 10. 1911, S. 350 „Aus den Ortsgruppen") und des Gf. A. des HB-Landesverbandes Württemberg (vgl. H-B, Jg. 1, Nr. 38, 28. 9. 1911, S. 487 „Württembergische Hansa-Bund-Tagung"). Dessen Geschäftsführer, H. G. Bayer (vgl. ebd., Nr. 18, 6. 5. 1911, S. 153 „Aus den Ortsgruppen"; ebd., Nr. 23, 12. 6. 1911, S. 190), war gleichzeitig Syndikus des VWI und Mitglied des Großen Ausschusses des BdI. Vgl. Veröffentlichungen des BdI, H. 3, S. 39.

[137] Otto Hoffmann, Vors. des letzteren (vgl. Veröffentlichungen des BdI, H. 3, S. 38) war 2. Vors. des HB-Landesverbandes Baden. Vgl. H-B, Jg. 3, Nr. 2, 18. 1. 1913, S. 33 „Aus den Ortsgruppen und angeschlossenen Verbänden".

Weitere Personalunionen vgl. Fabrikdirektor Max Schmidt, Hirschberg, Mitgl. des Großen Ausschusses des BdI, Vors. des HB-Riesengebirgsverbandes, (vgl. H-B, Jg. 2, 1912, Nr. 13, S. 181); Senator F. W. Meyer, Vors. des Vereins Deutscher Handelsmüller, Mitgl. des Großen Ausschusses des BdI, war Vors. der HB-Ortsgruppe Hameln und Mitgl. des HB-Gesamtausschusses; Kommerzienrat August Natermann, Vors. des Vereins Mündener Industrieller, Hann.-Münden, Mitgl. des Großen Ausschusses des BdI, war Vorstandsmitgl. der HB-Landesgruppe Rheinland-Westfalen; Dr. Waldschmidt, 1912 Vors. des HB-Ortsverbandes Groß-Berlin, war Mitgl. des BdI; vgl. H-B, Jg. 4, 1913, S. 83.

[138] Vgl. Abschnitt HB – CVDI.

[139] Vgl. Veröffentlichungen des BdI, H. 3, S. 5 f.

[140] Die Handelskammern Chemnitz, Plauen, die Bergische HK zu Lennep, die Gewerbekammern Bremen, Hamburg, Lübeck, der Verein Deutscher Seidenwebereien, Düsseldorf, der Verein Deutscher Portlandzementfabrikanten, Kalkberge-Rüdersdorf i. Mark, der Verein zur Wahrung gemeinsamer Wirtschaftsinteressen der deutschen Elektrotechnik, Berlin, ebd.; für die Mitgliedschaft dieser Verbände im CVDI vgl. VMB, H. 115–123, passim. Für den HB vgl. Akten HB der HK Hamburg, Lübeck, Bremen. Ferner Liste der Mitglieder des HB-Gesamtausschusses, HK Ffm., Akte 1011, Bl. 264 f., Schreiben der HB-Zentrale an die HK Ffm. vom 20. 4. 1910.

[141] Die Verbände Pharmazeutischer Fabriken (Hamburg), Deutscher Parfümeriefabrikanten (Berlin), der Reklame-Interessenten (Mannheim), die Vereinigungen Deutscher Fabrikanten für Heeresausrüstung (Dresden) und rheinisch-westfälischer Zuckerwarenfabrikanten (Godesberg), die HK für das HTM Oldenburg und die HK Darmstadt.

[142] Vgl. Bayer-Archiv, Akte HB; Akte Personalia, Briefwechsel Duisberg-Riesser, passim.

[143] Bayer-Archiv, Brief Duisbergs an Frh. v. Gamp-Massaunen, 21. 2. 1912: „Obwohl vor allem Stresemann sich die größte Mühe gab, blieben wir doch dem Bund der Industriellen gegenüber von vornherein neutral und ich lehnte es ausdrücklich ab, in den Vorstand einzutreten, oder auch uns in irgendeiner Weise für den Bund zu interessieren." Vgl. auch Brief vom 19. 2. 1912, Frh. v. Gamp-Massaunen an Duisberg, ebd.

[144] Vgl. Kaelble, Interessenpolitik, S. 204, Stegmann, S. 180, 346.

[145] Vgl. Verzeichnis der Mitglieder des Direktoriums und des Gesamtausschusses des HB v. 1914.

[146] Für die genannten HB-Kreise vgl. S. 81 ff. Für den BdI vgl. BA, Nl. Stresemann, 3053. Bei Wendlandts Rücktritt als Gf. (1911) hatte der BdI 40 000 Mk. Schulden, ebd., H. 124638 f., VWI an BdI, 3. 11. 1913. Der VWI stellte 1913 fest, daß die „grauenvolle Mißwirtschaft am Ende der Ära Wirth-Wendlandt im Prinzip heute noch fortbesteht", ebd., H. 124645 ff., VWI an das Präsidium des BdI, 10. 10. 1913. Auch die Finanzlage mehrerer wichtiger Landesverbände war schlecht; beim Verband Sächsischer Industrieller zahlte „nur die Hälfte" der Mitglieder „normale Beiträge ..., während viele Verbände einen viel zu niedrigen Beitrag leisteten", ebd., 3053, H. 124363 ff., Prot. über die Sitzung des Ges. Vorst. des VSI, 23. 2. 1913, hier H. 124369; der Verband Mitteldeutscher Industrieller (VMI) in Ffm mußte in den ersten Jahren finanziell unterstützt werden, ebd., 3052, H. 1239 18 ff., Niederschrift über die Präsi dialsitzung des BdI, 4. 6. 1914. Der VWI wies in einem Schreiben an den BdI v. 9. 6. 1913 darauf hin, daß Roland-Lücke (vgl. Anlage 3) wegen der finanziellen Mißwirtschaft im BdI nach weniger als einem Jahr sein Amt als Schatzmeister niederlegte und stellte fest, „da ist doch nicht die geringste Aussicht, aus der alten Schuldenwirtschaft herauszukommen", ebd., H. 124452; der Etat des BdI betrug 1907/08 lediglich 16 600 Mk. und stieg bis Ende 1912 auf 59 000 Mk., ebd., 3053, H. 124566, H. 124452. In Wirklichkeit war der Etat wohl geringer, denn Stresemann schrieb Ende 1913 an Dr. Andres, Gf. des Verbandes Mitteldeutscher Industrieller, 19. 12. 1913: „Mit einem Etat von M. 50 000,-- ... ist eine Korporation wie der Bund der Industriellen nicht zu leiten", ebd., 3053, H. 124701 f.

[147] Ebd., H. 124630 ff., VWI an BdI-Präs., 31. 10. 1913.

[148] Ebd., 3053, H. 124450, VWI an BdI, 9. 6. 1913, der VWI monierte darin ein Versagen der BdI-Führung; in Nordbayern existierten nach seiner Meinung gute Voraussetzungen für den Aufbau einer BdI-Organisation, da die dortige „Industrie ganz und gar wesensähnlich derjenigen Württembergs" wäre, ebd.

[149] Ebd., 3053, H. 124685 ff., Stresemann an N. Eich (vgl. Anlage 3), 24. 11. 1913:

„Ehe uns nicht für den Provinzialverband mindestens 10 000 auf 3 Jahre garantiert sind, kann der Bund der Industriellen eine solche Gründung gar nicht unternehmen."

[150] Ebd., H. 124448 ff., VWI an BdI, 9. 6. 1913, hier H. 124450.

[151] Ebd.

[152] Ebd., 3053, H. 123843 ff., Stresemann an VWI, 6. 3. 1914.

[153] Ebd., VWI an BdI, 9. 6. 1913, H. 124451 u. 124448.

[154] Ebd., H. 124451.

[155] Ebd., H. 124446, Schneider an Stresemann, 3. 6. 1913. Um von seiten des BdI auf diesen Mitgliederverband Einfluß ausüben zu können, müsse man nun „versuchen, dort direkt an die Mitglieder heranzukommen", ebd.

[156] Ebd., 3051, Dr. Andres, Gf. VMI an Otto Moras (Vorst. mitgl. VSI, Mitgl. HB-Ges. A., Besitzer einer Mechanischen Weberei), Zittau, 27. 3. 1912.

[157] BdI an VWI, 15. 8. 1913, Streng vertraulich!, ebd., 3053, H. 124563 ff., hier 124568.

[158] Ebd., H. 124320 ff., A. Hirth an Stresemann, 14. 1. 1913, es komme ihm vor, „als ob Dr. Schneider wie ein Dämon den Bund der Industriellen führt, und ich kann es nicht länger verantworten, die Geschäftsführung dieses Herrn sozusagen über mich und den Württembergischen Verband ergehen zu lassen". Auch den Rücktritt Friedrichs würde er „für einen großen Segen halten", ebd. Der VMI hielt die Vorwürfe für „im großen Ganzen ... richtig geschildert"; diese Stellungnahme bezog sich auch auf die finanzielle Mißwirtschaft und die „Desorganisation" des BdI, ebd., H. 124698, VMI an Stresemann, 17. 12. 1913. Stresemann spricht häufig von Kompetenzstreitigkeiten innerhalb der BdI-Geschäftsführung, von Aversionen zwischen Gf. Schneider und seinem Stellv. Stapff und sogar vom „Verfolgungswahn" des Dr. Schneider, ebd., H. 124570 ff., Stresemann an Friedrichs, 17. 8. 1913.

[159] N. Eich (Anlage 3) und Stresemann hatten mit Riesser über die „Lage im Bund der Industriellen" gesprochen, vgl. BA, Nl. Stresemann, 3053, H. 124678 f., Stresemann an Eich, 17. 11. 1913.

[160] Von den 23 Industrievertretern, die Ende 1912 dem HB-Direktorium angehörten, waren 8 Mitglieder des BdI.

[161] Vgl. Bayer-Archiv, Akte Personalia Riesser, Brief Riessers an Duisberg, 15. 4. 1912, ebd., Brief Duisbergs an Riesser, 20. 4. 1912. Absage Duisbergs: obwohl er „mit Leib und Seele dem Hansa-Bund-Gedanken ergeben" sei, lasse seine geschäftliche Belastung eine Übernahme des angebotenen Amtes nicht zu. „Wenn ich also nicht Präsident sein kann, dann möchte ich auch nicht als Ja und Amen sagender Vizepräsident wirken. Hoffentlich finden Sie aber einen geeigneten Herrn, der Ihnen sympathisch ist und bei dem Sie die erhoffte Unterstützung und Förderung finden."

[162] Zur Wahl Engelhards vgl. H-B, Jg. 3, Nr. 3, 18. 1. 1913, S. 25 „Ein neues Mitglied des Hansa-Bund-Präsidiums"; vgl. auch Nl. Stresemann, 3054, H. 126094, Bassermann an Stresemann, 3. 1. 1913, Engelhard sei ein „vortrefflicher, angesehener Mann", „Nicht altnationalliberal, wohl aber steht er rechts, Arbeitgeberstandpunkt".

[163] Alwin v. Beckerath war Vors. des Vereins deutscher Seidenfabrikanten; vgl. ferner Brief Duisbergs an Geh. Kom. Rat Heinrich Schniewind vom 20. 4. 1912 betr. Auskunft über v. Beckerath. Antwort Schniewinds an Duisberg, 22. 4. 1912: B. fehle das „Rednertalent" und noch dazu „das Hinreißende, was für die Stellung des zweiten Vorsitzenden des Hansa-Bundes ... notwendig ist", ebd.

[164] Brief Duisbergs an Riesser, 12. 11. 1912, er sei nicht in der Lage zu sagen, ob der Direktor der AG Mix und Genest geeignet sei, „den schon so lange vakanten Stuhl im Präsidium des Hansa-Bundes" einzunehmen, ebd.

[165] Brief Riessers an Duisberg, 6. 12. 1912 (streng vertraulich!): Das Direktorium habe beschlossen, einen Industrierat zu bilden. „Es handelt sich nun darum, die rich-

tigen Mitglieder und vor allem den richtigen Vorsitzenden zu wählen. Daß wir in Bezug auf den letzteren in erster Linie an Sie gedacht haben, werden Sie begreiflich finden und ich hoffe sehr, daß Sie ihn trotz Ihrer bekannten Arbeitslast übernehmen können ... Sollten Sie aber, was wir alle ungemein bedauern würden, nicht zur Übernahme des Vorsitzes imstande sein, sondern nur als Mitglied fungieren können, dann geht meine Anfrage dahin, ob Sie vielleicht Herrn Geheimrat von Böttinger zur Übernahme des Vorsitzes bestimmen könnten ... und mir vielleicht weitere geeignete Mitglieder für den Industrierat, der ja, um arbeitsfähig zu bleiben, nicht zu groß sein darf, angeben könnten", ebd.

[166] Vgl. Anm. 165, H. v. Böttinger war ein Schwager Duisbergs, seit 1907 AR-Vors. der Farbenfabriken, 1899–1908 MdA, NLP; seit 1908 MdH, für weitere Angabe vgl. Martin, Jahrbuch der Millionäre in der Rheinprovinz, S. 185.

[167] E. Engelhard, Kom. Rat H. Müller, vgl. Anlage 3; Generaldirektor Willi Stöve, seit 1912 MdR, NLP, seit 1909 Mitgl. des HB-Gesamtausschusses.

[168] Vgl. H-B, Jg. 4, Nr. 9, Dez. 1913, S. 120 f. „Industrierat des Hansa-Bundes". Was die Größe anbetraf, hatte Riesser sich nicht durchsetzen können, vgl. Anm. 165.

[169] Vgl. H-B, Jg. 4, Nr. 9, Dez. 1913.

[170] Ebd.

[171] Vgl. Bayer-Archiv, Akte Personalia Riesser, Brief Riessers an Duisberg, 15. 4. 1912.

[172] Ebd.

[173] Vgl. H-B, Jg. 2, Nr. 23, 15. 6. 1912, S. 305 „Änderung der Statuten".

[174] Vgl. Anlage 6; für den BdI vgl. Müffelmann, Verbände, S. 55 ff.

[175] Ebd.; Horn, S. 5, vgl. ferner Nußbaum, S. 160 u. Merkel, Der Bund der Industriellen 1895–1919, in: Die bürgerlichen Parteien in Deutschland, Bd. 1, S. 117 bis 126, hier S. 119; vgl. ferner Kap. I.

[176] Vgl. Kap. V (HB und Reichstagswahlen) u. Kap. IV, 2 c (HB und SPD).

[177] Zit. nach VZ, Nr. 440, 5. 9. 1911.

[178] Vgl. Kap. V. Zu einem ähnlichen Ergebnis kommt Merkel: „Der BdI unterstützte die Bestrebungen des Hansa-Bundes auf parlamentarischem Gebiet, so auch seine Haltung in der Wahlrechtsbewegung von 1910."

[179] Vgl. Kap. III, 1, Anm. 16.

[180] VZ, Nr. 440, 5. 9. 1911, zit. nach Merkel, S. 125. Für den HB vgl. Kap. III, 4.

[181] Zit. nach S. Pausewang, Zur Entstehung des Gesellschaftsbildes mittelständischer Unternehmen, phil. Diss. Marburg 1967, S. 84.

[182] Schultheß' Europäischer Geschichtskalender, Jg. 1910, S. 66.

[183] Nähere Einzelheiten vgl. Kap. VI, vgl. BA, Nl. Stresemann, 3053, H. 124680 f., Stresemann an H. Vogel (vgl. Anlage 3), 17. 11. 1913, Stresemann an B. Lehmann (Vors. des VSI), 9. 7. 1913: „Ich habe bei diesen Steuerkämpfen die Erklärungen des Hansa-Bundes im wesentlichen verfaßt, ebenso wie diejenigen des BdI." Er sei für eine Erbanfallsteuer an Stelle der Vermögenszuwachssteuer eingetreten. Da der HB bereits 1909 für die Erbanfallsteuer eintrat, stellt die obige Erklärung Stresemanns keinen Beleg für eine tonangebende Rolle Stresemanns im HB dar.

[184] Zu diesen zwischen CVDI und BdI kontroversen Fragen vgl. Nußbaum, S. 160–179; Merkel, S. 121 ff.; Veröffentl. des BdI, H. 3, S. 16, 17 f., Erklärung des Vorstandes des BdI vom 9. 3. 1912 über die Stellung der preußischen Regierung zum Rheinisch-Westfälischen Kohlensyndikat sowie über die Förderung der Kohlenausfuhr durch billige Ausfuhrtarife; ebd., S. 23 ff., Erklärung z. deutschen Handelspolitik u. zur Vorbereitung künftiger Handelsverträge.

[185] Daß der BdI den HB keineswegs dominierte, läßt auch die Arbeit von Pausewang erkennen. Anhand einer Inhaltsanalyse der Zeitschrift „Deutsche Industrie"

weist dieser eine Änderung des Gesellschaftsbildes des BdI nach 1909 nach, wobei er einen der wichtigsten Gründe für diese Änderung in der Zusammenarbeit des BdI mit den mittelständischen Kreisen im HB sieht. Vgl. Pausewang, S. 131: „Nach 1909 werden stärker als vorher mittelständische Forderungen von Handel und Gewerbe übernommen; überhaupt wird die Zusammenarbeit mit dem Hansa-Bund auch in den Äußerungen des Bundes der Industriellen spürbar"; S. 329, Anm. 79: „Die Zusammenarbeit mit diesen Gruppen (gem. Handel und Handwerk im HB) trug daher auch sicherlich zur beschleunigten Herausbildung eines neuen, auf Selbständigkeit beruhenden Selbstbewußtseins der kleinen und mittleren Unternehmen bei!"

[186] BA, Nl. Stresemann 3052, H. 123962 ff., Stresemann an Friedrichs (Vors. d. BdI), 19. 8. 1914, hier H. 123964. Vgl. ferner BA, Nl. Richthofen, Nr. 3, Bl. 169 ff., v. Richthofen an Riesser, 20. 2. 1914, hier Bl. 171 f.

[187] Ebd.; vgl. ferner Riesser an Stresemann, 15. 8. 1914, Stresemann solle Friedrichs schreiben, „daß er auf das energischste verlangt, daß der Hansa-Bund, evtl. ich persönlich, zu dem Kriegsausschuß der deutschen Industrie hinzugezogen werde, zu welchem sich der Centralverband deutscher Industrieller und der Bund der Industriellen zusammengetan haben". „Ich brauche wohl in dieser Beziehung nicht erst an die zwischen Ihrem Bund und uns erfolgten schriftlichen Bestätigungen zu erinnern, sondern halte unsere Zuziehung auch aus sachlichen Gründen für unbedingt geboten." Vgl. ferner Kap. VI.

[188] Stenogr. Ber. über die Versammlung vom 12. 6. 1909, S. 29.

[189] Ebd.,; Vgl. Swdt. Wi-Ztg., Nr. 35, 27. 8. 1909, S. 359 „Hansa-Bund und Sozialpolitik"; vgl. ferner: Die Hilfe, Nr. 25, 20. 6. 1909, S. 389 „Der Hansabund".

[190] Vgl. Stegmann, S. 192 (Stellungnahmen der DAGZ).

[191] Gegen eine Mitgliedschaft der Angestellten sprachen sich u. a. L. Röchling und Rötger (vgl. Anlage 1 u. 3) aus, vgl. Archiv Rötger, L. Röchling an HB-Zentrale, 5. 11. 1909 GBAG-Archiv, Rötger an Kirdorf, 20. 8. 1909; vgl. auch FZ, Nr. 206, 27. 7. 1909 „Hansa-Bund und Scharfmachertum". Für die ablehnende Haltung dieser Kreise gegenüber den 1909 im Reichstag erörterten sozialpolitischen Initiativen vgl. Krupp Archiv, Akte HB, Generaldirektor B. Grau (Eisenwerk Kraft in Kratzwieck bei Stettin), an Rötger, 4. 6. 1909; Rötger an Grau, 14. 6. 1909; vgl. Südwestdeutsche Flugschriften, H. 10, Gründungsreden, S. 4, Tille: „Zur Zeit wird das Gewerbeleben durch eine Reihe neuer gesetzgeberischer Maßnahmen bedroht, gegen welche es mit aller Entschiedenheit Front zu machen gilt, und zwar vor allem durch die vorgeschlagene Fassung der Reichsgewerbeordnung und die Reichsversicherungsordnung. Dazu kommen eine Unzahl Anträge im Reichstage auf weitere Einschränkungen der gesetzlichen Befugnisse der Arbeitgeber, auf Zahlung einer gesetzlichen Unterstützung an Arbeitslose, auf Nivellierung der Leistungen durch Lohnarbeitstarife und auf die Erfüllung zahlreicher anderer sozialistischer Wünsche". Vgl. hierzu FZ, Nr. 206, 27. 7. 1909 „Hansa-Bund und Scharfmachertum"; Riesser, Hansa-Bund, S. 29 f.

[192] Vgl. VMB, H. 116, Okt. 1909, S. 44, Alexander Tille: „An erster Stelle müssen Industrie und Handwerk ihre Lebensinteressen im Hansabund zum Ausdruck bringen und müssen dort eine Mehrheit zu bilden suchen ... Wir haben uns in Saarbrücken eine Ortsgruppe gegründet, die genau der Ausdruck der politischen Arbeitgeberbewegung ist, die seit 1–1 ½ Jahren bei uns bestanden hat"; vgl. ferner Swdt. Wi-Ztg., Nr. 48, 26. 11. 1909, S. 450.

[193] Vgl. GBAG-Archiv, Registratur der Besprechungen vom 28. 8. 1909, Dr. Steche, BdI (vgl. Anlage 1), sah in der „Bekämpfung der drohenden Degenerierung des deutschen Volkes durch Übertreibungen auf sozialpolitischem Gebiete" eine der wichtigsten Aufgaben des HB; er sprach sich jedoch nicht gegen den Beitritt der Angestellten aus.

[194] Vgl. Südwestdeutsche Flugschriften, H. 10, S. 19; vgl. ferner S. 29, Schmelzer,

Malermeister; S. 25, Wilhelm Weiten, Bäckermeister, spricht sich gegen das Kinderschutzgesetz von 1903 aus, das die Beschäftigung von Kindern unter zwölf Jahren (!) vor 8 Uhr morgens verbietet; „Es muß doch einmal aufhören mit den neuen Gesetzen, welche befehlen, daß man immer für andere bezahlen muß", ebd., S. 26; vgl. ferner Flugblatt Nr. 11 des HB (Rede Rahardts in Thorn), in: HK Hamburg, Akte V, 145, Nr. 3.

[195] GBAG-Archiv, Registratur der Besprechung vom 28. 8. 1909.

[196] Auf der Versammlung vom 12. 6. 1909 waren lediglich 9 kleinere Verbände kaufmännischer und technischer Angestellter vertreten, u. a.: Deutscher Bankbeamten-Verein, Berlin, Verein junger Kaufleute in Berlin, Verein reisender Kaufleute in Berlin, ferner der Bund der technisch-industriellen Beamten, der Verband Deutscher Elektrotechniker, alle Berlin. Vgl. Verzeichnis der bei der Abwehrversammlung am 12. 6. d. J. vertretenen Handelskammern, Korporationen, Verbände und Vereine, in: Krupp-Archiv.

[197] Vgl. Kap. II, 2 Mitglieder des HB.

[198] HB-Flugblatt Nr. 1 „Das Wesen des Hansa-Bundes" von J. Riesser.

[199] Vgl. Jahrbuch des HB, 1912, S. 159; für die Zahlenangaben bei den folgenden Verbänden – jeweils nach dem Stand vom 31. 12. 1910 – vgl. ebd. HB-Direktoriumsmitglied wurde für den Leipziger Verband 1909–1911 Georg Hiller, ab 1911 der spätere Reichstagsabgeordnete Felix Marquardt NLP; für den Hamburger Verband 1909–12 Dr. H. J. Thissen, ab 1912 Henry Schaper; für den Deutschen Verband kaufmännischer Vereine ab 1910 Carl Luwig Schäfer, Mitglied des ZV der NLP; vgl. für die gen. Direktoriumsmitglieder Anlage 3. Betr. der Entwicklung der Angestelltenbewegung und der Mitgliederzahlen von 1911/12 (DHV 121 000 bzw. 130 300, V. f. Handlungskommis 110 400 bzw. 117 600, Vbd. dt. Handlungsgehilfen 94 000 bzw. 96 300, Dt. Vbd. kfm. Vereine 70 700 bzw. 72 200, davon waren lediglich 48 200 Mitglieder Angestellte) vgl. Reichsarbeitsblatt, Sonderheft 8, Die Verbände der Arbeitgeber, Angestellten und Arbeiter im Jahre 1912, bearb. i. kaiserl. Statist. Amt, Berlin 1914, S. 28 ff.; ferner Sonderheft 11 und 13, gleicher Titel, Berlin 1915/16; vgl. ferner Handbuch wirtschaftlicher Vereine, S. 615 ff. mit Mitgliederangaben für 1913.

[200] Die besonders starke Vertretung dieses Verbandes, der auch selbständige Kaufleute aufnahm, in den HB-Gremien war sicherlich nicht zufällig. Im Gesamtausschuß des HB waren u. a. vertreten: Bankier Carl Gayler, Vorsitzender des Kaufmännischen Vereins Eßlingen; Paul Eisner, Vorsitzender des Vereins junger Kaufleute von Berlin, ab 1911 Mitglied des HB-Direktoriums; Ton- und Zementwarenfabrikant Paul Fickentscher, Vorsitzender des Kaufmännischen Vereins Zwickau; die genannten Verbände waren korporative Mitglieder des Deutschen Verbandes kaufmännischer Vereine, vgl. Handbuch wirtschaftlicher Vereine, S. 622 ff.; der stellvertretende Vorsitzende dieses Verbandes, Heinrich Ehlers, war Vorstandsmitglied, und der Geschäftsführer, Richard Baum, war gleichzeitig Gf. (!) der HB-Ortsgruppe Frankfurt a. M., vgl. HK Ffm., Akte 1011.

[201] Vgl. Mannheimer General-Anzeiger, Nr. 531, 13. 11. 1909 „Die Handlungsgehilfen im Hansa-Bund". Der D. H. V. lehnte es ab, zu wirtschaftspolitischen Fragen Stellung zu nehmen, „da die Behandlung dieser Fragen nicht zu den Aufgaben einer Organisation der kaufmännischen Angestellten gehört, die alle deutschen Handlungsgehilfen ohne Rücksicht auf ihre Stellung im Wirtschaftskörper und ihre Parteizugehörigkeit umfassen soll". Beschluß des 12. Deutschen Handlungsgehilfentages, zit. nach. Lederer, Die wirtschaftlichen Organisationen; daneben haben politsche Gründe den personell eng mit den konservativen Parteien verbundenen D. H. V. von einer stärkeren Mitarbeit im HB abgehalten.

[202] Vgl. Liste der Mitglieder des HB-Gesamtausschusses von 1909.

[203] Esterer war durch seinen Vors.: Direktor Barthel, Kottbus, letzterer durch den Architekten Hildebrand, Stuttgart, vertreten, ebd., vgl. Verzeichnis der Mitglieder des Direktoriums und des Gesamtausschusses v. 1914, S. 25. Vertreter des radikalen Bundes der technisch-industriellen Beamten, der von den technischen Angestelltenverbänden den Gewerkschaften am nächsten stand (vgl. Lederer, Die wirtschaftlichen Organisationen, S. 33), wurden auf Intervention von CVDI-Mitgliedern nicht in den HB-Gesamtausschuß aufgenommen, vgl. Archiv Rötger, Otto Schrey an Bueck, Gf. des CVDI, 2. 11. 1909; ebd., Hilger an Rötger, 30. 9. 1909, sprach sich gegen die Aufnahme von Vertretern der Gewerkvereine aus.

[204] Vgl. Anm. 237 und 244. In den Ortsgruppen, in denen die Angestellten in der Regel die Mehrheit bildeten, waren sie zumeist mit einem Vertreter in den Vorständen vertreten. Vgl. H-B, Jg. 1–5, 1911–1914, Rubrik „Aus den Ortsgruppen", passim. Zur Agitation des HB in den kaufmännischen Vereinen, vgl. Mannheimer General-Anzeiger, Nr. 469, 9. 10. 1909 „Der Hansa-Bund und die Angestellten". Diese Bestrebungen wurden bes. von linksliberaler Seite begrüßt, vgl. Die Hilfe, Nr. 25, 20. 6. 1909 „Der Hansabund", S. 385. „Man beginnt zu fühlen, daß man nicht gleichzeitig gegen rechts und links kämpfen kann, denn zur Politik gehören Hilfstruppen. Hat man diese nicht im Bauernstande, so braucht man sie bei den Arbeitnehmern"; vgl. ferner FZ, Nr. 257, 16. 9. 1909 „Der Hansabund und die Angestellten".

[205] Handbuch wirtschaftlicher Vereine, S. 632 (Verein junger Kaufleute von Berlin); Zweck des Vereins für Handlungs-Commis von 1858 war u. a. „die Förderung des gesamten Handelsstandes", ebd., S. 616; vgl. ferner HK Ffm, Akte 1011, Bl. 173.

[206] Die Angestellten waren als Wählergruppen 1909 noch keineswegs festgelegt, vgl. Kocka, Unternehmensverwaltung, S. 536; Lederer, Wirtschaftliche Organisationen, S. 40 f.; Bertram, S. 113 f.

[207] Richtlinien des HB von 1909, vgl. Anlage 6.

[207] Vgl. Die Hilfe, Nr. 43, 24. 10. 1909, S. 680 „Hansabund und Sozialpolitik"; vgl. ferner Mitt. H.-B., Jg. 1, Nr. 8, 15. 10. 1909 „Die Grenzboten über den Hansa-Bund"; ebd., Nr. 10, 2. 10. 1909 „Hansa-Bund und Sozialpolitik".

[209] Diese Forderung war auf Betreiben Duisbergs (vgl. Anlage 3) in die Richtlinien aufgenommen worden. Der §, der die Sozialpolitik betraf, wurde ansonsten unverändert in der von Riesser vorgeschlagenen Form angenommen, vgl. Archiv Rötger, Registratur über die Sitzung des Direktoriums des HB vom 4. 10. 1909.

[210] Handbuch der deutschen Aktiengesellschaften, Jg. 1905/06–1909/10. Vgl. Vierteljahreshefte zur Statistik des Deutschen Reichs, Ergänzungsheft zu 1909, II, S. 15–17.

[211] Zit. nach FZ, Nr. 164, 16. 6. 1910 „Delegiertenversammlung des Hansa-Bundes". Vgl. Mitt. H-B, Jg. 2, Nr. 33, 21. 6. 1910 „Die Festtagung des Hansa-Bundes".

[212] FZ, Nr. 164, 16. 6. 1910.

[213] H-B, Jg. 1, Nr. 26, 1. 7. 1911, S. 233 f. „Prinzipale und Angestellte", S. 234.

[214] Vgl. Mitt. H-B, Jg. 1, Nr. 21, 6. 12. 1909 „Stellung des Hansa-Bundes zur Reichsversicherungsordnung"; ebd., Jg. 2, Nr. 16, 23. 3. 1910; Nr. 19, 8. 4. 1910 „Der Ausschuß des Hansa-Bundes für die Versicherung der Privatangestellten"; 20 Jahre Wirtschaftspolitik, S. 66; Riesser, Reden, S. 64; HB-Zentrale an Konsul Dimpker, Präses der HK Lübeck, 23. 9. 1911, in: HK Lübeck, Akte HB.

[215] Mitt. H-B, Jg. 2, Nr. 22, 20. 4. 1910 „Richtlinien des Hansa-Bundes zur RVO"; ebd., Nr. 28, 14. 5. 1910 „Die Unübersichtlichkeit des Entwurfs zur RVO", ebd., Nr. 36. 13. 7. 1910 „Die Resolution des großen Ausschusses des Hansa-Bundes zur RVO"; ebd., Nr. 20, 13. 4. 1910 „Bureaukratische Sozialpolitik".

[216] Flugblatt Nr. 1.

[217] Mitt. H-B, Jg. 2, Nr. 19, 8. 4. 1910; H-B, Jg. 1, Nr. 16, 22. 4. 1911, S. 133 „Zur Pensionsversicherung der Privatangestellten“.

[218] Ebd., Nr. 18, 6. 5. 1911 „Hansa-Bund und Privatbeamtenversicherung“.

[219] Vgl. u. a. H-B, Jg. 2, 1912, S. 66, 86, 102, 113, 157 f., 449, 476–481.

[220] Ebd., Jg. 1, Nr. 10, 11. 3. 1911, S. 77 „Detaillisten und Privatbeamtenversicherung“.

[221] VMB, H. 121, März 1911, S. 136–154, Eingabe zum Entwurf eines Versicherungsgesetzes für Angestellte, 4. 3. 1911. Kaelble weist darauf hin, daß mittelbetriebliche Industrielle im CVDI von Anfang an dagegen das AGV unterstützten, ders., Interessenpolitik, S. 66, 85, 87. 1913 erkannte der CVDI jedoch die Sonderstellung der Angestellten an, vgl. ebd., S. 106, Anm. 329. Der BdI (Stresemann) trat demgegenüber von Anfang an für die Bildung von Sonderklassen der Angestellten ein, vgl. Stenogr. Ber. RT, Bd. 267, Sp. 6902; ebd., Bd. 227, Sp. 709–10, 715.

[222] H-B, Jg. 1, Nr. 16, 22. 4. 1911, S. 135 ff. „Arbeitgeber, Angestellte und Privatbeamtenversicherung“.

[223] Ebd., S. 136.

[224] Vgl. Kocka, Unternehmensverwaltung, S. 519.

[225] Dieses Standesbewußtsein war auf überbetrieblicher Ebene bereits seit den 1880er Jahren praktisch geworden, indem es als wichtige Motivation bei der Gründung einzelner Verbände, z. B. dem „Deutschen Privat-Beamten-Verein“ fungiert hatte, Kocka, Unternehmensverwaltung, S. 520, 515 f.; vgl. ferner Handbuch wirtschaftlicher Vereine, S. 615 f. „Verein für Handlungs-Commis von 1858“.

[226] Jahrbuch des Hansa-Bundes, Jg. 2, 1913, S. 88–92, Henry Schaper, Mitglied des HB-Direktoriums, „Hansa-Bund und kaufmännische Angestellte“, S. 88. „Es muß verhindert werden, daß die zahlreichen Scharen von Angestellten, die heute im Dienste unserer Großbetriebe stehen ... in das Proletariat hinabsinken.“ Die Gefahr war bei älteren Angestellten besonders groß. Vgl. ferner Anm. 222. Der Vorsitzende des Hauptausschusses für staatliche Pensionsversicherung und Vors. des Verbandes Deutscher Handlungsgehilfen weist u. a. in diesem Artikel auf „das massenhafte Errichten von kleinen und kleinsten Geschäften“ hin. „Man sehe sich doch in den Städten um, straßauf, straßab, wie eng sie nebeneinandersitzen, und immer schieben sich neue dazwischen, und man begreift nicht, wie sie leben; aber man weiß, daß die meisten kümmerlich leben ... Das sind nicht solche Leute, die die Selbständigkeit schon in jungen Jahren als Ziel vor sich hatten und die Mittel dazu besaßen, sondern meist solche, die wegen vorgerückten Alters keine Stellung mehr finden, oder solche, die das Altwerden als Angestellte fürchten.“

Vgl. ferner H-B, Jg. 4, Nr. 7, Okt. 1913, S. 88–90, H. Meyer: „Öffentliche Stellennachweise für Kaufleute“; ebd., S. 89: „Der Handlungsgehilfenstand ist heute so überfüllt, daß es für männliche Angestellte über 45 oder 50 Jahre fast ausgeschlossen erscheint, einen ihren Kenntnissen und Fähigkeiten entsprechenden Posten wiederzubekommen.“

[227] Vgl. Kocka, Unternehmensverwaltung, S. 520–525.

[228] HB-Flugblatt Nr. 6 „Angestellte und Hansa-Bund“, in: HK Hamburg, Akte V, 145, Nr. 3.

[229] Jahrbuch des HB, Jg. 2, 1913, S. 88.

[230] Ebd., vgl. ferner H-B, Jg. 1, Nr. 16, 22. 4. 1911, S. 136; Jg. 4, Nr. 7, Okt. 1913 „Öffentliche Stellennachweise für Kaufleute“, S. 90.

[231] Ebd., Hervorhebung im Original.

[232] Vgl. Anm. 220.

[233] Flugblatt Nr. 1, Mitt. H-B, Jg. 2, Nr. 33, 21. 6. 1910 „Die Festtagung des Hansa-Bundes“.

[234] Jahrbuch des H-B, Jg. 1, 1912, S. 68–70 „Wirtschaftspolitik und Sozialpolitik“, S. 69; Hervorhebung im Original; vgl. Jg. 2, 1913, S. 197–199.

[235] Ebd., 1912, S. 69, 1913, S. 198, vgl. ferner H-B, Jg. 1, Nr. 46, 18. 11. 1911, S. 401 „Aus den Ortsgruppen“; Flugblatt Nr. 6.

[236] Ebd.

[237] Daß einer der führenden Angestelltenvertreter, Dr. Thissen, hervorhob, daß die Angestellten sich der „Pflicht bewußt“ seien, „Handel und Industrie als Voraussetzung unserer eigenen Existenz mit zu hegen und zu pflegen“, und selbst „auf sozialpolitischem Gebiete ... viel gemeinsames“ mit den Selbständigen entdeckte, zeigt, daß die generellen Bestrebungen der HB-Führung nicht ohne Erfolg blieben. Flugblatt Nr. 6.

[238] Vgl. hierzu insbes. Kocka, Unternehmensverwaltung, S. 534 ff.

[239] Vgl. Bayer-Archiv, Personalia Riesser, Riesser an Duisberg, 3. 12. 1912. Angestelltenverbände, die, wie der Bund technisch-industrieller Beamter, die sozial- und wirtschaftspolitischen Gegensätze zwischen Arbeitgebern und Arbeitnehmern betonten, wurden als radikal und unvernünftig bekämpft, ebd.

[240] Ebd.

[241] Ebd.

[242] H-B, Jg. 2, Nr. 38, 28. 9. 1912, S. 485 f. „Gründung des Angestelltenausschusses des Hansa-Bundes“. Neben den bereits oben erwähnten, (vgl. Anm. 199–202) personell eng mit dem HB verflochtenen Verbänden, waren in diesem Ausschuß u. a. der „Verein für weibliche Angestellte“ (Berlin, 29 000 Mitglieder) und der Verband „Verbündete kaufmännische Vereine für weibliche Angestellte“ (Ffm., 17 000 Mitglieder) vertreten.

[243] Ebd., vgl. H-B, Jg. 2, Nr. 45, 16. 11. 1912, S. 573 f. „Sitzung des Ausschusses für die Angestelltenfragen im Hansa-Bund“. Betr. Aufgabe und Funktion des Angestelltenausschusses wurde von Riesser besonders betont, „daß ein inniges sachliches Zusammenarbeiten von Unternehmern und Angestellten vor allem wichtig sei für die Bildung des großen Gewerbeblocks in Handel, Gewerbe und Industrie, zu dem der Hansa-Bund immer mehr werden müsse“. Vgl. ferner HB-Jahrbuch 1913, S. 92: „Sitzen erst einmal häufiger die berufenen Vertreter der Prinzipalität und der Angestelltenschaft am selben Tische zusammen, dann werden die beiderseitigen Organisationen nicht mehr, wie oft bisher, blind nebeneinander herlaufen oder gar gegeneinander anrennen oder petitionieren, sondern sie werden durch ernste Aussprache in gegenseitigem Sichverstehen auf der einen Seite die Wünsche der Angestellten würdigen, auf der anderen Seite die Betriebs- und Wirtschaftsnotwendigkeiten erkennen lernen.“

[244] Ebd., vgl. H-B, Jg. 3, 4. 1. 1913, Nr. 1, S. 8–10 „Die Einigung in der Handlungsgehilfenbewegung“.

[245] Ebd.

[246] Vgl. H-B, Jg. 4, Nr. 9, Dez. 1913, S. 113 f. „Hansa-Woche 1913“. Die Aufgabe der sozialpolitischen Konferenz sollte es sein, „gemeinsam mit Vertretern der Industrie, des Handwerks und Kleinhandels sozialpolitische Fragen – sowohl Fragen der gegenwärtigen Reichsgesetzgebung, wie allgemeine sozialpolitische Fragen – (zu) behandeln, und zwar im Sinne einer fördernden Aussprache mit gemeinsamen Beschlüssen, ... oder mit Fixierung der verschiedenen Standpunkte, falls eine einheitliche Stellungnahme nicht möglich ist“.

[247] Vgl. Bayer-Archiv, Personalia Riesser, Riesser an Duisberg, 3. 12. 1912 „Ich selbst habe inzwischen die gemäßigten Arbeitnehmer- (Angestellten-)Verbände, also die in Leipzig und Hamburg, sowie den Frankfurter, der Prinzipale und Angestellte umfaßt, veranlaßt, sich zu einer Interessengemeinschaft (Zweckverband) zusammenzuschließen“. Neben Riesser war Stresemann an dem Zustandekommen des Stellenvermittlungsverbandes beteiligt, vgl. H-B, Jg. 3, Nr. 1, 4. 1. 1913, S. 8 f. „Die Einigung in

der Handlungsgehilfenbewegung". Wenige Wochen später wurde mitgeteilt, daß der Austausch der Stellen innerhalb des Zweckverbandes „bereits in vollem Gange" sei, H-B, Jg. 3, Nr. 7, 15. 2. 1913, S. 75 „Stellenvermittlungs-Zweckverband".

[248] Ebd., Nr. 1, 4. 1. 1913, S. 8 f.

[249] Dem Stellenvermittlungs-Zweckverband schlossen sich bis Okt. 1913 weitere 30 kaufmännische Verbände an, (vgl. H-B, Jg. 4, Nr. 7, Okt. 1913, S. 89 „Öffentliche Stellennachweise für Kaufleute"), von denen zahlreiche wie z. B. die kaufmännischen Vereine zu Wiesbaden, Barmen, Darmstadt und der kaufmännische Verein von 1873 zu München korporative Mitglieder des HB waren, vgl. Mitt. H-B, Jg. 2, Nr. 34, 30. 6. 1910; ebd., Jg. 1, Nr. 6, 1. 10. 1909; H-B, Jg. 1, Nr. 18, 6. 5. 1911, S. 149 „Die Ausbreitung des Hansa-Bundes".

[250] Vgl. H-B, Jg. 4, Nr. 1, 4. 1. 1913, S. 8 ff. „Mittelstandsfragen".

[251] „Haltlose Behauptungen des DHV", zitiert nach H-B, ebd.

[252] Mitteilungen des „Deutschen Verbandes kaufmännischer Vereine", Nr. 6, zitiert nach H-B, Jg. 3, Nr. 1, 4. 1. 1913, S. 10–12, Rundschau der Presse, hier S. 11.

[253] Vgl. Kap. I, 2; Winkler, Mittelstand, S. 47.

[254] Ebd., S. 50, auf das Gefühl der Bedrohung von Seiten des neuen Mittelstandes weist Winkler in diesem Zusammenhang jedoch nicht hin; vgl. dazu z. B. Frankfurter Nachrichten, Nr. 362, 31. 12. 1909 „Der Hansa-Bund und der Zwischenhandel", Schreiben des Zentralverbandes der Kohlenhändler an den HB; Wein, S. 87.

[255] Winkler, Mittelstand, S. 50.

[256] Ebd.

[257] Ebd., S. 51; Puhle, Interessenpolitik, S. 98 ff.

[258] Vgl. Kap. II, 2 b, Anm. 156.

[259] RT, Bd. 237, 264. Sitzung, 18. 6. 1909, Sp. 8665.

[260] Ebd., Bd. 262, 93. Sitzung, 3. 12. 1910, Sp. 3403 (Raab); Vgl. ferner Deutsche Tageszeitung, Nr. 467, 5. 10. 1909 „Hansa-Bund und Judentum"; ebd., Nr. 310, 6. 7. 1909 „Judentum und Hansa-Bund"; Norddeutsche Allgemeine Zeitung, Nr. 43, 21. 2. 1912 „Generalversammlung des Bundes der Landwirte", v. Oldenburg-Januschau: „Ich will nichts sagen über den jüdischen Glauben, aber ein altes Sprichwort lautet: ‚Wer von Juden ißt, der stirbt daran!'", v. Wangenheim: „Es unterliegt keinem Zweifel, daß der Wahlkampf, den wir hinter uns haben, ein Kampf des internationalen Judentums gegen den christlich-monarchischen Staat war."

[261] BA, Zsg., 103/1413, „HB 1909–1912"; Niedersächsische Zeitung Nr. 28, 10. 7. 1909 „Mittelstand und Hansa-Bund". (Stellungnahme des Bayerischen Handels- und Gewerbebundes); DTZ, Nr. 305, 5. 7. 1909 „Kleingewerbe und Hansa-Bund", (Stellungnahme des Niedersächsischen Schutzverbandes für Handel und Gewerbe); Hotel-Revue, 24. 6. 1909, zit. nach Brandt, S. 356.

[262] Vgl. Jahrbuch des HB, Jg. 2, 1913, S. 82–87, W. Kniest: „Das Handwerksprogramm des Hansa-Bundes"; Flugblatt Nr. 19 „Die Lage des Handwerks"; Nr. 23 „Handwerk und Hansa-Bund"; vgl. ferner Rubrik „Aus den Ortsgruppen" der H-B-Zeitschrift. In den 1909 und 1910 erschienenen 75 „Mitteilungen vom Hansa-Bund" werden diese Vorstellungen fast in jeder zweiten Nummer erwähnt.

[263] Flugblatt Nr. 2 des HB: Agrarische „Mittelstandspolitik"; vgl. ferner Mitt H-B, Jg. 1, Nr. 1, Sept. 1909 „Mittelstand und Hansa-Bund", Stenogr. Ber. Gründungsversammlung Dresden, S. 30, 32 f. Frankfurter Handwerker- und Gewerbe-Zeitung, Nr. 18, 26. 6. 1909 „Die Innungen und der Hansa-Bund"; H-B, Jg. 1, Nr. 34, 26. 8. 1911, S. 297 f. „Handwerk und Hansa-Bund"; ebd., Nr. 26, 21. 8. 1909; Mannheimer Generalanzeiger, Nr. 556, 29. 11. 1909 „Mittelstand und Hansa-Bund".

[264] Flugblatt Nr. 2: Agrarische „Mittelstandspolitik".

[265] FZ, Nr. 164, 16. 6. 1910 „Delegiertenversammlung des Hansa-Bundes" (Riesser).

[266] Frankfurter Handwerker- und Gewerbe-Zeitung, Nr. 18, 26. 6. 1909 „Die Innungen und der Hansa-Bund“.

[267] Fränkischer Kurier, Nr. 197, 19. 4. 1910 „Hansa-Bund und Mittelstand“, Rahardt (vgl. Anlage 3): Der Mittelstand müsse sich „gegenüber den Agrariern den mächtigen Korporationen von Handel und Industrie anschließen“, da er „seinen in den Dreck gefahrenen Karren aus eigener Kraft nicht mehr herausbringen könne“; vgl. ferner H-B, Jg. 2, Nr. 24, 22. 6. 1912, S. 328 (Bartschat).

[268] Die Hilfe, Nr. 14, 6. 4. 1911 „Hansa-Bund und Handwerk“ (Richt, vgl. Anlage 1). Fränkischer Kurier, Nr. 197, 19. 4. 1910 „Hansa-Bund und Mittelstand“ (Rahardt).

[269] KZ, Nr. 1164, 4. 11. 1909 „Handwerk und Hansa-Bund“. Verwiesen wurde in diesem Zusammenhang auch auf die Entwicklung von „Hilfsmaschinen“, die den Handwerkern ihre Arbeit erleichterten.

[270] Flugblatt Nr. 19 „Die Lage des Handwerks“. Rede von Schmiedemeister E. Scholz, gehalten in der 2. Versammlung des Gesamtausschusses des HB am 24. 2. 1911 in Berlin. Scholz war Mitglied des HB-Gesamtausschusses und Vorsitzender des Innungsverbandes Bund deutscher Schmiede-Innungen (1913 14 156 Mitglieder), vgl. Handbuch wirtschaftlicher Vereine, S. 143.

[271] Vgl. H-B, Jg. 2, Nr. 51/52, 31. 12. 1912, S. 653 ff. „Sitzung des Zentralausschusses für die Gesamtinteressen des deutschen Handwerks im Hansa-Bunde“, insbesondere S. 654 (Kniest, Vors. des ZA); vgl. ferner ebd., Jg. 3, Nr. 4, 25. 1. 1913, S. 43 f. „Die Entwicklung des gewerblichen Mittelstandes“, wo anhand der amtlichen Berufsstatistik die These von einem „Untergang des gewerblichen Mittelstandes“ als durchaus unzutreffend“ zurückgewiesen wird.

[272] Vgl. Frankfurter Handwerker- und Gewerbe-Zeitung, 31. 7. 1909 „Wie stellt sich das Handwerk zum Hansa-Bund“ (H. Richt).

[273] H-B, Jg. 3, Nr. 8, 22. 2. 1913, S. 93 ff. „Aus den Ortsgruppen“, hier S. 95 (H. G. Bayer, Gf. des Landesverbandes Württemberg des HB); vgl. ferner Flugblatt Nr. 23 „Handwerk und Hansa-Bund“.

[274] H-B, Jg. 1, Nr. 33, 19. 8. 1911, S. 290 f. „Hansa-Bund und gewerblicher Mittelstand“; vgl. ferner Hansa-Fahrt deutscher Handwerker zur Weltausstellung in Brüssel, Berlin 1911 (Riesser).

[275] Mitt. H-B, Jg. 2, Nr. 36, 13. 7. 1910 „Detaillisten-Ausschuß des Hansa-Bundes“; H-B, Probenummer, Dez. 1910, S. 5 „Die Lebensfragen des Einzelhandels“. Vorsitzender des ZA wurde Dr. Franz Köthner, Gesellschafter einer Berliner Seifenfabrik und seit 1910 Direktoriumsmitglied des HB (vgl. Anlage 3). Vorstandsmitglieder wurden die Direktoriumsmitglieder B. Eisenführ (seit 1912), A. Schmersahl (seit 1909) und der Mitinhaber eines Kaufhauses, H. Wahl (vgl. Anlage 3), ferner die beiden Mitglieder des HB-Gesamtausschusses J. E. Neddermann, Vors. der Kammer für Kleinhandel in Bremen und Kom. Rat C. Schmahl, Mainz, Vors. des Verbandes Deutscher Eisenwarenhändler (1913, 3200 Mitgl.) und der Interessengemeinschaft großer Detaillisten-Verbände, vgl. Liste HB-Gesamtausschuß von 1909; Handbuch wirtschaftlicher Vereine, S. 83, 161.

[276] Mitt. H-B, Jg. 2, Nr. 36, 13. 7. 1910.

[277] H-B, Jg. 2, Nr. 20, 25. 5. 1912, S. 272 „Sitzung des Zentralausschusses für die Gesamtinteressen des deutschen Einzelhandels im Hansa-Bund“. Zum Geschäftsbericht von 1912 – vorgelegt v. Dr. Schumann, Mitarb. der HB-Zentrale – hieß es, die „Hauptätigkeit“ des Zentralausschusses sei auf die „Ausgleichung der Interessengegensätze zwischen Handel und Gewerbe einerseits und dem Beamtentum andererseits gerichtet“.

[278] Ebd., Jg. 1, Nr. 45, 11. 11. 1911, S. 390–398, hier S. 395 „Zum Mittelstandskongreß des Hansa-Bundes". Die Anregung kam von C. Schmahl (vgl. Anm. 275).

[279] Ebd., Jg. 2, Nr. 8, 2. 3. 1912, S. 105 „Hansa-Bund und Handwerk"; ebd., Nr. 16, 27. 4. 1912, S. 213 „Das Handwerk im Hansa-Bund". Vors. wurde das Direkt.-Mitgl. des HB Schreinermeister Kniest, Kassel, (vgl. Anlage 3), stellv. Vors. wurden Schlossermeister Marcus, Nachfolger H. Richts im HB-Präsidium (vgl. Anlage 2) und MdR Klempnermeister Bartschat (vgl. Anlage 3).

[280] H-B, Jg. 2, Nr. 38, 28. 9. 1912, S. 486 f. „Sitzung des Handwerker-Zentralausschusses des Hansa-Bundes", (23. 9. 1912) Protokollauszug.

[281] Ebd., Nr. 8, 2. 3. 1912, S. 105 „Hansa-Bund und Handwerk".

[282] Vgl. auch Wein, S. 126.

[283] H-B, Jg. 2, Nr. 38, 28. 9. 1912, S. 486.

[284] Ebd. So wurde z. B. von dem ZA eine Resolution angenommen, in der es u. a. hieß: „Der Zentralausschuß steht auf dem Standpunkt, daß die Ausdehnung des Scheckverkehrs für die gesamte Wirtschaft, besonders die Kreise des mittleren Kaufmanns- und Gewerbestandes und des Handwerks von weitgreifender Bedeutung ist", ebd.

[285] Die Anregung zur Gründung einer Submissionszentrale kam vom Deutschen Werkbund, vgl. Mittelstandskongreß des Hansa-Bundes, 5./6. 11. 1911, Berlin 1912, S. 60. Zum Deutschen Werkbund vgl. Handbuch wirtschaftlicher Vereine, S. 463 f. Die Submissionszentrale wurde „von dreißig Vertretern großer wirtschaftlicher Verbände aus Gewerbe, Handel und Industrie ... für das Deutsche Reich im Hansa-Bund gegründet". Die Zentrale sollte, obwohl dem HB „angegliedert", „nach innen völlig unabhängig" sein; nach außen sollte sie „durch Vermittlung der Geschäftsführung des Hansa-Bundes" arbeiten und sich der „Organisation des Hansa-Bundes für ihre Zwecke" bedienen. Ihre Aufgabe sollte in erster Linie in „aufmerksamer, zuverlässiger und sachverständiger Ermittlung und Prüfung aller Vorgänge auf dem Gebiet des öffentlichen und privaten Submissionswesens in Deutschland" bestehen und in der „Veranlassung von reformierenden Maßregeln gegenüber der Gesetzgebung" und den Behörden. H-B, Jg. 1, Nr. 44, 4. 11. 1911, S. 378 „Die Submissionszentrale des Hansa-Bundes".

[286] Betr.: Denkschrift des Hansa-Bundes zum Submissionswesen, Rundschreiben des HB an sämtliche Zweigverbände des HB, sowie an die Vorstände sämtlicher Handwerkskammern, Handelskammern, Innungen wirtschaftlicher Verbände Deutschlands, in: HK Bremen, Akte HB, BdI; vgl. ferner Nachrichten des Verbandes Deutscher Schlosser-Innungen, Nr. 280, 20. 8. 1911, S. 4 „Hansa-Bund und Submissionswesen"; Nordbayerische Zeitung, Nr. 15, 19. 1. 1914 „4. Hauptversammlung des Hansa-Bundes" (Landesverband Nordbayern).

[287] Vgl. z. B. H-B, Jg. 2, Nr. 38, 28. 9. 1912, S. 486 f. „Sitzung des Handwerker-Zentralausschusses des Hansa-Bundes". Protokoll der Sitzung des Plenums des Einzelhandelsausschusses im Hansa-Bunde am 6. 11. 1913, HK Lübeck, Akte HB.

[288] Ebd.

[289] Vorsitzender der Submissionszentrale war das Direktoriumsmitglied Architekt Georg Gestrich (vgl. Anlage 3), vom HB als Mittelstandsvertreter präsentiert; sein Stellvertreter war Direktor Schiff, ein Vertreter der elektrotechnischen Industrie; Vorstandsmitglieder waren ferner Josef Hirsch, Vors. der Vereinigung der Glühstrumpf-Fabrikanten, Berlin; Ingenieur Hermann Vetter, Fabrikbesitzer, Vors. des Verbandes Deutscher Zentralheizungsindustrieller, Berlin; die Banken vertrat u. a. RA Bernstein, Mitglied der Geschäftsführung des CVBB; den Großhandel Geh. Rat Simon, vgl. H-B, Jg. 2, Nr. 31, 10. 8. 1912, S. 404 „Sitzung des Vorstandes der Submissionszentrale des Hansa-Bundes". (19. 7. 1912). Eine vollständige Liste der Vorstandsmitglieder bzw.

der in der Submissionszentrale mitarbeitenden Verbände wurde weder in der HB-Zeitschrift noch in den sonstigen Akten gefunden.

[290] Protokoll der Sitzung des Plenums des Einzelhandelsausschusses im Hansa-Bund am 6. 11. 1913.

[291] Vgl. H-B, Jg. 1, Nr. 37, 16. 9. 1911, S. 321 „Zum Mittelstandskongreß des Hansa-Bundes." Zur Forderung einer Sondersteuer für Warenhäuser in konservativen Mittelstandskreisen vgl. L. Müffelmann, Die moderne Mittelstandsbewegung, Leipzig 1913, S. 48 ff.; ferner Bericht über den ersten Reichsdeutschen Mittelstandstag, abgehalten zu Dresden v. 23.–25. 9. 1911, Leipzig 1911, S. 37–40 (RA Kohlmann).

[292] Für die konservativen Mittelstandskreise vgl. ebd., S. 33–37; für den Zentralausschuß vgl. H-B, Jg. 2, Nr. 51/52, 31. 12. 1912, S. 653 ff. „Sitzung des Zentralausschusses für die Gesamtinteressen des deutschen Handwerks im Hansa-Bund", hier S. 655. Gegen eine Aufhebung sprach sich im Zentralausschuß MdR Bartschat (vgl. Anlage 3) aus. „Von süddeutscher Seite wurde besonders gegen seine Aufhebung wegen der dort bestehenden Gewerbevereine gesprochen", ebd.

[293] Vgl. Anlage 7 „Programm der Mittelstandspolitik des Hansa-Bundes", ferner H-B, Jg. 2, Nr. 16, 27. 4. 1912, S. 220 f. „§ 100 q"; ebd., Jg. 1, Nr. 39, 30. 9. 1911 „Die Preisschleuderei im Handwerk"; Winkler, Mittelstand, S. 55.

[294] Vgl. H-B, Jg. 1 ff., Rubrik „Aus den Ortsgruppen".

[295] Vgl. z. B. H-B, Jg. 1, Nr. 38, 23. 9. 1911, S. 333 f. „Der Zentralausschuß der vereinigten Innungsverbände Deutschlands". Winkler, Mittelstand, S. 55; Stegmann, S. 255 (Zentralausschuß der vereinigten Innungsverbände und DMV zur Frage des Schutzes des Arbeitswilligen).

[296] Vgl. H-B, Jg. 1 ff., Rubrik „Aus den Ortsgruppen".

[297] Vgl. FZ, Nr. 296, 25. 10. 1911 „Mittelstandsausschuß der Ortsgruppen des Hansa-Bundes". Diesem Ausschuß gehörten u. a. der Vizepräsident der HK, F. Thorwart, Mitglied zahlreicher AR von Banken und Industrieunternehmen, ferner der GF. der HB-Ortsgruppe, Prof. Arndt, ein Architekt, 4 Handwerker und 1 Vertreter des unselbständigen Mittelstandes an.

[298] H-B, Jg. 1, Nr. 30, 29. 7. 1911, S. 265 ff. „Die Wirtschaftspolitik des Gastwirtsstandes" (Dr. Rocke), hier S. 266.

[299] Ebd., Nr. 22, 3. 6. 1911, S. 185 f. „Aus Handel und Gewerbe"; FZ, Nr. 226, 17. 8. 1910 „Konservative, Hansa-Bund und Handwerk". Mitt. H-B, Jg. 2, Nr. 40, 10. 8. 1910 „Praktische Mittelstandspolitik".

[300] H-B, Jg. 2, Nr. 38, 28. 9. 1912, S. 486 f. „Sitzung des Handwerker-Zentralausschusses des Hansa-Bundes", S. 487.

[301] FZ, Nr. 226, 17. 8. 1910 „Konservative, Hansa-Bund und Handwerk".

[302] Mitt. H-B, Jg. 2, Nr. 35, 7. 7. 1910 „Hansa-Bund und Mittelstand"; ebd., Nr. 49, 22. 10. 1910 „Die Buchführungskurse des Hansa-Bundes für den Mittelstand".

[303] H-B, Jg. 1, Nr. 46, 18. 11. 1911, S. 405 „Hansa-Buchführung". Ebd., Nr. 16, 22. 4. 1911, S. 134 „Aus den Ortsgruppen".

[304] Ebd., Nr. 20, 20. 5. 1911, S. 167 „Aus den Ortsgruppen".

[305] Ebd., Nr. 46, 18. 11. 1911, S. 404 f. „Kleine Mitteilungen".

[306] Ebd., Jg. 2, Nr. 12, 30. 3. 1912, S. 169 f. „Aus den Ortsgruppen"; vgl. ferner HK Ffm., Akte 1011, Protokoll über die Sitzungen des Vorstandes und Ausschusses der Ortsgruppen Ffm. v. 20. 11. 1911 und 13. 3. 1912, Bl. 483, 548. Die Frankfurter Mittelstandsvereinigung hatte 1909 noch beschlossen, dem HB gegenüber eine „neutrale Stellung einzunehmen", FZ, 3. 10. 1909 „Mittelstandsvereinigung".

[307] H-B, Jg. 2, Nr. 9, 9. 3. 1912, S. 127 f. „Aus den Ortsgruppen", ebd., Nr. 38, 28. 9. 1912, S. 495 f. „Aus den Ortsgruppen".

[308] H-B, Jg. 1 ff., Rubrik „Aus den Ortsgruppen" mit Dutzenden von Belegen.

[309] Vgl. Stegmann, S. 249 ff.; Winkler, Mittelstand, S. 52; Wein, S. 131 f.; Lederer, Wirtschaftliche Organisation, S. 48.

[310] Ebd.

[311] Rundschreiben des HB v. 7. 7. 1911 an die Zweigorganisationen des HB, die Vertrauensmänner und die angeschlossenen Mittelstandsverbände, gez. Knobloch, HB-Gf.; vgl. auch FZ, Nr. 198, 19. 7. 1911 „Tages-Rundschau"; vgl. ferner das Rundschreiben des HB v. 11. 2. 1911, gez. Schmidt, Chef der Organisations-Abteilung des HB.

[312] H-B, Jg. 1, Nr. 36, 9. 9. 1911, S. 316 „Eine Absage ...".

[313] Ebd., Nr. 30, 19. 7. 1911, S. 268 f. „Zum Reichsdeutschen Mittelstandsverband", hier S. 269, vgl. ferner Fränkischer Kurier Nr. 465, zit. nach H-B, Jg. 1, Nr. 38, 23. 9. 1911, S. 334 „Presseübersicht"; ebd., Nr. 31, 5. 8. 1911, S. 277 ff. „Presseübersicht", hier S. 279; FZ, Nr. 203, 24. 7. 1911 „Tagesrundschau". Die These – so Stegmann, S. 255 –, daß der Zentralausschuß der vereinigten Innungsverbände Deutschlands „kartellartig" verbunden war, ist unzutreffend.

[314] Deutsche Mittelstandszeitung, Nr. 40, 1. 10. 1911, zit. nach H-B, Jg. 1, Nr. 40, 7. 10. 1911, S. 348.

[315] So z. B. der Verband Deutscher Detailgeschäfte der Textilbranche, der Verband Deutscher Eisenwarenhändler, der Verband Deutscher Papier- und Schreibwarenhändler, vgl. Wein, S. 132; ferner Detaillist (Zs. des Detaillistenverbandes von Rheinland und Westfalen), Nr. 30, 23. 7. 1911, zit. nach H-B, Jg. 1, Nr. 30, 29. 7. 1911, S. 268 f. „Zum Reichsdeutschen Mittelstandsverband".

[316] Vgl. Stegmann, S. 252; vgl. ferner Ostsee Zeitung, Nr. 449, 24. 9. 1912, zit. nach H-B, Jg. 2, Nr. 38, 28. 9. 1912, S. 493 „Rundschau der Presse"; ebd., Jg. 1, Nr. 38, 23. 9. 1911, S. 334 „Presseübersicht".

Dem Hauptvorstand gehörten jedoch nicht 15 – so Stegmann, S. 254 – sondern 30 Mitglieder an; davon bildeten 9 den Gf.-Vorstand. Stegmanns Angaben (ders., S. 254) über die Zusammensetzung des Gf.-Vorstandes treffen zum großen Teil nicht zu. E. C. Baumann, Bayerischer Handwerker- und Gewerbebund, M. Conradt, Deutscher Mittelstandsbund, Provinzialverband Schlesien, Th. Fritsch, RA Kohlmann, und Dr. Kühlmorgen, alle Mittelstandsvereinigung im Königreich Sachsen, M. Liebald, Braunschweig, Dr. Eberle, Bürgermeister, Direktor des Submissionsamtes im Königreich Sachsen und der Gf. des RDMV gehörten nicht dem Gf.-Vorstand an. Sie waren jedoch Mitglieder des Hauptvorstandes. Dem Gf. Vorstand gehörten an: 1. Vors. Felix Höhne, Architekt und Stadtrat, Leipzig, Mittelstandsvereinigung im Königreich Sachsen; 2. Vors. Kom. Rat Max Nagler, Buchbindermeister, Bayerischer Handwerker- und Gewerbe-Bund, München; Schatzmeister Hugo Seifert, Kfm. u. Stadtrat, Leipzig; ferner Wilhelm Tuch, Klempnermeister, Leipzig, Verband deutscher Klempner- und Installateur-Innungen, Justizrat Dr. Baumert, Spandau, Vors. des Zentralverbandes der Haus- und Grundbesitzer-Vereine; W. Graef, Buchdruckereibesitzer, Anklam, Deutsche Mittelstandsvereinigung Anklam; Otto Linke, Berlin, Zentralvereinigung Deutscher Vereine für Handel und Gewerbe; Eugen Remppis, Stuttgart, Württembergischer Bund für Handel und Gewerbe; Wilhelm Thierkopf, Vors. der Handwerkskammer Magdeburg.

[317] Bericht über den 1. Reichsdeutschen Mittelstandstag, S. 45.

[318] Ebd., S. 25.

[319] Ebd., S. 24.

[320] Vgl. Stegmann, S. 251; Kaelble, Interessenpolitik, S. 133; Winkler, Mittelstand, S. 52; H-B, Jg. 2, Nr. 37, 21. 9. 1912, S. 481 „Reichsdeutscher Mittelstandstag".

[321] Die gegenteilige Behauptung (vgl. Bericht über den Dritten Reichsdeutschen Mittelstandstag, abgehalten zu Leipzig v. 22.–25. 8. 1913, Leipzig 1913, S. 91), die

auch von Stegmann (ders., S. 254) übernommen wird, ist – wie die folgenden Ausführungen zeigen – falsch.

[322] Bericht über den 1. Reichsdeutschen Mittelstandstag, S. 5; Eschrich, S. 511.

[323] Wein, S. 91; 1907 gab es nach Wein 453 841 Detaillisten, ders., S. 30.

[324] Berechnet nach W. Wernet, Soziale Handwerksordnung, Aufriß einer deutschen Handwerksgeschichte, Berlin 1939, S. 75. Vgl. ferner P. Molt, Der Reichstag vor der improvisierten Revolution, Köln 1963, S. 218.

[325] Vgl. Eschrich, S. 510.

[326] Ebd.; vgl. ferner Bericht über den 3. Reichsdeutschen Mittelstandstag, S. 91.

[327] Zur Typologie der Mittelstandsverbände vgl. Winkler, Mittelstand, S. 48.

[328] Vgl. Bericht über den 3. Reichsdeutschen Mittelstandstag, S. 91 (ohne Zahlenangaben über die Mitgliederstärke). Der Mittelstandsbund für Handel und Gewerbe in Düsseldorf trat erst 1913 bei, ebd.; vgl. ferner Wein, S. 121 f.

[329] Ebd.; Eschrich, S. 510.

[330] Vgl. Wein, S. 49; Handbuch wirtschaftlicher Vereine, S. 77.

[331] H-B, Jg. 4, Nr. 3, Juni 1913, S. 34 „Mitteilungen“.

[332] Ebd., Nr. 4, Juli 1913, S. 47 „Zuwahlen in das Direktorium und den Gesamtausschuß“. Zu den bereits vorhandenen 2 Vertretern der Haus- und Grundbesitzer wurden 2 weitere, Landsberg und Mönch, beide Vorstandsmitglieder des genannten Berliner Vereins in den HB-Ges.-A. gewählt, ebd., Jg. 1, 1911, S. 339; Jg. 2, 1912, S. 149.

[333] Vgl. Handbuch wirtschaftlicher Vereine, S. 511. Vors. war der Kaufmann E. A. Nicolaus, Bremen, 2. stellv. Vors. der Kaufmann Max Gottlebe, Pirna, Generalsekretär des Verbandes war Heinrich Beythien. Alle 3 gehörten 1913 dem Gesamtausschuß des HB an. 1909 betrug die Mitgliederzahl noch 60 000, vgl. Stegmann, S. 253.

[334] So z. B. Stegmann, S. 253; Winkler, Mittelstand, S. 49, der jedoch an anderer Stelle darauf hinweist, daß die Rabattsparvereine neben dem Prinzip der Staatshilfe auch das Prinzip der Selbsthilfe betonten, ebd., S. 48.

[335] Dafür spricht u. a., daß im Geschäftsbericht für 1912/13, der die wichtigsten korporativen Mitglieder aufzählt, der Verband der Rabattsparvereine Deutschlands nicht erwähnt wird.

[336] Vgl. Bericht über den 1. Reichsdeutschen Mittelstandstag, S. 14.

[337] Ebd., S. 14 f.

[338] Vgl. Listen des HB-Direktoriums und Ges.-A. von 1909 und 1914.

[339] Ebd. Dieser Fachverband hatte 1913 3500 Mitglieder, vgl. Handbuch wirtschaftlicher Vereine, S. 236. Auch Dreßler wird – obwohl in den Hauptvorstand gewählt – in der Liste der führenden Gremien des RDMV nicht geführt; an seine Stelle trat Kaufmann Albert Kopf, der nicht dem Vorstand des Drogistenverbandes angehörte; vgl. Bericht über den 1. Reichsdeutschen Mittelstandstag, S. 14 f.

[340] Nach dem Handbuch wirtschaftlicher Vereine, S. 73, hatte der Verband 1913 30 000 Mitglieder; Wein, S. 48, nennt demgegenüber als „höchste“ Mitgliederzahl des Verbandes 21 000; Vors. war der Stadtrat Hugo Seifert, Leipzig, der gleichzeitig dem Gf. Vorstand des RDMV angehörte; stellv. Vors. war HK-Syndikus Rocke, Hannover, CVDI-Ausschußmitglied, der jedoch auch nach dem Austritt des CVDI aus dem HB dort aktiv mitarbeitete; er war Geschäftsführer des HB in der Provinz Hannover, vgl. Stegmann, S. 194; vgl. ferner H-B, Jg. 1, Nr. 30, 29. 7. 1911, S. 265 f. „Die Wirtschaftspolitik des Gastwirtsgewerbes“, ebd., Jg. 2, Nr. 4, 3. 2. 1912, S. 50 f. „Kaufmanns Ehre und Würde“.

[341] Vgl. Wein, S. 48 ff., 127, 131. Der Vorläufer der Zentralvereinigung hatte 1902 ca. 7400 Mitglieder, die Zentralvereinigung 1917 nach eigenen Angaben 50 000 Mitglieder. „Diese Zahlen dürften allerdings stark überholt sein“, ders., S. 49.

[342] Ebd., S. 131.

[343] Korporative Mitglieder des Zentralverbandes für Handel und Gewerbe, die ebenfalls dem HB angehörten bzw. personell eng mit ihm verflochten waren: Verband selbständiger Kaufleute und Gewerbetreibender des Großherzogtums Baden, Freiburg, Vors. O. Wiedtemann, Mitglied des HB-Ges.-A.; Verband der Detaillistenvereine im Großherzogtum Hessen, Darmstadt, 1300 Mitglieder, Vors. Wilhelm Kalbfuß, Mitgl. des HB-Ges.-A.; Deutscher Drogistenverband von 1873, vgl. Anm. 339; Lübeckischer Detaillisten-Verein, Vors. Hermann W. Behn, Mitgl. des HB-Zentralausschusses für die Gesamtinteressen des deutschen Einzelhandels; Verein Berliner Kolonialwarenhändler, Vors. Richard Riel, Mitgl. des HB-Ges.-A.; vgl. Handbuch wirtschaftlicher Vereine, S. 73 f., 75, 83 f., 85, 370 f.; Protokoll der Sitzung des Plenums des Einzelhandelsausschusses im Hansa-Bunde am 6. 11. 1913, HK Lübeck, Akte HB; Listen des HB-Direktoriums und Ges.-A. von 1909 und 1914.

Der Zentralvereinigung Deutscher Vereine für Handel und Gewerbe gehörte u. a. als korporatives Mitglied der Verband Mecklenburgischer Handelsvereine an. Mitgl. 1913 ca. 2000, Vors. Carl Klüssendorf, Mitgl. des HB-Ges.-A. (vgl. Handbuch wirtschaftlicher Vereine, S. 77); ferner der Verband selbständiger Kaufleute Ostdeutschlands, Vors. Kaufmann Gustav Schulz, Memel (vgl. Mitt. H-B, Jg. 1, Nr. 14, 9. 9. 1909 „Hansa-Bund und Detailhandel"). Die Zentralvereinigung mußte daher „auf eine eindeutige ablehnende Haltung gegenüber dem Hansa-Bund verzichten, da sich im Berliner Detailhandel und in den der Zentralvereinigung angeschlossenen Fachverbänden schon eine liberalere Haltung durchsetzte", Wein, S. 127; Mitt. H-B, Jg. 1, Nr. 14, 9. 9. 1909.

[344] Winkler, Mittelstand, S. 48.

[345] Vgl. Kap. II, 2 c, Anm. 159, 160. Der Vorsitzende des Verbandes Bayerischer Gewerbevereine, Hofdekorationsmaler Georg Hartner, war Vorsitzender der Mittelstandsabteilung und Mitglied des Gf. Ausschusses des HB in Nürnberg, sein Vorgänger Magistratsrat A. Merklein war Vorstandsmitglied der Gruppe Mittelfranken des HB, der Verbandssekretär, Volksschullehrer Hans Münch, war aktives Mitglied der Mittelstandsabteilung des HB in Nürnberg und wurde 1914 zum 2. Schriftführer des Landesverbandes Nordbayern des HB gewählt; vgl. Handbuch wirtschaftlicher Vereine, S. 91 f.; H-B, Jg. 1, Nr. 16, 12. 4. 1911, S. 134 f. „Aus den Ortsgruppen"; „Gründung der Gruppe Mittelfranken des Deutschen Hansa-Bundes", Separatdruck des Fränkischen Kurier, 9. 7. 1909, Stadtarchiv Nürnberg, Akte HB; ebd., Nr. 610, 28. 11. 1911 „Zweigverein Nürnberg des Hansa-Bundes"; Nordbayerische Zeitung, Nr. 15, 19. 1. 1914 „4. Hauptversammlung des Hansa-Bundes" (Landesverband Nordbayern). Flaschnermeister Julius Lorenz, Mitglied der 1. Kammer Württembergs, Vors. des Verbandes Württembergischer Gewerbevereine und Handwerkervereinigungen war Mitglied des HB-Ges.-A. und Vorstandsmitglied des Landesverbandes Württemberg des HB, vgl. H-B, Jg. 2, Nr. 38, 28. 9. 1912, S. 487 f. „Württembergische Hansa-Bund-Tagung".

[346] Vgl. Kap. II, 2 b, Anm. 158; ferner Archiv Rötger, Rundschreiben der HB-Zentrale, 9. 9. 1909, gez. Riesser; Anlage II, „Die Deutsche Mittelstandsvereinigung und Hansa-Bund".

[347] Ebd., Anlage I, „Die Zentralorganisation des deutschen Handwerks und der Hansa-Bund".

[348] Vgl. Stegmann, S. 189.

[349] Vgl. Anm. 358–362 dieses Kap.

[350] Hierbei handelte es sich um Josef Bernard, Vors. der Germania, Centralverband Deutscher Bäckerinnungen, der 1913 66 000 Mitglieder besaß; ferner Paul Unrasch, stellv. Vors. des Bundes Deutscher Buchbinder-Innungen, 5000 Mitglieder. Unrasch war ferner Vorstandsmitglied der Mittelstandsvereinigung im Königreich Sachsen; vgl.

Handbuch wirtschaftlicher Vereine, S. 139 ff., 142; Bericht über den 1. Reichsdeutschen Mittelstandstag, S. 15.

[351] Vgl. Kap. II, 2 b, Anm. 140, 142. Von den 110 Innungen, die im Sept. 1910 dem HB angehörten, waren 14 Bäcker- und Konditorinnungen.

[352] Mitglieder des Hauptvorstandes des RDVM wurden Klempnermeister H. Plate, MdH, Vors. des Deutschen Handwerks- und Gewerbekammertages; ferner Wilhelm Thierkopf, Vors. der Handwerkskammer Magdeburg, Mitgl. des Gf. Vorstandes des RDMV.

[353] Bericht über den 3. Reichsdeutschen Mittelstandstag, S. 90.

[354] Ebd., S. 93.

[355] Ebd., S. 55. Vertreten waren auf dem 3. Reichsdeutschen Mittelstandstag die Handwerkskammern Altona, Halle, Münster, Oldenburg, Osnabrück, und die Gewerbekammern Chemnitz, Leipzig und Plauen.

[356] Die korporative Mitgliedschaft im HB erwarben die Gewerbekammern Bremen und Lübeck, deren Vors. und stellv. Vors. Dr. Feldmann und H. Struckmann (Bremen) und W. Heinsohn (Lübeck) dem Ges.-A. des HB angehörten; das gleiche gilt für den Wagenbaumeister E. Karschuk, Vors. der Handwerkskammer in Insterburg. In den Landesverbänden des HB arbeiteten u. a. mit: Die Syndici der Gewerbekammern Bremen und Lübeck als stellv. Rechnungsprüfer bzw. als Schriftführer der Landesgruppen des HB in Bremen und Lübeck. In Nordbayern gehörten die Vors. der Handwerkskammern für Mittelfranken, J. Weinberger, und Bayreuth, Chr. Reuschel, den führenden Gremien des Landesverbandes Nordbayern an; vgl. H-B, Jg. 2, Nr. 26, 6. 7. 1912, S. 341 „Die Entwicklung des Hansa-Bundes". H-B., offiz. Organ des LV Nord-Bayern, Jg. 2, Nr. 2, Febr. 1914, Bericht über die 4. Hauptversammlung des LV Nord-Bayern, Stadtarchiv Nürnberg, Akte HB; HK Bremen und Lübeck, Akten HB; Listen des Ges.-A. des HB von 1909 und Verzeichnis der Mitgl. des Direktoriums und des Ges.-A. des HB von 1914.

[357] Hierzu zählt Winkler die „Zusammenschlüsse jeweils derselben Fachinnungen auf regionaler und Reichsebene", ders., Mittelstand, S. 48.

[358] Der Erstgenannte hatte 1913 100 000 Mitglieder, der 2. 53 000 Mitglieder in 754 angeschlossenen Vereinen; Vors. beider Vereine war A. Ringel, Handbuch wirtschaftlicher Vereine, S. 561, 563.

[359] 1913 1156 Innungen mit 39 777 Mitgliedern, Vors. Karl Marx; ebd., S. 146.

[360] 1913 14 151 Mitglieder, Vors. Erdmann Scholz, ebd., S. 143.

[361] 1913 110 Innungen mit 9521 Mitgliedern, Vors. H. Richt, ebd., S. 144; vgl. ferner Anlage 1.

[362] Dieser Innungsausschuß hatte 1913 25 000 Mitglieder, Vors. war das Direktoriumsmitglied des HB, Bäckermeister Fritz Schmidt, stellv. Vors. Schlosserobermeister Paul Marcus, Präsidiumsmitglied des HB (vgl. Anlagen 2, 3); ferner gehörten weitere 7 Mitglieder des Innungsausschusses dem HB-Ges.-A. an. Vgl. Listen des Ges.-A. des HB von 1909 und Verzeichnis der Mitglieder des Direktoriums u. des Ges.-A. des HB von 1914 und Handbuch wirtschaftlicher Vereine, S. 149 f.

[363] Vgl. Winkler, Mittelstand, S. 47.

[364] Wein, S. 37.

[365] Winkler, Mittelstand, S. 47.

[366] Im Hauptvorstand des RDMV waren z. B. der „Niedersächsische Schutzverband für Handel und Gewerbe" (Rieseberg, MdR 1907–1912, Dt. soz., u. Buchdruckereibesitzer B. Walterscheid), der „Württembergische Bund für Handel und Gewerbe" (Eugen Remppis), die Zentralvereinigung Deutscher Vereine für Handel und Gewerbe" (Otto Linke, Berlin) und der „Deutsche Zentralverband für Handel und Gewerbe" (Hugo Seifert, Leipzig, u. Johs. Jannsen, Barmen) vertreten. Nach E. Lederer,

Mittelstandsbewegung, in: ASS, Jg. 37, 1913, S. 1021 f. besaß letzterer 1913 30 000 Mitglieder in ca. 250 angeschlossenen Vereinen, vgl. ferner Wein, S. 48 ff.; Bericht über den 1. Reichsdeutschen Mittelstandstag, S. 14 f.; vgl. ferner Anm. 340–342 dieses Kap.

[367] Vgl. die Berichte des 1.–3. Reichsdeutschen Mittelstandstages, passim.

H-B, Jg. 1, Nr. 33, 19. 8. 1911, S. 294 „Der Niedersächsische Schutzverband für Handel und Gewerbe ...“; ebd., Nr. 38, 23. 9. 1911, S. 334 f. „Presseübersicht“.

[368] Mitt. H-B, Jg. 2, Nr. 16, 23. 3. 1910 „Die Kammer für Kleinhandel zu Bremen und der Hansa-Bund“; ebd., Nr. 18, 1. 4. 1910 (Detaillistenkammer Hamburg). Dir.-Vors. der Detaillistenkammer, Th. A. Schmersahl, war Mitglied des Direktoriums des HB (vgl. Anlage 3), der stellv. Vors. der Hamburger Detaillistenkammer Carl Gravenhorst und der Vors. der Kammer für Kleinhandel in Bremen waren Mitgl. des HB-Ges.-A.

[369] Vgl. Anm. 340–343; Wein, S. 42. Der Vors. Kom. Rat Max Leopold, und der stellv. Vors. Theodor Krämer des „Bayerischen Verbandes der Vereine zum Schutz für Handel und Gewerbe“ – 1913 1500 Mitglieder – gehörten zahlreichen HB-Gremien an, Leopold z. B. dem Gf. Ausschuß der Gruppe Mittelfranken des HB (1909) und des Zweigvereins Nürnberg (1911), des LV Nord-Bayern (1910) und des Zentralausschusses für die Gesamtinteressen des Deutschen Einzelhandels im HB; vgl. Protokoll der Sitzung des Plenums des Einzelhandelsausschusses im Hansa-Bunde am 6. 11. 1913; Bericht über die HB-Tagungen v. 3./4. 12. 1910 zu Nürnberg, Gründung der Gruppe Mittelfranken, Stadtarchiv Nürnberg, Akte HB; vgl. ferner Fränkischer Kurier, Nr. 610, 28. 11. 1911 „Zweigverein Nürnberg des Hansa-Bundes“; ferner wurden zahlreiche örtliche Vereine zum Schutz von Handel und Gewerbe, so z. B. die von Siegen, Hannover, Grünberg, Nürnberg, Augsburg korporative Mitglieder des HB. Vgl. z. B. H-B, Jg. 1, S. 149, 339, 380; ebd., Jg. 2, S. 268, 521, 625, jeweils Rubrik „Die Ausdehnung des Hansa-Bundes“.

[370] Vgl. Winkler, Mittelstand, S. 55.

[371] Ebd., S. 48, vgl. ferner S. 55.

[372] Neben dem bereits erwähnten Drogistenverband von 1873 (vgl. Anm. 339) gehörten dem HB-Ges.-A. der Vors. Carl Schmahl (Mainz) und das Vorstandsmitglied Fritz Uhrbach (Hamburg) des Verbandes deutscher Eisenwarenhändler – 1913 3200 Mitglieder – an. Schmahl war 1913 auch Vors. der Interessengemeinschaft großer Detaillistenverbände. Mitglieder des HB-Ges.-A. waren ferner der Vors., Emil D. Feldberg, und mehrere Vorstandsmitglieder (Josef Aufseesser, G. Guttmann, Max Jordan, Heinrich Koetting, Carl Kühn, Hermann Witting) des Verbandes Deutscher Detaillisten der Textilbranche – 1913 4200 Mitglieder –; Willy Falk, der Vors. des Ges.-A. der Putzdetaillisten, das Vorstandsmitglied (1909) bzw. der Vors. (1913), Karl Sigismund, des Börsenvereins der Deutschen Buchhändler – 1913 3554 Mitglieder –; ferner zahlreiche Vorstandsmitglieder regionaler Fachverbände, wie z. B. des Verbandes Berliner Spezialgeschäfte. Vgl. Handbuch wirtschaftlicher Vereine, S. 61, 83, 297, 327, 469, 80. Liste der Mitglieder des HB-Ges.-A. von 1909. Betr. der Mitarbeit dieser Fachverbände im ZA für die Gesamtinteressen des deutschen Einzelhandels vgl. Protokoll der Sitzung des Plenums des Einzelhandelsausschusses im HB am 6. 11. 1913. Wein zählt auch den Detaillistenverband für Rheinland und Westfalen (1913 4000 Mitglieder), dem überwiegend Textilkaufleute angehörten, zu den Fachverbänden (ders., S. 191 f.). Sein Vors. Hermann Wahl war Direktoriumsmitglied des HB (vgl. Anlage 3); Handbuch wirtschaftlicher Vereine, S. 84.

[373] Eine Liste der Mitglieder der „Interessengemeinschaft“ enthält Wein, S. 52. Für die Verbindung des Gros der Mitglieder mit dem HB vgl. zum einen Handbuch wirtschaftlicher Vereine, S. 69, 73 ff., 84 f., 198, 281, 327 f., zum anderen Listen des HB-Ges.-A. von 1909 und 1914, ferner Anm. 339–341, 369, 372 und die dort angegebene

Literatur. Der Vors. der „Interessengemeinschaft", Carl Schmahl, war seit 1909 Mitglied des HB-Ges.-A.

[374] Stegmann, S. 254, übernimmt unkritisch die Verbandspropaganda des RDMV, daß „alle ‚vorhandenen freien Mittelstandsorganisationen von Bedeutung'" dem RDMV beitraten. Zahlenmäßiges Kräfteverhältnis (soweit belegbar) 1911/1913:

	Mitgl.-zahlen:	davon verb. mit HB	RDMV
ZA dt. Innungsverbände	ca. 300 000	225 000	75 000
Vbd. dt. Gew.- u. Handwerker Vgg.	150 000	150 000	–
Zentralverb. d. dt. Haus- u. Grundbes.V.	180 000	(30 000*)	150 000
Reichs-V. dt. Gastwirtsverbände	100 000	100 000	–
Mittelstands-Vgg. Königreich Sachsen	90 000	–	90 000
DMV	80 000	80 000	–
Mittelstandsbund/Ha. u. Gew. D'df.	70 000	–	70 000
Vbd. d. Rabattsparvereine Dt's. (1913)	70 000	?	?
Bund der Handwerker	25 000	–	25 000
Dt. Zentralverband f. Handel u. Gewerbe (1913)	30 000	(5 000)	25 000
Nds. Schutzverband f. Handel u. Gewerbe	12 000	–	12 000
Detaillistenverband f. Rheinland u. Westfalen	4 000	4 000	–
Verb. Dt. Eisenwarenhändler	3 200	3 200	–
Verb. Dt. Detailgeschäfte der Textilbranche	4 200	4 200	–
Dt. Drogistenverband v. 1873	3 500	?	?
Börsenverein d. Dt. Buchhändler zu Leipzig	3 500	3 350	–

* Bund Berliner Grundbesitzervereine u. a.

Zahlen in Klammern sind Schätzwerte. Die anderen Zahlenangaben wurden den Anmerkungen dieses Kapitels entnommen; vgl. die dort angegebene Literatur. Über zahlreiche Vereine, wie z. B. den Württembergischen Bund für Handel und Gewerbe und die Zentralvereinigung für Handel und Gewerbe – beide gehörten ganz bzw. überwiegend zum Lager des RDMV – konnten keinerlei Angaben über Mitgliederzahlen gefunden werden.

[375] Vgl. Winkler, Mittelstand, S. 217 (Anm. 67).

[376] Vgl. Stegmann, S. 398.

[377] Zit. nach H-B, Jg. 1, Nr. 39, 30. 9. 1911, S. 341 „Presseübersicht". Die vom 1. Reichsdeutschen Mittelstandstag angenommene Resolution hatte folgenden Wortlaut: „Der Erste Deutsche Mittelstandstag erblickt in dem Zusammenschlusse zu Schutz-, Detaillisten- und Rabattsparvereinen und in der Vereinigung aller dieser einzelnen Vereine zu einem großen Verbande, ferner in der Stärkung des Standesgefühls und insbesondere in dem Bewußtsein der Berechtigung und Notwendigkeit des Detailhandels die wirksamsten Kampfmittel gegen die mittelstandsfeindlichen Bestrebungen der Warenhäuser, Konsumvereine und Beamten-Wirtschaftsvereine aller Art sowie gegen das Wandergewerbe, die Schleuderversteigerungen, den heimlichen Warenhandel, das Sonderrabatt- und Zugabeunwesen und die Abzahlungsgeschäfte.

Wo die vom Detailhandel tatkräftig geübte Selbsthilfe versagt, fordert der Erste Reichsdeutsche Mittelstandstag die Reichs- und Staatsregierungen, die Staats- und Gemeindebehörden und insbesondere auch die gesetzgebenden Körperschaften auf, im Wege der Gesetzgebung allen diesen den Detailhandel zugrunderichtenden feindlichen

Gewalten nach Kräften entgegenzutreten"; Bericht über den 1. Reichsdeutschen Mittelstandstag, S. 40.

[378] Lederer, Die wirtschaftlichen Organisationen, S. 49 f.

[379] Westdeutsche Mittelstandszeitung, Organ des Deutschen Mittelstandsbundes für Handel und Gewerbe, 12. 8. 1911 „Hansa-Bund". „Daß er tatsächlich die Interessen, speziell der Handwerker wahrzunehmen versuchte, hat bisher noch nicht ernstlich bestritten werden können." Zitat nach Swdt. Wi.-Ztg., Nr. 33, 18. 8. 1911, S. 389 f. „Der Deutsche Mittelstandsbund für Handel und Gewerbe und der Hansa-Bund". Zum „Mittelstandsbund" vgl. ferner Wein, S. 121 ff.

[380] Lederer, Die wirtschaftlichen Organisationen, S. 49.

[381] Ebd.

[382] Vgl. DTZ, Nr. 305, 5. 7. 1909 „Kleingewerbe und Hansa-Bund".

[383] Fränkischer Kurier, Nr. 197, 19. 4. 1910 „Hansa-Bund und Mittelstand".

[384] Ebd., Rahardt, der Mittelstand könne den „in den Dreck gefahrenen Karren aus eigener Kraft nicht mehr herausbringen". H-B, Jg. 1, Nr. 36, 9. 9. 1911, S. 318 f. „Hansa-Bund und Buchhandel".

[385] Ebd., S. 319.

[386] Mannheimer General-Anzeiger, Nr. 546, 23. 11. 1909 „Außerordentliche Delegiertenversammlung des Mittelstandes" der Mittelstandsvereinigung im Königreich Sachsen (Rahardt).

[387] Fränkischer Kurier, Nr. 197, 19. 4. 1910 „Hansa-Bund und Mittelstand" (Rahardt); vgl. ferner H-B, Jg. 2, Nr. 24, 22. 6. 1912, S. 327 f. „Aus den Ortsgruppen" (MdR Bartschat); ebd., Jg. 1, Nr. 17, 29. 4. 1911, S. 143 f. „Die Bremer Kleinhandelskammer und der Hansa-Bund". Die Kleinhandelskammer trat für die Zusammenarbeit mit dem HB ein, weil dies die „Möglichkeit zu gewähren verspricht, gestützt auf den Rückhalt und die pekuniären Machtmittel des Hansa-Bundes, dort zu Gehör zu kommen, wo sonst unsere Stimme ungehört verhallte, zum anderen, weil wir jeden Zusammenschluß des Detaillistenstandes zu gemeinsamer Arbeit wegen der damit verbundenen Hebung des Solidaritätsgefühls freudig begrüßen".

[388] Mannheimer General-Anzeiger, Nr. 546, 23. 11. 1909.

[389] FZ, Nr. 315, 13. 11. 1909 „Handwerk und Hansa-Bund".

[390] Vgl. Kap. II, 1; Anlage 7 (Mittelstandsprogramm des HB); Lederer, Die wirtschaftlichen Organisationen, S. 50.

[391] Frankfurter Handwerker- und Gewerbe-Zeitung, 31. 7. 1909, H. Richt „Wie stellt sich das Handwerk zum Hansa-Bund?" Quartals-Anzeiger, Schlosser-Innung Berlin, 23. Jg., 25. 8. 1909, Nr. 4 „Hansa-Bund und Handwerk".

[392] Vgl. H-B, Jg. 2, Nr. 4, 3. 2. 1912, S. 48 ff. „Riesser in Hamburg", S. 50; Bürger heraus!; Flugblatt Nr. 1; vgl. Anlage 6 Abs. II, 1, 2.

[393] Vgl. Bürger heraus!, S. 13, 33.

[394] Ebd., S. 2.

[395] Ebd., S. 21.

[396] Vgl. z. B. Mitt. H-B, Jg. 2, Nr. 19, 8. 4. 1910 „Agrarischer Boykott"; ebd., Nr. 28, 14. 5. 1910 „Über neue Fälle von agrarischem Boykott"; ebd., Nr. 34, 30. 6. 1910 „Agrarischer Boykott"; ebd., Nr. 39, 2. 8. 1910 „Hansa-Bund gegen den Boykott des Bundes der Landwirte".

[397] Flugblatt Nr. 29 „Der Tag bricht an!", Rede Riessers in Hannover, 23. 11. 1911; Bürger heraus!, S. 147 f.

[398] H-B, Jg. 1, Nr. 47, 25. 11. 1911, S. 411 „Aus den Ortsgruppen"; ebd., Nr. 23, 12. 6. 1911, S. 189 f. „Zum ersten Deutschen Hansa-Tag", S. 190: „Wie das deutsche Volk in seinen Einigungskriegen, so schuf sich das deutsche Gewerbe im Hansa-Bund die Armee, die Angriffe und Beeinträchtigungen von außen abwehrt und die der stets

schlachtbereite Vorkämpfer für ihre Ehre und ihre Existenz ist."

[399] Vgl. z. B. H-B, Jg. 2, Nr. 45, 16. 11. 1912, S. 576 „Die Entwicklung des Hansa-Bundes".

[400] Ebd., Nr. 46, 23. 11. 1912, S. 588 (Riesser).

[401] Die gleichen Forderungen wurden auch vom DBB erhoben, vgl. Puhle, Interessenpolitik, S. 144 f.; H. Schwab, Deutscher Bauernbund, in: Die bürgerlichen Parteien, Bd. 1, S. 415–421, bes. 416; ferner Müffelmann, Verbände, S. 86 ff. Zur Gründung des DBB vgl. ferner u. a. FZ, Nr. 187, 8. 7. 1909 „Die Gründung des neuen Bauernbundes"; ebd., Nr. 180, 1. 7. 1909 „Ein neuer Bauernbund"; ebd., Nr. 183, 4. 7. 1909 „Der Deutsche Bauernbund"; KZ, Nr. 697, 1. 7. 1909 „Der Deutsche Bauernbund"; ebd., Nr. 722, 7. 7. 1909 „Der neue Deutsche Bauernbund"; Nat.-Ztg., Nr. 304, 2. 7. 1909 „Der Deutsche Bauernbund"; Der Tag, Nr. 154, 14. 7. 1909 „Der neue Bauernbund"; ferner DZA Potsdam, RK, Akten betr. Deutscher Bauernbund, Nr. 1131, Bl. 3 „Bericht des Oberpräsidenten in Posen vom 21. 7. über die Ansiedlerbewegung". Bl. 4 ff., Stenogr. Bericht der Gnesener Versammlung vom 21. 7.

[402] Zu Heilner vgl. Anlage 1 u. 3.

[403] DZA I, Nl. Bassermann, Nr. 9, Bl. 112 f., z. T. abgedruckt bei Schwab, S. 417.

[404] BA, Nl. Stresemann, 3054, H. 126545, Stresemann an Bassermann, 16. 9. 1909.

[405] Vgl. Archiv Rötger, Registratur über die weitere Beratung zur Vorbereitung der Direktoriumssitzung des Hansa-Bundes. Einzelheiten über das Ergebnis der Verhandlungen enthält das Protokoll nicht.

[406] Der DBB betont in Punkt 3 seines Programms ein „Festhalten an unserer bewährten Schutzzollpolitik"; das Programm des DBB ist u. a. abgedruckt bei Schwab, S. 416; Müffelmann, Verbände, S. 87 f.; DZA I, RK, Akten betr. Deutscher Bauernbund, Nr. 1131, Bl. 7; FZ, Nr. 183, 4. 7. 1909 „Der Deutsche Bauernbund".

[407] H-B, Jg. 4, Nr. 9, Dez. 1913 „Hansa-Woche 1913", S. 113 ff., hier S. 115 (Riesser); vgl. dort auch die Ausführungen des Vors. des DBB, Wachhorst de Wente.

[408] BA, Nl. Stresemann, 3054, H. 126444 f., Wachhorst de Wente an Bassermann, 20. 8. 1912; vgl. ferner Bassermann an Stresemann, 28. 8. 1912, ebd., H. 126448 f.

[409] Bei „110–120 Tausend M. Unkosten" schätzten Stresemann und Wachhorst de Wente im 1. Geschäftsjahr des DBB das Defizit auf 70 000 M.; davon sollte der HB „nicht 12 000, sondern mindestens 25 000 M." tragen. Die Deckung des übrigen Defizits sollte durch die NLP (15 000 M.) und durch „freiwillige Beiträge" – wobei wiederum in erster Linie an HB-Kreise gedacht wurde – erfolgen. Bereits am 16. 9. 1909 konnte Stresemann Bassermann mitteilen, daß Riesser zugesagt habe, „die ersten 12 000 M. noch Ende dieses Monats auszuzahlen".

BA, Nl. Stresemann, 3054, H. 126542 ff.; auch in den folgenden Jahren trug der HB zum großen Teil das Defizit des DBB, ebd., H. 126644 f., Stresemann an Bassermann, 7. 1. 1911: „Bezüglich des Bauernbundes habe ich die Zusage, für das diesmalige Defizit noch einzutreten".

[410] Vgl. Anm. 78, Kap. V.

[411] Schwab nennt für Ende 1912 ca. 41 000, für Anfang 1914 ca. 50 000 Mitglieder, ders., S. 415.

[412] Nach Schwab waren dies 1913 63 %. 1910 war der Fränkische Bauernbund (Ende 1912 8000 Mitglieder) dem DBB beigetreten. Ende 1912 schloß sich der Sächsische Bauernbund mit Wirkung vom 1. März 1913 dem DBB an; ebd., S. 417.

[413] Vgl. Puhle, Interessenpolitik, S. 146.

[414] DTZ, Nr. 583, 13. 12. 1909 „Konservative Partei, Hansa-Bund, Bauernbund". Nach Stresemann hatten nach der Reichsfinanzreform 32 400 Mitglieder den BdL verlassen, BA. Nl. Stresemann, 3054, H. 126544, Stresemann an Bassermann, 16. 9. 1909.

[415] Vgl. Kap. III, S. 102 ff.

[416] H-B, Jg. 3, Nr. 10. 8. 3. 1913, S. 113 ff. „Westfälischer Hansa-Tag in Dortmund“, hier S. 114 (Riesser).

[417] Ebd.

[418] Bürger heraus!, S. 5. Auch auf den Gründungsversammlungen einiger Ortsgruppen wurde die Wahlrechtsreform erörtert, vgl. HK Ffm., Akte 1011, Bl. 141.

[419] Zur Wahlrechtsreform vgl. W. Gagel, Die Wahlrechtsfrage in der Geschichte der deutschen liberalen Parteien 1848–1918, Düsseldorf 1958; R. Patemann, Der Kampf um die preußische Wahlreform im Ersten Weltkrieg, Düsseldorf 1964.

[420] Archiv Rötger, Registratur über die Vorbesprechung (3. 9. 1909) zur Vorbereitung der 1. Direktoriumssitzung. Die Ortsgruppe Ffm. nahm dagegen die Forderung nach „Beseitigung der gegenwärtigen Wahleinteilung für Reichstags- und für Landtagswahlen, die eine ungerechtfertigte Bevorzugung des platten Landes zum Nachteil der Städte darstellt“ in ihr Programm auf und forderte die „Herbeiführung einer der Bevölkerungsziffer entsprechenden Vertretung“, HK Ffm., Akte 1011, Bl. 329.

[421] Nach diesem Entwurf sollte die Wahl künftig direkt, aber immer noch öffentlich sein; Steuerleistungen eines Wählers, die über 5000 Mark jährlich hinausgingen, sollten künftig für die Einteilung der Wählerklassen nicht mehr berücksichtigt werden; schließlich sollten die sog. „Kulturträger“ eine Klasse höher eingestuft werden, als es ihrer Steuerleistung entsprach. Unter „Kulturträger“ wurden auch ausgediente Unteroffiziere verstanden. Deren Gleichsetzung mit Akademikern entsprang dem Bestreben, die „Vergünstigung des neuen Wahlgesetzes nicht nur den zu einem großen Teil liberal gesinnten Akademikern zukommen zu lassen, sondern auch konservativen Elementen“. Da zwischen Abgeordneten- und Herrenhaus keine Einigung erzielt werden konnte, zog Bethmann Hollweg die Vorlage zurück; Gebhardt, Handbuch, Bd. 3, S. 305; Patemann, S. 16.

[422] Mitt. H-B, Jg. 2, Nr. 27, 11. 5. 1910 „Zur preußischen Wahlreform“; vgl. ferner ebd., Nr. 12, 8. 3. 1910 „Der Präsident des Hansa-Bundes über die Gesamtpolitik des Bundes“; Hansa-Bund für Gewerbe, Handel und Industrie 1909–1934, in: Die bürgerlichen Parteien in Deutschland, Bd. II, S. 106.

[423] Mitt. H-B, Jg. 2, Nr. 29, 21. 5. 1909 „Zur Wahlreform“.

[424] Vgl. FZ, Nr. 46, 16. 2. 1910 „Der Hansa-Bund und die Wahlrechtsvorlage“. In den Mitteilungen vom HB wurde die Stellungnahme des Präsidiums, wahrscheinlich auf Druck der Schwerindustrie, nicht vollständig abgedruckt.

[425] Diese Haltung entsprach weiten Kreisen der Industrie, die aus diesem Grunde auch das Reichstagswahlrecht hart attackierten, z. B. Tille: „Entsprechend dem gleichen Wahlrecht aller erwachsenen Männer für den Reichstag müßten alle erwachsenen Männer die gleiche Steuer an die Reichskasse entrichten, wenn die politischen Pflichten gleich den Rechten sein sollten. Eine Kopfsteuer (!) auf die erwachsenen Männer wäre das Steuerkorrelat dieses gleichen Wahlrechts“, in: Swdt. Wi-Ztg., Nr. 29, 16. 7. 1909 „Der Sieg der Reichsfinanzreform auf Grund indirekter Steuern“, S. 307, vgl. Stenogr. Ber. Gründung HB, S. 24.

[426] Mitt. H-B, Jg. 2, Nr. 29, 21. 5. 1910 „Zur Wahlreform“.

[427] GBAG-Archiv, Akte HB, Prot. der 2. Sitzung der Zweigvereinsvorsitzenden des HB, 14. 6. 1910.

[428] Bayer-Archiv, Personalia Riesser. Diese Stellungnahme zur Wahlrechtsfrage, die während des preußischen Landtagswahlkampfes erfolgte, entsprach Riessers Äußerungen zu diesem Thema während des Reichstagswahlkampfes. Auch nach dem Austritt der Schwerindustrie gab es Widerstände gegen eine Befassung mit dieser Frage. Ebd., Brief Duisbergs an Riesser, 7. 10. 1912. Es sei richtiger, „das preußische Wahlrecht gar nicht (zu) berühren ..., weil es nicht in den Hansa-Bund hineingehört“, da dies „eine rein politische Frage“ sei. Riesser beharrte jedoch auf seinem Standpunkt, Brief Riessers

an Duisberg, 23. 6. 1912: „ohne das direkte und geheime Wahlrecht" könne „die Macht der extremen Agrarier nicht gebrochen, also auch die politische Macht der Industrie und des Kaufmannsstandes nicht gehoben werden", ebd.

[429] Vgl. Riesser, Bürger heraus!, S. 109 (Hansa-Tag in Berlin, 12. 6. 1911), S. 148 (Rede in Hannover, 23. 11. 1911).

[430] Flugblatt Nr. 27 „Die Rechte des deutschen Handels- und Gewerbestandes in den Parlamenten"; Nr. 29 „Der Tag bricht an".

[431] Flugblatt Nr. 29, Riesser, Bürger heraus!, S. 148 (Rede in Hannover, 23. 11. 1911)

[432] Vgl. H-B, Jg. 1, Nr. 1, 7. 1. 1911, S. 6–9 „Ein Mahnwort an das Handwerk" (Rahardt), hier S. 8.

[433] Riesser, Bürger heraus!, S. 109.

[434] Flugblatt Nr. 29, S. 5; Flugblatt Nr. 27: „Die seit 1869 bestehende Wahlkreiseinteilung ist auf eine wesentlich ländliche Zusammensetzung der Bevölkerung aufgebaut." Trotz des allgemeinen, gleichen Reichstagswahlrechts sei es eine „ungerechte Benachteiligung der städtischen Bevölkerung", denn in den 10 kleinsten (ländlichen) Reichstagswahlkreisen komme auf 61 000, in den 10 größten (städtischen) auf 592 000 Einwohner 1 Abgeordneter. Die Wahlkreiseinteilung in Preußen sei „gänzlich zugunsten des Agrariertums eingerichtet". Die 183 bevorzugten – fast durchweg ländlichen – Wahlkreise repräsentierten 19 Mill., die 93 benachteiligten – überwiegend städtischen Wahlkreise – 18 Mill. Einwohner. Vgl. ferner H-B, Jg. 1, Nr. 50/51, 20. 12. 1911, S. 435–438, Prof. W. Halbfaß „Die Berufsgliederung der deutschen Reichstagswahlkreise". Halbfaß kommt zu dem Ergebnis: „Die 116 agrarischen Wahlkreise wählen 32, die 75 gemischten Kreise 17 Abgeordnete zu viel, die 206 gewerblich/kaufmännischen 32 + 17 = 49 Abgeordnete zu wenig, nach Maßgabe der in den betreffenden Wahlkreisen dominierenden Erwerbsquellen. Damit ist die Behauptung, daß Industrie und Handel bei der fast 50 Jahre unverändert gebliebenen Wahlkreiseinteilung des Deutschen Reiches viel zu wenig, die Landwirtschaft zu stark berücksichtigt wird, statistisch unanfechtbar bewiesen." Vgl. ferner H-B, Jg. 2, Nr. 1, 6. 1. 1912, S. 5 f., A. Blaustein „Die stärkere parlamentarische Vertretung der bevölkertsten Wahlkreise".

[435] Flugblatt Nr. 27.

[436] Vgl. Kap. IV, 2 c, Anm. 124.

IV

[1] O. Massing, Parteien und Verbände als Faktoren des politischen Prozesses – Aspekte politischer Soziologie, in: G. Kress, D. Senghaas (Hg.), Politikwissenschaft, Ffm. 1969, S. 356.

[2] Wehler, Kaiserreich, S. 62; vgl. ferner N. Gehring, Parlament – Regierung – Opposition. Dualismus als Voraussetzung für eine parlamentarische Kontrolle der Regierung, München 1969; Puhle, Parlament, S. 347.

[3] Vgl. Grosser, S. 4; Puhle, Parlament, S. 347, der jedoch darauf hinweist, daß die „Lebensfragen der deutschen Politik vor 1914 ... nicht im Parlament und auch nicht in erster Linie von Parteien und Interessenverbänden entschieden" wurden, ebd., S. 340.

[4] Vgl. Th. Eschenburg, Herrschaft der Verbände?, Stuttgart 1963[2], S. 14.

[5] Horn, S. 127; vgl. ferner v. Beyme, S. 24.

[6] Horn, S. 127.

[7] Vgl. Massing, S. 335; v. Beyme, S. 10 W. Hennis, Verfassungsordnung und Verbandseinfluß, in: PVS, Jg. 2, 1961, S. 23–35.

[8] Th. Nipperdey, Interessenverbände und Parteien in Deutschland vor dem Ersten

Weltkrieg, in: PVS, Jg. 2, 1961, S. 262–280, hier S. 268; vgl. dagegen Puhle, Parlament, S. 348 f.; ders., Interessenpolitik, S. 180.

[9] v. Beyme, S. 85.

[10] O. Hintze, Das monarchische Prinzip und die konstitutionelle Verfassung, in: ders., Staat und Verfassung, Göttingen 1962², S. 378. Diese These wurde u. a. von Puhle, Parlament, S. 343, übernommen; vgl. ferner G. U. Scheideler, Parlament, Parteien und Regierung im Wilhelminischen Reich 1890–1914, in: Aus Politik und Zeitgeschichte, B 12, 1971, S. 18.

[11] Hintze führte u. a. aus: „Was Bismarck vom Standpunkte einer monarchischen Staatsleitung aus wünschte, daß die Parteien als scharf charakterisierte wirtschaftlich-soziale Interessengemeinschaften auftreten möchten, mit denen man rechnen und Politik treiben kann nach dem do ut des-Prinzip, das realisiert sich in der Gegenwart in ungeahntem Maße: ich verweise nur auf den Bund der Landwirte und den Hansa-Bund!", ders., S. 378.

[12] Puhle, Parlament, S. 343.

[13] So u. a. die Schlußfolgerung von Scheideler, S. 18. Vgl. dazu die Gegenthese von Grosser, S. 22 f.: Das Zurücktreten weltanschaulicher Differenzen, die Hinwendung zu einer eher pragmatischen Politik erhöhte die Fähigkeit des Parlaments zur Bildung fester Mehrheiten; vgl. ferner Schmidt, S. 5, 10 f., 23, der darauf hinweist, daß gerade der HB eine „gegenseitige Annäherung" der Mittelparteien begünstigte, ebd., S. 23.

[14] Puhle, Parlament, S. 350.

[15] Ebd.

[16] Ebd., S. 361.

[17] Vgl. Stegmann, u. a. S. 113 ff., 146 ff., 283 ff., 368 ff., 440; Grosser, S. 11 ff.

[18] Stegmann, passim.

[19] VMB, H. 116, Okt. 1909, S. 41 (Tille).

[20] Z. B. Flugblatt Nr. 1 „Das Wesen des Hansa-Bundes".

[21] H-B, Jg. 1, Nr. 13, 1. 4. 1911, S. 111 „Aus den Ortsgruppen".

[22] C. Mollwo, Über Interessenvertretung und Interessenvertreter, in: Festgabe zum 60. Geburtstag von J. Riesser, hg. v. CVBB, Berlin 1913, S. 435–461, hier S. 436 f. Mollwo war einer der Gf. des CVBB, d. h. ein Vertrauter Riessers.

[23] Ebd., S. 437.

[24] Ebd., S. 456.

[25] Bürger heraus!, S. 14.

[26] Ebd., S. 27.

[27] Ebd.; Flugblatt Nr. 7 „Der Hansa-Bund im Rheinland".

[28] Vgl. Fraenkel, S. 25; Scheideler, S. 18.

[29] Riesser-Reden, S. 57. (Rede in Mannheim, 9. 1. 1910.)

[30] H-B, Jg. 2, Nr. 16, 27. 4. 1912, S. 218 „Aufgaben" v. O. Bielefeld; BA, Nl. Stresemann, 3054, Stresemann an A. Gustav Oehme, Chemnitz, 21. 6. 1911.

[31] Bürger heraus!, S. 235.

[32] Anlage 6, Richtlinien des HB v. 1909, Absatz II, 3 u. 4.

[33] Vgl. Kap. II, 1. Programm und Ideologie des HB.

[34] Die Programme sind abgedruckt bei W. Mommsen, Deutsche Parteiprogramme, München 1960.

[35] Vgl. Flugblatt Nr. 15.

[36] Vgl. Mitt. H-B, Jg. 1, z. B. Nr. 21, 6. 12. 1909, Nr. 6, 1. 10. 1909; Bayer-Archiv, Personalia v. Böttinger, Duisberg an Frh. v. Gamp-Massannen, 21. 2. 1912.

[37] Vgl. Liste des HB-Ges.-A. von 1909.

[38] Stenogr. Ber. Preuß. Abg.-H., 21. LP, 1910, Bd. 1, Sp. 151 (v. Zedlitz und Neukirch); ebd., Bd. 2, Sp. 1603 (v. Woyna).

[39] Vgl. Anlage 16 (Reichstagskandidaten mit HB-Unterstützung).
[40] Vgl. Kap. V, 5.
[41] „Was haben wir am Hansa-Bund?“, hg. vom Volksverein für das katholische Deutschland, Mönchengladbach 1910, S. 53; vgl. J. B. Krauß-Düren, Der Reichstags-Wahlkampf 1911/12, Köln 1911, passim.
[42] KVZ, 7. 12. 1909 „Die Wahrheit über den Hansabund“.
[43] Vgl. H-B, Jg. 1, Nr. 38, 23. 9. 1911, S. 329 f. „Die Düsseldorfer Reichstagswah- und der Hansa-Bund“.
[44] Ebd.
[45] Flugblatt Nr. 15.
[46] Vgl. Bürger heraus!, S. 33.
[47] Vgl. Kap. II, 3 aa.
[48] Vgl. Anlage 15 (personelle Verflechtung HB-liberale Parteien).
[49] Vgl. Kap. V, 4.
[50] Puhle, Parlament, S. 357. Auch Nipperdey vertritt die These, die Linksliberalen seien „interessenentblößt“ gewesen, ders., Interessenverbände, S. 279.
[51] Vgl. Abschnitt 3 dieses Kap. und Anlage 19.
[52] Vgl. Stegmann, S. 219, 223; Swdt. Wi.-Ztg., Nr. 7, 17. 2. 1911, S. 57 „Hanseatisches“ (zit. Süddeutsche Nationalliberale Korrespondenz).
[53] Vgl. Stegmann, S. 220 f.
[54] BA, Nl. Stresemann, 3054, H. 126505, Stresemann an Bassermann, 11. 4. 1908. In dem Schreiben heißt es ferner, der CVDI lebte bisher „nur von der Ohnmacht seiner Gegner, die in ihrer Zersplitterung nicht gefährlich werden konnten, wenn sie sich selbst nicht einigen“. Die Anregung zu dieser geplanten Centralstelle sollte von dem Verband Süddeutscher Industrieller ausgehen. Der Nl. enthält keine weiteren Unterlagen zu diesem Plan.
[55] Vgl. Eschenburg, S. 286.
[56] Vgl. Stegmann, S. 222.
[57] Ebd., S. 220 Eschenburg, S. 269 f.
[58] Vgl. Stegmann, S. 224.
[59] Ebd., S. 230.
[60] Ebd., S. 230 f.
[61] Vgl. Kap. V.
[62] Vgl. Stegmann, S. 305.
[63] Ebd., S. 306; Am 21. 2. 1912 schrieb Duisberg dem Onkel seiner Frau, Frh. v. Gamp-Massannen, es wäre jetzt der „geeignete Moment gekommen, um das zu tun, was ich immer schon im Auge hatte, den Hansa-Bund etwas frei zu machen vom Einfluß des Berliner Tageblattes und der freisinnigen Volkspartei und ihn wieder in die Mitte zu bringen, zwischen rechts und links, wohin er gehört. Ich gehe sogar soweit, zu glauben, daß der Hansa-Bund jetzt die richtige Instanz wäre, um die Vermittlung zwischen den verschiedenen Parteien zu übernehmen, um den politischen Karren wieder in's Rollen zu bringen und der Sozialdemokratie den ihr gebührenden Tritt zu geben, d. h. also mit anderen Worten, die nationalliberale Partei nach rechts zu ziehen oder, wenn Ihr Euch mit ihrem rechten Flügel verschmelzen wollt, sie zu spalten und die Linksliberalen abzustoßen“, Bayer Archiv, Personalia v. Böttinger; vgl. ferner ebd., Personalia Riesser, ders. an Duisberg, 23. 3. 1912, der auf die gegen die NLP und den HB gerichteten Pläne hinweist.
[64] BA, Nl. Stresemann, 3054, H. 126 363, Bericht über die Sitzung des Centralvorstandes der NLP (v. Fuhrmann); ferner 3052, F. Mietke an Hochschuldirektor Illgen, 1. 4. 1912, in diesem Schreiben heißt es u. a.: natürlich habe auch „die Gegnerschaft

der rechtsstehenden Herren, die z. T. nicht ganz unbeeinflußt vom Zentralverband Deutscher Industrieller sind, zu der Nichtwiederwahl" Stresemanns geführt.

[65] Ebd., 3054, H. 126 366, Fuhrmann: es gebe „sehr viele, auch außerhalb des Centralvorstandes, in der Partei, die Stresemann diese Lehre gönnten".

[66] Ebd., H. 126 367; vgl. auch Stegmann, S. 306 f. Die endgültige Beschlußfassung sollte jedoch auf einem Allgemeinen Vertretertag der NLP erfolgen.

[67] Ebd., H. 126 360, Bassermann an Stresemann, 18. 3. 1912.

[68] Ebd. 3053, H. 124 294 f., Stresemann an Weber, 30. 3. 1912. Der letzte Satz, der Stegmanns These von der Dominanz des BdI über den HB widerspricht, fehlt bei Stegmann, ders., S. 308.

[69] Ebd., H. 124 295.

[70] Ebd., H. 124 290, Weber an Stresemann, 28. 3. 1912; H. 124 294, Stresemann an Weber, 30. 3. 1912.

[71] Ebd., H. 124 296; ebd. 3054, H. 126 334 f., Stresemann an Bassermann, 2. 3. 1912: „Mir ist es zweifelhaft, ob Sie einen freundlichen Abschluß Ihrer politischen Tätigkeit erleben werden, wenn Sie die richtige Tätigkeit immer nur im Nachgeben erblicken"; vgl. ferner ebd., H. 126 463, Stresemann an Bassermann, 7. 11. 1912, wo Stresemann Bassermann falsche Taktik vorwirft, „da Sie die Feindschaft Ihrer Gegner durch Ihre Nachgiebigkeit nicht ändern, aber im Begriff sind, Ihre besten Freunde dauernd zu entfremden".

[72] Sie läßt sich wohl nur dadurch erklären, daß Stresemann nach dem Verlust des Reichstagsmandats und seiner gescheiterten Wahl in den Gf. A. der NLP zur gleichen Zeit auch noch heftig vom rechten Flügel attackiert wurde.

FZ, Nr. 62, 3. 3. 1912 „Bassermann-Schiffer"; BA, Nl. Stresemann, H. 126 388 f., Stresemann an Bassermann, 11. 3. 1912 (betr. „Angriffe der ‚Nationalliberalen Correspondenz' und der ‚Post'"); ebd., H. 126 352, Bassermann an Stresemann, 14. 3. 1912.

[73] Ebd., 3053, H. 124 295 f. Er stellte fest, daß er „diesen Übergang zur Fortschrittlichen Volkspartei nicht mitmachen" werde, fügte jedoch hinzu, „aber ich muß es auch abweisen, länger in einer solchen Partei tätig zu sein".

[74] Ebd., 3054, H. 126 357, Bassermann an Stresemann, 18. 3. 1912.

[75] Diese illusorische Vorstellung knüpft augenscheinlich an Stresemanns Pläne von 1908 an; vgl. Anm. 54.

[76] BA, Nl. Stresemann, 3054, H. 126 357.

[77] Ebd., H. 126 385 ff., Theodor Böhm an Bassermann, 25. 4. 1912. Böhm war Vors. des Verbandes Mitteldeutscher Industrieller (Offenbach a. M.) und Vorstandsmitglied des BdI; vgl. ferner ebd., 3052, Stresemann an Böhm, 29. 4. 1912.

[78] Ebd., 3053, H. 124 294, Stresemann an Weber, 30. 3. 1912; ebd., 3052, Bassermann an Stresemann, 6. 4. 1913.

[79] Vgl. Stegmann, S. 311 f.; dort auch Hinweise auf das Programm des ANRV, das sich wesentlich mit dem bereits dargestellten des rechten Flügels deckte: gegen SPD, „Demokratisierung" und Großblockstimmung, für Schutz der nationalen Arbeit, für entschlossene und weitschauende Weltpolitik vgl. hierzu Dr. Weber an Fuhrmann, 28. 6. 1912: „Die Gründung des altnational-liberalen Verbandes war das überflüssigste, was ich mir denken konnte. Die Phrasen im „Tag", welche die Gründung motivieren sollten, haben dies nicht erreicht und werden dies nie tun", BA, Nl. Stresemann, 3052, H. 123753 ff.; vgl. ferner ebd., 3054, H. 126401 ff.

[80] Zit. nach Stegmann, S. 312.

[81] Vgl. BA, Nl. Stresemann, 3054, H. 126 429, Bassermann an Stresemann, 26. 7. 1912. Es sei „kein Zweifel, daß die Altnational-liberale Bewegung von Hirsch-Essen und anderen des Zentralverbandes" ausgehe.

[82] Ebd., H. 126 402, Stresemann an Bassermann, 30. 5. 1912.
[83] Ebd., H. 126 405.
[84] Ebd., H. 126 404.
[85] Ebd., H. 126 408 f. Bassermann an Stresemann, 1. 6. 1912.
[86] Ebd., H. 126 411, Bassermann an Stresemann, 3. 6. 1912 und 9. 6. 1912.
[87] Vgl. Stegmann, S. 313.
[88] Bassermann stellte denn auch bereits am 1. 7. 1912 in einem Brief an Stresemann fest: „Fuhrmanns Sache geht nicht vorwärts", BA, Nl. Stresemann, 3054, H. 126 416.
[89] Vgl. Anm. 67 f.
[90] Vgl. Kap. VI; Stegmann, S. 432 f.
[91] Ebd., S. 405.
[92] Ebd., S. 427; zur „Kartellpolitik" des CVDI vgl. Kap. VI. Kaelble vertritt demgegenüber die These, daß sich in den letzten Vorkriegsjahren die Spannung zwischen NLP und CVDI minderte, vgl. Interessenpolitik, S. 199.
[93] Bayer Archiv, Personalia Riesser, Riesser an Duisberg, 23. 3. 1912.
[94] Vgl. Stegmann, S. 443. Stresemann schrieb Bassermann am 22. 7. 1913: „Weiterhin möchte ich Sie bitten, doch dafür zu sorgen, daß Herr Geheimrat Riesser in den Zentralvorstand wieder zugewählt wird. Er hat es sehr übel vermerkt, daß dies bisher nicht geschehen ist und es möchte dies jedenfalls in der nächsten Sitzung unbedingt nachgeholt werden", BA, Nl. Stresemann, 3054, H. 126 147 f.
[95] Ebd., Bassermann an Stresemann, 4. 6. 1914 (H. 126 217) und 13. 7. 1914 (H. 126 220): „Die Widerstände kommen überall von den Mitgliedern des Centralverbandes"; vgl. ferner Bassermann an Stresemann, 26. 7. 1912, ebd., H. 126 429.
[96] Scheideler, S. 19.
[97] Vgl. Kap. V, 4.
[98] Ebd.
[99] Vgl. Puhle, Interessenpolitik, S. 169.
[100] Fränkischer Kurier, Nr. 630, 9. 12. 1912 „Landeshauptversammlung des Hansa-Bundes für Nord-Bayern". (MdL Häberlein, Direktoriumsmitglied des HB, vgl. Anlage 3); H-B, Jg. 2, Nr. 16, 27. 4. 1912, S. 217 ff. „Aufgaben". Otto Bielefeld (NLP) stellt darin die Forderung auf, „daß der Hansa-Bund die politische Einigung des Bürgertums, zunächst den Zusammenschluß der beiden liberalen Parteien anzustreben hat", ebd., S. 219; ebd., Nr. 14, 13. 4. 1912, S. 193 f. „Aufgaben"; J. Riesser, Deutsche Wirtschaftslage und Wirtschaftsaussichten, o. O. 1915, S. 30, tritt für eine „überaus wünschenwerte einheitliche liberale Bürgerpartei" ein.
[101] H-B, Jg. 2, Nr. 14, 13. 4. 1912, S. 193 f. „Aufgaben".
[102] Bereits kurze Zeit nach der Gründung des Hansa-Bundes hatte der freisinnige Abgeordnete F. v. Liszt festgestellt: „Für den Liberalismus ist der Hansa-Bund eine Lehre und zugleich eine ernste Mahnung. Die von den Parteiführern trotz allen Drängens der Wählerschaft immer und immer wieder hinausgeschobene Zusammenfassung der verschiedenen liberalen Parteirichtungen muß jetzt erfolgen ... Was im Hansabund sich vollzogen hat, kann und muß im Liberalismus sich wiederholen." Wichtigste Aufgabe sei die „Beseitigung der die liberalen Gruppen trennenden Schranken. Das ist es, was der Liberalismus von dem Hansabund lernen kann und lernen muß. Das Beispiel wirkt mehr als die Lehre, die Tat mehr als das Wort. Und darum begrüße ich den Bund von Industrie, Gewerbe und Handel als Vorbild und Vorläufer für den Bund der Liberalen", KZ, Nr. 660, 21. 6. 1909 „Hansa-Bund und Liberalismus"; vgl. auch Die Hilfe, Jg. 15, Nr. 27, 4. 7. 1909, S. 417 f. „Hansabund und liberale Einigung"; Brandt, S. 353.
[103] Vgl. Kap. III, 6.
[104] Vgl. Anm. 30 f.

[105] Vgl. das Exposé Dr. Juncks, eines Exponenten des linken Flügels der NLP zur Frage der Haltung der NLP zur SPD (Eschenburg, S. 268 f.) mit den Ausführungen Riessers im folgenden Abschnitt.

[106] Der 2. Parteitag der Fortschrittlichen Volkspartei, S. 47, 147 f.

[107] Vgl. BA, Zsg., 103/1413 („Volkswille", Nr. 149, 30. 6. 1909 „Hansabündlerisches"; Nr. 178, 3. 8. 1909 „Eine politische Arbeitgeberpartei"; 8. 8. 1909 „Unter falscher Flagge"; Nr. 271, 20. 11. 1909 „Der neuen Hansa Ende"). RT, Bd. 237, Sp. 8740 (Dr. Frank), Sp. 8620 f. (Singer); Stenogr. Ber. Preuß. Ab.-H., 21. LP, Bd. 5, Sp. 7512 (Liebknecht).

[108] Swdt. Wi.-Ztg., Nr. 50, 16. 12. 1910, S. 333 „Hansabund und Sozialdemokratie".

[109] Bereits 1903 kamen nach Schätzungen von R. Blank, Die soziale Zusammensetzung der sozialdemokratischen Wählerschaft Deutschlands, in: ASS, Bd. 20, 1905, S. 507–553, ein Viertel der SPD-Stimmen aus nichtproletarischen Kreisen, insbesondere den unteren Angestelltenschichten, vgl. Warren, Red Kingdom S. 49.

[110] FZ, Nr. 228, 18. 8. 1910 „Briefwechsel Riesser–von Pechmann".

[111] Vgl. Anlage 9, Riesser an Duisberg, 9. u. 11. 11. 1910.

[112] Ebd.

[113] Swdt. Wi.-Ztg., Nr. 35, 2. 9. 1910, S. 223 f. „Das Versagen der Leitung des Hansabundes gegenüber der Sozialdemokratie".

[114] Ebd., Brief Riessers an von Pechmann, 5. 7. 1910.

[115] Ebd., Brief Riessers an von Pechmann, 16. 7. 1910.

[116] Mitt. H-B, Jg. 2, Nr. 43, 1. 9. 1910 „Politische Hetz-Versuche". Ergänzend wurde dazu festgestellt: „Unter den heutigen, durch die agrar-demagogische Wühlarbeit wesentlich verschärften Verhältnissen wird jeder derartige Sammlungsaufruf dann wirkungslos bleiben, wenn nicht zugleich den mit der heutigen Wirtschafts- und Finanzpolitik unzufriedenen, nicht-sozialdemokratischen Schichten des Bürgertums die Gewißheit gegeben wird, daß mit dieser Politik gründlich und dauernd gebrochen werden und sie ersetzt werden soll durch eine dem Programm des Hansa-Bundes entsprechende, allen Erwerbsständen gleichermaßen gerecht werdende Wirtschafts- und Finanzpolitik".

[117] Ebd.

[118] Swdt. Wi-Ztg., Nr. 32, 11. 8. 1911, S. 380, „Das Einlenken des Direktoriums des Hansa-Bundes in Sachen Sozialdemokratie", zit. „Post" vom 18. 7. 1911 und Kölner Volkszeitung vom 18. 7. 1911; vgl. FZ, Nr. 198, 18. 7. 1911.

[119] Riesser, Der Hansabund, S. 42. Vgl. Mitt. H-B, Jg. 2, Nr. 46, 21. 9. 1910 „Zur Politik des Hansa-Bundes", Nr. 50, 3. 11. 1910 „Der Ton des Bundes der Landwirte", Nr. 51, 15. 11. 1910 „Der Hansabund in westdeutschen Industriestädten", Nr. 52, 24. 11. 1910 „Die Tagung des Nassauischen Landesverbandes des Hansa-Bundes". Die Stellungnahmen vom 1. 9. 1910 wurden am 24. 11. 1910 zum Präsidiums-Beschluß erhoben, vgl. Riesser, Hansabund, S. 42.

[120] Bürger heraus!, S. 111; H-B, Jg. 1, Nr. 24, 17. 6. 1911, S. 207–214 „Der Verlauf des Hansatages", hier S. 213. Das Protokoll verzeichnet an dieser Stelle lebhaften Beifall.

[121] Ebd., S. 213; Bürger heraus!, S. 111; vgl. Flugblatt „Die Rede des Präsidenten des Hansa-Bundes ... zum Schlusse des I. Allgemeinen Deutschen Hansa-Tages am 12. 6. 1911".

[122] Vgl. Kap. III, 2.

[123] Bürger heraus!, S. 216 f.; H-B, Jg. 2, Nr. 4, 3. 2. 1912, S. 49 „Riesser in Hamburg".

[124] Bayer Archiv, Personalia Riesser, Riesser an Duisberg, 23. 6. 1913.

125 Vgl. Grosser, S. 19 f.; Protokolle der SPD-Parteitage 1910 (Magdeburg), S. 259 ff. u. 1913 (Jena), S. 304 ff.; D. Groh, Negative Integration und revolutionärer Attentismus, Ffm. 1973; vgl. demgegenüber Schmidt, S. 21 und die dort angegebene Literatur.

126 Vgl. Grosser, S. 39, 44. Die Revisionisten machten die Taktik der Radikalen für die Niederlage von 1907 verantwortlich. Obwohl die Revisionisten noch bis 1912 in der Minderheit blieben, war die Mehrheit unter dem Eindruck der Wahlniederlage bereit, weitgehende Rücksichten auf die Reaktion der marginalen Wähler zu nehmen; eine Haltung, die die parlamentarische Reformarbeit stärken mußte.

127 Vgl. Kap. V, 10.

128 Vgl. H. Grebing, Friedrich Ebert. Kritische Gedanken zur historischen Einordnung eines deutschen Sozialisten, in: Aus Politik und Zeitgeschichte, B 5, 1971, S. 7.

129 Sozialistische Monatshefte, Jg. 1909, Bd. 2, S. 875 „Die Organisierung des mobilen Kapitals". Zur Kritik des linken Flügels der SPD am HB vgl. u. a. Die Neue Zeit, Jg. 27, 1909, Nr. 38, Franz Mehring, Der Hansabund; ebd., Jg. 29, 1911, Otto Streine, Der Hansabund im Banne der industriellen Scharfmacher; ebd., Nr. 46, Wilhelm Düwell, Der Hansabund.

130 Sozialistische Monatshefte, Jg. 1909, Bd. 2, S. 876 u. S. 856 f. „Der Hansabund".

131 Der Hansa-Bund und die Neuordnung, o. O. 1917, S. 10.

132 Vgl. Kap. I, 2.

133 Vgl. Kap. V.

134 Ebd.

135 Vgl. Anlage 19 (Parlamentar. Vertretung des HB im RT, 1909 u. 1912).

136 Vgl. Anlage 15 (HB–Liberale Parteien).

137 Vgl. Puhle, Interessenpolitik, S. 169.

138 Vgl. Kaelble, Interessenpolitik, S. 215–222.

139 Vgl. H.-G. Zmarzlik, Bethmann Hollweg als Reichskanzler 1909–1914, Düsseldorf 1957, S. 55 ff.; Witt, S. 337 ff.

140 Ebd., S. 366.

141 Ebd., S. 351; Zmarzlik, S. 56.

142 H-B, Jg. 2, Nr. 9, 9. 3. 1912, S. 117 f. „Zu den Wehrvorlagen und ihrer Deckung".

143 Ebd.

144 Ebd., Nr. 24, 22. 6. 1912, S. 317 ff. „Bericht über die Leipziger Festversammlung", von Richthofen: Die Mehrausgaben mußten „unbedingt aus direkten Steuern" gedeckt werden. „Die indirekte Steuerschraube ist vielleicht schon zu stark angezogen worden", denn die indirekten Steuern trügen „den Stempel der Ungerechtigkeit gewiß mehr an sich als die direkten Steuern", ebd., S. 319.

145 Die Wehrvorlage setzte sich aus drei Gesetzentwürfen zusammen, und zwar aus dem Entwurf zur Abänderung des Reichsmilitärgesetzes, dem Entwurf zur Ergänzung des Gesetzes über die Friedenspräsenzstärke des deutschen Heeres vom 27. 3. 1911 und aus dem Entwurf zur Novelle zu den Gesetzen betr. die deutsche Flotte vom 14. 6. 1900 und 5. 6. 1906, ebd., Nr. 15, 19. 4. 1912, S. 197.

146 Ebd., S. 198.

147 Bemängelt wurde, daß den jährlichen Mehrausgaben von ca. 130 Mill. lediglich 36 Mill. ständiger Mehreinnahmen gegenüberständen; „Die von der Regierung gemachten Vorschläge zur Deckung bieten keine Gewähr dafür, daß dem ersten Grundsatz einer gesunden Finanzpolitik ‚keine Ausgaben ohne volle Deckung' Genüge geschieht", ebd., Nr. 16, 27. 4. 1912, S. 216 f. „Der Ortsverband Groß-Berlin zur Deckungsfrage", hier S. 217.

148 Ebd., Nr. 15, 19. 4. 1912, S. 198; vgl. ebd., S. 200 ff. „Kritisches zur Brannt-

weinsteuer-Vorlage“; ferner ebd., S. 202 ff. „Interessenten-Stimmen zur Aufhebung der Liebesgabe“; ebd., S. 199 f. „Der Wortlaut der Branntweinsteuervorlage“.

[149] Vgl. Witt, S. 354; zu ihrer Berechtigung, ebd., Anm. 268.

[150] H-B, Jg. 2, Nr. 19, 18. 5. 1912, S. 253 „Kundgebung der Hansabund-Kommission zur Branntweinsteuervorlage“. Die drei genannten Verbände waren im Vorstand des konservativen RDMV vertreten.

[151] Ebd., Nr. 16, 27. 4. 1912, S. 214 „Hansa-Bund und Deckung der Wehrvorlagen“.

[152] Ebd., Nr. 19, 18. 5. 1912, S. 254.

[153] Ebd.

[154] Ebd.; Zur Haltung der einzelnen Industriezweige zur Gesetzesvorlage vgl. ebd., S. 214 ff., 226, 244 ff., ferner Nr. 20, 25. 5. 1912, S. 267 ff. „Weitere Beschlüsse der Hansa-Kommission zum Branntweinsteuergesetz“.

[155] Ebd., S. 269, 266.

[156] Ebd.; vgl. Witt, S. 355.

[157] Ebd.

[158] Zit. nach Witt, S. 359.

[159] Vgl. H-B, Jg. 3, Nr. 3, 18. 1. 1913, S. 26, Nr. 10, 8. 3. 1913, S. 113 ff. „Westfälischer Hansa-Tag in Dortmund“, hier S. 119, wo sich Riesser bereits am 2. 3. 1913 gegen „eine angeblich geplante Vermögenszuwachssteuer“ aussprach. Eine derartige Steuer sei „keine allgemeine Besitzsteuer“, sie würde „vielmehr lediglich wieder das mobile Kapital einseitig belasten“, ebd., S. 121 f. Der Artikel „Hansa-Bund und einmalige Vermögenssteuer“ zeigt, daß der HB zu diesem Zeitpunkt (Mitte März) noch keine Klarheit über den Inhalt des in Aussicht genommenen Gesetzentwurfs hatte; vgl. auch ebd., Nr. 12, 22. 3. 1913, S. 145 „Zur Deckung der Wehrvorlage“.

[160] Ebd., Nr. 3, 18. 1. 1913, S. 26 „Der Hansa-Bund und die neuen Reichssteuern“. Für den VSI vgl. ebd., Nr. 9, 1. 3. 1913, S. 98 f. „Tagung des Verbandes Sächsischer Industrieller“.

[161] Vgl. die zahlreichen Stellungnahmen der Presse, ebd., Nr. 13, 29. 3. 1913, S. 157 ff. „Die neuen Deckungsvorlagen“. Von einer „überwiegend positive(n) Reaktion“ der Öffentlichkeit (Witt, S. 366), kann kaum gesprochen werden.

[162] Vgl. H-B, Jg. 4, Nr. 1, April 1913 (seit diesem Datum wurde die H-B-Zs. monatlich herausgegeben), S. 2 „Der Reichskanzler über die Wehrvorlagen und die Auswärtige Politik“.

[163] Vgl. Witt, S. 366 ff.

[164] Der HB kritisierte u. a. die Doppelbesteuerung der AG’s und Kommanditgesellschaften auf Aktien und forderte „zugunsten des Mittelstandes ... das wehrbeitragsfreie Vermögensminimum von 10 000 M. heraufzusetzen“ und das Vermögen der „Toten Hand“ heranzuziehen, ebd., S. 2 f. „Die Deckung der Kosten der neuen Wehrvorlagen“, ferner ebd., Nr. 2, Mai 1913, S. 17 f. „Die Stellungnahme des Hansa-Bundes zu den neuen Wehr- und Deckungsvorlagen“. Dort wurde auch gefordert, entsprechend der Bewertung des land- und forstwirtschaftlichen Grundbesitzes nach dem Ertragswert eine Vermögensveranlagung des Gewerbestandes nach der Bilanzierung und nicht nach dem Verkaufswert vorzunehmen. Gefordert wurde ferner, „die Summe von *einer Milliarde Mark* als *Maximalgrenze* des einmaligen Wehrbeitrages“ festzusetzen, ebd.

[165] Witt, S. 365.

[166] H-B, Jg. 4, Nr. 2, Mai 1913, S. 17 f.; vgl. ferner ebd., Nr. 1, April 1913, S. 11 f. „Die Stellungnahme des nordbayerischen Landesverbandes des Hansa-Bundes zu den Steuervorschlägen“.

[167] Ebd., S. 3, 12.

[168] Ebd., Nr. 2, Mai 1913, S. 18.

[169] Ebd., S. 27, Nr. 3, Juni 1913, S. 42 f., jeweils Rubrik „Aus den Landesverbänden und Ortsgruppen".

[170] Ebd., S. 28 (MdL Häberlein).

[171] Ebd., S. 25 ff., Nr. 3, Juni 1913, S. 41 ff. Dabei wurde insbesondere auch auf die Probleme des Mittelstandes bei den Deckungsvorlagen eingegangen.

[172] Ebd., Nr. 4, Juli 1913, S. 52 f. „Hansa-Bund und die neuen Steuern", Beschluß des HB-Ges.-A.

[173] Ebd., Nr. 5, August 1913, S. 57 f. „Der Hansa-Bund und die neuen Steuergesetzentwürfe".

[174] Ebd., S. 57.

[175] Ebd.

[176] Bayer Archiv, Personalia Riesser, ders. an Duisberg, 17. 6. 1913.

[177] Ebd., ferner Duisberg an Riesser, 21. 6. 1913.

[178] Riesser nennt als Grund für das Scheitern die Angriffe des CVDI auf ihn in der Wahlrechtsfrage; ebd., ders. an Duisberg, 23. 6. 1913.

[179] Vgl. BA, Nl. Stresemann, 3053, Stresemann an Lehmann, 9. 7. 1913. Wenn Stresemann in diesem Brief jedoch betont, daß er „bei diesen Steuerkämpfen die Erklärungen des Hansa-Bundes im wesentlichen verfaßt (habe), ebenso wie diejenigen des Bundes der Industriellen" und dadurch „in der Lage gewesen (sei), wenigstens einige Verbesserungen durchzusetzen", dann ist darauf hinzuweisen, daß diese Erklärungen des HB frühere Stellungnahmen und Programmpunkte präzisierten. Der Einfluß Stresemanns soll nicht unterschätzt werden; Stresemann selbst tendierte jedoch häufig dazu, ihn zu überschätzen.

[180] H-B, Jg. 4, Nr. 5, Aug. 1913, S. 58.

[181] Ebd., Nr. 8, Nov. 1913, S. 107 ff. „Aus den Landesverbänden und Ortsgruppen", hier S. 108.

[182] Ebd., Nr. 5, Aug. 1913, S. 66.

[183] Ebd., Nr. 8, Nov. 1913, S. 103 „Bürger heraus!"

[184] Ebd.; vgl. ferner die Kritik Kleefelds, ebd., Nr. 9, Dez. 1913, S. 117 „Verstärkung des Einflusses von Industrie, Handel und Gewerbe im Reichstag".

[185] BA, Nl. Stresemann, 3054, H. 126 131, Bassermann an Stresemann: Riesser sei „schmerzlich bewegt", weil „die Deckung nicht nach seinen Wünschen ging".

[186] Ebd., H. 126 142 ff., Bassermann an Riesser, 18. 7. 1913. Kleefeld, der die Vermögenszuwachssteuer als „Gipfel der Verwirrung in wirtschaftlichen Anschauungen" charakterisierte, stellte fest, daß „diese Tatsachen ... sich auch nicht mit dem geheimnisvollen Begriff der sogenannten *politischen Taktik* rechtfertigen" ließen, H-B, Jg. 4, Nr. 9, Dez. 1913, S. 117.

[187] BA, Nl. Stresemann, 3053, H. 124 485, Stresemann an Lehmann (Vors. des VSI, Vorst.mitgl. des BdI), 9. 7. 1913.

[188] H-B, Jg. 5, Nr. 4, Juli 1914, S. 63, Riesser auf der Tagung des H-B-Ges.-A. in Köln anläßlich des 5jährigen Bestehens des HB.

[189] Bayer Archiv, Personalia Riesser, ders. an Duisberg, 23. 6. 1913.

[190] Vgl. H-B, Jg. 2, Nr. 44, 9. 11. 1912, S. 562 „Futtermittel-Tarife und Hansa-Bund"; ebd., Nr. 4, 25. 1. 1913, S. 49 f. „Agrarische Machenschaften gegen die Futtermittel-Industrie"; ebd., Nr. 7, 15. 2. 1913, S. 73 „Hansa-Bund und Handelsverträge"

[191] Vgl. Kap. III, 4, und Kap. V.

[192] H-B, Jg. 1, Nr. 12, 25. 3. 1911, S. 97 ff. „Grundzüge eines Gesetzentwurfs über das Verdingungswesen für das Deutsche Reich", ebd., Jg. 2, Nr. 8, 2. 3. 1912, S. 105 f. „Mittelstandspolitik und Hansa-Bund vor den Parlamenten"; ebd., Nr. 9, 9. 3. 1912, S. 124 ff. „Die Parlamentsdebatten über den Submissions-Gesetzentwurf des Hansa-

Bundes"; Nr. 10, 16. 3. 1912, S. 138 ff. „Hansa-Bund-Freunde in den Parlamenten"; ebd., Jg. 1, Nr. 48, 2. 12. 1911, S. 416 f. „Agitation im Handwerk"; ebd., Jg. 4, Nr. 1, April 1913, S. 9 „Ein Reichssubmissionsgesetz": RT-Kommission für Submissionswesen schlägt die Schaffung eines Reichsgesetzes über das Verdingungswesen vor. „Infolge dieses Beschlusses wurde der Weiterberatung ein von der nationalliberalen und fortschrittlichen Partei eingebrachter Gesetzentwurf zugrunde gelegt. Es ist dies der von der Submissionszentrale des Hansa-Bundes ausgearbeitete Gesetzentwurf". Die zuständige Kommission des Preußischen Abgeordnetenhauses lehnte dagegen den Gesetzentwurf des HB ab; vgl. ebd., Jg. 3, Nr. 11, 15. 3. 1913, S. 134. Die Zeitschrift des HB enthält weit mehr als 50 Hinweise zu diesem Thema.

[193] Vgl. hierzu Kap. V.

[194] Die Proteste der HB-Zentrale z. B. gegen die Telephon-Verteuerung wurden von 600 Zweigorganisationen und zahlreichen Verbänden unterstützt; vgl. H-B, Jg. 1, Nr. 7, 18. 2. 1911, S. 53 f. „Telephongebühren-Verteuerung".

[195] H-B, Jg. 4, Nr. 9, Dez. 1913, S. 117 f. „Verstärkung des Einflusses von Industrie, Handel und Gewerbe im Reichstag"; vgl. ferner ebd., Jg. 4, Rubrik „Aus den Landesverbänden und Ortsgruppen".

[196] Ebd., Nr. 12, März 1914, S. 161 „Erfolge und Entwicklung des Hansa-Bundes im Jahre 1913"; ebd., Nr. 11, Febr. 1914, S. 155 (Kleefeld in Nürnberg); vgl. ferner Stegmann, S. 425 f.

[197] H-B, Jg. 4, Nr. 8, Dez. 1913, S. 103 f. „Bürger heraus!", hier S. 104 (Riesser).

[198] Ebd., Nr. 9, Dez. 1913, S. 118 (Kleefeld).

[199] Ebd.; vgl. ferner ebd., Nr. 10, Jan. 1914, S. 141 (Resolution Ortsgruppe Kiel).

[200] Ebd., Jg. 5, Nr. 3, S. 48 f. „Aus der Arbeit des Zentralausschusses für die Gesamtinteressen des deutschen Einzelhandels".

[201] HK Lübeck, Akte HB; Zusammenfassung von dem Hansa-Bunde zugegangenen an den Reichstag gerichteten Eingaben aus Industrie, Handel und Gewerbe nach dem Stande vom 1. 5. 1914, Berlin 1914.

[202] H-B, Jg. 4, Nr. 9, Dez. 1913, S. 118.

[203] H-B, Jg. 4, Nr. 11, Febr. 1914, S. 155 (Kleefeld in einer Rede vom 18. 1. 1914 in Nürnberg).

[204] Scheideler, S. 16.

[205] H-B, Jg. 1, Nr. 1, 7. 1. 1911, S. 3 f. „Der Kampf um den Hansa-Bund" hier S. 4; vgl. ferner Bürger heraus!, S. 56.

[206] Wehler, Kaiserreich, S. 72.

[207] Vgl. zur Zusammensetzung von Regierung und Verwaltung Kap. I, 3 und die dort angegebene Literatur; ferner Stegmann, S. 206, 216, 265.

[208] Vgl. z. B. Zmarzlik, S. 60; RT, Bd. 208, 9. 12. 1909, S. 167 f.

[209] Vgl. insbesondere Kap. V, 4 cb, IV, 2.

[210] Vgl. Stegmann, S. 243.

[211] Ebd., S. 244 f.

[212] Zit. nach FZ, Nr. 286, 16. 10. 1910 „Der Wahlaufruf des Hansa-Bundes"; ebd., Nr. 293, 23. 10. 1910 „Ein öffiziöser Ruf zur Mäßigung".

[213] Ebd.

[214] Ebd., Nr. 295, 25. 10. 1910 „Der Hansa-Bund gegen die Norddeutsche Allgemeine Zeitung" (Knobloch, Gf. des HB).

[215] Wiesbadener Tageblatt, Nr. 490, 20. 10. 1910 „Politische Übersicht"; vgl. ferner Mitt. H-B, Jg. 2, Nr. 52, 24. 11. 1910 „Die Tagung des Nassauischen Landesverbandes des Hansa-Bundes".

[216] Ebd.

[217] Bürger heraus!, S. 213 (Riesser in Hamburg, 31. 1. 1912).

[218] Hannoverscher Courier, 29596, 24. 11. 1911 „Die Hansa-Bund-Versammlung in Hannover".

[219] D. H. seit dem Austritt der rh.-westf. Schwerindustrie aus dem HB.

[220] Stegmann, S. 244.

[221] HB und Reichsvereinigung traten z. B. beide für eine Fortführung der Sozialpolitik ein und lehnten beide eine Ausnahmegesetzgebung und Staatsstreichpläne ab.

[222] Vgl. DZA Potsdam, RK, Nr. 1422/4, Akten betr. HB; ebd., RAM, Akte betr. HB, Nr. 6496.

[223] Ebd., Nr. 1422/4, Bl. 40, Wahnschaffe an Bethmann.

[224] Ebd., Bl. 79 und Bl. 38.

[225] So wurde z. B. ein Treffen zwischen Riesser und dem Kaiser, das Ballin zu arrangieren beabsichtigte, verhindert, ebd., Bl. 65, Telegramm der RK an den Gesandten von Treutler, 22. 6. 1911: „Nach der Stellung, die Riesser auf den letzten Hansatagen eingenommen hat ... würde ich Empfang Riessers durch S. M. für höchst unerwünscht halten"; Bl. 65 ff., Telegramm von Treutler an RK: „Übrigens haben S. M. sich so ungnädig über Riesser geäußert, daß selbst ein etwaiger Versuch Ballin's in dieser Hinsicht keinen Erfolg haben dürfte."

[226] Ebd., Nr. 214, Akten betr. Finanz-Steuer und Zollpolitik, Bl. 152 f., Graf Mirbach an Wahnschaffe, März 1911, der darauf hinwies, daß er bereits im Okt. 1909 ein Vorgehen gegen die Aktivitäten des HB gefordert habe. Kurz nach der Gründung des HB hatte Wahnschaffe allerdings noch festgestellt, „wenn das von Herrn Riesser entworfene Meinungsbild sich auch nicht von starken Übertreibungen freihält, so habe ich doch Verständnis für seine Anschauungen", Wahnschaffe an Ballin, 7. 7. 1909, ebd., Bd. 213, Bl. 327; vgl. ferner VMB, H. 116, Okt. 1909 (Rötger).

[227] H-B, Jg. 4, Nr. 8, Nov. 1913, S. 104 (Riesser).

[228] Ebd., Nr. 6, Sept. 1913, S. 69 f. „Der Ausbau des wirtschaftlichen Ausschusses".

[229] Ebd.

[230] Ebd. Der ZA für die Gesamtinteressen des deutschen Handwerks richtete zugunsten einer Berücksichtigung der Handwerker eine Eingabe an den Staatssekretär des RdI, ebd., Jg. 4, Nr. 11, Febr. 1914, S. 147.

[231] Ebd., Nr. 6, Sept. 1913, S. 69 f.; ebd., Jg. 4, Nr. 11, Febr. 1914, S. 155 (Kleefeld in Nürnberg); zum Wirtschaftlichen Ausschuß allgemein vgl. ferner Stegmann, S. 70 ff., 136, 418 f., 423 f.

[232] H-B, Jg. 4, Nr. 9, Dez. 1913, S. 117.

[233] Ebd., S. 118.

V.

[1] Vgl. Nipperdey, Organisation, S. 158, 236.

[2] Einen ausführlichen Fragekatalog zur Kandidatenaufstellung enthält die Arbeit von B. Zeuner, Kandidatenaufstellung zur Bundestagswahl 1965. Untersuchungen zur innerparteilichen Willensbildung und zur politischen Führungsauslese, Den Haag 1970, S. 6 ff.

[3] Der Einfluß des BdI wird bei der Kandidatenaufstellung nicht gesondert berücksichtigt, da er in der Frage der Reichstagswahlen der Linie des HB folgte und diesem ganz bewußt die Führung überließ. Eine Aufstellung aller Reichstagskandidaten enthält die „Statistik des Deutschen Reiches, Bd. 250, S. 2, Die Reichstagswahlen von 1912, Berlin 1913, S. 71 ff.

[4] Vgl. P. H. Baran, P. M. Sweezy, Monopolkapital, Ffm. 1967; M. Mintz, J. S. Cohen, Amerika GmbH., München 1972, S. 221 ff.; vgl. dagegen v. Beyme, S. 57.

[5] Vor dem gleichen Problem stehen selbst neuere Untersuchungen, die die Kandidatenaufstellung zu Bundestagswahlen untersuchen, vgl. Zeuner, S. 87.

[6] Vgl. Anlage 6. Das galt auch für den BdL. „Was den Inhalt der Wahlprogramme anging, auf die sich die Kandidaten zu verpflichten hatten, so unterschied er sich kaum von dem der allgemeinen wirtschaftspolitischen Programme des BdL" ... „In der Regel war das Wahlprogramm seinem Inhalt nach mit dem jeweils gültigen interessenpolitischen Grundsatzprogramm des Bundes identisch .. und nur mit einigen aktuellen Einzelheiten angereichert", Puhle, Interessenpolitik, S. 178.

[7] Anlage 6 und Gründungsaufruf vom 12. 6. 1909.

[8] H-B, Jg. 1, Nr. 49, S. 423 „Für den Hansapfennig des deutschen Kaufmanns".

[9] Stenogr. Ber. der Gründungsversammlung vom 12. 6. 1909, S. 59. Auch im Satzungsentwurf von Riesser fehlte nicht der Hinweis auf die Aufgaben des Bundes bei der „Vorbereitung öffentlicher Wahlen". Auf Antrag Rötgers wurde dieser Passus gestrichen. Im Prot. der Kommissionssitzung des konstituierenden Präsidiums des HB vom 24. 6. 1909 (Archiv Rötger) heißt es dazu: „Hierbei wurde einstimmig der rein redaktionelle Charakter dieser Streichung betont: es bestand Einigkeit darüber, daß es eine der wichtigsten Aufgaben des Hansa-Bundes sein werde, bei öffentlichen Wahlen des Reiches oder der Einzelstaaten für die Wahl von gewerbe-, handels- oder industriefreundlichen Kandidaten tätig zu sein."

[10] Stresemann führte z. B. bei der Gründung der Ortsgruppe Dresden aus: „Das erste was wir erstreben müssen, ist die Beseitigung der parlamentarischen Einflußlosigkeit derjenigen Kreise, die zum Hansa-Bund gehören, und es ist vor allem auch die Beseitigung der Gleichgültigkeit, der Indifferenz gegenüber der politischen Betätigung, die sich in keinem Stande so ausprägt, wie gerade in Handel, Gewerbe und Industrie". Stenogr. Ber. über die Gründungsversammlung einer Ortsgruppe Dresden des Hansa-Bundes am 1. 9. 1909, Dresden 1909.

[11] Eine Ausnahme bildet Tille, vgl. Südwestdeutsche Flugschriften, H. 10, Gründungsreden der Ortsgruppe Saarbrücken, S. 11.

[12] Archiv Rötger, Registratur über eine am 28. 8. 1909 zu Berlin über das Programm des HB abgehaltene Besprechung. In dieser Zusammenkunft versuchte die CVDI-Führung unter Ausschaltung der Direktoriumsmitglieder aus den Kreisen der Banken, des Großhandels und der Angestellten die übrigen Vertreter der Industrie und des Handwerks im HB-Direktorium auf ihre Linie „einzuschwören"; VMB, H. 117, S. 113 f.; Post, Nr. 489, 19. 10. 1910 „Ja Bauer, das ist ganz was anderes" (Bueck).

[13] Außer den Präsidiumsmitgliedern des HB gehörten der Wahlkommission an: Fabrikant Max Bahr, Mitgl. des HB-Gesamtausschusses, Mitgl. des Zentralausschusses der FVp, Vors. der Ortsgruppe Landsberg, ferner die damaligen bzw. späteren Direktionsmitglieder H. Eisenträger, Max Fürstenberg, Helfferich, Georg Th. Pschorr (s. Anlage 3) und Dr. v. Oechelhäuser, Gen.-Direktor der Deutschen Continental-Gas-Gesellschaft, Dessau; vgl. Registratur über die Kommissionssitzung des HB, 12. 10. 1909, Archiv Rötger.

[14] Vgl. Molt, S. 193 ff.

[15] Vgl. Anm. 24.

[16] Molt, S. 203.

[17] Die „Mittelstandsvertreter" der SPD nicht mitgerechnet, da diese selbstverständlich nicht für eine eigene Mittelstandspolitik eintraten, vgl. Molt, S. 213, 209.

[18] Ebd., S. 213 ff.

[19] Vgl. G. Stresemann, Wirtschaftspolitische Zeitfragen, Dresden 1910, S. 177; ferner Müffelmann, Verbände, S. 56 f.; Nussbaum, S. 160 ff.; D. Warren, The Red Kingdom of Saxony, The Hague 1964, S. 53.

[20] Vgl. z. B. HK Ffm., Akte 1013, Bl. 76–97; HK Bremen, Akte HB, Bd. I.

[21] HK Duisburg, Akte HB, Prot. der 1. Sitzung der Zweigvereinsvorsitzenden des HB, 11. 12. 1909, zu Berlin, Anlage II, Instruktion Nr. 15.

[22] GBAG-Archiv, Akte HB; Prot. der 2. Sitzung der Zweigvereinsvorsitzenden des HB, 14. 6. 1910, Berlin, S. 1 f.

[23] Prot. der 1. Sitzung der Zweigvereinsvorsitzenden, Instruktion Nr. 4.

[24] Bayer-Archiv, Personalia Riesser, Duisberg an Riesser, 31. 12. 1911: „Sie dürfen immer, wenn Sie mich benötigten auf mich zählen und können meiner vollen Unterstützung sicher sein. Aber Sie dürfen nicht verlangen, daß ich mich ins politische Getriebe hineinstürze, daß ich Pflichten übernehme, die mich von meiner Bahn ablenken, welche vorerst noch auf die Förderung und erfolgreiche Weiterführung eines großen industriellen Unternehmens gerichtet ist." Es ist zu vermuten, daß Riesser, der Duisberg gebeten hatte, die von der Schwerindustrie betriebene Kandidatur Dr. Hirschs, des Syndikus der Essener HK, zu verhindern (ebd. Riesser an Duisberg, 19. 8. 1911), später versucht hat, Duisberg zu einer Kandidatur zum Reichstag zu bewegen.

Betr. Rathenau vgl. W. Rathenau, Tagebuch 1907–1922, hg. v. H. Pogge–v. Strandmann, Düsseldorf 1967, bes. S. 136 und 139, ferner S. 127, 129, 135, 145. Woran die Kandidatur Rathenaus scheiterte, geht aus den Tagebuch-Aufzeichnungen und aus der Biographie von P. Berglar, Walter Rathenau, Bremen 1970, nicht einwandfrei hervor. Graf. H. Kessler, Walter Rathenau. Sein Leben und sein Werk, Berlin 1928, S. 152, meint dazu: „Den Ausschlag scheinen die Meldungen aus dem Wahlkreis selbst gegeben zu haben: der Name Rathenau ‚wirke wie ein rotes Tuch', weil er Jude sei und wegen seiner bekannten Ansichten." Der Rathenau angebotene Wahlkreis Ff./O. IV wurde 1912 von Dr. Bollert, NLP, dessen Kandidatur von beiden liberalen Parteien getragen wurde, gewonnen. Vgl. ferner VMB, H. 116, S. 50 f. (W. Müller).

[25] Vgl. Riesser, Bürger heraus!, S. 150; Flugblatt Nr. 29 „Der Tag bricht an". Rede des Präsidenten des HB, Riesser, in Hannover am 23. 11. 1911.

[26] Vgl. Anlage 16 (Reichstagskandidaten mit HB-Unterstützung).

[27] Für den CVDI vgl. Kaelble, Interessenpolitik, S. 215–222 (Bericht der Geschäftsführung der Wahlfondskommission des CVDI über die Reichstagswahlen von 1912) und 224; für den BdL vgl. Puhle, Interessenpolitik, S. 169, Stegmann, S. 257 ff., betr. Reichsdeutschen Mittelstandsverband, S. 262; vgl. ferner Anlage 16.

[28] MdR: Kaempf, Gyßling (beide Mitgl. Gf. A., FVp), Manz, (FVp), Stresemann (ZV, NLP); MdA: Crüger (FVp), Gruson (NLP), Rahardt (Freikons.); MdL: Häberlein, Hübsch, Münch (alle FVp, Bayern), Kickelhayn (NLP, K. Sachsen), Kölsch (NLP, ZV), Bartschat (FVp, Stadtverordneter), Grund (NLP, Vors. d. schlesischen Provinzialorganisation). Anlagen 15, 16.

[29] Betr. Crüger, Kaempf, Marquart, Rahardt, Stresemann vgl. Anlagen 1 und 3; Roland-Lücke wurde 1911 zum Schatzmeister des BdI und damit gleichzeitig in dessen Präsidium gewählt, vgl. H-B, Jg. 1, Nr. 41, 14. 10. 1911, S. 358 „Kleine Mitteilungen", Manz war Vors. des Verbandes der deutschen Schuh- und Schäftefabrikanten, Bamberg.

[30] Vgl. z. B. DZA Potsdam, FVp 32, Bl. 117: „Toepffer bezahlt alles alleine"; „Fischbeck empfiehlt gleichzeitig die Kandidatur Toepffers unter besonderem Hinweis auf die Geldfrage".

[31] Ebd.

[32] Albert Sturm wurde erst auf dem Parteitag von 1912 zum stellvertretenden Mitglied des ZA der FVp gewählt, vgl. Der 2. Parteitag der FVp zu Mannheim, 5.–7. 12. 1912, Berlin 1912, S. 144.

[33] Stoeve, Generaldirektor, Mitgl. des HB-Gesamtausschusses, kandidierte gegen den Widerstand der FVp-Wahlkreisorganisation, aber mit Billigung des Gf. A. der FVp als gemeinsamer Kandidat der NLP und der FVp.

[34] H-B, Jg. 1, Nr. 46, 18. 11. 1911, S. 401 „Aus den Ortsgruppen".

[35] Für die Zunahme der Kandidaten der FVp und der NLP aus diesen Kreisen vgl. Bertram, S. 158.

[36] 1911 erbrachte der Syndikus der Mannheimer HK und Mitarbeiter des Nationalen Vereins für das liberale Deutschland, A. Blaustein, den statistischen Nachweis, daß die Uneinigkeit der liberalen Parteien bei den Reichstagswahlen von 1867–1910 diese mindestens 154 Mandate gekostet habe, vgl. Blaustein, Von der Uneinigkeit der Liberalen bei den Reichstagswahlen 1867–1910, München 1911, S. 19 „In nicht weniger als 332 von 397 Wahlkreisen war der Liberalismus wenigstens einmal uneinig, und zwar bei nicht weniger als 1522 Wahlen, durchschnittlich also 4–5mal pro Wahlkreis", ebd., S. 16.

[37] Anwesend für die FVp: die Generalsekretäre Ißberner und Weinhausen; für die NLP: Fuhrmann; für den HB: Geschäftsführer Kleefeld, vgl. DZA Potsdam, FVp 30, Bl. 13, Verhandlungen mit der NLP 1910. Die Behauptung Bertrams, daß „die ersten Schritte zu einer wahltaktischen Übereinkunft gerade auf der Ebene (lagen), die von Natur aus zugleich die meisten Reibungen hervorrufen mußte, nämlich auf derjenigen der Wahlkreis- und Provinzialorganisationen" (ders., S. 72), trifft also nicht zu.

[38] DZA Potsdam, FVp 36, Bl. 18, Sitzung des Gf. A. am 10. 9. 1910; vgl. ebd., Bl. 61, Sitzung des Gf. A. am 28. 2. 1911 (Fischbeck).

[39] Ebd., FVp 32, Bl. 107 ff. Prot. der gemeinsamen Sitzung der Vertreter der geschäftsführenden Ausschüsse und der Pommerschen Provinzialorganisationen der beiden liberalen Parteien unter Anwesenheit der Delegierten des HB am 3. 4. 1911 im Berliner HB-Büro; FVp 36, Bl. 33, Sitzung des Gf. A. der FVp am 6. 12. 1910.

[40] Ebd., FVp 31, Schreiben der HB-Zentrale an den Gf. A. der FVp vom 28. 4. 1911.

[41] Ebd., Bl. 2 ff.

[42] Ebd., Bl. 31 ff., Prot. über die gemeinsame Sitzung der Nationalliberalen und der FVp in Bayern am 9. 10. 1910.

[43] Ebd., Bl. 24. Erfolglos blieben diese Bemühungen nur für die Rheinprovinz und das Großherzogtum Hessen. Zum taktischen Zusammengehen von NLP und FVp vgl. Bertram, S. 69 ff.

[44] DZA Potsdam, FVp 36, Prot. über die Sitzung des Gf. am 28. 2. 1911.

[45] Die HB-Zentrale forderte z. B. den Gf. A. der FVp auf, „dahin wirken zu wollen, daß auch im Kreise Osnabrück auf die Einhaltung des Abkommens (für Hannover) hingearbeitet" werde, ebd., FVp 31, Bl. 127 ff.; vgl. FVp Nr. 32, Bl. 115 ff., Gemeinsame Konferenz des Gf. A. mit Vertretern der Wahlkreisorganisationen am 18. 3. 1911 über Vereinbarungen mit der NLP.

[46] Ebd., FVp 31, Bl. 2 f., Schreiben der FVp an das Zentralbüro der NLP, 16. 12. 1911 „Wir gestatten uns ... Ihnen den Vorschlag weiter zu geben, der auch seitens des Hansa-Bundes in Anregung gebracht ist, dahin, daß Ihre Partei in Gummersbach-Mülheim zu Gunsten der FVp verzichtet ... Sowohl seitens des Hansa-Bundes wie unserer Parteifreunde besteht die Ansicht, daß in Gummersbach-Mülheim die Chancen des Kandidaten der FVp erheblich gestiegen sind."

[47] Vgl. Nipperdey, Organisation, S. 235 f. (betr. FVp).

[48] F. Naumann, Freiheitskämpfe, Berlin 1911, S. 267, ders., Fortschrittliches Taschenbuch, S. 86 ff. „Im allgemeinen wir bei uns viel zu wenig geopfert ... ehe das nicht anders wird, kommen wir nicht in die Höhe", zit. nach Nipperdey, Organisation, S. 236.

[49] Das gilt nicht nur für die Parteizentrale der FVp (ebd., S. 236), sondern ebenso für die zahlreichen Untergliederungen, vgl. DZA Potsdam, FVp 18, Generalakten Oberschlesien, Bl. 33.

[50] Für die NLP vgl. Nipperdey, Organisation, S. 153: „Man hatte über 10 000 Adressen, an die entsprechende Rundschreiben der Parteiführer verschickt wurden, 1911/12 kamen dabei Spenden auch aus breiteren Kreisen, nicht nur der Bildungsschicht, sondern ebenso des Mittelstandes".

[51] Ebd., S. 153; vgl. ferner DZA Potsdam, FVp 36, Prot. der Sitzungen des Gf. A. vom 10. 9. 1910 und 7. 2. 1911, Bl. 19, 48 ff.

[52] Dabei ist bereits berücksichtigt, daß der größere Teil der von den Verbänden zur Verfügung gestellten Gelder an die Wahlkreisorganisationen bzw. direkt an die Kandidaten ging.

[53] DZA Potsdam, FVp 36, Prot. der Sitzung des Gf. A. vom 10. 9. 1910 und 7. 2. 1911, Bl. 51. Im Gf. A. der FVp wurde „über das Verhalten des Hansa-Bundes" diskutiert, „der von den Parteigenossen das Geld sammelt und es uns jetzt vorenthält in dem Augenblick, da die Wahlbewegung ins Leben treten soll"; vgl. auch Bl. 33 (Müller-Meiningen). Die steigenden Wahlkampfkosten und das Faktum, daß die konservativen Parteien, das Zentrum und die SPD von Ihren Mitgliedern bzw. von Verbänden, die ihnen nahestanden, umfangreiche Mittel zur Wahlkampffinanzierung erhielten, mußte – wollten die liberalen Parteien konkurrenzfähig bleiben – ihre finanzielle Abhängigkeit verschärfen. Die Wahlkampfkosten hatten sich seit 1880 für alle Parteien um das zehn- bis fünfzehnfache gesteigert, vgl. Bertram, S. 192. Bei den schlechten „finanziellen Verhältnissen aller Parteien mit Ausnahme der Sozialdemokratie kam der Unterstützung durch die großen Verbände erhöhte Bedeutung zu", ebd., S. 193.

[54] Bereits wenige Wochen nach der Gründung des HB betonte die Geschäftsführung des CVDI in einer Mitteilung an die Presse die „Verschiedenheit der Interessen". Diese werden es, „abgesehen von einzelnen besonderen und daher besonders zu behandelnden Fällen, dem Hansa-Bund unmöglich machen, im allgemeinen einen Einfluß auf die Wahlen, etwa durch die Ansammlung und Verwendung eines Wahlfonds auszunutzen. Denn der Hansa-Bund würde nur die Wahl haben, *entweder* die Vertreter aller in ihm vereinigten, also auch der entgegengesetzten Interessen, bei deren Wahl zu unterstützen, wobei er leicht in die Lage kommen könnte, Gelder direkt gegen die Interessen derer, die sie hergegeben haben, zu verwenden, *oder* sich einzelnen besonderen Gruppen und deren Interessen fördernd zuzuwenden, was selbstverständlich die Abwendung der anderen vom Bunde zur Folge haben müßte. Daher wird der Hansa-Bund wohl gut tun, die Einwirkung auf die Wahlen im großen und ganzen den in ihm vereinigten großen Interessengruppen zu überlassen", Archiv Rötger, Registratur vom 28. 8. 1909, 9 ff., GBAG-Archiv. Der CVDI konnte 1909 lediglich erreichen, daß ein „Fonds für Wahlzwecke ... vorläufig (!) nicht in Aussicht genommen werde" (GBAG-Archiv, Akte HB, Rötger an Kirdorf, 17. 7. 1909), ein Zugeständnis, das Riesser ohne weiteres machen konnte, da die Geldmittel des HB ausreichten, um bei den Ersatzwahlen zum Reichstag finanziell eingreifen zu können.

[55] Mitt. H-B, Jg. 2, Nr. 48, 12. 10. 1910; HK Ffm., Akte 1011, Bl. 290; H-B, Jg. 1, Nr. 4, 28. 1. 1911, S. 29 f.; Nr. 11, 18. 3. 1911, S. 89; Nr. 49, 9. 12. 1912, S. 423; Nr, 50/51, 20. 12. 1912, S. 431.

[56] Mitt. H-B, Jg. 2, Nr. 48, 12. 10. 1910 „An die Angehörigen des Deutschen Gewerbestandes".

[57] HK Ffm., Akte 1011, Bl. 290 „An die deutschen Kaufleute und Industriellen". Zum Vergleich: Die Wahlfondskommission des CVDI hatte 1909 für je 1000 Mark Arbeitslohn 50 Pfg. an den Wahlfonds abzuführen.

[58] Beschluß der Hauptversammlung des Landesverbandes Baden vom 29. 1. 1911, H-B, Jg. 1, Nr. 6, 11. 2. 1911, S. 47 „Der Hansa-Bund in Baden".

[59] HK Ffm., Akte 1011, Bl. 477; H-B, Jg. 1, Nr. 10, 11. 3. 1911, S. 79 „Aus den Ortsgruppen".

[60] Zahlen werden in den Berichten der Zweigvereine sehr selten genannt. Zumeist wird von den „außerordentlich reichen Mitteln" gesprochen (H-B, Jg. 3, Nr. 5, 1. 2. 1913, S. 58), die den Orts- bzw. Bezirksgruppen zuflossen, oder darauf hingewiesen, daß der Aufruf für den Zentralwahlfonds von „gutem Erfolg" begleitet gewesen sei; H-B, Jg. 1, Nr. 4, 28. 1. 1911, S. 30; vgl. ferner ebd., Nr. 10, 11. 3. 1911, S. 79; Nr. 47, 25. 11. 1911, S. 411.

[61] DZA Potsdam, RK 1808, Bl. 62; der Wahlfonds des CVDI soll (April 1911) 2,5 Mill. betragen haben, ebd.; vgl. demgegenüber Bueck, der beklagt, daß der CVDI-Wahlfonds „nicht die von mir erhoffte, weitreichende Unterstützung" gefunden habe, während dem HB „sehr reiche Mittel, wie man annimmt, besonders von den Berliner Großbanken zur Verfügung gestellt worden" seien, DZA, RK 442, Bl. 281, Niederschrift über die am 10. 12. 1912 abgehaltene Sitzung des Vorstandes und über die Generalversammlung des Vereins Deutscher Eisen- und Stahlindustrieller. Erhebliche Summen wurden seitens der Warenhäuser aufgebracht: In einem Rundschreiben des Verbandes Deutscher Waren- und Kaufhäuser an seine Mitglieder hieß es u. a.: „Wir bitten Sie daher, keine Opfer scheuen zu wollen, vielmehr dem Vorstande des Hansa-Bundes Ihrer Ortsgruppe bzw. Ihres Provinzialverbandes namhafte und möglichst große Summen zur Vergügung zu stellen. Zugleich bitten wir Sie, uns die Höhe des von Ihnen geleisteten, nur einmaligen Beitrags bald gefälligst mitzuteilen, damit wir dem Hansa-Bund im Interesse der Verstärkung des Gewichts und Einflusses unseres Verbandes die Gesamtsumme, die unsere Verbandsmitglieder für den Wahlfonds geleistet haben, angeben können", RT, Bd. 262, Sp. 3403. O. v. Kiesenwetter, 25 Jahre wirtschaftspolitischen Kampfes, Berlin 1918, S. 167, spricht unter Bezugnahme auf den Wahlkampf von 1912 von den „unerschöpflichen Geldmitteln" des HB. Der Wahlfonds des CVDI enthielt „über 1 Mill. Mark", Kaelble, Interessenorganisation, S. 29; für den BdL vgl. Puhle, Interessenorganisation, S. 174, Anm. 30.

[62] HK Ffm., Akte 1011, Bl. 478, Prot. über die Sitzung des Vorstandes und des Ausschusses der Ortsgruppe Ffm., 20. 11. 1911.

[63] Wie aus den Mitteilungen der Ortsgruppen hervorgeht, wurde „die umfangreiche Ansammlung von Geldmitteln (als) eine der Hauptaufgaben des Hansa-Bundes" angesehen, damit der Hansa-Bund bei den Wahlen „besonders in finanzieller Beziehung möglichst kräftig dasteht", ebd., Bl. 289, Jahresbericht der Ortsgruppe Ffm. des HB für das 1. Geschäftsjahr.

[64] Vgl. HK Ffm., Akte 1011, Prot. über die Sitzung des Vorstandes der Ortsgruppe Ffm. und des Landesverbandes Nassau, 15. 5. 1912. Gf. Dr. Grote: „Den Statuten gemäß sei die Sammlung eines eigenen Wahlfonds in Ortsgruppen oder in Bezirksverbänden nicht statthaft ... Es sei lediglich auf Grund einer besonderen Vereinbarung mit Berlin möglich gewesen, daß Frankfurt einen eigenen Wahlfonds gebildet habe." Die Ortsgruppe Ffm. mußte im Unterschied zu den Zweigvereinen Hamburg, Bremen, Lübeck 50 % der Wahlfondsgelder an die Zentrale abführen, HK Ffm., Akte 1011, Prot. über die Sitzung des Vorstandes und Ausschusses der Ortsgruppe Ffm., 28. 7. 1911, Bl. 389; HK Bremen, Akte HB, Bd. I, Schreiben der HB-Landesgruppe Bremen an die HK, Dez. 1910; HK Lübeck, Akte HB, Bericht der Landesgruppe Lübeck des HB für die Zeit von Juli 1910–Ende Februar 1912; für Hamburg vgl. Brief Warburgs an Ballin, vom 2. 3. 1911, Archiv E. Warburg.

[65] Ebd.

[66] Die Norddeutsche Bank, Geschäftsinhaber M. Schinckel (vgl. Anlage 1), gab 10 000 Mark, ebenso die Firma Siemers & Co. (Reederei, Import, Bank und Kommission), einer der beiden Inhaber J. A. Siemers war Mitglied der Hamburger Bürger-

schaft (NLP und u. a. MdAR der Commerz- und Diskonto-Bank). 10 000 Mark gaben ferner die Firma Th. Wille (Import/Export; Vermögen der beiden Teilhaber ca. 12 Mill.) und die Bank MM Warburg. Warburg führt in seinem Schreiben an Ballin ferner aus: „Wir haben Neidlinger, Plange und andere besucht, von denen wir Versprechungen erhalten haben, und werden nun wohl jeden Vormittag so ein bei ein weiter wandern. Wir haben es bisher unterlassen, die Schiffahrtsgesellschaften aufzufordern, weil wir, wie so viele andere, Ihre Rückkehr abwarten wollten ... Würden Sie es wieder übernehmen, als Hapag als gutes Beispiel zu wirken und wenn möglich auch die anderen Schiffahrtsgesellschaften gleich mit vorzuspannen. Wir brauchen viel Geld, und ich habe Riesser M. 1 000 000 aus Hamburg versprochen"; ebd. Betr. der Angaben zu den genannten Firmen vgl. Martin, Jahrbuch der Millionäre in den Hansestädten, S. 4, 8, 12, 25, 30.

[67] M. M. Warburg an Ballin, 2. 3. 1911.

[68] Die Frankfurter Ortsgruppe unterstützte nicht nur die Kandidatur R. Oesers (FVp) mit mindestens 20 000 Mark, sondern auch die Kandidaten in Siegen-Wittgenstein, Oldenburg I und mehrere Kandidaten in Kurhessen und Hessen-Nassau HK Ffm., Akte 1011, Bl. 480, Prot. der Vorstands- und Ausschuß-Sitzungen der Ortsgruppe Ffm., 20. 11. 1911; vgl. Bl. 389, 478. Die Landesgruppe Lübeck besaß neben dem Wahlfonds noch einen „Sonderausschuß für außerordentliche Beiträge", Bericht der Landesgruppe von 1910/12.

[69] Archiv Rötger, Registratur über die weitere Beratung zur Vorbereitung der Direktoriumssitzung des HB vom 4. 10. 1909. Gegen die Genehmigung der Wahlunterstützungsgesuche für die Wahlkreise Halle a./S. und Landsberg a./W. wurde dagegen „von keiner Seite etwas eingewendet", ebd. In der Kommissionssitzung vom 12. 10. 1909 wurde beschlossen, „in beiden Fällen zu Händen der Vorsitzenden der dortigen Ortsgruppen des Hansa-Bundes Unterstützung bis zum Betrage von je M. 5000,-" zu gewähren, ebd., Registratur der gen. Sitzung.

[70] Brief Warburgs an Ballin, 2. 3. 1911.

[71] DZA Potsdam, FVp 36, Prot. über die Sitzung des Gf. A. vom 28. 2. 1911, Bl. 61.

[72] DZA Potsdam, FVp 32, Bl. 115 ff., Gemeinsame Konferenz des Gf. A. mit Vertretern der Wahlkreisorganisationen am 18. 3. 1911 über Vereinbarungen mit der NLP.

[73] Vgl. Anm. 72, der gleichen Meinung waren die MdR Pachnicke, Mommsen, Gothein, ebd., Bl. 49, Prot. der Sitzung des Gf. A. vom 7. 2. 1911. Kaempf, Direktionsmitglied des HB, hatte bereits in der Sitzung des Gf. A. vom 10. 9. 1910 bes. unter Berücksichtigung finanzieller Aspekte für ein Zusammengehen mit der NLP plädiert: „In demselben Maße, wie wir uns geneigt zeigen, zu einer Verständigung [mit der NLP], können wir auf die Geldmittel des Bundes [HB] rechnen." Kaempf regte daher an, daß „wir [die FVp] in dem jetzigen Augenblick schon, also vor dem Casseler nationalliberalen Delegiertentag, unsere Bereitwilligkeit erklären, uns nach Möglichkeit mit den Nationalliberalen über ein taktisches Zusammengehen zu verständigen".

[74] Vgl. Nipperdey, Organisation, S. 157, BA, Nl. Stresemann, 3054, H. 126671, Bassermann an Stresemann, 23. 9. 1911; ebd., H. 126663 f., Stresemann an Bassermann, 20. 6. 1911: Die NLP dürfte „nicht in Bezug auf den künftigen Wahlaufmarsch vollständig auf die Unterstützung anderer Corporationen oder auf den guten Willen unserer Lokalorganisationen angewiesen" sein; zum Einfluß des CVDI bei den Wahlen, ebd., 3054, H. 124294 f., Stresemann an K. Weber (Bankdirektor in Löbau/Sa. MdR 1907–11), 30. 3. 1912. Der CVDI sei „systematisch vorgegangen und hat das Geld nicht nur für einzelne Wahlkreise, sondern für ganze Provinzen gegeben". Die Folge sei, „unsere Parteisekretäre, die von der Zentrale der Partei nicht unterstützt werden, werden sich allmählich daran gewöhnen, sich mit ihren Geldbedürfnissen an Herrn

Flathmann zu wenden. Die Folge davon ist, daß man rechtsnationalliberale Abgeordnete bzw. Kandidaten verlangt, der Zentralverband übernimmt die finanzielle Führung und kauft sich dafür die Gesinnung der nationalliberalen Partei". Der HB sei die „einzige Möglichkeit ... dies zu contrecarrieren"; vgl. ferner Kaelble, Interessenpolitik, S. 215 ff.; Puhle, Interessenpolitik, S. 196 f.

[75] DZA Potsdam, FVp 36, Bl. 14, Prot. der Sitzung des Gf. A vom 10. 5. 1910.

[76] Ebd.

[77] Ebd., Bl. 30, Prot. der Sitzung des Gf. A. vom 6. 12. 1910. Die ersten Gelder wurden bereits im Juli 1909, wenige Wochen nach der HB-Gründung, „einem Wahlkreis zur Unterstützung der vereinigten liberalen Partei gegenüber dem Bunde der Landwirte" gewährt. Archiv Rötger, Prot. der Präsidialsitzung des HB vom 22. 7. 1909.

[78] Vgl. DZA Potsdam, Nl. Bassermann, Nr. 9, Riesser an Stresemann, 7. 10. 1910.

[79] Ebd.; in dem Brief Stresemanns an Riesser vom 5. 11. 1910, der etwas unklar ist, heißt es u. a.: „ich gestatte mir Ihnen ... zu erwidern, daß die von Ihnen erwähnten 10 000 Mark, ... mit den 100 000 keine Berührung haben und daß deshalb die Anstellung jener drei Beamten für den Bauern-Bund neben der Neuengagierung der Haus-Agitatoren, die eine ganz andere Bedeutung haben wie jene Bauern-Bund-Sekretäre, herläuft. Diese drei Beamten sind bereits engagiert, soweit ich informiert bin, auch bereits tätig. Die Partei kann sich aber auf Bauern-Bund-Sekretäre nicht verlassen, sondern muß ihre eigene Organisation in die Hand nehmen und auf diese bezog sich, soweit ich die getroffenen Vereinbarungen aufgefaßt habe, unser Abkommen ...". BA, Nl. Stresemann, Stresemann an Bassermann, 16. 9. 1909, 3054, H. 126544 f.: Kleefeld, HB Gf., sei „vollständig von der Idee durchdrungen, daß der Hansa-Bund jetzt nichts besseres tun kann, als den Bauern-Bund zu unterstützen"; ebd. H. 126645, Stresemann an Bassermann, 7. 1. 1911. Der HB habe sich bereit erklärt, das Defizit des DBB zu tragen.

[80] Kaempf, HB-Direktoriumsmitglied, trat bereits 1910 dafür ein, die Richtung im Hansa-Bund – zu der auch Riesser gehörte –, die den BdL „entschieden bekämpfen" wolle, dadurch zu stärken, „daß man alles tue", um „einen modus vivendi mit den Nationalliberalen herbeizuführen", ebd., FVp 36, Bl. 19, Prot. der Sitzung des Gf. A. vom 10. 9. 1910.

[81] BA, Nl. Stresemann, 3054, H. 126 629 f. Bassermann an Stresemann, 5. 10. 1910. (Kritik Fuhrmanns). Rechte Nationalliberale lehnten ihrerseits häufig ein Zusammengehen mit Kandidaten, die vom HB unterstützt wurden, ab, vgl. Bertram, S. 77.

[82] DZA Potsdam, FVp 32, Bl. 108, Prot. der Gemeinsamen Sitzung der Vertreter der geschäftsführenden Ausschüsse und der Pommerschen Provinzialorganisation der beiden liberalen Parteien unter Anwesenheit der Delegierten des HB am 3. 4. 1911 im Berliner Hansabundbüro. Vom HB anwesend: Gf. Kleefeld, Dr. Toepffer, Vors. und Ruhmer, Gf. der Provinzialorganisation des HB in Pommern.

[83] Ebd., FVp. 36, Bl. 54. Die Gelder, „eine größere Summe", erhielt Mommsen, 1909 Mitglied des konstituierenden Präsidiums des HB, von Riesser, zwecks „Verteilung an einzelne Wahlkreise".

[84] Ebd., FVp 31, Bl. 24, Schreiben vom 26. 10. 1911 (ohne Unterschrift) an C. Funck, Vors. d. ZA der FVp, Mitgl. des HB-Gesamtausschusses; Bl. 26, Schreiben an Justizrat Reh-Alsfeld. Aus diesem Schreiben geht hervor, daß Riesser mehrfach den Versuch unternahm, eine Verständigung zwischen den liberalen Parteien im Großherzogtum Hessen herbeizuführen, „in letzter Stunde" noch Ende Oktober 1911. Um die Einigungsverhandlungen nicht zu erschweren, wurde auf Angriffe gegen die agrarischen Nationalliberalen verzichtet. Dieses Verhalten des HB ist insoweit nicht als inkonsequent zu betrachten, da die Einigungsverhandlungen, dort wo sie erfolgreich verliefen,

in der Regel die liberalen Kräfte in der NLP stärkten. Inkonsequent ist die Unterstützung des Kandidaten Bartling in der Stichwahl, der zwar Mitglied des HB war (vgl. H-B, Jg. 2, Nr. 3, 27. 1. 1912, S. 30 „gewählte Mitglieder des HB"), gleichzeitig aber auch Mitglied des BdL, vgl. Bericht der CVDI-Wahlkommission, Kaelble, Interessenpolitik, S. 220. Bartling wurde bis zur Hauptwahl jedoch von der Provinzialorganisation Nassau und deren Ortsgruppen bekämpft, die den Vors. dieses HB-Provinzialverbandes, Sturm, FVp, unterstützten; ebd.

[85] Vgl. FZ, Nr. 23, 23. 1. 1911 „Der Hansa-Bund und die politische Lage in Hessen". Auf einer Versammlung des HB in Darmstadt gab ein Mitglied der Ortsgruppe Groß-Gerau des HB folgende Erklärung ab: „Wenn von seiten des Hansa-Bundes eine Unterstützung der Kandidatur Dr. Osanns (agrarischer Nationalliberaler) erfolgt, so werden sämtliche Mitglieder, die zugleich Mitglieder der Fortschrittlichen Volkspartei sind, ihren Austritt aus dem Hansa-Bund erklären." Zuvor hatte der Referent, ein Mitarbeiter der HB-Zentrale, auf die Fragen eines Mitglieds nach dem Verhalten des HB gegenüber den agrarischen Nationalliberalen ausweichend geantwortet; ebd.

[86] Vgl. Swdt. Wi-Ztg., Nr. 2, 12. 1. 1912, S. 37 f. „Hansa-Bund und Parteipolitik". KVZ, 4. 1. 1912 „Der Hansa-Bund gegen rechtsliberale Kandidaten".

[87] Vgl. HK Ffm., Akte 1011, Bl. 389, Prot. über die Sitzung des Vorstandes und Ausschusses der Ortsgruppe Ffm., 28. 7. 1911.

[88] Ebd., Bl. 480, Prot. über die Sitzung des Vorstandes und Ausschusses der Ortsgruppe Ffm., 20. 11. 1911.

[89] DZA Posdam, FVp 36, Bl. 54, Prot. der Sitzung des Gf. A. vom 13. 2. 1911. Auch der CVDI zahlte häufig die Gelder direkt an die Wahlkreise „ganz ohne Information der Zentrale", Nipperdey, Organisation, S. 154; vgl. ferner Kaelble, Interessenpolitik, S. 21, 1907 waren die Gelder noch an die Parteispitze gegangen, ebd., S. 20.

[90] DZA Potsdam, FVp 36, Bl. 51, Prot. der Sitzung des Gf. A. vom 7. 2. 1911.

[91] Ebd., Bl. 92, Prot. der Sitzung des Gf. A. vom 17. 9. 1911, dort heißt es, der Gf. A. bezeichnet es „allgemein als inopportun, daß einzelnen Mitglieder des Geschäftsführenden Ausschusses Beiträge von anderer Seite übergeben werden, ohne daß die Parteileitung davon unterrichtet ist". Gemeint ist Mommsen, der die Gelder von Riesser erhielt, ebd.

[92] Nipperdey, Organisation, S. 236.

[93] Vgl. Archiv Rötger, Registratur über die Kommissionssitzung des HB vom 12. 10. 1909. „Man war ... darüber einig, daß ... im Allgemeinen an dem Grundsatz festgehalten werden müsse, Wahlunterstützungen lediglich durch Vermittelung der Zweigorganisationen des Hansa-Bundes zu gewähren."

[94] In Verhandlungen mit Wahlkreisorganisationen wurde z. B. für den Wahlkreis Naumanns folgendes Ergebnis erreicht: die HB-Zentrale und die Württembergische Landesgruppe des HB erklärten sich bereit, „je 400 Mk monatlich" zu zahlen, DZA Potsdam, FVp 36, Bl. 97, Prot. der Sitzung des Gf. A. vom 26. 10. 1911. Z. T. wurden die Verhandlungen zur Unterstützung von FVp-Kandidaten auch mit der Parteileitung geführt. Die Wahlkreisorganisation der FVp und die Kandidaten, die finanziell unterstützt wurden, erhielten folgende „streng vertrauliche" Mitteilung: „Hierdurch teilen wir Ihnen ergebenst mit, daß der Hansabund unserer Zentralkasse für Ihren Wahlkreis, beginnend am 1. August dieses Jahres, für die Vorbereitung der nächsten Wahlen eine monatliche Beihilfe von ... Mark bewilligt hat. Wir haben den Herrn Kandidaten Ihres Wahlkreises hierüber orientiert und ihn zugleich benachrichtigt, daß wir, und zwar zunächst die beiden ersten Raten pro August und September an ihre Adresse abgehen lassen. Auch in der Folgezeit werden wir die weiteren Raten, falls nicht von Ihnen oder von dem Kandidaten eine andere Weisung erfolgt, an Sie übersenden",

ebd., FVp 64, Bl. 138, Schreiben des Zentralbüros der FVp von Anfang September 1911.

[95] Vgl. Anm. 75 (betr. FVp), 79 (betr. NLP).

[96] Vgl. Bürger heraus!, S. 229; H-B, Jg. 2, Nr. 4, 3. 2. 1912, S. 48 ff. „Riesser in Hamburg", S. 50.

[97] Vgl. H-B, Jg. 1, Nr. 38, 23. 9. 1911, S. 329 f. „Die Düsseldorfer Reichstagswahl und der Hansa-Bund".

[98] Vgl. Anm. 84–86.

[99] Vgl. Mitt. H-B, Jg. 2, 24. 11. 1910 „Die Tagung des Nassauischen Landesverbandes des Hansa-Bundes"; H-B, Jg. 1, Nr. 4, 28. 1. 1911, S. 29 f. „Rüstet zu den Reichstagswahlen"; ebd., Nr. 39, 30. 9. 1911, S. 338 f. „Aus den Ortsgruppen"; ebd., Nr. 42, 21. 10. 1911, S. 362 ff. „Aus den Ortsgruppen"; BA, Nl. Stresemann, 3054, H. 126671, Bassermann an Stresemann, 23. 9. 1911.

[100] Vgl. KVZ, Nr. 811, 22. 9. 1911 „Die wahre Natur des Hansa-Bundes"; vgl. Swdt. Wi-Ztg., Nr. 40, 6. 11. 1911; J. B. Krauß-Düren, Die Politik im Deutschen Reiche, Darstellung und Kritik, Osnabrück 1911, S. 243–251 bes. 245 ff. „Die Demaskierung des Hansabundes".

[101] KVZ, Nr. 811, 22. 9. 1911.

[102] H-B, Jg. 1, Nr. 38, 23. 9. 1911, S. 330. Die Erklärung hatte folgenden Wortlaut: „Hierdurch verpflichte ich mich, in meinem parlamentarischen Wirken innerhalb und außerhalb meiner Partei das Programm der Richtlinien des Hansa-Bundes vom 4. Oktober 1909 energisch zu vertreten und demgemäß sowohl innerhalb des Zentrums wie gegenüber der Zentrumspresse die dem Hansa-Bund feindliche Richtung ebenso zu bekämpfen wie die agrardemagogische Richtung von Mitgliedern der Zentrumspartei; insbesondere: jeder gegen Gewerbe, Handel und Industrie und den Angestelltenstand gerichteten agrar-demagogischen Ausschreitung mich zu widersetzen; endlich dafür einzutreten, daß, unter Verzicht auf jede einseitige Belastung jener Stände, die Steuern und Lasten unter alle Stände nach Besitz und Leistungsfähigkeit gerecht verteilt werden und dafür, daß jenen Ständen der ihnen gebührende Anteil an der Gesetzgebung, Verwaltung und Leitung des Staates gewährt und mittels einer gerechteren Feststellung und Einteilung der Reichstagswahlkreise gesichert werde"; ferner abgedruckt in: KVZ, Nr. 802, 19. 11. 1911 „Die Demaskierung des Hansabundes"; Swdt. Wi-Ztg., Nr. 39, 29. 9. 1911 „Der Hansabund als Wahlbundesgenosse der Sozialdemokratie in Düsseldorf".

[103] H-B, Jg. 1, Nr. 38, 23. 9. 1911, S. 330.

[104] Ebd., S. 331.

[105] Vgl. Anlage 16 (Reichstagskandidaten mit HB-Unterstützung).

[106] Rahardt, Reichspartei, HB-Direkt., vgl. Anlage 3; Müller-Fulda, Z; Posadowsky-Wehner, Unabh.

[107] Bürger heraus!, S. 230.

[108] Vgl. DZA Potsdam, Akten der FVp.

[109] Ebd., FVp 36, Bl. 13 f. Protokoll der Sitzung des Gf. A. v. 10. 5. 1910.

[110] Toepffer war CVDI-Delegierter, vgl. VMB, H. 118, Mai 1910, S. 170 (Schweickhardt); vgl. Kaelble, Interessenpolitik, S. 224.

[111] Bericht der Wahlfondskommission, zit. nach Kaelble, Interessenpolitik, S. 221.

[112] Zu dem gleichen Ergebnis kommt Puhle, Interessenpolitik, S. 168.

[113] Genauere Angaben ließen sich nicht ermitteln, vgl. auch Puhle, Interessenpolitik, S. 169.

[114] Ebd.

[115] Vgl. Reichstagshandbuch, 12. Legislaturperiode, Berlin 1912, S. 523.

[116] Nach dem Bericht der Wahlfondskommission hatte der CVDI 1907 „den da-

mals zur Regierung stehenden Parteien bereitwilligst erhebliche Mittel zur Verfügung gestellt", die „auf die bezeichneten Parteien, dem Stärkeverhältnis entsprechend, verteilt" wurden. „Auf die Auswahl der Kandidaten hatte die Industrie keinerlei Einfluß ausgeübt, und sie hatte auch darauf verzichtet, den aus den Mitteln der Industrie reichlich unterstützten Parteien und Kandidaten irgendwelche Richtlinien für die Betätigung im Reichstage mit auf den Weg zu geben. So erklärte es sich, daß mit Hilfe des Geldes der Industrie damals manche Abgeordnete in den Reichstag gewählt worden waren, die sich nicht nur nicht für, sondern vielfach direkt gegen die Industrie betätigten", zit. nach Kaelble, Interessenpolitik, S. 215. Um die Geldmittel der im CVDI vertretenen Industriezweige gezielter und effektiver einsetzen zu können, wurde im Dezember 1908 im Direktorium des CVDI die Gründung eines industriellen Wahlfonds in Aussicht genommen und wenige Monate nach Gründung des HB eingerichtet. Da bereits zu diesem Zeitpunkt abzusehen war, daß der CVDI nicht in der Lage war, den HB auf seine Politik „einzuschwören", d. h. seine Sonderinteressen im gewünschten Umfange im HB durchzusetzen (s. o.), zielte die Errichtung eines eigenen Wahlfonds darauf ab, die Aktivität des HB betr. der Reichstagswahlen zu bremsen; dies, obwohl bei der Gründung des HB die agitatorische Vorbereitung und Beteiligung an den Wahlen als eine der wesentlichsten Aufgaben des HB propagiert worden war. Vgl. VMB, H. 116, Okt. 1909, S. 13–76 „Die Bildung eines industriellen Wahlfonds".

[117] Bericht der Wahlfondskommission des CVDI, zit. nach Kaelble, Interessenpolitik, S. 217.

[118] Ebd., S. 216 ff.

[119] Fritz Hausmann, Fabrikbesitzer, Delegierter des CVDI, MdR 1905–1912; Alfred Kuhlo, A.-mitgl. des CVDI, Gf. des Bayerischen Industriellenverbandes; Wilhelm Meyer, Vors. des VDEStI 1909–1930, MdR 1912–1918; Conrad von Schubert, Generalleutnant, Vertreter der Stummschen Hüttenwerke, A.-mitgl. des CVDI, alle NLP; Georg Beuchelt, Delegierter des CVDI, MdR 1907–1912, DtKP, Helmut Toepffer, FVp, vgl. Anl. 3; für die übrigen Kaelble, Interessenpolitik, S. 224, 252, 254, 256.

[120] Insgesamt wurden 74 Kandidaten „von der linken Seite" – gemeint sind NLP und FVp – unterstützt, ebd., S. 221. Zur Einflußnahme des CVDI vgl. ferner BA, Nl. Stresemann, 3053, H. 124294 f., Stresemann an K. Weber, 30. 3. 1912.

[121] Vgl. Anm. 119.

[122] Betr. Kuhlo vgl. H-B, Jg. 1, Nr. 5, 4. 2. 1911, S. 42 f. „Bayerische Industriepolitik und Hansa-Bund", ebd., Jg. 2, Nr. 13, 6. 4. 1912, S. 182 (Rede auf der Generalversammlung des HB-Landesverbandes Südbayern); betr. Meyer ebd., Jg. 1, Nr. 23, 12. 6. 1911, S. 191 „Aus den Ortsgruppen".

[123] Vgl. ebd., Nr. 11, 23. 3. 1912, S. 150 f. „Aus der Innenverwaltung des Hansa-Bundes".

[124] Ebd., Jg. 1, Nr. 41, 14. 10. 1911, S. 353 „Werbeaufruf".

[125] Vgl. HK Duisburg, Akte HB, Prot. der 1. Sitzung der Zweigvereinsvorsitzenden des HB v. 11. 12. 1909; vgl. ferner Swdt. Wi-Ztg., Nr. 42, 15. 10. 1909, S. 398 „Bericht über die Vorstandssitzung der wirtschaftlichen Vereine".

[126] Bayer-Archiv, Akte HB, Schreiben des Gf. Kleefeld an Duisberg, 7. 2. 1912. Vgl. H-B, Jg. 2, Nr. 5, 9. 2. 1912, S. 63 „Wirtschaftspolitische Ausblicke". Vgl. Jahrbuch des H-B, Jg. 1, 1912, S. 240–263 „Die Zweigorganisationen des Hansa-Bundes", nach Wahlkreisen geordnet.

[127] Vgl. H-B, Jg. 1, 1911, passim; insbes. Rubrik „Aus den Ortsgruppen".

[128] Mitt. H-B, Jg. 2, Nr. 46, 21. 9. 1910 „Entwicklung des Hansa-Bundes".

[129] Vgl. DZA Potsdam, Nl. Naumann, Nr. 236, Brief Riessers an Naumann, 19. 6. 1909: „Ich hoffe aber doch, daß es uns gelingen wird, das deutsche erwerbs-

tätige Bürgertum allmählich zu politisieren, um aus diesem gegen den gemeinsamen Feind eine kräftige Abwehr- und Angriffswaffe zu schmieden."

[130] Bürger heraus!, S. 10.

[131] Ebd., S. 19; s. ferner Riesser, Hansa-Bund, S. 29: „Das ist die Hauptaufgabe, an die wir herantreten müssen als unermüdliche Mahner, Warner und wo nötig, auch als *Erzieher des deutschen erwerbstätigen Bürgertums.*" Hervorhebungen auf dieser und den folgenden Seiten im Original.

[132] H-B, Jg. 1, Nr. 24, 17. 6. 1911, S. 205 „An die Angehörigen des deutschen Gewerbestandes".

[133] Zum folgenden vgl. HK Duisburg, Akte HB, Prot. der Sitzung der Zweigvereinsvorsitzenden des HB vom 11. 12. 1909; vgl. ferner H-B, Jg. 1, 1911, Rubrik „Aus den Ortsgruppen".

[134] Ebd.

[135] Vgl. Kap. III, 6 und IV, 2.

[136] Vgl. Kap. IV, 4.

[137] Nachtrag zum Jahrbuch des H-B, Jg. 1, 1912 „Das Ergebnis der Reichstagswahlen 1912", S. 2. Vgl. auch H-B, Jg. 2, Nr. 2, 17. 1. 1912, S. 17 „Die Wahlen vom 12. Januar 1912".

[138] Vgl. H-B Probenummer, Dez. 1911, S. 3.

[139] Vgl. H-B, Jg. 2, Nr. 6, 16. 2. 1912, S. 77 f. „Aus der Organisationswerkstatt des Hansa-Bundes". Vgl. ferner ebd., Nr. 46, 18. 11. 1911, S. 399 „Ein Jahrbuch des Hansa-Bundes für das Jahr 1912".

[140] Vgl. NAZ, Nr. 14, 18. 1. 1912 „Zu den Stichwahlen"; H-B, Jg. 2, Nr. 1, 6. 1. 1912, S. 11 „Aus den Ortsgruppen".

[141] Berliner Politische Nachrichten vom 30. 1. 1912, zit. nach Swdt. Wi-Ztg., Nr. 6, 9. 2. 1912 „Die Reichstagswahlen und der Hansabund".

[142] Vgl. H-B, Jg. 2, Nr. 6, 16. 2. 1912, S. 77 f.

[143] Ebd., Nr. 28, 20. 7. 1912, S. 367 „Bericht über die Jahressitzung des Kreisverbandes Pfalz".

[144] Ebd., Nr. 6, 16. 2. 1912, S. 78. Ebd., Jg. 1, Nr. 23, 12. 6. 1911, S. 191 „Aus den Ortsgruppen". Nicht mitgerechnet die über 900 Versammlungen im Gründungsjahr und die 450 Versammlungen von Sept. bis Dez. 1910, die neben der Mitgliederwerbung auch zur Wahlagitation genutzt wurden, vgl. Mitt. H-B, Jg. 2, Nr. 51, 15. 11. 1910.

[145] Vgl. H-B, Jg. 1, Nr. 50/51, 20. 12. 1911, S. 440 „Aus den Ortsgruppen".

[146] Die Rede Riessers verdeutlicht jedoch, daß von einer parteipolitischen Neutralität des HB keine Rede sein konnte, vgl. Flugblatt Nr. 29.

[147] Vgl. Bertram, S. 188 f.

[148] Vgl. H-B, Jg. 1, Nr. 52, 30. 12. 1911, S. 452 „Aus den Ortsgruppen", ebd., Nr. 50/51, 20. 12. 1911, S. 441 „Aus den Ortsgruppen".

[149] Vgl. NAZ, Nr. 19, 24. 1. 1912 „Die Stichwahlergebnisse vom Montag".

[150] Ebd.

[151] Stenogr. Ber. Preuß. Abg.-H., 21. LP, 1911, Bd. 1, Sp. 552, Kreth: „Des ‚Hansa-Bundes rotes Gold' hat unglaublich viel Automobile auf die Beine gebracht und hunderte von Schleppern." Der Ortsverband Groß-Berlin erließ zur Stichwahl für den 1. Berliner Wahlkreis einen Aufruf an die „hiesigen Studierenden", dem HB als Schlepper und Flugblattverteiler „ihre bewährte Hilfe zur Verfügung zu stellen", NAZ, Nr. 14, 18. 1. 1912.

[152] H-B, Jg. 2, Nr. 1, 6. 1. 1912, S. 4 „Angestellte und Reichstagswahl".

[153] Vgl. z. B. Flugblätter Nr. 24 „Was will der Hansa-Bund?", Nr. 27 „Die Rechte des deutschen Handels- und Gewerbestandes in den Parlamenten", Nr. 29 „Der Tag

bricht an!". Themen der häufigsten Wahlreden: „Was erwarten Gewerbe, Handel und Industrie von den Reichstagskandidaten?", „Die bevorstehenden Reichstags- und Landtagswahlen und ihre Bedeutung für Gewerbe, Handel und Industrie", „Die allgemeine Lage mit besonderer Beziehung auf die bevorstehenden allgemeinen Reichstagswahlen", „Die Stellungnahme des Hansabundes zu den politischen Parteien bei den kommenden Reichstagswahlen". Vgl. H-B, Jg. 1, 1911, Rubrik „Aus den Ortsgruppen".

[154] Vgl. Flugblatt Nr. 23 „Hansa-Bund und Handwerk", Nr. 25 „Bund der Landwirte und Mittelstand", Nr. 26 „Detaillisten und Hansa-Bund", Nr. 30 „Die Handlungsgehilfen und der Hansa-Bund"; häufige Themen der Wahlreden: „Gewerbliche Fragen des Mittelstandes"; „Der Kampf des Detailkaufmanns", „Die Teuerungsdebatte im Reichstag und die Angriffe auf den Handel", „Handwerk und Reichstagswahlen", „Mittelstand und Reichstagswahlen", „Der Mittelstandskongreß des Hansa-Bundes", ebd.

[155] Vgl. H-B, Jg. 1, Nr. 44, 4. 11. 1911, S. 377 „Dem Mittelstandskongreß zum Gruß!" ebd., Nr. 45, 11. 11. 1911, S. 390 ff. „Zum Mittelstandskongreß des Hansa-Bundes".

[156] Ebd., S. 392.

[157] Ebd. Mit seiner Gegnerschaft gegen den Kleinen Befähigungsnachweis und gegen andere protektionistische Maßnahmen unterschied sich der HB von der NLP, die im Jahre 1908 ihre Zustimmung zum Kleinen Befähigungsnachweis gegeben hatte; vgl. Winkler, Mittelstand, S. 45 f.

[158] Vgl. auch Lederer, Die wirtschaftlichen Organisationen, S. 50.

[159] Ausdruck dieser Polarisierung ist u. a. die Gründung des Reichsdeutschen Mittelstandsverbandes. Vgl. Winkler, Mittelstand, S. 52 ff.

[160] Lederer, Die wirtschaftlichen Organisationen, S. 50.

[161] Ebd., S. 50 f.

[162] Ebd., S. 50; Winkler, Mittelstand, S. 55.

[163] Zit. nach FZ, 16. 6. 1910 „Tages-Rundschau". Die FZ schrieb zu den Stichwahlen: „Für die Linksliberalen ... gibt es seit der Entscheidung der Reichsfinanzreform nur eine Kampfstellung die gesamte Linke gegen die gesamte Rechte; wer direkt oder indirekt die Agrarier fördert, kommt dem Feinde zu Hilfe; Mann für Mann für den Sozialdemokraten, das ist die einzig mögliche Parole. Und auch für den Hansa-Bund mit seiner freien wirtschaftspolitischen Orientierung wäre dies die einzig konsequente Stellungnahme ... Wenn der Hansa-Bund nicht diese Politik des ‚kleineren Übels' treibt, wenn er im Kampf gegen die Rechte nicht auch für die Sozialdemokratie eintritt, sondern bei Stichwahlen zwischen diesen und den Agrariern auf eine Stellungnahme verzichtet, so ist schon dies eigentlich eine Inkonsequenz, eine Konzession an diejenigen seiner Mitglieder, die noch immer für die Solidarität aller ‚bürgerlichen' Parteien und ähnlich schöne Dinge schwärmen."

[164] Vgl. Krauß-Düren, Politik, S. 228 ff.

[165] Vgl. H-B, Jg. 1, Nr. 19, 13. 5. 1911, S. 161 f. „Presseübersicht".

[166] Ebd., Nr. 24, 17. 6. 1911, S. 207–214, „Der Verlauf des Hansatages", hier S. 207.

[167] Mitt. H-B, Jg. 2, Nr. 52, 24. 11. 1910 „Die Tagung des Nassauischen Landesverbandes des Hansa-Bundes".

[168] Vgl. Bürger heraus!, S. 113, 125 f.; Riesser, Hansa-Bund, S. 44 f.

[169] Bürger heraus!, S. 211 f.; vgl. H-B, Jg. 2, Nr. 4, 3. 2. 1912, S. 48 ff. „Riesser in Hamburg".

[170] Ebd., Nr. 2, 17. 1. 1912, S. 17 „Auf zu den Stichwahlen".

[171] Einer der führenden Vertreter des Mittelstandes im HB, Rahardt (vgl. Anlage 3), sprach sich demgegenüber dafür aus, unter allen Umständen den bürgerlichen Kan-

didaten, welcher Partei er auch angehören möge, gegen den Sozialdemokraten zu unterstützen; vgl. Swdt. Wi-Ztg, Nr. 38, 22. 9. 1911, S. 424 f. „Hansabund, Sozialdemokratie und Schutzzollpolitik".

[172] Vgl. Bertram, S. 215.

[173] H-B, Jg. 2, Nr. 2, 17. 1. 1912, S. 17 „Die Wahlen vom 12. Januar 1912".

[174] Vgl. Bertram, S. 222.

[175] Die Feststellung des HB, die rechten Parteien hätten „etwaigen Verbündeten im Kampf gegen die Sozialdemokratie, ja sogar in dem von ihnen ebenfalls geführten Kampf gegen den Freisinn, nicht *viel zu bieten*" (H-B, Jg. 2, Nr. 2, 17. 1. 1912, S. 18), kann sich nur an die NLP gerichtet haben. Da diese in 30 Stichwahlen der SPD und nur in 23 den Parteien des schwarz-blauen Blocks gegenüberstand, lag es für sie – entgegen der Feststellung des HB – näher, sich mit den Parteien der Rechten zu arrangieren. Die Äußerung des HB, daß die rechten Parteien Stichwahlverbündeten „nicht viel zu bieten" hätten, muß daher als ein Indiz für den Versuch des HB, die NLP von einem Zusammengehen mit den Rechten abzuhalten, angesehen werden.

[176] Vgl. DZA Potsdam, FVp 64, Bl. 98.

[177] Ebd., FVp 36, Bl. 113 ff. Die Verhandlungskommission mit der SPD bestand aus 3 HB-Mitgliedern: Mommsen, Fischbeck, Naumann. Die Feststellung Nipperdeys (ders., Organisation, S. 237), daß Fischbeck die „treibende Kraft beim Abschluß des Stichwahlabkommens mit der SPD" war, bedarf der Korrektur; vgl. ferner Bertram, S. 224 ff. mit Einzelheiten über das Stichwahlabkommen zw. SPD und FVp.

[178] Bürger heraus!, S. 116, 217.

[179] Bertram, S. 231 ff.

[180] Ebd., S. 222 ff.

[181] Ebd., S. 244. E. R. Huber (Hg.), Dokumente zur deutschen Verfassungsgeschichte, Stuttgart 1964, Bd. 2, S. 536 ff.

[182] Ebd.

[183] Vgl. Anlagen 16 (Reichstagskandidaten mit HB-Unterstützung) und 19.

[184] Vgl. Puhle, Interessenpolitik, S. 169.

[185] Ebd., vgl. dagegen Bürger heraus!, S. 221.

[186] Vgl. Kaelble, Interessenpolitik, S. 215–222.

[187] Ebd.

VI.

[1] Stegmann, S. 262 ff.

[2] Ebd., S. 262.

[3] Ebd., S. 352 ff.; Fischer, S. 384 ff.

[4] Vgl. Schmidt, Deutschland am Vorabend des Ersten Weltkrieges, in: Das kaiserliche Deutschland. Die Konzeption einer Mitte knüpft an ältere Überlegungen von H. Herzfeld und E. Pikart an, Schmidt, Blockbildung, S. 7, Anm. 10.

[5] Ebd., S. 10.

[6] Vgl. Stegmann, S. 272 ff., 335 ff., E. Lederer, Agrarische Sozialpolitik, in: ASS, Bd. 38, 1914, S. 267–302; K. Mattheier, „Die Gelben". Nationale Arbeiter zwischen Wirtschaftsfrieden und Streik, Düsseldorf 1973; D. Fricke, Hauptausschuß nationaler Arbeiter- und Berufsverbände 1910–1919, in: Die bürgerlichen Parteien, Bd. 2, S. 216–219.

[7] DVC, 23. 1. 1912, Cui bono?, Zit. nach Stegmann, S. 268. Die umfangreiche Studie von K. Saul, Staat, Industrie und Arbeiterbewegung im Kaiserreich. Zur Innen- und Außenpolitik des Wilhelminischen Deutschland 1903–1914, Düsseldorf 1974, er-

schien erst nach Fertigstellung meines Manuskripts und konnte nicht mehr im gewünschten Umfange berücksichtigt werden. In der Frage des „Arbeitswilligenschutzes", des zentralen Themas der Arbeit von Saul, kommt dieser, was den Hansa-Bund anbetrifft, im wesentlichen zu den gleichen Ergebnissen wie der Verfasser (Saul, S. 336–339, 359 ff.). Saul geht lediglich nicht auf die Proteste der zahlreichen HB-Ortsgruppen ein, die wesentlich die Entscheidung des HB-Direktoriums vom 24. 11. 1913 beeinflußten. Neben den Protesten der Angestelltenverbände und der linksliberalen Presse trugen diejenigen der HB-Ortsgruppen wesentlich dazu bei, daß das HB-Direktorium die von der Geschäftsführung und den VSI-Vertretern unterstützte Position des Industrierates verwarf. Der Ausgang der Auseinandersetzungen um den „Arbeitswilligenschutz" ist ein weiteres Beispiel für die Grenzen des Einflusses von BdI und VSI im HB, den Saul in dieser Frage etwas überschätzt (ebd., S. 337 f.).

[8] Vgl. Swdt. Wi-Ztg., Nr. 34, 25. 8. 1911, S. 395 f. „Rundschreiben des Centralverbandes Deutscher Industrieller".

[9] Ebd.

[10] Vgl. VMB, H. 123, Sept. 1911 „Schutz der Arbeitswilligen", S. 7–16. Vgl. ferner ebd., H. 124, Dez. 1911, S. 18 Beschluß des A. des CVDI betr. Schutz der Arbeitswilligen und den gleichen Antrag in der Delegiertenversammlung, ebd., S. 66; H. 125, Juni 1912, S. 45, H. 120, Jan. 1911, S. 85 (Delegiertenversammlung v. 10. 10. 1910), ferner S. 54 ff., 59. (Geschäftsbericht Buecks). Bereits im Jan. 1911 hatte Bueck erklärt, daß er auch gesetzliche Bestimmungen im Sinne der damaligen Zuchthausvorlage, die nach seiner Auffassung „kein Ausnahmegesetz war, für notwendig" hielt. Die Regierung wurde aufgefordert, alle Mittel anzuwenden, um den Reichstag „gefügig" zu machen, ebd., S. 59.

[11] VMB, H. 123, S. 16. Der § 241 sollte folg. Fassung erhalten: „Wer durch gefährliche Drohung einen anderen in seinem Frieden stört, wird mit Gefängnis oder Haft bis zu einem Jahr oder mit Geldstrafe bis zu 1000 M. bestraft.

Einer gefährlichen Drohung im Sinne des ersten Absatzes macht sich auch derjenige schuldig, der es unternimmt, Arbeitgeber, Arbeitnehmer, Arbeitsstätten, Wege, Straßen, Plätze, Bahnhöfe, Wasserstraßen, Häfen oder sonstige Verkehrsanlagen planmäßig zu überwachen", ebd.

[12] Ebd., S. 13: „Es kann ein wirksamer Schutz nur dadurch erwartet werden, daß das Streikpostenstehen als delictum sui generis in die Rechtsordnung eingeführt wird."

[13] Ebd., S. 15.

[14] Ebd., S. 10.

[15] Ebd., S. 11.

[16] E. Lederer, Unternehmerorganisationen, in: ASS, Bd. 34, 1910, S. 991; Stegmann, S. 268.

[17] Ebd.; vgl. ferner Swdt. Wi-Ztg., Nr. 40. 3. 10. 1913, S. 288 ff. „Der Geschäftsbericht Dr. Schweighoffers ...".

[18] Vgl. Stegmann, S. 255; Lederer, Organisationen, S. 46 f.; H-B, Jg. 1, Nr. 38, 23. 9. 1911, S. 333 „Der Zentralausschuß der vereinigten Innungsverbände Deutschlands".

[19] Die Denkschrift ist abgedruckt in: H-B, Jg. 2, Nr. 18, 11. 5. 1912, S. 237–243. Sie wurde veröffentlicht, bevor die gutachterlichen Äußerungen der befragten Ortsgruppen vorlagen, vgl. Bayer-Archiv, Personalia Riesser, Riesser an Duisberg, 12. 6. 1912.

[20] H-B, Jg. 2, Nr. 18, 11. 5. 1912, S. 243.

[21] Ebd., Nr. 41, 19. 10. 1912, S. 530 „Die Politik des Hansa-Bundes" (v. Richthofen). Ob die Denkschrift, wie von Kleefeld angekündigt, vor oder nach der Veröffentlichung „in Gemeinschaft mit den führenden Verbänden der deutschen Industrie"

besprochen wurde, konnte nicht festgestellt werden, Bayer-Archiv, Akte HB, Kleefeld an Duisberg, 24. 4. 1912.

[22] H-B, Jg. 2, Nr. 18, 11. 5. 1912, S. 241.

[23] Swdt. Wi-Ztg., Nr. 19, 10. 5. 1912, S. 289 f. „Hansa-Bund und Schutz der Arbeitswilligen". Dort heißt es: „kurzum, die Denkschrift macht den Eindruck, als hätte sie nicht ein Vertreter des gewerbefleißigen Bürgertums, sondern ein solcher der Gewerkschaften verfaßt", ebd., S. 290; ebd., Nr. 21, 24. 5. 1912 „Der Arbeitswilligen Schutz des Hansa-Bundes"; Stegmann, S. 269, Anm. 82.

[24] H-B, Jg. 2, Nr. 28, 20. 7. 1912, S. 367 f. „Bericht über die Jahressitzung des Kreisverbandes Pfalz", hier S. 368.

[25] Ebd., Nr. 35, 7. 9. 1912, S. 458 „Rundschau der Presse".

[26] Ebd., Nr. 24, 22. 6. 1912, S. 327 f. „Aus den Ortsgruppen". Vors. der Ausschuß-Sitzung des LV war Kom. Rat Engelhard, Mannheim, den Bassermann in einem Brief an Stresemann, 3. 1. 1913, folgendermaßen charakterisierte: „nicht altnationalliberal, wohl aber steht er rechts, Arbeitgeberstandpunkt", BA, Nl. Stresemann, 3054, H. 126094.

[27] H-B, Jg. 2, Nr. 25, 29. 6. 1912, S. 338 „Aus den Ortsgruppen".

[28] Vgl. Stegmann, S. 270 f. Im Mai 1912 hatten lediglich die Konservativen, die Freikonservativen und 9 Nationalliberale für die Resolution gestimmt, im Jan. 1913 votierte außer den konservativen Fraktionen nur noch 1 Nationalliberaler für den Antrag.

[29] H-B, Jg. 4, Nr. 8, Nov. 1913, S. 103 f. „Bürger heraus".

[30] Ebd., Jg. 3, Nr. 10, 8. 3. 1913, S. 113 ff. „Westfälischer Hansa-Tag in Dortmund", hier S. 119.

[31] Ebd.

[32] Ebd., Jg. 4, Nr. 9, Dez. 1913, S. 114.

[33] Ebd.

[34] Ebd., Jg. 5, Nr. 1, April 1914, S. 11 „Kreisverband Pfalz".

[35] Vgl. Anlage 3; H-B, Jg. 5, Nr. 2, Mai 1914 „Aus den Landesverbänden und Ortsgruppen".

[36] DZA, Nl. Naumann, Nr. 309, Bl. 147 f., Naumann an Genest, 20. 11. 1913.

[37] Ebd.

[38] Ebd., Bl. 149, Genest an Naumann, 21. 11. 1913.

[39] Vgl. H-B, Jg. 4, Nr. 9, Dez. 1913, S. 114. Die Resolution wurde „einstimmig ... gefaßt"; dort auch der Hinweis, daß die Genannten an der Diskussion teilnahmen.

[40] Ebd.; vgl. ferner HK Hamburg, Akte V 145, Nr. 5 „Stellungnahme des Direktoriums des Hansa-Bundes zu den Anträgen des Industrierats betreffend Verhütung von Streikausschreitungen.

[41] Ebd.

[42] Ebd.

[43] Ebd.

[44] Ebd., Akte 145, Nr. 7, Bd. I „Protokoll über die Sitzung des Vorstandes des Hamburger Zweigvereins des Hansa-Bundes"; H-B, Jg. 4, Nr. 9, S. 115.

[45] Ebd., Nr. 10, Jan. 1914, S. 139 f. „Aus den Landesverbänden und Ortsgruppen".

[46] Ebd., S. 141 (Kiel); S. 143 (Bezirksgruppe Darmstadt); ebd., Nr. 12, März 1914, S. 174 f. (Freiburg). Der Vorstand der Ortsgruppe Hamburg meinte demgegenüber, daß es in „erster Linie Sache des Industrierates sei, die Bedenken des Direktoriums gegen seine Anträge zu würdigen und erneut zu den beiden einmal angeregten Fragen Stellung zu nehmen". HK Hamburg, Akte V 145, Nr. 7, Bd. I, Protokoll über die Sitzung des Vorstandes des Hamburger Zweigvereins des HB v. 26. 1. 1914.

[47] H-B, Jg. 5, Nr. 1, April 1914, S. 11 „Kreisverband Pfalz".

[48] Ebd., S. 12.

[49] Vgl. ebd., Nr. 3, Juni 1914, S. 41 „Tagung des Gesamtausschusses des Hansa-Bundes in Cöln“.

[50] Vgl. Vorwärts, Nr. 312, 27. 11. 1913 „Infame Hetze“. BA, Nl. v. Richthofen, Nr. 5, Bl. 134 (Badische Neueste Nachrichten).

[51] Veröffl. des BdI, H. 3, Nov. 1912, S. 31 f. „Erklärung zur Frage des Schutzes der Arbeitswilligen“, S. 32–35 „Zur Begründung dieser Erklärung“; H-B, Jg. 2, Nr. 47, 30. 11. 1912, S. 601 f. „Bund der Industriellen und Schutz der Arbeitswilligen“.

[52] Ebd., Nr. 41, 19. 10. 1912, S. 528 „Zur Frage des Schutzes der Arbeitswilligen“; ebd., Jg. 3, Nr. 9, 1. 3. 1913, S. 98 f. „Tagung des Verbandes Sächsischer Industrieller“. Der große Ausschuß des VSI sprach sich in seiner Sitzung v. 5. 9. 1912 gegen ein reichsgesetzliches Verbot des Streikpostenstehens aus; plädierte aber für einen tatkräftigen Gebrauch der bestehenden Machtmittel der Behörden. Die Resolution enthält jedoch auch den Hinweis, daß ein Reichsgesetz „schließlich unvermeidlich sein werde“, wenn bis 1920 die gegenwärtigen Machtmittel nicht energisch genug Anwendung finden würden. Insofern ist es nicht zutreffend, wenn Stegmann feststellt, daß der BdI sich „auf den Boden der Anschauungen des Verbandes Sächsischer Industrieller“ stellte, Stegmann, S. 270, Anm. 84. Vgl. ferner BA, Nl. Stresemann, 3053, H. 124312 ff., Sonderdruck aus Nr. 51 der DIZ; ferner VMB, H. 126, Jan. 1913, S. 55 f. Stresemann lag eindeutig auf der Linie der Entschließung des Industrierats des HB. „Was ich verlange ist kein Sondergesetz und auch kein besonderes Gesetz betr. das Verbot des Streikpostenstehens, ich halte es aber andererseits für dringend erforderlich, daß die nationalliberale Fraktion im Rahmen der bestehenden Gesetze eintritt für die Ermöglichung einer schnelleren Aburteilung bei Streikexcessen, für die Einführung der Rechtsfähigkeit der Berufsvereine und für die Möglichkeit der Schädenhaftung, ferner für eine seitens der Landesbehörden zu erlassende Streikinstruktion, welche deutlich besagt, daß von den bestehenden Rechtsmitteln energisch Gebrauch gemacht wird und ferner für eine neue Fassung des Nötigungsparagraphen“, BA, Nl. Stresemann, 3054, H. 126169 f., Stresemann an Bassermann 31. 10. 1913.

[53] Centralverband deutscher Bäckerinnungen, Verband der Rabattsparvereine Deutschlands, Deutscher Drogistenverband von 1873, vgl. H-B, Jg. 2, Nr. 19, 18. 5. 1912, S. 253 f. „Kundgebung der Hansa-Bund-Kommission zur Branntweinsteuervorlage“. Ebd., Verband der deutschen Kognakbrennereien; Verband deutscher Preßhefefabrikanten.

[54] Stegmann, S. 360.

[55] Vgl. Kap. III, 2, Anm. 122 ff.

[56] 1. Handelskammer zu Altena für das Lennegebiet und für den Kreis Olpe, 2. zu Altona 3. Chemnitz, 4. Plauen, 5.–7. Gewerbekammern Bremen, Hamburg, Lübeck; 8. Verein Deutscher Portlandzementfabrikanten, Kalkberge – Rüdersdorf i. Mark; 9. Verband Deutscher Tonindustrieller; 10. Verein Deutscher Kalkwerke; 11. Industrieverein Werdau; 12. Verband Deutscher Baumwollgarnverbraucher; 13. Verein Deutscher Seidenwebereien; 14. Wirkwarenfabrikantenvereinigung von Chemnitz und Umgebung; vgl. Veröffl. des BdI, H. 3, Nov. 1912, S. 5 f., 45 ff.; VMB, H. 125, Juni 1912.

[57] Z. B. Dr. B. Dietrich, Syndikus der HK Plauen, Mitgl. CVDI-A. und des Gr. A. des BdI; Max Ehrhardt, Vors. von 9 (s. Anm. 56), ab 1912 Mitgl. des CVDI-Direktoriums, Mitgl. des Gr. A. des BdI; Georg Marwitz, Generaldirektor der Dresdner Gardinen- und Spitzenmanufaktur, AG, Vors. von 12 (s. Anm. 56), stellv. Mitgl. des Wirtschaftlichen Ausschusses, war Mitgl. des CVDI-A. und des Gr. A des BdI und des Ges.-A. des HB; Joh. A. Menck, Vors. der HK Altona, CVDI-A.-mitgl.; Mitgl. des Gr. A. des BdI.

[58] Vgl. Kaelble, Interessenpolitik, S. 172 f.
[59] Stegmann, S. 33.
[60] Vgl. Kaelble, Interessenpolitik, S. 172 f.
[61] Ebd., S. 185.
[62] Ebd.
[63] Bayer-Archiv, Personalia Riesser, Duisberg an Riesser, 4. 1. 1912.
[64] Ebd., Akte H. v. Böttinger, Duisberg an von Gamp-Massannen (Onkel v. D.'s Frau) 21. 2. 1912. v. Gamp war MdR, Reichspartei, 1884–1918 ebenfalls Mitgl. des Preuß. Abg.-H.
[65] Ebd., Duisberg an v. Gamp-Massannen, 13. 2. 1912; ebd., Personalia Riesser, Riesser an Duisberg, 23. 6. 1913.
BA, Nl. Stresemann, 3053, H. 124595 f., Stresemann an Geh. Rat H. Vogel, 6. 9. 1913.
[66] Vgl. Anm. 57.
[67] BA, Nl. Stresemann, 3052, H. 124036, Stresemann an Friedrichs, 21. 10. 1914; ebd., Stresemann an R. Schneider, 29. 12. 1914.
[68] Vgl. Kaelble, Interessenpolitik, S. 173. Auch als diese Verhandlungen gescheitert waren, machte es der CVDI sich weiterhin zum Prinzip, daß der BdI „zu den wichtigeren gemeinsamen Arbeiten der industriellen Interessenvertretung nach Möglichkeit herangezogen werden solle“, Prot. Direkt. CVDI, 14. 1. 1914, zit. nach Kaelble, Interessenpolitik, S. 173, Anm. 329, vgl. ferner BA, Nl. Stresemann, 3053, H. 124685 ff., Stresemann an Eich, 24. 11. 1911, der behauptet, daß die „Initiative zur Herbeiführung freundlicher Beziehungen zunächst beim Zentralverband“ lag; gemeint war die Zusammenarbeit beim Patentgesetz. In der Frage einer Erhöhung der Zölle für grobe Garne ging die Initiative für eine Zusammenarbeit mit dem CVDI vom BdI aus. Vgl. ebd., 124403, Protokoll des Gesamtvorstandes des VSI, 2. 4. 1913; ebd., H. 124422 ff., Niederschrift der Vorstandssitzung des BdI, 15. 4. 1913 in Berlin.
[69] Ebd., 3053, H. 124591 ff., Stresemann an Geh. Rat Vogel, 6. 9. 1913.
[70] Mitt. d. HVV, Nr. 7, 5. 4. 1911, S. 9 „Bündnis zwischen dem Bund der Landwirte und dem Centralverband Deutscher Industrieller?“
[71] BA, R 131/52, Prot. des CVDI-Direkt. v. 6. 9. 1911.
[72] Ebd., vgl. Kap. III, 5.
[73] Prot. des CVDI-Direkt. v. 6. 9. 1911.
[74] Betr. Einzelheiten vgl. Stegmann, S. 352 ff.; vgl. ferner Winkler, Mittelstand, S. 53, 217, Anm. 68.
[75] Der Fortschritt, Nr. 9, Juni 1913, S. 275 ff. „Zweiter Westdeutscher Mittelstandstag“, zit. nach Stegmann, S. 354.
[76] Ebd., S. 365 ff.
[77] Tag (rot), Nr. 175, 29. 7. 1913, zit. nach Stegmann, S. 362. Walter Graef, MdA, war führender Funktionär des RDMV.
[78] Bericht über den 3. Reichsdeutschen Mittelstandstag, S. 66 f.
[79] Vgl. Stegmann, S. 389 f.; Puhle, Interessenpolitik, S. 163, wertet das Kartell als einen „Erfolg der agrarischen Sammlungsidee, wie der BdL sie vertrat“, stellt aber später fest, daß die „Agrarier ... nicht ein Hort der Sammlungspolitik, sondern eher Mitläufer“ waren, ders., Agrarkrise, S. 58. Diesen Hinweis verdanke ich Herrn R. Tag.
[80] Vgl. Kaelble, Interessenpolitik, S. 88 f., Anm. 229; Stegmann, S. 381.
[81] Erhard Büttner war außerdem A.-mitgl. des CVDI und Syndikus der HK Augsburg, vgl. Kaelble, Interessenpolitik, S. 251.
[82] Vgl. Stegmann, S. 382; zum folg. ferner Saul, S. 345 f., der ebenfalls auf die Differenzen innerhalb des CVDI betr. des Kartells hinweist.
[83] Ebd.

[84] Bericht Büttners über die Ausschußsitzung des CVDI v. 15. 9. 1913, vgl. Kaelble, Interessenpolitik, S. 230 ff. Die Behauptung Stegmanns, daß es Schweighoffer im Dez. 1913 auf der Hauptversammlung des Bayerischen Industriellenverbandes gelang, die „süddeutschen Industriellen von den Richtlinien der Leipziger Sammlung zu überzeugen" (Stegmann, S. 390) wird allerdings nicht belegt.

[85] Kaelble, Interessenpolitik, S. 232.

[86] VMB, H. 128, Okt. 1913, S. 54; Stegmann, S. 388; Kaelble, Interessenpolitik, S. 229 ff.

[87] VMB, H. 128, S. 6.

[88] BA, Nl. Stresemann, 3053, H. 124584 ff., Max Schlenker an Stresemann, 4. 9. 1913. Vertraulich! Vgl. ferner Saul, S. 345 f. Die Feststellung Stegmanns, ders., S. 334, „Max Schlenker übernahm die politischen Vorstellungen seines Vorgängers", trifft also nicht zu. Schlenker, der vorher Syndikus der HK Chemnitz gewesen war, wurde auch Tilles Nachfolger als Generalsekretär des Vereins zur Wahrung der gemeinsamen wirtschaftlichen Interessen der Saarindustrie und der Südwestlichen Gruppe des VdEStI.

[89] BA, Nl. Stresemann, 3052, H. 123926, Dr. Dietrich an Stresemann, 6. 6. 1914; vgl. ferner Kaelble, Interessenpolitik, S. 232.

[90] Ebd., 3053, H. 124599 ff., H. Vogel als Vors. des Verbandes der Arbeitgeber der Sächsischen Textilindustrie zu Chemnitz an Stresemann, 18. 9. 1913.

[91] Ebd.; dort heißt es u. a.: er und mit ihm die „maßgebenden Herren des Centralverbandes [hielten] eine Verständigung der großen Verbände der Industrie nicht nur für sehr erwünscht, sondern auch für sehr wohl möglich", ebd. Die Kontakte zwischen Stresemann und Vogel wurden bereits vor der Gründung des Kartells aufgenommen (vgl. u. a. ebd., H. 124661 f., Stresemann an H. Vogel, 6. 9. 1913, ebd., H. 124591 f.) und begannen nicht erst am 18. 9. 1913, so Stegmann, S. 395.

[92] Vgl. BA, Nl. Stresemann, 3053, H. 124591; Stegmann, S. 382.

[93] Deutsche Bergwerkszeitung, Nr. 204, 31. 8. 1913, zit. nach Stegmann, S. 382.

[94] Ebd., S. 383.

[95] Vgl. Kaelble, Interessenpolitik, S. 98, Anm. 280. Stegmann, S. 388, Anm. 164 interpretiert die Stellungnahme Kirdorfs unzulässigerweise als eine zurückhaltende Einstellung zum Kartell; vgl. auch die Kritik Nipperdeys in seiner Rezension zu Stegmanns Buch in: HZ, Bd. 215, 1972, S. 168.

[96] Vgl. Anlage 3.

[97] BA, Nl. Stresemann, 3053, H. 124605 f. Müller versuchte über Eich (vgl. Anlage 3) eine Unterredung mit Hugenberg zu arrangieren, ebd., H. 124611 f., Müller an Stresemann, 4. 10. 1913.

[98] Ebd., H. 124606.

[99] Ebd., H. 124616 f., Stresemann an Müller, 7. 10. 1913.

[100] Bayer Archiv, Personalia Riesser, Riesser an Duisberg, 1. 10. 1913. Dieses Schreiben widerspricht der Feststellung Stegmanns, daß Stresemann die HB-Resolution „maßgeblich formuliert" habe (ders., S. 395).

[101] H-B, Jg. 4, Nr. 8, Nov. 1913, S. 102 (Resolution vom 29. 9. 1913 zur Kartell-Gründung).

[102] Ebd., S. 103.

[103] Ebd.; vgl. ferner Bayer Archiv, Personalia Riesser, Riesser an Duisberg, 1. 10. 1913. Einem Brief Riessers an Duisberg vom 26. 9. 1913 war der Entwurf einer Resolution beigefügt, in der der CVDI etwas schärfer als in der offiziellen Stellungnahme des HB-Direktoriums kritisiert wurde, ebd.

[104] H-B, Jg. 4, Nr. 8, Nov. 1913, S. 107 ff. „Aus den Landesverbänden und Ortsgruppen"; ebd., Nr. 10, Jan. 1914, S. 142 (gl. Rubrik).

[105] BA, Nl. Stresemann, 3053, H. Ch. Müller (Krefeld) an Stresemann, 4. 10. 1913, H. 124611 f. „Herr Geheimrat Riesser machte zwar allerhand Schwierigkeiten, er schien aber letzten Endes doch nicht dagegen zu sein, daß wir im Westen einmal unverbindlich eine Annäherung in Vorbesprechungen zu klären suchten", ebd., Stresemann an H. Ch. Müller, 24. 9. 1913, H. 124605 f.

[106] Zur Person H. Toepffers vgl. Anlage 3.

[107] Bayer Archiv, Personalia Riesser, Riesser an H. Toepffer, 10. 9. 1913.

[108] Vgl. H-B, Jg. 4, Nr. 10. Jan. 1914, S. 130 „Zum neuen Jahr", ebd., Jg. 5, Nr. 3, Juni 1914, S. 42 „Fünf Jahre Hansa-Bund".

[109] BA, Nl. Stresemann, 3053, H. 124605 f., Stresemann an Müller, 24. 9. 1913 u. 7. 10. 1913, ebd., H. 124616 f.

[110] Vgl. H-B, Jg. 4, Nr. 7, Okt. 1913, S. 83 f. „Zur Tagung des Bundes der Industriellen"; ebd., Nr. 11, Febr. 1914, S. 155; ebd., Jg. 5, Nr. 2, Mai 1914, S. 28 ff. „Aus den Landesverbänden und Ortsgruppen", hier S. 29 (Syndikus R. Schneider).

[111] BA, Nl. Stresemann, 3053, H. 124661 f., Kom. Rat. Friedrichs an Stresemann, 12. 11. 1913.

[112] RA Dr. Georg Zöphel, Vors. des Deutschen Industrie-Schutzverbandes, Dresden, war Mitglied des BdI-Vorst.; Mitglied der Sächsischen II. Ständekammer, NLP.

[113] Vgl. Anm. 111, H. 124662.

[114] Ebd., H. 124645 ff., VWI an das Präs. des BdI, 10. 10. 1913.

[115] Ebd., H. 124647.

[116] Ebd., H. 124592, Stresemann an H. Vogel, 6. 9. 1913.

[117] Ebd., H. 124594.

[118] Ebd., H. 124662, Friedrichs an Stresemann, 12. 11. 1913.

[119] Ebd., H. 124602, H. Vogel an Stresemann, 18. 9. 1913; und H. 124652 f. „Angenehm würde es Herrn Landrat Roetger sein, wenn sich alsbald eine Besprechung zwischen Ihnen, Herrn Landrat Roetger und mir ermöglchen ließe"; ferner ders. an Stresemann 10. 11. 1913, H. 124658 ff., Mitteilung, daß Roetger am 14./15. 11. 1913 zur Besprechung bereit wäre.

[120] Ebd., H. 124663, Friedrichs an Stresemann, 12. 11. 1913.

[121] Ebd., 3052, H. 123932 f., Stresemann an Dr. Dietrich (Plauen), 6. 6. 1914.

[122] Ebd., 3053, H. 124665, Friedrichs an Stresemann, 12. 11. 1913.

[123] Ebd., H. 124664 f.

[124] Ebd., H. 124663; ebd., H. 124607 ff., Stresemann an Vogel, 27. 9. 1913.

[125] Ebd., H. 124664, Friedrichs an Stresemann, 12. 11. 1913. Bereits am 18. 9. 1913 hatte H. Vogel an Stresemann geschrieben: er und mit ihm die „maßgebenden Herren des Centralverbandes (hielten) eine Verständigung der großen Verbände der Industrie nicht nur für sehr erwünscht, sondern auch für sehr wohl möglich", ebd., H. 124600.

[126] Ebd., H. 124610, Deutscher Kurier o. D., gez. Stresemann (Friedrichs im BdI zum Kartell).

[127] Guggenheimer war Generaldirektor der MAN, Augsburg, Mitgl. des CVDI-A.; vgl. VMB, H. 125, Juni 1912, S. 175.

[128] BA, Nl. Stresemann, 3053, H. 124680 ff., Stresemann an H. Vogel, 17. 11. 1918; vgl. ferner H. 124691, ebd., Stresemann an Eich, 24. 11. 1911.

[129] Ebd., H. 124663, Friedrichs an Stresemann, 12. 11. 1913.

[130] VMB, H. 128, Okt. 1913, S. 52. Die „Mißverständnisse" wurden jedoch lediglich der Gegenseite angelastet.

[131] Prot. der Sitzung der Interessengemeinschaft, 16. 1. 1914, zit. nach Kaelble, S. 173.

[132] BA, Nl. Stresemann, 3052, H. 123848, Stresemann an VWI, 6. 3. 1914.

[133] VMB, H. 129, Juli 1914, S. 16 (Schweighoffer).

[134] BA, Nl. Stresemann, 3052, H. 123848, Stresemann an VWI, 6. 3. 1914; ebd., H. 123859 ff., Niederschrift über die Sitzung des Vorstandes des BdI, 17. 2. 1914.

[135] Ebd.

[136] Ebd., H. 123857 ff., Niederschrift über die Vorstandssitzung des BdI, 9. 3. 1914. Eich trat für eine handelspolitische Verständigung als notwendige Begleiterscheinung eines Zusammengehens mit dem Centralverband Deutscher Industrieller, auch in der „Gesellschaft für Welthandel" ein.

[137] Ebd.

[138] Ebd., H. 123856, Dr. Schneider an die Vorstandsmitglieder, 14. 3. 1914. Betr. der Gründe des Scheiterns wurde auf einen Artikel Stresemanns in der nächsten Nr. der „Deutschen Industrie" verwiesen.

[139] Rundschreiben des CVDI v. 12. 3. 1914, zit. nach Kaelble, Interessenpolitik, S. 173.

[140] VMB, H. 129, Juli 1914, S. 16.

[141] Vgl. Kap. III, 3; Kaelble, Interessenpolitik, S. 173.

[142] BA, Nl. v. Richthofen, Nr. 3, Bl. 171, v. Richthofen an Riesser, 20. 2. 1914.

[143] Ebd.

[144] „In demselben Augenblick aber, wo der Welthandelsbund eine Rolle zu spielen anfing, und der Zentralverband auf der Bildfläche erschien, sind wir nicht weiter gebeten worden. Dies aber ist immerhin ganz illustrativ"; ebd.

[145] BA, Nl. Stresemann, 3052, H. 123960, Riesser an Stresemann, 15. 8. 1914; ebd., H. 123964, Stresemann an Friedrichs, 19. 8. 1914.

[146] Ebd., H. 123964, Stresemann an Friedrichs, 19. 8. 1914: Er habe seinerzeit bei der Gründung der „Welthandelsstelle bei Riesser angefragt, ob er mit dem Gedanken der Begründung einverstanden wäre. Auch damals ergaben sich Schwierigkeiten." Auch die bei Stegmann erwähnten Gegner Roland-Lücke und Hecht waren Mitglieder des HB-Direktoriums; vgl. ders., S. 437.

[147] Vgl. Stegmann, S. 437.

[148] Ebd.

[149] BA, Nl. v. Richthofen, Nr. 3, Bl. 172, v. Richthofen an Riesser, 20. 2. 1914.

[150] Ebd., Bl. 172 f. Zu den erwähnten Reden von Röchling und Fuhrmann vgl. Stegmann, S. 432 f.

[151] Ebd., S. 390.

[152] Vgl. Kaelble, Interessenpolitik, S. 133, 232; VMB, H. 128, Okt. 1913, S. 36 f.

[153] Zit. nach Kaelble, Interessenpolitik, S. 134.

[154] Vgl. Stegmann, S. 436.

[155] VMB, H. 128, Okt. 1913, S. 24.

[156] Vgl. Stegmann, S. 386; H-B, Jg. 5, Nr. 1, April 1914, S. 13; ebd., Nr. 2, Mai 1914, S. 27 f., 30, Nr. 3, Juni 1914, S. 41. Die Führer des BdL traten allerdings für die Erhaltung des bestehenden Schutzzollsystems ein, um die Zusammenarbeit mit der Schwerindustrie nicht zu gefährden, vgl. Stegmann, S. 384 f., 390.

[157] Vgl. Anm. 80 ff., ferner BA, Nl. Stresemann, 3053, H. 124579 f., Stresemann an Lehmann (Vors. des VSI), 28. 8. 1913.

[158] Vgl. Stegmann, S. 355.

[159] Ebd., S. 395 f., 398 f. Zur Kritik an der Einschätzung der Haltung des Zentrums bei Stegmann vgl. Nipperdey, in: HZ, Bd. 215, 1972, S. 169.

[160] Keineswegs jedoch alle Mitglieder des RDMV, denn seit 1913 arbeiteten zahlreiche Grundbesitzervereine mit dem HB zusammen oder traten ihm korporativ bei, obwohl ihr Spitzenverband an führender Stelle im RDMV mitarbeitete; vgl. H-B, Jg. 4, Nr. 4, Juli 1913, S. 53; ebd., Nr. 11, Febr. 1914, S. 151; Nr. 12, März 1914, S. 170, 162.

[161] Vgl. Stenogr. Ber. Preuß. Abg.-H., 22. LP, 2. Session, Bd. 2, Sp. 1961.
[162] Vgl. Stegmann, S. 397; Nipperdey, in: HZ, Bd. 215, 1972, S. 169.
[163] Vgl. Stegmann, S. 397.
[164] Nipperdey, in: HZ, Bd. 215, 1972, S. 169.
[165] Vgl. H-B, Jg. 4, Nr. 9, Dez. 1913, S. 126 „Entschließung der deutschen Mittelstandsvereinigung“.
[166] Mittelstandsnachrichten, Amtl. Organ der DMV, Jg. 2, Nr. 8, 10. 8. 1913 „Reichsdeutscher Mittelstandsverband, Zentralverband Deutscher Industrieller und Bund der Landwirte vereinigt“.
[167] Schweighoffer an Büttner, 30. 8. 1913, zit. nach Kaelble, Interessenpolitik, S. 228.
[168] Zit. nach Stegmann, S. 388.
[169] Ebd., S. 392.

VII.

[1] Berghahn, Kaiserreich, S. 500; Fricke, in: Die bürgerlichen Parteien, Bd. 2, S. 145; ders., Rezension zu Stegmann, in: ZfG, Bd. 20, 1972, S. 233; Lederer, Mittelstandsbewegung, in: ASS, Bd. 37, 1913, S. 1021; Nipperdey, in: HZ, Bd. 215, 1972, S. 169 f.; Wehler, Kaiserreich, S. 104; Winkler, Mittelstand, S. 53.
[2] Schmidt, S. 12.
[3] Ebd., S. 25.
[4] Ebd., S. 17.

IV. Verzeichnis der benutzten Quellen und Literatur

A. Unveröffentlichte Quellen

I. Deutsches Zentralarchiv Potsdam

1. Reichskanzlei (Registratur 1900–1918)

211–13	Finanzreform 1907/08
214–18	Finanz- Steuer- und Zollpolitik
272	Branntweinsteuer (1907–13)
273	Brausteuer (1904–11)
292	Erbschaftssteuer
324	Zolltarif (1910–12)
330	Industrie–Zölle (1901–11)
350a	Die Banken (1908–11)
351	Dto. (1912–17)
354	Scheckverkehr (1907–12)
425–26	Handelskammern, Handel und Gewerbe
442–43	Verbände deutscher Kaufleute und Industrieller
461	Warenhäuser
465–66	Börsengesetz, Handel und Gewerbe
1128	Bund der Landwirte (1901–08)
1131	Deutscher Bauernbund, Landwirtschaft p. p.
1394–95	Fortschrittliche, freisinnige und nationalliberale Parteien (1908–18)
1395–96	Sozialdemokratie (1910–11)
1422/4	Hansa-Bund
1791	Reichstagswahl (1900–18)
1808–09	Dto. (1910–18)
2245	Wirtschaftliche Vereine und Genossenschaften (1902–18)
2255	Mittelstands-Vereinigungen (1905–17)

2. Reichsamt des Innern

6107–08	Geheime Sachen (1911–12)
7236	Stahlwerksverband (1909–12)
13581/4	Verhandlungen der Sozialdemokratischen Parteitage
13689	Maßregeln gegen die Sozialdemokratie (1904–14)

3. Reichsarbeitsministerium

6496	Hansabund (1909–25)

4. Reichsschatzamt

4121	Eingaben in bezug auf die Erbschaftssteuer

5. Akten der Fortschrittlichen Volkspartei

8	Wahlverein der Liberalen, Zirkulare (1908–10)
18	Generalakten Oberschlesien (1909–17)
20	Parteitag, Oktober 1912
27	Parteisekretärs-Berichte (1910–18)
30	Verhandlungen mit den Nationalliberalen (Reichstagswahl 1912)
31–32	Dto. (1910–11)

33	Verhandlungen mit den Nationalliberalen, Landtagswahl 1913
34	Verhandlungen mit den Nationalliberalen 1916/17
36	Geschäftsführender Ausschuß, Sitzungsprotokolle (1910–18)
37	Zentralausschuß, Protokolle und Anlagen (1910–17)
64–65	Zirkulare (1910–18)

6. Nachlässe

Ernst Bassermann
1, 2, 7, 9, Allgemeiner Schriftwechsel

Friedrich Naumann
4, 5, 6, 231, 236, 309, 310, Allgemeiner Schriftwechsel

59	Wahlverein der Liberalen (1904–10)
211	Einigung der Liberalen (1903–08)
222	Reichstagsersatzwahl von 1913 (Waldeck-Pyrmont)

Conrad Freiherr von Wangenheim

4	Briefwechsel mit Roesicke

II. Bundesarchiv, Koblenz

1. Wirtschaftsgruppe Eisenschaffende Industrie Bestand R 13 I

12	Geschichte des Verbands Deutscher Eisen- und Stahlindustrieller 1874–1934, v. C. Klein (1934)
51–52	Wirtschaftspolitische Betätigung des Centralverbandes Deutscher Industrieller, z. T. in Verbindung mit dem Verein Deutscher Eisen- und Stahlindustrieller, Nr. II, H. 1, 1884–1912
139	Sammlung von stenographischen Sitzungen des Hauptvorstandes und der Hauptversammlung des Vereins
163	Sammlung gedruckter Berichte und Mitteilungen über die Hauptvorstandssitzungen und Hauptversammlungen des Vereins, bzw. der Wirtschaftsgruppe sowie über die Sitzungen des Fachgruppenausschusses Eisenschaffende Industrie. Bd. 2, 1892–1913
174–176	Sammlung von Rundschreiben und Drucksachen zur Unterrichtung der Hauptvorstandsmitglieder über die Tätigkeit des Vereins sowie über allgemeine und spezielle Fragen der in- und ausländischen Eisen- und Stahlwirtschaft. Bde. 3–5, 1903–1912

2. Bestand R 43 I

1189	Hansabund 1919/33

3. Sonderbestände

Zsg
103/1413 Hansa-Bund 1909–1912

4. Nachlässe

Nachlaß Georg Gothein
Nr. 12 Aus meiner politischen Tätigkeit, von Georg Gothein.
Nr. 16, 19, 20, 22, 28 Politischer und privater Schriftwechsel.
Nr. 43 Wahlverein der Liberalen 1905–1910
Nr. 59 Politische Fragen, Finanz- und Wirtschaftspolitik

Nachlaß Friedrich von Payer
Nr. 1a Mein Lebenslauf von 1847–1931

Nachlaß Hartmann Freiherr von Richthofen
Nr. 3, 5, 17

Nachlaß Walter Schücking
Nr. 47 Fortschrittliche Volkspartei 1909–1917

III. Hessisches Hauptstaatsarchiv, Wiesbaden

Abt. 405, Nr. 2763 Hansabund (Zeitungsausschnitte)

IV. Stadtarchiv, Nürnberg

Registratur V d 15 Nr. 4510 Acten des Stadtmagistrats Nürnberg, Betreff: Landesverband Nordbayern des Hansa-Bundes für Gewerbe, Handel und Industrie und Bayerischer Hansa-Bund 1909–1939
Vereine Nr. 394, Hansabund

V. Stadtarchiv, Frankfurt a. M.

Bestand der Handelskammer zu Frankfurt, Abtlg. XX 26b
1011 Hansabund für Gewerbe, Handel und Industrie (1909–1913)
1012 dto.
1013 dto. (Zeitungsausschnitte)
(1011 u. 1012 Protokolle, Rundschreiben, Mitteilungen der Zentrale und der Ortsgruppe Ffm. des Hansa-Bundes).

VI. Handelskammer Bremen (Archiv)

V – C 10 Bd. I u. II, Hansabund für Gewerbe, Handel und Industrie, Bd. I 1909–20, Bd. II 1920 ff.

VII. Niederrheinische Industrie- und Handelskammer Duisburg-Wesel in Duisburg

Hansabund 1909/10

VIII. Handelskammer Hamburg (Archiv)

Akten betr. Hansa-Bund für Gewerbe, Handel und Industrie Bestand V 145
Nr. 1 Bd. 1 u. 2 (1909–15 Einladungen, Satzung, Mitgliederliste, Anschriften, Organisationsfragen).
Nr. 2 (Werbung von Mitgliedern, 1909 ff.).
Nr. 3 (Broschüren, Denkschriften und dgl. 1909 ff.).
Nr. 4 (Vorträge, Versammlungen, Einladungen 1911–1920).
Nr. 5 (Rundschreiben 1912 ff.).
Nr. 6 (Tätigkeitsberichte, 1912 ff.).
Nr. 7 Bd. 1–3 (Akten betr. Ortsausschuß Hamburg des HB, 1909–1933).
Nr. 8 (betr. Mitgliedschaft der Handelskammer beim HB, 1918–25).
Bestand V 300 Centralverband des deutschen Bank- und Bankiergewerbes, 1904 ff.

IX. Industrie- und Handelskammer Limburg a. d. Lahn

Akt 1302 Hansa-Bund (1931–33)

X. Handelskammer Lübeck

20a/32, Fach 4, Hansa-Bund für Gewerbe, Handel und Industrie

XI. Industrie- und Handelskammer München

Bestand Handels- und Gewerbekammer für Oberbayern zu München
XV D 23, Bd. I Hansabund 1909–37, Bd. II 1938/39.

XII. Rheinisch-Westfälisches Wirtschaftsarchiv, Köln

Bestand der *Handelskammer zu Mülheim a. Rh.*
Abt. 2 Nr. 8, Fasz. 28, Handelstag und sonstige Gesamtvertretung von Handel, Industrie und Gewerbe
Nr. 9, Fasz. 12, Kartelle 1906–1909
Nr. 19, Fasz. 7, Verschiedene Steuern
Abt. 8 Nr. 7, Banken und Versicherungen, 1896–1920
Bestand der *Handelskammer für den Reg. Bez. Münster*
Abt. 5 Nr. 36, Fasz. 11, Vereinswesen, Interessenvertretungen, gewerbliche und landwirtschaftliche Vereine.
Fasz. 13, Vereinswesen, 1911–1913

XIII. Westfälisches Wirtschaftsarchiv, Dortmund

Bestand der Industrie- und Handelskammer zu Dortmund XV C 235, Hansabund.

XIV. Werksarchiv der Farbenfabriken Bayer AG, Leverkusen

Allgemeine Personalia 271/0. Riesser (u. a. Briefwechsel mit Duisberg)
Personalia Henry v. Böttinger vgl. 3, 271/2 (u. a. Briefwechsel mit Duisberg)
Wirtschaft. Verschiedene Institutionen
Nr. 62/36,1 Hansa-Bund zur Wahrung der Gesamtinteressen von Handel, Handwerk und Industrie.

XV. Werksarchiv der Gelsenkirchener Bergwerks-AG, Essen

Akte Hansabund 1909/10 (Schriftwechsel Kirdorfs zum HB; Protokolle des Konstituierenden Präsidiums)

XVI. Historisches Archiv Fried. Krupp, Essen

Bestand IV 2500 N Rö 18, Hansabund
Akten F A. H. IV C 15 u. C 19 (u. a. Briefwechsel G. Hartmanns u. L. Delbrücks mit Gustav Krupp v. B. u. H. betr. Rötgers Eintritt in den HB).

XVII. Privatarchiv Lisette Müller (Ww. v. Dr. Karl L. A. Greune, Gf. des Bayer. Landesverbandes des HB bis 1937), Nürnberg

Mitteilungen des Landesverbandes Nordbayern, 1920–27
Satzungen des Landesverbandes Bayern des Hansa-Bundes
Jahresberichte des Landesverbandes Bayern 1927–31, Nürnberg 1928–1932

XVIII. Privatarchiv Dr. Hans Rötger, Ziegelhausen

Akte Hansabund (Briefwechsel zw. Max Rötger und anderen Hansabundmitgliedern; Protokolle von Präsidiums- und Direktoriumssitzungen des Hansa-Bundes, 1909)

XIX. Privatarchiv Dr. Helmut Ruge, Berlin (Enkel v. J. Riesser)

Briefwechsel zw. Jakob Riesser und seinem Sohn Hans, 1920 ff.

XX. Privatarchiv Eric Warburg, Hamburg

Brief Max M. Warburgs an Albert Ballin v. 2. 3. 1911

B. Veröffentlichungen des Hansa-Bundes bzw. führender Hansabundmitglieder

1. Geschäftsordnung, Richtlinien, Satzungen, Mitgliederverzeichnis

a) Geschäftsordnung des Direktoriums des Hansa-Bundes für Gewerbe, Handel und Industrie, Berlin 1909

b) Die Richtlinien des Hansa-Bundes, Berlin 1909
Die Richtlinien des Hansa-Bundes, Berlin 1912
Richtlinien, Entwurf, Berlin 1919
Zusammenfassende Richtlinien für die Tätigkeit des Hansa-Bundes, Berlin 1919
Entwurf eines wirtschaftlichen Aktionsprogramms, Berlin 1919
Richtlinien des Hansabundes, Berlin 1921
Das neue Wirtschaftsprogramm des Hansa-Bundes, Berlin 1933
c) Satzung des Hansa-Bundes für Gewerbe, Handel und Industrie, Berlin 1909
Satzung des Hansa-Bundes für Gewerbe, Handel und Industrie, Berlin 1911
Satzung des Hansa-Bundes (Entwurf), Berlin 1919
Satzungen des Hansa-Bundes für Gewerbe, Handel und Industrie, Berlin 1919
Satzung des Hansa-Bundes für Gewerbe, Handel und Industrie, Berlin 1924 und 1928
Satzung des Hansa-Bundes für Gewerbe, Handel und Industrie, Berlin 1933
Satzung des Hamburger Zweigvereins des Hansa-Bundes für Gewerbe, Handel und Industrie, Hamburg 1909
Satzung der Landesgruppe Bremen des Hansa-Bundes für Gewerbe, Handel und Industrie, Bremen 1909
Satzung des Landesverbandes Nordbayern des Hansa-Bundes für Gewerbe, Handel und Industrie, Nürnberg 1910
Satzungen des Hansa-Bundes für Gewerbe, Handel und Industrie, Gruppe Mittelfranken, Nürnberg 1909
Satzung für den Bayerischen Landesverband des Hansa-Bundes für Gewerbe, Handel und Industrie, o. O. 1911
Satzung, Rheinisch-Westfälischer Hansa-Bund e. V., Düsseldorf 1922
Satzungen des Hansa-Bundes für Gewerbe, Handel und Industrie, Landesverband Bayern, München 1929

d) Verzeichnis der Mitglieder des Gesamtausschusses des Hansa-Bundes, Berlin 1909
Verzeichnis der Mitglieder des Direktoriums und des Gesamtausschusses des Hansa-Bundes, Berlin 1914

2. Zeitschriften, Mitteilungen und Informationen des Hansa-Bundes

a) Hansa-Bund. Offizielles Organ des Hansa-Bundes für Gewerbe, Handel und Industrie, Berlin 1911–1919
„Hansa". Monatliche Nachrichten aus dem Provinzialverband Hessen-Nassau des Hansa-Bundes, o. O. 1912
Der Hansa-Bund. Offizielles Organ des Landesverbandes Nordbayern, Jg. 1912–16, Nürnberg 1912 ff.
(sehr lückenhaft vorhanden)
Hansa-Bund. Mitteilungen des Landesverbandes Nordbayern, Jge. 9–11, Nürnberg 1921–23

Mitteilungen des Hansa-Bundes, Landesverband Bayern, Nürnberg 1924
Der Hansa-Bund. Nachrichten des Hansa-Bundes für Gewerbe, Handel und Industrie, Landesverband Bayern, Nürnberg 1924 ff.
Der Bayerische Hansa-Bund, o. O. Jge. 1936–38
Weckruf, Blätter des Hansabundes, Landesverband Südwest, Jg. 1, Frankfurt/M. 1921

b) Mitteilungen vom Hansa-Bund für Gewerbe, Handel und Industrie, Berlin 1909/10
Der Hansa-Bund. Mitteilungen der Kriegszentrale, Nr. 1–63, Berlin 1914 ff.
Hansa-Bunds-Mitteilungen, Berlin 1918
Mitteilungen des Hansa-Bundes für Gewerbe, Handel und Industrie, Berlin 1920–34
Hansa-Bund. Etatkritische Korrespondenz, Berlin 1929–31
Wirtschaftliche Informationen, Berlin 1924–34
Wirtschaftsfreiheit gegen Wirtschaftsnot, Pressedienst (N. F.) des Hansa-Bundes für Gewerbe, Handel und Industrie, Berlin 1931–33

3. Jahrbücher, Tätigkeitsberichte

Jahrbuch des Hansa-Bundes für das Jahr 1912, Berlin 1911, für 1913, Berlin 1912
Geschäftsbericht 1911, o. O., o. J.
Erfolge und Entwicklung des Hansa-Bundes im Jahre 1913, Berlin o. J.
Der Hansabund im Kriege. Bericht über die Tätigkeit des Hansabundes seit dem Beginn des Krieges bis zum Ende des Jahres 1916. Berlin (1917)
Tätigkeitsbericht des Hansa-Bundes für das Jahr 1917, Berlin 1918, für 1922, Berlin 1923
Fischer, Hermann, Rückblick und Ausblick. Die Tätigkeit des Hansa-Bundes im Jahre 1923, Berlin 1924
Bericht über die Tätigkeit des Hansa-Bundes im Jahre 1924/25, Berlin 1925/26
Der Hansabund für Gewerbe, Handel und Industrie im Jahre 1926/27, Berlin 1927/28 (H. 9 bzw. H. 17 der Flugschriften des HB)
Hansa-Bund für Gewerbe, Handel und Industrie, Geschäftsbericht 1928/29, Berlin 1929/30 (H. 20 u. 23 der Flugschriften des HB)
Hansa-Bund für Gewerbe, Handel und Industrie, Jahresbericht 1931/32, Berlin 1932/33 (H. 29 u. 31 der Flugschriften des HB)
Hansa-Bund 1909–1929. Sonderdruck aus den Mitteilungen des Hansa-Bundes für Gewerbe, Handel und Industrie, Nr. 6, 1929, o. O., o. J.
Hansa-Bund für Gewerbe, Handel und Industrie, Landesgruppe Bremen, Entwurf des Jahresberichts 1916, Bremen, o. J.
Jahresbericht 1916, Provinzialverband Hessen-Nassau des Hansa-Bundes, o. O., o. J.
Jahresbericht der Landesgruppe Lübeck des Hansa-Bundes für das Jahr 1917, Lübeck o. J.
Der Hansa-Bund für Gewerbe, Handel und Industrie, Provinzialverband Hessen-Nassau im Kriegsjahr 1918, o. O., o. J.
Der Hansa-Bund für Gewerbe, Handel und Industrie, Landesverband Bayern, Jahresbericht Bayern, Jahresberichte 1927–1931, Nürnberg 1928–32
Jahrbuch des Handelsvertragsvereins für das Jahr 1901, Berlin 1902

4. Protokolle, Stenographische Berichte

Stenographischer Bericht über die Versammlung vom 12. Juni 1909 im Zirkus Schumann in Berlin betr. Reichsfinanzreform und Gründung des Hansabundes, Berlin 1909
Stenographischer Bericht über die Gründungsversammlung einer Ortsgruppe Dresden des Hansabundes am 1. 9. 1909 im großen Saale des Vereinshauses zu Dresden, Dresden 1909

Die Gründungsreden der Ortsgruppe Saarbrücken des Hansabundes, Südwestdeutsche Flugschriften H. 10, Saarbrücken 1909
Erster Allgemeiner Deutscher Hansatag im Sportpalast zu Berlin, 12. 6. 1911, Berlin 1911 (Flugblatt)
Der Mittelstandskongreß des Hansa-Bundes vom 5. u. 6. November 1911 in Berlin, Flugschrift H. 34 des HB, Berlin (1912)
Protokoll der Sitzung des Plenums des Einzelhandels-Ausschusses im Hansabunde am 6. 11. 1913, Berlin o. J.
Kriegssitzung des Ortsverbandes Groß-Berlin am 26. Oktober in Berlin, Berlin 1914 (Flugblatt)
Vom Krieg zum Frieden. Erörterungen und Vorschläge der vom Hansa-Bund einberufenen Sachverständigen-Versammlung zu Berlin, 5. u. 6. 2. 1916, Berlin 1916
Der Hansabund und die Neuordnung. Ansprachen bei der Kriegstagung des Direktoriums und des Gesamtausschusses des Hansabundes zu Berlin am 21. 5. 1917, Berlin 1917
Freie Bahn für Handel und Industrie, Forderungen für die Übergangswirtschaft, aufgestellt in der Kundgebung deutscher Handels- und Industrieverbände zu Berlin, 8. 10. 1917, Berlin 1917
Die Politik des Hansa-Bundes. Programmreden der Vorsitzenden RA Dr. H. Fischer, MdR und Generaldirektor Meyer-Leverkus, gehalten auf der Hauptversammlung des Hansa-Bundes in Nürnberg, 5.–7. 3. 1922, Berlin 1922
Tagung des Hansa-Bundes in Dresden, 11. 5. 1925, Berlin 1925

Flugschriften des Hansa-Bundes

H. 4 Reichslandbund und Gewerbe, Handel und Industrie, von Ernst Mosich, Berlin 1925
H. 7 Wirtschaftspolitische Gegenwartsforderungen, Berlin 1926
H. 8 Der künftige Kurs der deutschen Sozialpolitik, Berlin 1927
H. 11 Hansa-Tagung 1927, Berlin 1927
H. 16 Finanzpolitische Gegenwartsaufgaben, Berlin 1928
H. 19 Hansa-Tagung 1928. Was fordert die Wirtschaft vom neuen Reichstag? o. O., o. J.
H. 21 Deutschlands weltwirtschaftliche Lage (Stimmung), Finanzpolitische Neuorientierung (H. Fischer), Berlin 1929. 20 Jahre Wirtschaftspolitik. Hansa-Tagung 1929, Berlin (1929)
H. 22 Finanzreform. Besteuerung der wirtschaftlichen Betriebe der öffentlichen Hand, Berlin o. J.
H. 25 Ausgabensenkung statt Steuererhöhung, Berlin 1930
H. 27 Kampf dem internationalen und nationalistischen Kommunismus, Berlin 1931

N. F. der Druckschriften des Hansa-Bundes

Wirtschaftsfreiheit gegen Wirtschaftsnot. Wirtschaftspolitische Informationstagung des HB für Gewerbe, Handel und Industrie, Erfurt 21. II. 1931, Berlin 1931
Zimmermann, W., Der Mittelstand und die kollektivistischen Wirtschaftsexperimente, Berlin 1931
Fischer, Hermann, Die Stellung des Hansa-Bundes in der deutschen Wirtschaftspolitik, Berlin 1932
Reif, Hans, Die individualistische Wirtschaft als Wegbereiter des nationalen, sozialen und kulturellen Aufstiegs, Berlin 1931
Stenogramm der Verhandlungen des Wirtschaftspolitischen Gesamtausschusses des Hansa-Bundes für Gewerbe, Handel und Industrie, Berlin 1931

Kapitalismus und Wirtschaftskrise, Tagung des Wirtschaftspolitischen Gesamt-Ausschusses des Hansa-Bundes für Gewerbe, Handel und Industrie, Berlin 1931
Ansprache des Präsidenten des Hansa-Bundes Dr. Ing. J. P. Vielmetter auf der Hauptversammlung am 16. 10. 1934

5. Sonstige Veröffentlichungen des HB bzw. führender Funktionäre

Beiträge zur neuen Reichswirtschaftspolitik, hg. von Curt Köhler, Geschäftsführender Präsident des Hansa-Bundes, Berlin (1921)
Die öffentlich-rechtlichen Belastungen von Gewerbe, Handel und Industrie, hg. vom Hansa-Bund, Berlin 1912
Brandt, Otto L., Der Hansa-Bund, seine Ziele und Gegner, in: Die Grenzboten, Jg. 68, 1909, S. 348–62
Bürger heraus! Ausgewählte Reden des Präsidenten des Hansa-Bundes Dr. Riesser, Berlin 1912[3]
Denkschrift über die neuen preußischen Steuergesetzentwürfe, hg. vom Direktorium des Hansa-Bundes, Berlin 1912
Deutschlands Industrie. Die Wahrheit über Deutschlands Industrieentwicklung. Zugleich eine zahlenmäßige Widerlegung der statistischen Zerrbilder des Bundes der Landwirte, Berlin 1911
Duisberg, Carl, Abhandlungen, Vorträge und Reden aus den Jahren 1882–1921, hg. zu seinem 60. Geburtstage vom Aufsichtsrat und Direktorium der Farbenfabriken vorm. Fried. Bayer u. Co., Berlin, Leipzig 1923
Festgabe zum 60. Geburtstage des Herrn Geh. Justizrats Prof. Dr. Riesser, hg. v. CVBB e. V., Berlin 1913
Gérard, M. C., Politisches Erwachen, Mannheim 1909
Handbuch wirtschaftlicher Vereine und Verbände des deutschen Reiches, hg. vom Hansa-Bund, Berlin, Leipzig 1913
Wirtschaftspolitisches Handbuch des Hansa-Bundes, Berlin 1911
Hansa-Bund und Wassergesetzentwurf, hg. vom Hansa-Bund, Berlin Sept. 1912
Hansafahrt deutscher Handwerker zur Weltausstellung in Brüssel, hg. vom Hansa-Bund, Berlin 1911
Köhler, Curt, Centralverband oder Hansa-Bund? Eine wirtschaftspolitische Studie, Leipzig 1912
Kriegsmerkblatt für Gewerbe, Handel und Industrie, hg. v. der Geschäftsführung des Hansa-Bundes, Berlin 1914
Kundgebung für den sofortigen Abbau der Kriegswirtschaft nach dem Frieden und für die Freiheit der Wirtschaft am 24. 9. 1918 in Berlin. Veranstaltet von 94 wirtschaftlichen Verbänden und Korporationen in Verbindung mit dem Hansa-Bund, Berlin 1918
Die Politik des Hansa-Bundes. Im Auftrage der Geschäftsführung vorgelegt von Oberbürgermeister a. D. Knobloch, Berlin (1910)
Reden des Vorsitzenden im Präsidium des Hansa-Bundes für Gewerbe, Handel und Industrie, Geh.-Justizrat Prof. Dr. Riesser, gehalten im Jahre 1909/10, Berlin (1910)
Riesser, Jakob, Der Hansa-Bund, Jena 1912
Riesser, Jakob, Deutschlands Wirtschaftslage und Wirtschaftsaussichten. Vortrag vor den Vaterland-Vereinen in Mannheim, 2. 12. 1915, o. O., o. J.
Riesser, Jakob, Zukunftsaufgaben des Hansa-Bundes, Berlin 1916
Der Schutz des Rechts auf Berufsausübung gegen unerlaubten Zwang. Denkschrift des Hansa-Bundes, Berlin 1912
Zusammenfassung von dem Hansa-Bunde zugegangenen an den Reichstag gerichteten Eingaben aus Industrie, Handel und Gewerbe nach dem Stande v. 1. 5. 1914, hg. v. der Geschäftsführung des Hansa-Bundes, Berlin 1914

C. Berichte, Dokumentensammlungen, Handbücher, Statistiken

Akten zur staatlichen Sozialpolitik in Deutschland 1890–1914, hg. v. P. Rassow und K. E. Born, Wiesbaden 1959
Amtliches Handbuch der Kammer der Abgeordneten des Bayerischen Landtages, 36. LP, hg. vom Bureau der Kammer der Abgeordneten, München 1912
Amtliches Reichstags-Handbuch, 12. u. 13. LP, hg. vom Reichstags-Bureau, Berlin 1907, 1912
Von Bassermann zu Stresemann, Die Sitzungen des nationalliberalen Zentralvorstandes 1912–1917, bearbeitet von Klaus-Peter Reiß, Quellen zur Geschichte des Parlamentarismus und der politischen Parteien, I. Reihe, Bd. 5, Düsseldorf 1967
Degener, H. L. (Hg.), Wer ist's? Zeitgenossenlexikon, 4.–7. Auflage, Leipzig 1909, 1911, 1912, 1914
Geschichtskalender, deutscher, begr. von Karl Wippermann, hg. v. F. Purlitz, Jg. 25 ff., 1909 ff.
Handbuch der deutschen Aktiengesellschaften. Jahrbuch der deutschen Börsen, Ausgabe 1907/08, 1909/1910, 1911/12, Berlin 1908 ff.
Handbuch der Fortschrittlichen Volkspartei Württembergs zur Reichstagswahl 1912, Stuttgart o. J.
Politisches Handbuch der Nationalliberalen Partei, hg. vom Centralbüro der Nationalliberalen Partei Deutschlands, Berlin 1907, 1. Nachtrag, Berlin 1910
Handbuch für das Preußische Abgeordnetenhaus, hg. v. A. Plate, Ausgaben f. d. 21. u. 22. LP, Berlin 1908, 1914
Kalkoff, Hermann, Nationalliberale Parlamentarier 1867–1917 des Reichstages und der Einzellandtage. Beiträge zur Parteigeschichte, Berlin 1917
Kleines Saling's Börsen-Jahrbuch für 1912/13, Berlin 1912
Lexikon, Enzyklopädisches, für das Geld-, Bank- und Börsenwesen, hg. v. M. Palyi u. P. Quittner, Ffm. 1957
Martin, Rudolf, Jahrbücher des Vermögens und Einkommens der Millionäre im Königreich Preußen und in den übrigen Bundesstaaten, in 20 Bänden, Berlin 1912/13
Der zweite Parteitag der Fortschrittlichen Volkspartei zu Mannheim, 5.–7. Oktober 1912, Berlin 1912
Protokoll der 32. Hauptversammlung des Vereins zur Wahrung der Interessen der chemischen Industrie Deutschlands e. V. in Bonn, 13. 9. 1909
Protokolle über die Verhandlungen der Parteitage der Sozialdemokratischen Partei Deutschlands, Berlin 1908–1913
Schultheß' Europäischer Geschichtskalender, N. F., Jg. 25 ff., München 1909 ff.
Schwarz, Max (Hg.), MdR. Biografisches Handbuch der Reichstage, Hannover 1965
Statistik des deutschen Reichs, Bd. 250, Heft 1–3, Die Reichstagswahlen von 1912, bearbeitet im Kaiserlichen Statistischen Amte, Berlin 1912/13
Statistisches Jahrbuch für das Deutsche Reich, hg. vom Kaiserlichen Statistischen Amte, Jg. 30 ff., Berlin 1909 ff.
Vierteljahreshefte zur Statistik des Deutschen Reiches, hg. vom Kaiserlichen Statistischen Amte, Ergänzungshefte zu 1909, H. 2, S. 18–20

D. Zeitungen und Zeitschriften

Frankfurter Zeitung
Kölnische Zeitung
Norddeutsche Allgemeine Zeitung
Vossische Zeitung
Vorwärts

Die übrigen zitierten Zeitungen wurden nach den oben genannten Archivbeständen zitiert, insbesondere nach der Akte 1013, Stadtarchiv Ffm.
Bankarchiv
Deutsche Industriezeitung, 1909–1914
Deutsche Schlosserzeitung, 1909
Die Grenzboten, 1909–1914
Die Hilfe, 1909–1914
Die Neue Zeit, 1909–1914
Mitteilungen der Handelskammern Bochum, Elberfeld, Essen, Ludwigshafen a. Rh. 1909–1911
Mitteilungen des Handelsvertragsvereins, ab 1912 Deutscher Außenhandel, 1909–1914
Mitteilungen des Vereins zur Wahrung der gemeinsamen wirtschaftlichen Interessen in Rheinland und Westfalen, 1909–1912
Preußische Jahrbücher, 1909–1914
Soziale Praxis und Archiv für Volkswohlfahrt, 1909–1914
Sozialistische Monatshefte, 1909–1914
Südwestdeutsche Wirtschaftszeitung, 1909–1914
Verhandlungen, Mitteilungen und Berichte des Centralverbandes Deutscher Industrieller H. 111–129, 1908–1914
Veröffentlichungen des Bundes der Industriellen, H. 3 1912
Zeitschrift für Politik, 1909–1914

E. Darstellungen

Achterberg, Erich, Berliner Hochfinanz, Kaiser, Fürsten, Millionäre um 1900, Ffm. 1965
Achterberg, Erich und Müller-Jabusch, Maximilian, Lebensbilder deutscher Bankiers aus fünf Jahrhunderten, Ffm. 1963
Ballerstedt, Otto, Die Industrie und die Reichsfinanzreform, in: Bankarchiv, Nr. 17, 1. 6. 1909
Baran, Paul A. und Sweezy, Paul M., Monopolkapital, New York 1966
Bath-Haberland, Brigitte, Die Innenpolitik des Reiches unter der Kanzlerschaft Bethmann-Hollwegs, 1909–1914, Diss. MS, Kiel 1950
Berghahn, Volker R., Das Kaiserreich in der Sackgasse, in: NPL, Bd. 16, 1971, S. 494–506
Bertram, Jürgen, Die Wahlen zum deutschen Reichstag vom Jahre 1912. Parteien und Verbände in der Innenpolitik des wilhelminischen Reiches, Düsseldorf 1964
Beyme, Klaus von, Interessengruppen in der Demokratie, München 1969
Blaustein, Arthur, Die Reichstagswahlen von 1912, in: Die Parteien, ZfP, Beiheft I/1, Berlin 1912, S. 352–380
Blaustein, Arthur, Von der Uneinigkeit der Liberalen bei den Reichstagswahlen 1867–1910, München 1911
Böhme, Helmut, Deutschlands Weg zur Großmacht 1848–1881, Köln 1966
Borgius, Walter, Der Handelsvertragsverein. Ein Rückblick auf die ersten drei Jahre seiner Tätigkeit, Berlin 1903
Borgius, Walter, 20 Jahre Handelsvertragsverein. Ein Rückblick, Berlin 1920
Born, Karl Erich, Der soziale und wirtschaftliche Strukturwandel Deutschlands am Ende des 19. Jahrhunderts, in: VSWG, Bd. 50, 1963, S. 361–76
Born, Karl Erich, Von der Reichsgründung bis zum Ersten Weltkrieg, in: B. Gebhardt (Hg.), Handbuch der deutschen Geschichte, Bd. 3, Stuttgart 1970[9], S. 221–375
Brandt, Otto, Industrie, Handel und Reichstag, Denkschrift, hg. im Auftrage der Handelskammer Düsseldorf, Düsseldorf 1913
Breitling, Rupert, Die zentralen Begriffe der Verbandsforschung, in: PVS, Jg. 1, 1960/61, S. 47–73

Bürger, Curt, Die Agrardemagogie in Deutschland, Groß-Lichterfelde 1911
Bürger, Curt, Die politische Mittelstandsbewegung, Groß-Lichterfelde 1912
Dahrendorf, Ralf, Gesellschaft und Demokratie in Deutschland, München 1967
Dix, Arthur, Der Bund der Landwirte, Entstehung, Wesen und politische Tätigkeit, Berlin 1909
Dix, Arthur, Blockpolitik, ihre innere Logik, ihre Vorgeschichte, ihre Aussichten, Berlin o. J.
Elm, Ludwig, Zwischen Fortschritt und Reaktion. Geschichte der Parteien der liberalen Bourgeoisie in Deutschland 1893–1918, Berlin 1968
Erdmann, Manfred, Die verfassungspolitische Funktion der Wirtschaftsverbände in Deutschland 1815–1871, Berlin 1968
Eschenburg, Theodor, Das Kaiserreich am Scheideweg. Bassermann, Bülow und der Block, Berlin 1929
Feiler, Arthur, Die Konjunktur-Periode 1907–1913 in Deutschland, Jena 1914
Fischer, Fritz, Krieg der Illusionen, Düsseldorf 1969
Fischer, Wolfram, Die Angestellten, ihre Bewegung und ihre Ideologie, Phil. Diss., Heidelberg 1931
Fischer, Wolfram, Stadien wirtschaftlichen Wachstums, in: ders., Wirtschaft und Gesellschaft im Zeitalter der Industrialisierung, Göttingen 1972
Fraenkel, Ernst, Deutschland und die westlichen Demokratien, Stuttgart 1964
Gagel, Walter, Die Wahlrechtsfrage in der Geschichte der deutschen liberalen Partei 1848–1918, Düsseldorf 1958
Gall, Lothar, Entwicklungsstufen der bürgerlich-liberalen Bewegung in Deutschland, unveröffentlichtes Vortragsmanuskript (Berlin 1973)
Gerloff, Wilhelm, Die Finanz- und Zollpolitik des Deutschen Reiches von der Gründung des norddeutschen Bundes bis zur Gegenwart, Jena 1913
Groh, Dieter, Negative Integration und revolutionärer Attentismus. Die deutsche Sozialdemokratie am Vorabend des Ersten Weltkriegs, Ffm. 1973
Grosser, Dieter, Vom monarchischen Konstitutionalismus zur parlamentarischen Demokratie, Den Haag 1970
Hartfiel, Günter, Angestellte und Angestelltengewerkschaften in Deutschland, Berlin 1961
Hartmann, Hans-Georg, Die Innenpolitik des Fürsten Bülow 1906–1909, Diss. MS., Kiel 1950
Hauenstein, Fritz, Der Weg zum deutschen Spitzenverband, Darmstadt 1956
Helfferich, Carl, Deutschlands Volkswohlstand 1888–1913, Berlin 1914[3]
Hilferding, Rudolf, Arbeitsgemeinschaft der Klassen?, in: Der Kampf, Bd. 8, 1915
Hintze, Otto, Das Monarchische Prinzip und die konstitutionelle Verfassung, in: ders., Gesammelte Aufsätze, Göttingen 1962
Hoffmann, Walter G. u. a., Das Wachstum der deutschen Wirtschaft seit der Mitte des 19. Jahrhunderts, Berlin 1965
Hoffmann, Walter G., The Take-Off in Germany, in: Rostow, Walt W. (Hg.), The Economics of Take-Off into Sustained Growth, London 1963, S. 93–118
Hondrich, Karl Otto, Die Ideologien von Interessenverbänden, Berlin 1963
Horn, Hannelore, Der Kampf um den Bau des Mittellandkanals. Eine politologische Untersuchung über die Rolle eines wirtschaftlichen Interessenverbandes im Preußen Wilhelms II, (Staat und Politik, Bd. 6) Köln 1964
Horn, Karl-Heinz, Der Hansabund. Ein Beitrag zur Auseinandersetzung um die wirtschaftspolitischen Interessen in Deutschland am Anfang dieses Jahrhunderts, Unveröffentlichte, freie wissenschaftliche Arbeit zur Erlangung des Grades eines Diplom-Handelslehrers, Berlin 1961
Jaeger, Hans, Unternehmer in der deutschen Politik (1890–1918), Bonn 1967
Jeidels, Otto, Das Verhältnis der deutschen Großbanken zur Industrie, mit besonderer Berücksichtigung der Eisenindustrie, Leipzig 1905

Kaelble, Hartmut, Industrielle Interessenpolitik in der wilhelminischen Gesellschaft, Centralverband Deutscher Industrieller 1895–1914, Berlin 1967
Kaelble, Hartmut, Industrielle Interessenverbände vor 1914, in: Ruegg, Walter, u. Otto Neuloh (Hg.), Zur soziologischen Theorie und Analyse des 19. Jahrhunderts, Göttingen 1971, S. 180–192
Kaempf, Johannes, Reden und Aufsätze, Berlin 1912
Kastl, Ludwig (Hg.), Kartelle in der Wirklichkeit, Festschrift für M. Metzner, Köln 1969
Kehr, Eckhart, Schlachtflottenbau und Parteipolitik 1894–1901, Berlin 1930
Kehr, Eckart, Der Primat der Innenpolitik, hg. v. Hans-Ulrich Wehler, Berlin 1965
Kehr, Eckhart, Das soziale System der Reaktion in Preußen unter dem Ministerium Puttkammer, in: ders., Der Primat der Innenpolitik, hg. v. Hans-Ulrich Wehler, Berlin 1965
Kiesenwetter, Otto von, 25 Jahre wirtschaftspolitischen Kampfes, Berlin 1920
Klein-Hattingen, Oskar, Geschichte des deutschen Liberalismus, 2 Bde, Berlin 1912
Kleinwächter, F., Die Kartelle, Innsbruck 1883
Knight, Maxwell E., The German Executive 1890–1933, Stanford 1952
Kocka, Jürgen, Organisierter Kapitalismus oder Staatsmonopolistischer Kapitalismus? Begriffliche Vorbemerkungen, in: Winkler, Heinrich August (Hg.), Organisierter Kapitalismus, Göttingen 1973, S. 19–35
Kocka, Jürgen, Unternehmensverwaltung und Angestelltenschaft am Beispiel Siemens 1847–1914, (Schriftenreihe für moderne Sozialgeschichte, Bd. 11) Stuttgart 1969
König, Carl, Die deutschen Arbeitgeber und ihre politische Vertretung, Nürnberg 1908
Die *Korporation* der Kaufmannschaft von Berlin, Festschrift zum hundertjährigen Jubiläum am 2. März 1920, Berlin 1920
Krauß-Düren, J. B., Die Politik im deutschen Reiche, Osnabrück 1911
Krauß-Düren, J. B., Der Reichstags-Wahlkampf 1911/12, Darstellung und Kritik der politischen Ereignisse seit den Reichstagswahlen von 1907, Cöln 1911
Krüger, Hermann Edwin, Die freien Interessenvertretungen von Industrie, Handel und Gewerbe in Deutschland, Berlin 1909
Krüger, Hermann Edwin, Historische und kritische Untersuchungen über die freien Interessenvertretungen von Industrie, Handel und Gewerbe in Deutschland, in: Sch. Jb., Bd. 32, 1908, S. 1581–1614; Bd. 33, 1909, S. 617–668.
Kuhlemann, Wilhelm, Die Berufsvereine, Bd. 3, Jena 1908
Kuznets, Simon, Notes on the Take-Off into Sustained Growth, Berlin 1962
Lederer, Emil, Die wirtschaftlichen Organisationen und die Reichstagswahlen, Tübingen 1912
Lederer, Emil, Die sozialen Organisationen, Berlin 1922
Leiße, Wilhelm, Wandlungen in der Organisation der Eisenindustrie und des Eisenhandels, München 1912
Liefmann, Robert, Kartelle, Konzerne und Trusts, Stuttgart 1927
Martin, Rudolf, Deutsche Machthaber, Berlin 1910
Maschke, Erich, Grundzüge der deutschen Kartellgeschichte, Dortmund 1964
Massing, Otwin, Parteien und Verbände als Faktoren des politischen Prozesses. Aspekte politischer Soziologie, in: Gisela Kress u. Dieter Senghaas (Hg.), Politikwissenschaft. Eine Einführung in ihre Probleme, Ffm. 1969, S. 324–367
Mayntz, Renate, Soziologie der Organisation, Hamburg 1967[2]
Meinecke, Friedrich, Die Reform des preußischen Wahlrechts, in: ders., Politische Schriften und Reden, hg. v. Georg Kotowski, Darmstadt 1958
Messerschmidt, Manfred, Die Armee in Staat und Gesellschaft, in: Stürmer, Michael (Hg.), Das kaiserliche Deutschland 1871–1918, Düsseldorf 1970, S. 89–118
Michels, Robert, Zur Soziologie des Parteiwesens in der modernen Demokratie. Untersuchungen über die oligarchischen Tendenzen des Gruppenlebens, Leipzig 1911

Mintz, Morton und Cohen, Jerry S., Amerika GmbH. Wer besitzt und beherrscht die USA? München 1972
Molt, Peter, Der Reichstag vor der improvisierten Revolution, Köln/Opladen 1963
Most, Otto, Industrie und Parlament, Veröffentl. Nr. 30 des Reichsverbandes der deutschen Industrie, Berlin 1926
Mottek, Hans, Einleitende Bemerkungen – Zum Verlauf und zu einigen Hauptproblemen der industriellen Revolution in Deutschland, in: ders. (Hg.), Studien zur Geschichte der Industriellen Revolution in Deutschland, Berlin 1960
Müffelmann, Leo, Die moderne Mittelstandsbewegung, Leipzig 1913
Müffelmann, Leo, Die wirtschaftlichen Verbände, Leipzig 1912
Müller, Karl-Alexander von, Ch. Fürst zu Hohenlohe-Schillingsfürst, Denkwürdigkeiten, Stuttgart 1931
Müller-Meiningen, Ernst, Wohin geht der Weg, München o. J.
Naumann, Friedrich, Die politischen Parteien, Vorträge, Berlin 1910
Nipperdey, Thomas, Die Organisation der deutschen Parteien vor 1918, Düsseldorf 1961
Nipperdey, Thomas, Interessenverbände und Parteien in Deutschland vor dem ersten Weltkrieg, in: PVS, Jg. 1, 1960/61, S. 262–280
Nussbaum, Helga, Unternehmer gegen Monopole. Über Struktur und Aktionen antimonopolistischer bürgerlicher Gruppen zu Beginn des 20. Jahrhunderts, Berlin 1966
Offe, Claus, Politische Herrschaft und Klassenstrukturen. Zur Analyse spätkapitalistischer Gesellschaftssysteme, in: Gisela Kress u. Dieter Senghaas (Hg.), Politikwissenschaft. Eine Einführung in ihre Probleme, Ffm. 1969, S. 155–189
Pachnicke, Hermann, Führende Männer im alten und im neuen Reich, Berlin 1930
Paulsen, Andreas, Zur theoretischen Bestimmbarkeit der Rostowschen „Stadien", in: Festschrift F. Lütge, Stuttgart 1966, S. 306–324
Pausewang, Siegfried, Zur Entstehung des Gesellschaftsbildes mittelständischer Unternehmen, Inhaltsanalyse der Zeitschrift „Deutsche Industrie" des Bundes der Industriellen, Jg. 1905–1914, Phil. Diss., Marburg 1967
Petzina, Dieter, Materialien zum sozialen und wirtschaftlichen Wandel in Deutschland seit dem Ende des 19. Jahrhunderts, in: VfZ, Jg. 17, 1969, S. 308–38
Pieper, Otto, Verfassungsmäßige Vertretung von Industrie und Handel in den Parlamenten des In- und Auslandes unter besonderer Berücksichtigung der Ersten Kammer, Krefeld 1912
Pikart, Eberhard, Die Rolle der Parteien im deutschen konstitutionellen System vor 1914, in: ZfP, N. F., Bd. 9, 1962, S. 12–32
Pogge v. Strandmann, Hartmut, Staatsstreichpläne, Alldeutsche und Bethmann-Hollweg, in: ders. und Immanuel Geiß (Hg.), Die Erforderlichkeit des Unmöglichen, Ffm 1965
Preradovich, Nikolaus von, Die Führungsschichten in Österreich und Preußen, 1804–1914, Wiesbaden 1966
Puhle, Hans-Jürgen, Agrarische Interessenpolitik und preußischer Konservatismus im wilhelminischen Reich (1893–1914). Ein Beitrag zur Analyse des Nationalismus in Deutschland am Beispiel des Bundes der Landwirte und der Deutsch-Konservativen Partei, Hannover 1967
Puhle, Hans-Jürgen, Der Bund der Landwirte im wilhelminischen Reich. Struktur, Ideologie und politische Wirklichkeit eines Interessenverbandes in der konstitutionellen Monarchie (1893–1914), in: Ruegg, Walter und Otto Neuloh, Zur soziologischen Theorie und Analyse des 19. Jahrhunderts, Göttingen 1971, S. 145–162
Puhle, Hans-Jürgen, Parlament, Parteien und Interessenverbände 1890–1914, in: Stürmer, Michael (Hg.), Das kaiserliche Deutschland. Politik und Gesellschaft 1871–1918, Düsseldorf 1970, S. 340–77
Rathenau, Walter, Tagebuch 1907–1922, hg. und kommentiert von Hartmut Pogge v. Strandmann, Düsseldorf 1967

Rieker, Karl Heinrich, Die Konzentrationsentwicklung in der gewerblichen Wirtschaft. Eine Auswertung der deutschen Betriebszählungen von 1875–1950, in: Tradition, Bd. 5, 1960, S. 116–131.
Riesser, Jakob, Die deutschen Großbanken und ihre Konzentration im Zusammenhang mit der Entwicklung der Gesamtwirtschaft in Deutschland, Jena 1910
Rittberger, Volker, Politische Krisen und Entwicklungsprobleme. Zum Stanford Projekt „Historische Systemkrisen und politische Entwicklung". Arbeitspapier für die wissenschaftliche Konferenz „Herrschaft und Krise" des Fachbereichs 15 der FU Berlin, 10.–13. 1. 1972
Ritter, Gerhard A., Historisches Lesebuch, Bd. 2, 1871–1914, Ffm. 1967
Röhl, John C. G., Beamtenpolitik im Wilhelminischen Deutschland, in: Stürmer, Michael (Hg.), Das kaiserliche Deutschland. Politik und Gesellschaft 1871–1918, Düsseldorf 1970, S. 287–311
Röhl, John C. G., Deutschland ohne Bismarck. Die Regierungskrise im Zweiten Kaiserreich 1890–1900, Tübingen 1969
Rosenberg, Hans, Große Depression und Bismarckzeit, Berlin 1967
Rostow, Walter W., Stadien wirtschaftlichen Wachstums. Eine Alternative zur marxistischen Entwicklungstheorie, Göttingen 1960
Ruegg, Walter und Neuloh, Otto (Hg.), Zur soziologischen Theorie und Analyse des 19. Jahrhunderts, Göttingen 1971
Sartorius v. Waltershausen, August, Deutsche Wirtschaftsgeschichte, 1815–1914, Jena 1920
Scheidemann, Philipp, Memoiren eines Sozialdemokraten, 2 Bde, Dresden 1928
Scheideler, Gert-Udo, Parlament, Parteien u. Regierung im wilhelminischen Reich, in: Aus Politik und Zeitgeschichte, Beilage zur Wochenzeitung „Das Parlament", B 12, 1971, S. 16–24
Schiffer, Eugen, Ein Leben für den Liberalismus, Berlin 1959
Schinckel, Max von, Lebenserinnerungen, Hamburg 1929
Schmidt, Gustav, Innenpolitische Blockbildung in Deutschland am Vorabend des Ersten Weltkrieges, in: Aus Politik und Zeitgeschichte, Beilage zur Wochenzeitung „Das Parlament", B 20, 1972, S. 3–32
Schmidt, Richard und Albert Grabowsky, Die Parteien. Urkunden und Bibliographie der Parteienkunde (Beiheft der ZfP), Berlin 1912
Schmölders, Günter, Das Selbstbildnis der Verbände, Berlin 1965
Schneider, Herbert, Die Interessenverbände, München 1965
Schulz, Gerhard, Über Entstehung und Formen von Interessengruppen in Deutschland seit Beginn der Industrialisierung, in: PVS, Jg. 2, 1961/62, S. 124–54
Schumpeter, Josef, Konjunkturzyklen, 2 Bde, Göttingen 1965
Schwabach, Paul H. von, Aus meinen Akten, Berlin 1927
Schweighoffer, Ferdinand, Zentralverband und Fertigungsindustrie, Berlin 1912
Sombart, Werner, Der moderne Kapitalismus, Bd. 3, Das Wirtschaftsleben im Zeitalter des Hochkapitalismus, Leipzig 1928
Sombart, Werner, Die deutsche Volkswirtschaft im 19. Jahrhundert und im Anfang des 20. Jahrhunderts, Berlin 1927
Sonnemann, Rolf, Die Auswirkungen des Schutzzolls auf Monopolisierung der deutschen Eisen- und Stahlindustrie 1879–1892, Berlin 1960
Spiethoff, Arthur, Die wirtschaftlichen Wechsellagen, Tübingen 1955
Stammer, Otto, Interessenverbände und Parteien, in: Kölner Zs. f. Soziologie und Sozialpsych., Jg. 9, 1957, S. 587–605
Stegmann, Dirk, Die Erben Bismarcks. Parteien und Verbände in der Spätphase des Wilhelminischen Deutschlands, Köln 1970
Steinmann-Bucher, Arnold, Über Industriepolitik. Offenherzige Betrachtungen, Berlin 1910

Steller, Paul, Streikpostenstehen und Schutz der Arbeitswilligen, (Südwestdeutsche Flugschriften, H. 22) Saarbrücken 1912
Stillich, Oscar, Die politischen Parteien, Bd. 1, Die Konservativen, Leipzig 1908, Bd. 2, Der Liberalismus, Leipzig 1911
Stresemann, Gustav, Macht und Freiheit, Aufsätze, Vorträge und Reden, Halle 1918
Stresemann, Gustav, Industriepolitik, Berlin 1908
Stresemann, Gustav, Wirtschaftspolitische Zeitfragen, Dresden 1910
Stürmer, Michael (Hg.), Das kaiserliche Deutschland, Politik und Gesellschaft 1870–1918, Düsseldorf 1970
Stürmer, Michael, Machtgefüge und Verbandsentwicklung im wilhelminischen Deutschland, in: NPL, Jg. 4, 1969, S. 490–507
Teschemacher, Hans, Reichsfinanzreform und innere Reichspolitik 1906–1913. Ein geschichtliches Vorspiel zu den Ideen von 1914, Berlin 1915
Tille, Alexander, Die Arbeitgeberpartei und die politische Vertretung der deutschen Industrie (Südwestdeutsche Flugschriften, H. 5), Saarbrücken 1908
Tille, Alexander, Die Berufsstandspolitik des Gewerbe- und Handelsstandes, 4 Bde, Berlin 1910 ff.
Tille, Alexander, Die politische Arbeitgeberbewegung (Südwestdeutsche Flugschriften, H. 8), Saarbrücken 1909
Tschierschky, Siegfried, Die Organisation der industriellen Interessen in Deutschland, Göttingen 1905
Verband ostdeutscher Industrieller, Jahresberichte 1909–1912, Danzig 1910 ff.
Die freie Vereinigung der Holzindustriellen zu Berlin e. V. 1890–1934, hg. vom geschäftsführenden Vorstand, Berlin 1934
Wagenführ, Rolf, Die Industriewirtschaft, Entwicklungstendenzen der deutschen und internationalen Industrieproduktion, 1860–1932, in: VzK, Sonderheft 31, Berlin 1933
Warburg, Max M., Aus meinen Aufzeichnungen, New York 1952
Warren, Donald, Stresemann, Organizer of Business Interests 1901–1914. Diss. Columbia University 1959
Warren, Donald, The Red Kingdom of Saxony, Lobbying Grounds for Gustav Stresemann 1901–1909, The Hague 1964
Was haben wir am Hansa-Bund?, Hg. v. Volksverein für das katholische Deutschland, Mönchengladbach 1910[2]
Weber, Max, Gesammelte Politische Schriften, Tübingen 1958[2]
Weber, Max, Der Nationalstaat und die Volkswirtschaftspolitik, in: ders., Gesammelte Politische Schriften, Tübingen 1958[2]
Wehler, Hans-Ulrich, Der Aufstieg des Organisierten Kapitalismus und Interventionsstaates in Deutschland, in: Winkler, Heinrich August (Hg.), Organisierter Kapitalismus, Göttingen 1974, S. 36–57
Wehler, Hans-Ulrich, Bismarck und der Imperialismus, Köln 1969, 1972[3]
Wehler, Hans-Ulrich, Das Deutsche Kaiserreich 1871–1918, Göttingen 1973
Wehler, Hans-Ulrich, Symbol des halbabsolutischen Herrschaftssystems: Der Fall Zabern von 1913/14 als eine Verfassungskrise des Wilhelminischen Kaiserreichs, in: ders. Krisenherde des Kaiserreichs, Göttingen 1970, S. 65–83
Wehler, Hans-Ulrich, Theorieprobleme der modernen deutschen Wirtschaftsgeschichte (1800–1945), in: Ritter, Gerhard A. (Hg.), Entstehung und Wandel der modernen Gesellschaft, Festschrift für Hans Rosenberg zum 65. Geburtstag, Berlin 1970, S. 66–107
Wein, Josef, Die Verbandsbildung im Einzelhandel, Berlin 1968
Wiedenfeld, Kurt, Das Rheinisch-Westfälische Kohlensyndikat, Bonn 1912
Winkler, Heinrich August, Einleitende Bemerkungen zu Hilferdings Theorie des Organisierten Kapitalismus, in: ders. (Hg.), Organisierter Kapitalismus, Göttingen 1974, S. 9–18

Winkler, Heinrich August, Mittelstand, Demokratie und Nationalsozialismus. Die politische Entwicklung von Handwerk und Kleinhandel in der Weimarer Republik, Köln 1972

Winkler, Heinrich August, Der rückversicherte Mittelstand: Die Interessenverbände von Handwerk und Kleinhandel im deutschen Kaiserreich, in: Ruegg, Walter und Otto Neuloh, Zur soziologischen Theorie und Analyse des 19. Jahrhunderts, Göttingen 1971, S. 164–79

Witt, Peter-Christian, Die Finanzpolitik des Deutschen Reiches von 1903–1913. Eine Studie zur Innenpolitik des Wilhelminischen Deutschlands, Lübeck 1970

Zapf, Wolfgang, Wandlungen der deutschen Elite. Ein Zirkulationsmodell deutscher Führungsgruppen 1919–1961, München 1966[2]

Zeuner, Bodo, Innerparteiliche Demokratie, Berlin 1969

Zeuner, Bodo, Kandidatenaufstellung zur Bundestagswahl 1965. Untersuchungen zur innerparteilichen Willensbildung und zur politischen Führungsauslese, Den Haag 1970

Zmarzlik, Hans-Günther, Bethmann-Hollweg als Reichskanzler 1909–1914, Düsseldorf 1957

Zunkel, Friedrich, Industriebürgertum in Westdeutschland, in: Wehler, Hans-Ulrich (Hg.), Moderne deutsche Sozialgeschichte, Köln 1966, 1970[3], S. 309–341

V. Register

1. *Sachregister*

2. *Personenregister*

In den Anmerkungen genannte Autoren sind nicht aufgeführt, soweit es sich dabei um reine Literaturangaben handelt.

KRITISCHE STUDIEN ZUR GESCHICHTSWISSENSCHAFT

1. **Wolfram Fischer · Wirtschaft und Gesellschaft im Zeitalter der Industrialisierung.** Aufsätze — Studien — Vorträge
2. **Wolfgang Kreutzberger · Studenten und Politik 1918—1933.** Der Fall Freiburg im Breisgau
3. **Hans Rosenberg · Politische Denkströmungen im deutschen Vormärz**
4. **Rolf Engelsing · Zur Sozialgeschichte deutscher Mittel- u. Unterschichten**
5. **Hans Medick · Naturzustand und Naturgeschichte der bürgerlichen Gesellschaft.** Die Ursprünge der bürgerlichen Sozialtheorie als Geschichtsphilosophie und Sozialwissenschaft bei Samuel Pufendorf, John Locke und Adam Smith.
6. **Die große Krise in Amerika.** Vergleichende Studien zur politischen Sozialgeschichte 1929—1939. Mit Beiträgen von Willi Paul Adams, Ellis W. Hawley, Jürgen Kocka, Peter Lösche, Hans-Jürgen Puhle, Heinrich August Winkler, Hellmut Wollmann. Herausgegeben von H. A. Winkler
7. **Helmut Berding · Napoleonische Herrschafts- und Gesellschaftspolitik im Königreich Westfalen 1807—1813**
8. **Jürgen Kocka · Klassengesellschaft im Krieg.** Deutsche Sozialgeschichte 1914—1918
9. **Organisierter Kapitalismus.** Voraussetzungen und Anfänge. Mit Beiträgen von Gerald D. Feldman, Gerd Hardach, Jürgen Kocka, Charles S. Maier, Hans Medick, Hans-Jürgen Puhle, Volker Sellin, Hans-Ulrich Wehler, Bernd-Jürgen Wendt, Heinrich August Winkler. Herausgegeben von Heinrich August Winkler
10. **Hans-Ulrich Wehler · Der Aufstieg des amerikanischen Imperialismus.** Studien zur Entwicklung des Imperium Americanum 1865—1900.
11. **Sozialgeschichte Heute.** Festschrift für Hans Rosenberg zum 70. Geburtstag. 36 Beiträge. Hrsg. von Hans-Ulrich Wehler
12. **Wolfgang Köllmann · Bevölkerung in der industriellen Revolution.** Studien zur Bevölkerungsgeschichte Deutschlands im 19. Jahrhundert
13. **Elisabeth Fehrenbach · Traditionale Gesellschaft und revolutionäres Recht.** Die Einführung des Code Napoléon in den Rheinbundstaaten
14. **Ulrich Kluge · Soldatenräte und Revolution.** Studien zur Militärpolitik in Deutschland 1918/19
15. **Reinhard Rürup · Emanzipation und Antisemitismus.** Studien zur ‚Judenfrage' der bürgerlichen Gesellschaft
16. **Hans-Jürgen Puhle · Politische Agrarbewegungen in kapitalistischen Industriegesellschaften.** Deutschland, USA und Frankreich im 20. Jhdt.
17. **Siegfried Mielke · Der Hansa-Bund für Gewerbe, Handel und Industrie 1909—1914.** Der gescheiterte Versuch einer antifeudalen Sammlungspolitik
18. **Thomas Nipperdey · Gesellschaft, Kultur, Theorie.** Gesammelte Aufsätze zur neueren Geschichte
19. **Hans Gerth · Bürgerliche Intelligenz um 1800.** Zur Soziologie des deutschen Frühliberalismus

VANDENHOECK & RUPRECHT IN GÖTTINGEN UND ZÜRICH